Андрей КОНСТАНТИНОВ
Александр НОВИКОВ

РАССЛЕДОВАТЕЛЬ:

Предложение крымского премьера

Санкт-Петербург
«Издательский Дом „Нева“»

Москва
Издательство «ОЛМА-ПРЕСС»

2002

ББК 84. (2Рос-Рус) 6
К 65

Константинов А., Новиков А.

К 65   Расследователь: Предложение крымского премьера. Роман. — СПб.: «Издательский Дом „Нева"»; М.: «ОЛМА-ПРЕСС», 2002. — 479 с.
ISBN 5-7654-2045-1
ISBN 5-224-03496-5

Глава Агентства журналистских расследований Андрей Обнорский ведет дело в Киеве. Крымский премьер-министр пригласил его расследовать исчезновение журналиста, получившее огромный резонанс в СМИ. Спустя два месяца после исчезновения в Тараще, под Киевом, обнаружено обезглавленное тело. Косвенные приметы указывают на то, что это исчезнувший журналист. Но так ли это? Кто и зачем убил журналиста? Пытаясь найти разгадку, Обнорский понимает, что все происходящее давно и тщательно спланировано. Он выходит на след режиссера этой драмы. Но собственная проницательность едва не стоит жизни Обнорскому, который сам становится жертвой преследования. Его пытаются запугать, а когда это не удается, его похищают, и он только чудом ускользает из рук убийц... Итак, режиссер известен. Но сможет ли Обнорский обезвредить его и при этом остаться в живых?

ББК 84. (2Рос-Рус) 6

Авторское предисловие

Уважаемый Читатель!

Перед тем, как Вы прочтете роман «Расследователь: Предложение Крымского премьера», полагаем необходимым рассказать следующее: в октябре 2000 года петербургское Агентство журналистских расследований (АЖУР) начало работать по так называемому «делу Гонгадзе». Мы провели собственное расследование трагических обстоятельств исчезновения и гибели киевского журналиста Георгия Гонгадзе. В этой работе приняли участие сотрудники нашего Агентства, а само расследование продолжалось больше года в Киеве, Крыму и других городах Украины и России — это беспрецедентный случай для нашей организации — и по сроку работы, и по объемам трудозатрат, и по географии неких изысканий. Сначала мы работали по приглашению IREX*, потом — по приглашению украинского политика Сергея Владимировича Куницына, который в то время был премьер-министром Крыма... Третий этап нашей работы мы проводили уже по собственной инициативе — очень уж нам хотелось до конца разобраться в той странной истории, которая произошла в сентябре 2000 года на Украине. Практически отчет о нашей работе мы публиковали в своей газете «Ваш Тайный Советник». Кроме того, мы дали официальную пресс-конференцию в Киеве. В декабре 2001 года директор Агентства Андрей Константинов и его первый заместитель Александр Горшков

---

* IREX — американская организация, способствующая развитию и сотрудничеству разных стран.

были приглашены в Верховную Раду Украины в комиссию по расследованию «дела Гонгадзе». Информация, которую сообщили депутатам Константинов и Горшков, оказалась для членов комиссии неожиданной и даже шокирующей. Основные материалы проведенного расследования были переданы в распоряжение высшего законодательного органа Украины. Через некоторое время комиссия Верховной Рады направила Агентству благодарственное письмо.

В результате проведенной нами работы мы, как нам кажется, пришли к пониманию того, что случилось в сентябре 2000 года в Киеве, и почему последующие события развивались по совершенно определенной схеме. Мы не всё, конечно, можем доказать, да и не могли мы брать на себя полномочия правоохранительных органов Украины, но у нас есть своя собственная четкая версия произошедшей трагедии, а также того, что ей предшествовало и что последовало за ней. Эта версия не совпадает с тем, что излагало по «делу Гонгадзе» абсолютное большинство средств массовой информации — украинских, российских и западных.

Однако предлагаемый Вам, Уважаемый Читатель, роман — это беллетристика, а не литературная версия нашего расследования. Реальное «дело Гонгадзе» послужило лишь информационным поводом для написания художественного произведения. В действительности все происходило... ПО-ДРУГОМУ, не совсем так, как изложено в романе. Потому, Уважаемый Читатель, отнеситесь к тому, что Вам предстоит прочитать, следующим образом: перед Вами будет представлена не реальная Украина, а виртуальная, в которой все персонажи, характеры и поступки героев — просто плод авторского воображения...

Андрей Константинов
Александр Новиков

Пролог

В свете фар снег летел наискось над дорогой густой белой массой. «Дворники» «лэндкрузера» сгребали его со стекла, но тотчас же на стекло налипал новый. Широкие шины расплескивали по сторонам фонтаны воды и грязи.

— Смотри, не пропусти поворот, — сказал Слепой.

— Тещу поучи, — бросил в ответ Грек.

Он был изрядно раздражен, считал, что уже пропустил поворот... А хрен тут чего разберешь в этой путанице лесных дорог, в темноте, да еще в снегопад. Дед набросал план от руки, ткнул пальцем — вот здесь! На бумаге все было понятно. А на деле оказалось не так уж и просто. Хотя и провели днем репетицию и место нашли. Но днем было светло.

— Ты тещу свою поучи, — повторил Грек зло.

И в этот же момент в свете фар блеснула бутылка, которую Грек днем воткнул в развилке ветвей дерева как ориентир. Горлышко бутылки указывало аккурат на яму. Джип остановился.

— Вот она! — сказал Слепой.

— То-то... а то — «поворот не пропусти»! Ты тещу свою поучи, а меня не надо. Точно в десятку вывел. Под снегом и в темноте! Попробуй-ка ты так.

— Ну давай тогда выгружать, — сказал Слепой и оглянулся назад.

5

Он оглянулся назад с нехорошим чувством, с опаской. Как будто груз мог сам распаковаться и вылезти из багажного отсека. Слепой точно знал, что сам груз никак не может этого сделать. И месяц назад не мог, а теперь-то подавно. Так что вроде и нервничать нечего... Да как тут не занервничаешь? Перед тем, как ехать в лес, Грек со Слепым выкурили по косяку и хлебнули горилки от души. Но все равно их круто «колбасило на измене».

— Сейчас выгрузим, — сказал Грек. — Дай только разверну задом к яме, чтобы тащить ближе было. Тяжелый он, сволочь.

— Да уж — не из легких...

Грек подал джип вперед и начал пятиться, подгоняя автомобиль к кустам, за которыми находилась яма. В темноте наткнулся задним бампером на пень. Вообще-то, он знал о его существовании, но в темноте и «на нервах» забыл. «Тойота» легко выкорчевала пень из земли, но бампер смялся, ободралась краска.

— Ну ты... водитель! Дед с тебя шкуру спустит, — зашипел Слепой.

— А я что — кошка, чтобы в темноте видеть? — огрызнулся Грек. — Поправит он свой бампер.

— Не он, а ты поправишь, — сказал Слепой злорадно.

Он понимал, что дело-то не в бампере... какой, к черту, бампер? Было бы о чем говорить! Понимал, что все его, Слепого, злорадство — от страха и неуверенности. Оттого, что промах напарника как бы приподнимает самого Слепого.

Грек открыл дверцы багажника — груз лежал на полу, накрытый куском драного брезента. Слепой включил фонарик, осветил груз. Грек сдернул брезент. Луч фонаря упал на большой полиэтиленовый мешок, запаянный намертво. Толстый матовый полиэтилен не позволял разглядеть, что там, внутри.

— Давай, — сказал Слепой. Вдвоем они ухватили мешок за углы. — Взяли... раз-два!

6

По синтетическому покрытию пола багажника мешок скользнул легко. Он вывалился из салона и шлепнулся на землю, покрытую опавшей листвой и снегом. Звук шлепка напоминал звук удара куска мяса о разделочную доску.

— Из полиэтилена, — засуетился Грек, — из полиэтилена освободить надо.

— Знаю, — осадил его Слепой. — Не мельтеши.

Он вытащил из кармана нож-выкидуху, разрезал мешок. Из разреза показалось что-то темное, страшное... Ударил мерзкий запах... Грек отпрянул. Не помогали ни анаша, ни водка, била дрожь.

— Чего встал? — окликнул его Слепой. — Подсобляй.

Он сделал поперечный разрез и отогнул в стороны половинки разрезанной пленки. Теперь стало видно, что в мешке лежит безголовый труп мужчины. Впрочем, Грек и Слепой отлично знали, что лежит в мешке, — Слепой же и упаковывал.

Тело сбросили в яму, которая, возможно, когда-то раньше была окопчиком. Долго ворочали, укладывая в яме, матерясь зло друг на друга, на покойника без головы, на Деда... Страшно было — край. Все казалось, что-то происходит в шуме ветра, в вихре мокрого снега... что крадутся в темноте бойцы «Беркута» и спасения нет. Но никто не вышел из-за снежной кулисы, никто не помешал, и они засыпали труп тяжелой, напитанной влагой землей.

Завернули в полиэтилен лопаты, перчатки, швырнули в багажник. Потом и сами сели в машину. Тепло было в салоне, уютно.

— Поехали, — сказал Грек.

Слепой кивнул: поехали. Грек пустил двигатель — дизель ровно затарахтел.

— Стой! — заорал вдруг Слепой. — Стой, бля!

— Что? — закричал Грек. — Что?

— Голову забыли, — сказал Слепой.

Оба опять вылезли из машины, открыли просторный багажный отсек. В углу сиротливо лежал полиэтиленовый пакет. Его содержимое по размеру походило на средний арбуз. Несколько секунд Слепой и Грек молча смотрели на пакет. Потом Слепой взял его одной рукой, другой взял лопату... посмотрел на Грека. Грек пожал плечами. Слепой сплюнул и сказал:

— Я сам.

И ушел туда, куда светили вдоль просеки фары джипа. За стеной снежной круговерти Греку худо было видно, чем Слепой занят. Но он и так знал, что Слепой закапывает голову... Голову было велено зарыть отдельно, надежно.

Когда он вернулся, Грека колотило.

— Включай скорее печку, чувачок, — сказал Слепой, и Грек кивнул, завел машину, включил вентилятор отопителя на максимум. По салону пошла волна горячего воздуха.

Слепой перегнулся назад, достал с заднего сиденья бутылку. Зубами вырвал полиэтиленовую пробку, стал лить горилку в пасть с железными зубами.

— Оставь, — попросил Грек и напарник понял — оставил, протянул Греку бутылку...

Спустя несколько минут дрожь улеглась. В салоне джипа стало жарко, в крови бродил алкоголь. Покачиваясь на ухабах лесной грунтовки, туша «тойоты» уползла с развилки трех дорог. Осталась бутылка из-под шампанского «Черная вдова», указывающая горлышком на старый окоп. Впрочем, окопа уже не было. А было грязно-снежное месиво... с торчащей из него рукой мертвеца.

Да еще следы джипа на снегу. Скоро, однако, и следов не осталось.

Часть первая
РАССЛЕДОВАТЕЛИ

Ноябрьский день увядал на глазах. Сумерки накрыли питерские улицы, в них бледно тлели пятна фонарей. Директор Агентства журналистских расследований «Золотая пуля» Андрей Обнорский ехал в плотном потоке автомобилей по Суворовскому проспекту. Он возвращался со встречи с источником. Встреча оказалась безрезультатной, и Обнорский был разочарован.

Поток машин двигался медленно, а на подъезде к Невскому вовсе замер. В этот момент и зазвонил телефон. Андрей достал трубу из кармана куртки:

— Алло.

— Андрей Викторович? — сказал незнакомый мужской голос.

— Слушаю.

— Андрей Викторович, моя фамилия Филатов, я советник губернатора.

— Очень приятно, — механически произнес Обнорский. О Филатове он слышал, но никогда не встречался.

— Андрей Викторович, не могли бы вы уделить мне пару минут? — спросил Филатов.

Обнорский мрачно посмотрел на «пробку» и подумал, что может запросто уделить советнику не пару минут, а больше.

— Разумеется, слушаю вас.

— Андрей Викторович, суть вопроса, в общем-то, проста. Сейчас в Санкт-Петербурге находится с дружеским визитом премьер правительства Крыма Сергей Васильевич Соболев. Сергей Васильевич — ваш поклонник и хотел бы с вами встретиться.

— Встретиться? — удивился Андрей. — Со мной?

— Да-да, именно так...

— А собственно... зачем? — задал Обнорский не особо умный вопрос.

— Сергей Васильевич — гость губернатора, — произнес Филатов так, как будто это могло служить ответом на вопрос — «зачем?».

— Понятно, — буркнул Обнорский, все еще удивляясь и пытаясь понять, что же именно нужно от него совершенно незнакомому крымскому премьеру... поклонник? Довольно странно. Политики такого уровня довольно редко нисходят до общения с литераторами. Если не брать в расчет каких-то дежурных мероприятий. Обнорский собрался задать еще вопрос, но Филатов сказал:

— Вот и хорошо... Передаю трубочку Сергею Васильевичу.

И через секунду в трубке зазвучал другой голос:

— Здравствуйте, Андрей Викторович... Меня господин Филатов уже представил, но я представлюсь еще раз: Соболев Сергей Васильевич, премьер-министр правительства Автономной республики Крым и ваш давний читатель. И почитатель.

Голос у Соболева был властный и уверенный. Сильный. Обладатель такого голоса определенно привык руководить людьми и, вероятно, принадлежал к публичным политикам.

— Весьма приятно, — сказал Обнорский. — А я очень люблю Крым.

— В таком случае считайте, что вы уже получили приглашение отдохнуть в Крыму... Время года, правда, не самое подходящее, но я думаю, что все еще впереди. Принимаете?

— Благодарю вас, — неопределенно ответил Обнорский.

— Рано благодарите, Андрей Викторович. Вот когда встретимся в Крыму... вы, кстати, раньше бывали у нас?

— Бывал, — ответил Обнорский. Посреди сумеречного ноябрьского Санкт-Петербурга вспыхнуло на миг яркое крымское солнце над синей водой. Сзади засигналили. Управляя одной рукой, Андрей воткнул передачу, передвинулся метров на десять, — бывал... за приглашение благодарю.

— Не за что. Это, напротив, я буду вам признателен, ежели вы соберетесь и прилетите к нам. Но пока мы не в Крыму, а в Питере... Если вы свободны нынче вечером, может быть, мы поужинаем вместе, Андрей Викторович?

Каких-либо определенных планов на вечер у Обнорского не было, и он согласился.

— Вот и чудно, — сказал Соболев, — в восемь я вас жду в смольнинской гостинице. Вы знаете, где она находится? Я, кстати, могу прислать за вами машину.

— Спасибо, не нужно. А где гостиница — я знаю. Буду в двадцать ноль-ноль.

* * *

В былые времена гостиница принадлежала обкому КПСС. Простому смертному попасть в нее было так же невозможно, как грешнику в рай. Это неприметное здание рядом со Смольным никогда не афишировало себя — свои респектабельные апартаменты оно предоставляло избранным. Теперь гостиница принадлежала правительству города (то есть опять же — Смольному), но сохранила прежние традиции и закрытость для посторонних. Обнорский понял это сразу, как только вошел в холл. Подтянутый мужчина неопределенного возраста — ему могло быть и тридцать с небольшим, и сорок пять — встретил Обнорского у входа и вежливо поинтересовался, кто и к кому?..

Андрей представился, но мужчина столь же вежливо попросил разрешения взглянуть на документ, удостоверяющий личность. Обнорский предъявил «права» и спросил:

— Отпечатки пальцев снимать будем?

Показывая, что юмор ценит, секьюрити ответил:

— В другой раз, с вашего разрешения, Андрей Викторович... Сергей Васильевич вас ждет... позвольте вашу куртку.

Андрей сбросил куртку на руки другому, неизвестно откуда появившемуся мужчине. Этот, второй, чем-то неуловимо напоминал первого... братья они, что ли? Сбросив куртку, Обнорский успел перехватить неодобрительный и будто бы слегка удивленный взгляд, которым первый секьюрити окинул его свитер.и джинсы. Впрочем, взгляд был мимолетный... почти что и не было его.

— Прошу вас, Андрей Викторович, — сказал секьюрити, сделав жест рукой в направлении лифта. — Нам на четвертый этаж.

Слово «нам» не было случайной оговоркой — секьюрити поднялся в лифте вместе с Андреем... охрана или конвой?

Крымский премьер встретил гостя в холле четвертого этажа. На вид ему было около сорока лет. Премьер оказался крепким, широкоплечим человеком с открытым, располагающим лицом. Чем-то он был похож на артиста Евдокимова.

— Здравствуйте, Андрей Викторович, — сказал, протягивая руку, Соболев. — Вы исключительно точны...

Охранник как-то незаметно исчез, Соболев и Обнорский остались в холле вдвоем.

— ...вы исключительно точны, а вот я должен извиниться — жена моя еще наводит последний марафет... Вы же понимаете — все эти женские штучки!

Употребив слово «жена» вместо официального, положенного премьер-министру по рангу, «супруга», Соболев сразу обозначил неформальный характер встречи. Он определенно располагал к себе — в нем не было ничего напускного, «номенклатурного», чего так не любил и опасался Обнорский... Жену премьера ждать не пришлось — Валентина Павловна появилась спустя несколько секунд после слов про «все эти женские штучки». Она вышла в вечернем платье, и Обнорский снова вспомнил про свои джинсы и свитер.

Соболев представил жену, Андрей галантно поцеловал ей руку.

— Мы покушаем в зимнем саду, — сказал Соболев. — Прошу вас. Стол уже накрыт, и нас ожидает бутылка замечательного «бастардо» девятьсот шестьдесят пятого года.

Столик посреди зимнего сада был уже сервирован, рядом застыл официант с профессионально-внимательным лицом и в «бабочке». На белоснежной скатерти не было ни единой морщинки, сверкал хрусталь, в центре стола высилась бутылка непревзойденного крымского «бастардо»... Как-то сразу удалось избежать банального «политесного» разговора о погоде, красотах Северной Венеции и Тавриды, и прочей «обязательной» в таких случаях ерунды. Халдей в «бабочке» откупорил вино, Соболев заговорил о крымских винах. О чудовищной трагедии горбачевской эпохи, когда безжалостно вырубалась элитная лоза. О самоубийстве знаменитого крымского винодела... Соболев говорил горячо, страстно, о наболевшем. В его голосе слышались горечь и скрытая ярость... Обнорский ощутил симпатию к этому крепкому открытому мужику (хотя слово «мужик» как-то не очень употребимо к премьер-министру).

А «бастардо» оказался хорош. Чудо как хорош.

— За наше знакомство! — сказал Соболев, и бокалы с рубиновым вином сошлись, пропели глубоко, мелодично.

— Нам с Валентиной, — продолжил Соболев, когда выпили вина, — очень хотелось познакомиться с вами, Андрей, потому что мы оба ваши поклонники...

13

Справедливости ради замечу, что ваши книги первой открыла Валя. Она, можно сказать, настояла, чтобы я прочитал «Переводчика». Я ведь в силу своей работы довольно-таки сильно занят, и свободного времени негусто... Но Валентина настояла, и я прочитал. За одну ночь! И сразу понял, что это пережитое, это — выстраданное, это — НАСТОЯЩЕЕ.

— Благодарю вас, — сказал Андрей. Похвала была — чего ж скрывать? — приятна. Вдвойне приятна оттого, что Соболев говорил искренне, от души...

— Это мы вас должны благодарить, — ответил премьер. — За хорошую, честную книгу... Я берусь об этом судить потому, что сам прошел через Афган, был пулеметчиком и даже (Соболев усмехнулся не очень весело) был награжден... так что — ПОНИМАЮ.

Обнорский, исполнявший несколько лет «интернациональный долг» на Ближнем Востоке, видевший своими глазами кровавую мусульманскую резню во всей ее бессмысленной жестокости и мерзости, относился к коллегам-фронтовикам с искренним уважением. Андрей рассказал Соболевым о своей военной эпопее. Слушали его внимательно, с интересом.

— А чем вы нынче занимаетесь, Андрей Викторович? — спросил Соболев. — Что пишете? Когда ждать новых книг?

— Я пишу, — ответил Обнорский, — но, должен сознаться, довольно мало... Страшная напряженка со временем, потому что все время съедает Агентство.

— Агентство? — спросила Валентина Павловна. — Какое Агентство?

— Я ведь в первую очередь журналист, — объяснил Андрей. — Писательство — это, скорее, хобби. А еще я директор Агентства журналистских расследований «Золотая пуля».

— Господи, как интересно! Расскажите, Андрей Викторович...

Обнорский вкратце рассказал о работе Агентства, о последних расследованиях. Для иллюстрации при-

14

вел пример розыска и задержания Крохи* — убийцы депутата Законодательного собрания Санкт-Петербурга. В Питере дело получило громкую огласку, но гости из Крыма о нем не знали. Соболевы выслушали Обнорского с откровенным изумлением.

— Это же самый настоящий детектив, Андрей Викторович, — заметила супруга премьера, когда Обнорский умолк. — Извините за бестактный вопрос: а вы не боитесь? То, чем вы занимаетесь, наверное, очень опасно?

— Как вам сказать, Валентина Павловна... Элемент риска, конечно, есть... не без этого. На нас уже, как принято нынче говорить, наезжали. Нас пытались купить, нас пытались запугать, скомпрометировать... не буду вас утомлять подробностями. Но кто-то же должен делать дело. Было время, когда я пытался работать в одиночку. Вот тогда действительно было очень опасно...

Андрей на несколько секунд замолчал, глядя на бокал кроваво-красного «бастардо»... Он вспомнил, как его пытали в подвале боевики Черепа... и немигающий змеиный взгляд Черепа вспомнил... и гадливенький голос Антибиотика... Он вспомнил последний, предсмертный «парад» ликвидатора Василия Михайловича Кораблева... вспомнил тоску нижнетагильской ментовской зоны. Вспомнил Катин голос и Катины глаза... и бег начиненного долларами микроавтобуса с мертвым водителем за рулем на трассе «Скандинавия»... Он много чего вспомнил.

— Вот тогда было действительно опасно. И афоризм «Один в поле не воин» имеет большой практический смысл. И я начал создавать Агентство. Оно рождалось в адских муках. Как ребенок. Но теперь

___

* Имеется в виду реальный случай из практики Агентства журналистских расследований. Сотрудниками агентства был установлен и задержан некто М. — профессиональный киллер, убийца депутата питерского ЗакСа. Случай беспрецедентный, не имеющий в отечественной практике аналогов.

мой ребенок вырос, окреп и может решать весьма непростые задачи. Простите уж за нескромность.

— Помилуй Бог, Андрей Викторович, — сказал Соболев. — Какая тут нескромность? То, что вы рассказали, вызывает восхищение... Задержание профессионального киллера? Это достойно правительственной награды!

Обнорский усмехнулся, пряча усмешку в усы... Награды? Да, это достойно награды. И эту награду Андрею вручили... после года мытарств... в проходном дворе... со словами: «Держите. Вам медаль, а этим вашим орлам — Звереву и Каширину — часы от министра МВД. Мы их биографии тщательно изучили. По обоим тюрьма плачет: один пять лет за вымогалово отсидел, второй два года в федеральном розыске числился... А мы им — часы. Цените, Обнорский, и помалкивайте».

Человек, который передал Андрею медаль и наградные часы, забыл упомянуть, что «орлы», у которых действительно были сложности в биографии, вычислили и задержали профессионального киллера Кроху. Что за Крохой лежит целое маленькое кладбище и терять ему особо нечего, а объявление Каширина в федеральный розыск связано с милицейским головотяпством. Родион, сам в прошлом сотрудник милиции, был объявлен в розыск как свидетель. Однако где-то в недрах бюрократической машины произошла поломка, и спустя два года «напряженного розыска» (Каширин жил себе дома, ни от кого не скрываясь) Родю задержали как опасного рецидивиста... долго разбирались, а потом освободили, забыв извиниться.

Обнорский усмехнулся в усы и ничего не стал объяснять Соболеву про награды. Он видел умные, проницательные глаза премьера и знал, что Соболев поймет... Но объяснять не стал. К чему «грузить» гостя?

— Скажите, Андрей Викторович, вы беретесь за любые расследования? — спросил Соболев.

— Отнюдь. Мы разборчивы, как барышня на выданье.

16

— Каковы критерии отбора? Общественный резонанс? Коммерческий интерес? Сложность?

— Разумеется, все эти факторы имеют значение, Сергей Васильевич. В том числе и коммерческий интерес... но от некоторых очень выгодных предложений мы все же отказываемся.

— Любопытно... Вам не нужны деньги?

— Нужны. Их еще, к сожалению, не отменили. Отказываемся мы в тех случаях, когда заказчик хочет получить устраивающий его результат. У нас есть основополагающий принцип: вы можете заказать у нас расследование, но не можете заказать результат.

— Я вас понял, Андрей Викторович, — произнес премьер. — Кстати, вы слышали о «деле Горделадзе»?

— Да, разумеется, — кивнул Обнорский. — О нем нельзя не слышать.

— И что вы об этом думаете? — спросила Валентина Павловна.

— Думаю, что шумиха вокруг исчезновения Горделадзе раздута искусственно. — Андрей закурил, повертел в руках бокал с рубиновым «бастрадо». — Скорее всего это пиар-акция самого Горделадзе. И группы заинтересованных лиц.

— У нас на Украине многие считают по-другому, — заметил премьер. — В исчезновении Горделадзе обвиняют... вернее, не обвиняют... Короче, некоторые намекают на причастность к этому президента и спецслужб. Делу пытаются придать исключительно скандальный, политический характер.

— Я, — ответил Обнорский, — далек от политики, Сергей Васильевич. Однако считаю, что и в России, и на Украине политические убийства исключительно редки... В наших условиях убивают, как правило, свои и, как правило, за деньги. Опыт наших расследований самых громких, резонансных дел подсказывает, что в основе почти всегда лежит коммерческий интерес. Я, разумеется, не могу говорить обо всех убийствах или покушениях в России, но по Питеру мы информацией владеем.

— Вице-мэр Малевич? — быстро спросил Соболев.

— Убит в связи с невозвратом долгов, взятых под предвыборную кампанию Демократа. Я не смогу это доказать в суде, но оперативные материалы подтверждают именно эту версию.

— Убийство Галины Старухиной тоже имеет под собой... э-э... финансовую основу?

— Однозначно, — твердо сказал Обнорский.

— Вы проводили эти расследования? — спросил Соболев.

— Да, мы проводили собственные расследования.

Соболев сделал глоток вина, помолчал, а потом сказал:

— Когда я читал ваши документальные книжки, я понимал, что за этим материалом — огромная, кропотливая работа. Но даже представить себе не мог, что вы создали целую расследовательскую организацию. Скажите, Андрей Викторович, как у вас складываются отношения с властью... с ГУВД, в частности?

— По-разному, — ответил Андрей. — И в Смольном, и в ЗакСе, и в ГУВД — разные люди. Кто-то нас поддерживает, даже помогает нам... А кто-то ждет не дождется момента, когда мы допустим какую-то ошибку. Если мы публично называем вора вором, взяточника — взяточником, а бандита — бандитом... за что же им нас любить? Не все нас любят, далеко не все.

— М-да... нам в Крыму здорово не хватает структуры, подобной вашей. У нас тоже криминальная ситуация далека от идеала. За последние годы мы, конечно, Крым подчистили и кое-кому хвост прижали... Но много еще работы. Очень много. Журналисты у нас есть. Но вот опыта расследовательской работы у них не хватает.

— А мы своим опытом делимся, — ответил Андрей. — В том числе с крымскими коллегами. Я, кстати, недавно был в Крыму, мы там семинар по расследованиям проводили.

— Вот тебе и раз, — сказал Соболев. — Почему я не знал? Вернусь — взгрею своего пресс-секретаря... Когда вы были в Крыму? Где?

— Семинар проходил неподалеку от Ялты. В сентябре, как раз, когда Горделадзе исчез. Ажиотаж, кстати, по этому поводу был огромный, все украинские СМИ только об этом и говорили.

— Горделадзе... — задумчиво произнес премьер. — Скажите, Андрей Викторович, а если бы вам предложили поработать над темой исчезновения Горделадзе? Вы бы согласились?

— Не знаю... Скорее — не согласился бы.

— Почему, Андрей Викторович? Вы же не очень хорошо знакомы с «делом Горделадзе», — возразил Соболев.

— Напротив, Сергей Васильевич. Я, волею случая, весьма хорошо знаком с «делом Горделадзе», — произнес Обнорский.

Он задумался, вспоминая свою поездку в Крым.

* * *

Кренясь в вираже, «ТУ-154» развернулся, и в иллюминаторе показалось море. Море было невероятной, насыщенной синевы, вдали оно смыкалось с небом, и этот переход был невидим. Вблизи синева окаймлялась белоснежной ниткой прибоя вдоль длинной желтой косы.

Все краски были яркими, чистыми, избыточными. Самолет снижался, от перемены давления закладывало уши... Море исчезло, сменилось «геометрией» сельхозугодий, дорог и поселков. Самолет снижался очень быстро, скоро стали различимы крыши домов, бегущие по дорогам автомобили и отдельные деревья в лесопосадках. Растопыривая закрылки, самолет гасил скорость, скользил над бетоном аэропорта... сел. И долго, минут пятнадцать, катился по дорожкам, среди белых, красных и желтых линий разметки. Остановился в полусотне метров от здания аэропорта с надписью поверху — «Симферополь».

— Ну здравствуй, Таврида, — тихо пробормотал Андрей Обнорский, спускаясь по трапу и подставляя лицо солнцу.

В Крым Обнорский прилетел для участия в семинаре по теме «Журналистское расследование и свобода слова». Была середина сентября, по-летнему тепло и зелено. В России этот период называется бабье лето, а здесь, в Крыму, все еще уверенно властвовало лето настоящее. Обнорский прилетел по приглашению организации «Журналисты за свободу слова». Он любил семинары — за встречи с новыми людьми, за возможность пообсуждать вопросы, которые его искренне волновали. Он еще не знал, что именно здесь, в уютном, зеленом Симферополе, произойдет его знакомство с делом Георгия Горделадзе.

* * *

Галина Сомова была высокой стройной брюнеткой. Андрей обратил на нее внимание сразу, как только увидел. Семинар проходил в старом, некогда принадлежавшем ЦК профсоюзов санатории. Санаторий находился в живописнейшем месте на берегу моря. Но в первый раз Андрей увидел Галину не у моря, а в пасторальном пейзаже на берегу пруда, обрамленного старыми ветлами... Галина стояла на мосточке и кормила уток. Солнце местами пробивалось сквозь густую листву, блики высвечивали на зеленоватой воде пятна более светлого цвета. Все это выглядело очень красиво, но Обнорский подумал вдруг, что пруд в светло-зеленых пятнах солнечного цвета и коричневых пятнышках уток похож на камуфляжный комбез... Сравнение было неприятным и неуместным в этот солнечный мирный день. Рождало глубоко в душе протест, чувство тревоги. Впрочем, это чувство быстро пропало. Мелькнуло — и пропало. Андрей улыбнулся девушке на мосточке и проследовал дальше. Сопровождавший его шустрый мальчик из тусовки говорил о евроремонте, сделанном в санатории, о новых импортных унитазах и о свободе слова... об унитазах у него получалось интереснее. Или, по крайней мере, эту тему он знал глубже. Обнорский для поддержания разговора кивал головой. Андрей чувствовал, что женщина смотрит вслед...

«Мать моя, какая тетенька, — вздохнул Обнорский, идя по коридору к своему номеру, и тут же сам себя мысленно оборвал: — Не время, товарищ! Не о том думаете! Украинские товарищи пригласили вас, москаля, на семинар — можно сказать, на горло своей неза- лежной хохляцкой песне наступили, — а вы все о ба- бах, вместо того, чтобы к занятиям готовиться! Стыд- но, товарищ Обнорский! Очень стыдно и больно за вас... Тем более что на таких тетенек пялиться — толь- ко нервы себе попусту трепать... Такие тети — да с та- кими смачными цибурами* — в одиночестве у моря не оказываются... Не тот размер, знаете ли, для томного, затянувшегося одиночества... Рядом где-нибудь поса- пывает толстый лысый папик, которого эта тетя, воз- можно, уже и утомила, но с народом он все равно не поделится... Так что закатайте губищу свою похотли- вую обратно взад и готовьтесь, мой одинокий друг, к семинару...» Андрей устраивался в номере и мысленно шутил сам с собой, надеясь (втайне от самого себя) перехитрить судьбу — очень уж ему хотелось, чтобы незнакомка оказалась не отдыхающей, а участницей семинара. Потому что в этом случае появлялись кой- какие шансы. Но мысли о шансах Обнорский от себя гнал, чтобы не сглазить...

Примерно через час, приняв душ, побрившись, пе- реодевшись и вообще намарафетившись, Андрей на- правился в бизнес-центр, где его уже поджидали участники международного семинара «Журналистское расследование и свобода слова на постсоветском про- странстве». Перед тем, как открыть дверь в зал, Об- норский хотел было перекреститься (не из-за волне-

---

* Цибуры — женские прелести, стати, достоинства *(блатной жарг.)*.

ния о занятиях — а для того, чтобы брюнетка оказалась в аудитории), но оборвал сам себя: «С ума сошел — к Богу, да с такими мыслями! Да вы маньяк, товарищ!» Развеселившись от этой перепалки с самим собой, Андрей вошел в аудиторию, улыбаясь приветливой, интеллигентной и чуть усталой улыбкой молодого профессора, вынужденного ненадолго оставить храм науки ради просветительских лекций в подшефном колхозе. Бизнес-центр был уже почти полон, но брюнетки в нем не наблюдалось. То есть какие-то брюнетки, конечно, присутствовали — участников и участниц предполагалось около тридцати, — но это все были не те брюнетки. То есть тоже хорошие, но не те... Пока Андрей шел к своему месту, горестно вздыхая, на лицо его успело вернуться нормальное человеческое выражение.

Обнорский не первый и даже не десятый раз проводил подобные семинары в разных городах России и бывших Советских республик — так что методикой он более или менее владел, а за свои знания по непосредственному предмету и вовсе не очень волновался, все-таки его «Золотая пуля» была в России чуть ли не единственной конторой, специализирующейся именно на журналистских расследованиях. Андрей любил семинары — ему нравилось делиться опытом с коллегами, нравилось спорить с ними, слушать истории из их практики. Обнорский старался сразу «почувствовать» аудиторию и завязать с ней живой человеческий контакт — в тех случаях, когда это удавалось, семинар уже потом шел не по регламенту, было весело, интересно и как-то азартно... Но пару раз в центре России Андрей потерпел полное фиаско — то есть занятия-то по программе он, разумеется провел, но живой контакт с коллегами почему-то не получился. Особенно неприятным вышел семинар для журналистов Нижегородского региона. Тамошние коллеги, отобранные для участия в семинаре местным Союзом журналистов, почему-то изначально настроились по отношению к Обнорскому и ребятам из Агентства как-то агрессивно-скептически. Мол, приехали, штучки столичные, культуртрегеры питерские, нас неразумных просвещать — а мы и сами с усами, могем и вопросы с подковырочкой... Андрей, кстати, вопросов с подковырками не боялся — если только спрашивавшему действительно интересен был ответ, а не просто факт «сольного выступления с вопросиком» — мол, что, срезал?

Но нынешняя крымская аудитория была настроена исключительно доброжелательно — просто на удивление. Обнорский, в принципе, ожидал от хохлов с их «комплексом незалежности» какой-то байды, но никакой враждебности или ревнивой искусственной снисходительности не ощутил. Аудиторию ведь почти сразу чувствуешь — как опытный певец зрительный зал. (Когда-то Андрею рассказывал Игорь Корнелюк: «Знаешь, любой концерт делается — или не делается — в первые три минуты, в зависимости от того, что ты от зала почувствуешь...»)

— Здравствуйте, дорогие коллеги, — начал Андрей. — Давайте начнем наш семинар. Надеюсь, работать нам будет приятно и интересно, а для начала — давайте знакомиться. Я немного расскажу о себе и об Агентстве, а потом пойдем по кругу — каждый представится, расскажет, где трудится, какой у кого опыт расследовательской работы и кто чего хотел бы получить от нашего семинара. Только сразу предупреждаю — все ответы на вопросы будем пытаться находить вместе. Я не академик и не дед-всевед и приехал сюда не для того, чтобы учить вас, а чтобы вместе обсудить заявленные в программе семинара темы. Другое дело, если что-то из нашего опыта окажется для вас нужным и полезным — тогда я буду очень рад. Ну а если не примете чего-то — что ж, монополией на истину я не владею... Ну да ладно, давайте знакомиться — меня зовут Андрей Обнорский, творческий псевдоним Серегин, я бывший военный переводчик и в журналистике не так давно — с лета девяносто первого года. Так что...

В этот момент Обнорский поперхнулся, потому что дверь аудитории открылась, пропуская к собравшимся ту самую брюнетку.

— Извините, — сказала она, виновато улыбаясь. — Я, кажется, опоздала?

Андрей аж ногами под столом от радости засучил и мысленно завопил: «Господи, спасибо, Ты очень добрый ко мне, уроду! Ой, Господи, прости, опять я к тебе с этой хреновиной...» Вслух же он просто мед полил (и голос медовым стал, и интонации):

— Что вы, что вы, коллега, проходите, пожалуйста, устраивайтесь поудобнее, это мы, пожалуй, чуть раньше начали... Да, собственно, и начать-то мы еще практически не успели... Вот, знакомимся пока еще... Я уже представился, меня Андреем Обнорским зовут, а коллеги еще о себе ничего не рассказали... Давайте с вас и начнем — как зовут, где работаете, вообще как жизнь. Рассказывайте о себе всю правду, не забывая про самое сокровенное, — все равно узнаем, тут ведь одни расследователи собрались...

Аудитория шелестнула смешками, брюнетка чуть порозовела и, слегка поклонившись, назвала себя:

— Сомова Галина, Киев, неправительственная организация поддержки независимой прессы «Виктория»... А опыта расследовательского у меня практически нет.

— Ничего, ничего, — защебетал соловьем Обнорский. — Опыт — это дело наживное... в том числе и в расследованиях... Мы, знаете ли, для того тут и собрались, чтобы... Чтобы опытом делиться и меняться...

Представление участников пошло по кругу, Андрей напустил на себя серьезности, кивал и даже что-то якобы записывал в блокнот, а на самом деле все время думал о брюнетке, изредка скашивая на нее взгляд: «У ты какая! Прям такая... серьезная... Сосредоточенная и, я бы сказал, ответственная... Как бы к тебе подвалить-то ненароком... Чтобы такое придумать-то...»

— А правда, что вы тот самый Серегин, который детективы пишет? — вернул Обнорского к реальности вопрос одной из участниц семинара — совсем моложавенькой, с широко распахнутыми от восторга глазами.

«Спасибо тебе, сестренка», — мысленно поблагодарил Андрей и приготовился к распусканию павлиньего хвоста.

— Правда, — кивнул он и улыбнулся чуть смущенно, с продозированной детской беззащитностью. — Но это не совсем по теме нашего семинара... Книги — это хобби, я пишу их в свободное от работы время... А его у меня остается очень мало — расследования, знаете ли — процесс трудоемкий.

— Ой! — восхитилась молоденькая участница. — А можно у вас интервью взять?

— Ну конечно, можно... Времени хватит. Кстати, коллеги, для удобства общения я предлагаю перейти на «ты», как у всех нормальных журналистов принято.

Аудитория одобрительно загудела, и только Галина никак не отреагировала внешне на доброе и, можно сказать, демократическое предложение Андрея. «У ты какая! — хрюкнул про себя Обнорский. — Стало быть, на скромных и открытых к общению звезд, понимаете ли, российской беллетристики мы не ведемся... Это нехорошо. Чем же тебя зацепить, тетя Галя?»

Между тем процесс представления завершился, и Андрей начал первое занятие:

— Итак, коллеги, давайте начнем с того, что рассмотрим общие правила безопасности при проведении журналистских расследований. Эти правила объективно существуют, и их необходимо знать. В самом деле, никого ведь не удивляет, что когда выпускник ПТУ приходит на завод, его до станка не допускают, пока он зачет по технике безопасности не сдаст... А у нас, в журналистике, занимайся чем хочешь, ковыряй любую тему, и никто никаких зачетов не требует из редакционного начальства — такова повсеместная практика. И это при том, что на каждом углу сами же главные редактора постоянно твердят, что работа у нас очень рисковая и опасная...

Коллеги заулыбались, и Обнорский понял, что семинар получается. Контакт состоялся. Андрей встал, сунул руки в карманы и продолжил, прохаживаясь у доски вдоль торцевой стены:

— А действительно ли уж настолько опасная у нас профессия? Или понятие профессионального риска все-таки очень сильно преувеличено? Риск ведь и у летчиков есть, и у водителей, и у врачей, у пожарников и милиционеров, у строителей... Да, журналисты иногда погибают. И цифры погибших в странах СНГ — достаточно внушительные... Однако большинство — подавляющее большинство — погибших приходится на так называемые «горячие точки», а там погибают все — и журналисты, и дети, и женщины, и военнослужащие... Пуля, снаряд или мина — они ведь не выбирают... Целенаправленная «охота на прессу» в зонах конфликтов практически не ведется — за редким исключением. Захваты журналистов с целью получения выкупа — это другая история, здесь опять же никто целью не ставит воспрепятствовать профессиональной деятельности, здесь люди деньги зарабатывают, а за журналиста, как за резонансную фигуру, выкуп получить — больше шансов. Да и, к слову сказать, в «горячих точках» наши коллеги также постоянно правила безопасности нарушают. Часто из них потом героев делают — опять же по причине резонансности... В девяносто шестом году одна молоденькая журналистка из крупнейшей общенациональной газеты, где я тогда имел честь работать, отправилась в Чечню. Под Моздоком их группа решила заночевать в полевом госпитале — и их там несколько журналистов из разных изданий было. То да се — посидели с врачами, выпили. А потом девушке приспичило пройтись — в компании с молодым хирургом, — воздухом подышать. Короче, ломанулась она куда-то и задела ногой растяжку — их специально вокруг госпиталя наши же и ставили — на случай нападения боевиков. Хорошо еще, хирург, услышав, как запал щелкнул, успел ее на землю свалить. Сам потом у нее из задницы осколки и доставал... А президент потом взял и наградил девушку орденом Мужества — как раненную при исполнении служебных обязанностей. Орден она приняла. Вся армия потом плевалась, и отношение к журналистам история эта, естественно, не улучшила.

Аудитория загомонила, и Обнорский успокаивающе поднял руку:

— Коллеги, я, конечно, совсем не хочу сказать, что все случаи — такие... Но чаще все-таки гибнут по-дурацки, и ранения получают тогда, когда об элементарных правилах безопасности забывают или не знают их вовсе. Зато потом — множество геройских военно-морских рассказов по редакциям: «Что ты можешь мне сказать, мальчик? Я войну видела». Но мы о «горячих точках» говорить не будем — эта тема не нашего семинара. Мы говорим о работе в мирных городах и весях. Так вот — в мирное время на журналистов нападают редко. И я очень мало знаю случаев, чтобы их убивали «за правду».

— Подожди, Андрей, — поднял руку парень из Львова. Он говорил по-украински, но Обнорский, напрягшись, все понял. — А как же Листьев, Холодов и эта... девушка из Калмыкии?

— Юдина?

— Да, Юдина... И сколько пишут и говорят об избитых и искалеченных журналистах...

Обнорский пожал плечами:

— Убийство Листьева к журналистике имеет малое касательство. Он был, скорее, шоуменом и, конечно, очень крупным администратором, который собирался сильно изменить рекламный рынок на Первом канале. Это — огромные денежные интересы многих людей. Так что убийство Листьева — оно, скорее, финансовое. Холодов... Тут сложнее... Но скажите мне — кого он разоблачил, для кого представлял конкретную опасность? Его статьи были о коррупции в армии вообще — без опасной конкретики. Зачем его убивать-то было, если он откровенно наивные вещи писал.

— Но ведь убили же, — низкий голос Галины легко перекрыл зашумевших семинаристов.

— Убили, — кивнул Обнорский. — Причем убили очень странно. Как будто специально подбирали самый резонансный, самый голливудский и самый дурной, кстати, способ — бомба в чемоданчике... Зачем? Ведь намного проще было зарезать его в парадной, инсценировав ограбление, сбить машиной, дернуть за ногу, когда он по лестнице поднимался... Любой профи легко сделал бы это все без всяких чемоданов. А тут — как будто специально внимание привлечь хотели... Мне кажется, что убийство это было своеобразной акцией отвлечения общественного внимания, — оно произошло как раз после обвала рубля в «черный вторник» и первого, неудачного, ввода наших контрактников в Чечню... А Холодова выбрали как объект потому, что он лучше других подходил на эту роль — в шпионов играть любил, никому ничего не рассказывал, таинственность все время напускал... Это — как первый запуск в космос, в принципе — какая разница, кто бы первым полетел — Гагарин или Титов? Но у Гагарина улыбка была лучше.

— Ну а случай в Калмыкии? — Средних лет дама из Днепропетровска сняла с носа очки и взмахнула ими — то ли возмущенно, то ли удивленно.

Андрей вздохнул:

— Лариса Юдина... Да, этот случай, пожалуй, действительно впрямую связан с профессиональной деятельностью. Ее убийцы, как вы, наверное, знаете, изобличены и осуждены. Там, судя по всему, «эксцесс исполнителя» случился. Один большой человек, которого она критиковала, однажды прочитал статью и воскликнул в сердцах: «Да что же, никто этой суке пасть заткнуть не может?!». Его холопы поняли буквально, а когда ее убили, большой человек за голову схватился — что же вы, придурки, натворили?!

— Ну а сколько случаев было, когда журналистов избивали до полусмерти, сколько случаев, когда за ними следили? — Эти слова сказала Галина, и Андрей начал отвечать, глядя ей прямо в глаза:

— Да, таких случаев много... А вы задумывались когда-нибудь, сколько избивают врачей, учителей, рабочих и пенсионеров? У нас с вами, коллеги, профессия корпоративная — если с кем-нибудь из наших что-то случается — мы тут же та-акой гвалт поднимаем, — даже если это обычное ограбление или разбой — все равно кричим, что напали на прессу и свободу слова. Глядишь, и милиция с прокуратурой в этом случае пошустрее работать начинают. Чувство корпоративной солидарности — вещь великая, и упрекать за это нас нельзя. Но и самообманываться не стоит. «Тьмы низких истин нам дороже нас возвышающий обман» — это еще Пушкин заметил, если я правильно его строки помню. Так давайте не будем заниматься самообманом. У нас с вами разговор сейчас профессиональный, между своими, так сказать... Читатели и зрители не видят и не слышат. Желание романтизировать нашу профессию в их глазах понятно — и без некоего мифотворчества здесь не обойтись. Главное, самим не начать искренне верить в собственные же мифы — иначе можно запросто от реалий оторваться...

Обнорский сделал паузу, потом улыбнулся, вспомнив одну занятную историю «в тему»:

— Несколько лет назад одной очень известной российской журналистке-демократке-депутатке дали трубой по голове. Естественно, во всех СМИ на следующий же день началась настоящая истерика — нападение на демократическую прессу, на свободу слова, заговор коммуно-фашисткой красно-коричневой чумы и тому подобное. С больничной койки пострадавшая давала многочисленные интервью, главный смысл которых заключался в том, что «правду все равно не удастся затуманить тем самым, которые хотят повернуть историю вспять». Мы решили поузнавать детали этого происшествия — журналистка-депутатка эта, кстати сказать, на момент покушения руководила питерским каналом телевидения, и как раз незадолго до «нападения на демократию» ее заместитель по коммерции сбежал за границу, утащив с собой почти все деньги со счета канала, — больше двух миллионов рублей. Нам казалось, что удар трубой по ее голове как-то был связан с этим хищением... Но оказалось, что все значительно проще...

Андрей оглядел притихшую аудиторию, остановил взгляд на Галине (она смотрела на него заинтересованно, но с явно сдерживаемым желанием возразить) и продолжил:

— А было дело так: в тот злополучный день наша демократическая теленачальница решила посетить своего знакомого, очень известного актера — своего бывшего, кстати, коллегу по депутатскому корпусу, единомышленника-демократа. Дело в том, что у актера как раз день рождения случился. Однако, уже подходя к его дому, вдруг вспомнила наша героиня, что идет в гости без подарка. А поскольку женщина она культурная и интеллигентная, то решила тут же исправить ситуацию и приобрести в ближайшем ларьке «кекс иностранного производства» — так потом в протоколе было написано. А уже вечерело. Ларек стоял в двух метрах от подворотни, и вокруг него тусовались, как это часто случается в России, пьющие люди, многим из которых, как всегда, не хватало на очередной стакан. И что же видят эти серьезно озабоченные страдальцы? К их ларьку из сумрака выплывает ярко крашенная блондинка лет пятидесяти с гаком, в коротком, красном, переливающемся плаще (во Франции такие плащи у проституток в большой моде), с гордо поднятой головой. Кладет это чудо на прилавок руки, чтобы всем хорошо виден стал перстень с огромным сверкающим камнем, и требует у продавца кекс. Продавец кекс выдает, дама достает из сумочки бумажник, но рублей после долгих поисков там не обнаруживает, а находит лишь пачку абсолютно американских долларов. И тогда она пытается расплатиться за крайне необходимый ей кекс штатовской деньгой. Но продавец упирается, говорит, что у него в ларьке — не обменный пункт. Дама начинает блажить, пытается сагитировать на свою сторону народные массы, которые наблюдают за всем этим балаганом достаточно угрюмо, — им страдания по кексу непонятны, потому что и на водку-то не хватает. Короче, скандал усиливается, дама орет, что это провокация, что не для того она за демократию боролась, чтобы вот так вот за реальные доллары кекс было не купить в ларьке. В общем, победила она продавца — наверное, он ее узнал в лицо и предпочел не связываться. Получив-таки заветный кекс, мадам направилась в подворотню — усталая, но гордая, как и положено победительнице, не давшей сорвать провокационным силам радостную встречу двух демократов. А чтобы добраться до подъезда актера, нужно было миновать два проходных двора, больших и темных, типично питерских. Вот во втором-то дворе, у самого подъезда, ее и настигли злые красно-коричневые силы — напали на прессу и демократию в ее лице, ударили трубой по голове, а чтобы замаскировать политическую сущность злодейства, отобрали у поверженной, но не сломленной журналистки доллары, плащ и перстень...

Участники семинара уже хохотали в голос, только Галина Сомова еще боролась с собой, сдерживая улыбку.

— А кекс? Кекс они тоже забрали? — еле смогла выговорить, смеясь, пухленькая шатенка из Одессы.

Обнорский ухмыльнулся и покачал головой:

— Нет, кекс они оставили... С ним пострадавшая и была доставлена сердобольными соседями в квартиру актера — и оттуда уже пошли звонки руководству ФСБ... Ну не в милицию же звонить, если совершенно очевидно, что произошла попытка террористического акта, а это, как всем известно, подследственность именно эфэсбэшная...

Минут через пять, когда наконец все отсмеялись, Андрей поднял указательный палец и, хмыкнув, завершил историю:

— Самое любопытное, что выяснив все детали, мы не стали ничего об этом писать... Неудобно было как-то — после всего того безумия, которое по СМИ прокатилось. Не хотелось, чтобы читатели нас, журналистов, стали бы мудаками, извините за выражение, считать. Пусть уж лучше считают героями... Да и врагов в своем цеху наживать не хотелось. Опять же голову человеку все-таки проломили, неудобно было о больном человеке такую правду рассказывать. Правду вообще по разным житейским и нравственным причинам далеко не всегда нам рассказывать удается, но ее, по крайней мере, надо знать.

— То есть вы хотите сказать, что все нападения на журналистов и у нас на Украине, и в России, и в Белоруссии — это все случаи бытовые, в которых сами же наши коллеги и виноваты? — Вопрос Галины окончательно подавил веселье в аудитории.

Посерьезнел и Обнорский:

— Нет, я не считаю, что все случаи — бытовые. Я считаю, что бытовых просто гораздо больше, чем... чем каких-то других. Про вот эти «другие» я очень много слышал разных военно-морских историй, но потом, при детальном разборе, выяснялось, что все, как всегда, достаточно просто — либо грабеж и разбои, когда грабившие даже не знали толком, кого они на гоп-стоп ставят, либо пьяные драки, либо какие-то личностные отношения с чужими женами, любовницами или, наоборот, мужиками. Как один мой приятель, бывший опер, выражается: мир стоит на чугунных законах, к сожалению... или к счастью — это уж кому как. А исключения — они, конечно, бывают, но ведь исключения лишь подтверждают правило.

— У нас в Киеве несколько дней назад, наверное, и случилось такое исключение. — Галина подняла руку и заговорила почему-то вдруг очень взволнованно, почти что с болью: — Пропал без вести известный журналист, Георгий Горделадзе. Он резко критиковал нашего президента, а теперь исчез... Скорее всего, с ним расправились власти, как с оператором Завадским в Белоруссии.

Журналисты мгновенно зашумели — оказывается, многие уже слышали об исчезновении Горделадзе, а некоторые из присутствовавших знавали его лично.

— Правильно, Гийка давно Бунчуку как бельмо на глазу был, вот он его и зачистил.

— Да какое бельмо? Бог с вами, чего он такого уж накритиковал-то?

— С американцами он дела имел... Они с Аленой и в Вашингтон ездили.

— Во-во, с Аленой. Это при живой жене и дочках малых... А не одна Алена и была — Георгий парень видный, чего уж там... Журналист, я считаю, средненький, а вот как мужчина — такой... очень даже.

— Загулял где-то... Объявится сам скоро... Жена достала, любовница — тоже. Алена-то, кстати, пострашнее Мирославы раза в два, а то и в три будет... Вот он к третьей какой-нибудь и завалился. Пробухается и придет, а тут такой хай подняли — похитили, убили!

— Сам он себя и похитил, для рекламы... да, для рекламы! А потом «сбежит из плена».

— Без СБУ здесь все равно не обошлось.

Обнорский некоторое время растерянно переводил взгляд с одного кричащего на другого, но потом принял волевое решение прекращать этот птичий базар. Он решительно поднял руку и строго сказал:

— Так, коллеги! Давайте все-таки непосредственно к теме занятия вернемся. Тем более что, как я услышал — случай с... Горделадзе — я правильно фамилию разобрал? — он совсем недавний и делать какие-то выводы о его похищении или исчезновении еще рано... Мало накоплено конкретных фактов.

— Конкретных фактов как раз много, — снова заговорила Сомова. — Дело в том, что Георгий...

— Галя, — проникновенно и мягко перебил ее Андрей. — Я предлагаю обсудить этот вопрос после занятий... Если вы не возражаете... Иначе мы ничего не успеем по нашей программе. Хорошо? Добре?

— Хорошо, — улыбнулась после секундной паузы Галина, и Обнорский внутренне довольно «потер лапки»: «Вот и замечательно, вот и чудесно, тетя Галя! У нас появился повод пообщаться в свободное от семинара время... Вот и ладушки, вот и зацепились!»

О самом Горделадзе и его исчезновении Андрей вовсе не думал, и никакое предчувствие его даже не кольнуло, он просто откровенно радовался появившемуся предлогу для более приватного контакта с красивой женщиной. А в том, что он сумеет приложить максимум усилий для «реализации» предлога — в этом Андрей не сомневался. «Засирать мозги и ездить по ушам» он все-таки умел почти профессионально — журчал как ручеек и убаюкивал-убалтывал. Опыт, знаете ли... Обнорскому когда-то рассказали байку про известного композитора, кажется, про Свиридова, который при не очень казистой внешности был страшным бабником, и причем довольно удачливым. Как-то раз этого композитора кто-то спросил — как же ему удается таких шикарных женщин «укручивать»? Композитор улыбнулся и, потупив глазки, скромно ответил: «А мне ее самое главное — до рояля дотащить. А когда играть начинаю — там оно уже попроще идет. Играю-то я неплохо...»

Так вот — «роялем» Обнорского был его собственный, неплохо подвешенный язык, и он этим не стеснялся беззастенчиво пользоваться.

— Итак, — сказал Андрей, придя от предвкушения в окончательно хорошее расположение духа, — перейдем от нашего затянувшегося вступления к правилам безопасности при проведении журналистских расследований. Первое правило гласит...

— Андрей Викторович, — подняла руку молоденькая почитательница книг Обнорского. — Простите, пожалуйста... А вот в ваших романах герой — журналист. С ним же постоянно какие-нибудь страшные истории случаются... А я читала, что ваши книги, они на реальных фактах основаны. А вы говорите, что в жизни у журналистов таких историй почти не бывает?

«Срезала», — вздохнул Андрей, улыбнулся и покачал головой:

— Художественное произведение и реальная жизнь — это все-таки, как в Одессе говорят, — две большие разницы. Элемент вымысла все же присутствует. А кроме того... Герой моих книг, журналист-расследователь, он постоянно нарушает все основные правила безопасности — и жестоко за это расплачивается. Да и в разные истории он попадает, в основном, не при проведении расследований, а, как бы это сказать... влезая в разные ситуации, которые разворачиваются рядом с расследованиями... Но самое главное — это то, что я уже сказал: он, стервец, постоянно (иногда даже осознанно) нарушает правила безопасности, к которым, черт побери, я все-таки предлагаю вернуться. Итак, первое базовое правило: при проведении расследования журналист не должен ни в коем случае носить только на себе так называемую эксклюзивную информацию, он должен ее постоянно «сбрасывать» — на коллег, на доверенных лиц, на начальство, на различные технические виды носителей. Тогда у тех, для кого такая информация может представлять угрозу, не возникнет соблазна «зачистить» журналиста, как лицо, знающее опасный секрет, — не будут же они всю редакцию вырезать. Банды мотоциклистов с автоматами и гранатометами даже в американских боевиках на редакции не нападают...

Семинар пошел своим чередом, Андрей перемежал размеренный «диктовочный» тон с менее официальными комментариями, журналисты конспектировали, время от времени переспрашивали. День пролетел незаметно. За обедом и ужином Обнорский сознательно общался со всеми коллегами, за исключением Галины — ее он оставлял на самый вечер, чтобы, как говорится, уже никто не мог помешать. И наконец-то вечер настал. Андрей вытащил Галину к морю — воздухом подышать, на волны посмотреть... Море, как известно, способствует. Оно убаюкивает. Обнорский навалился на киевлянку «всей мощью интеллекта» — смешил, рассказывал байки и серьезные истории, короче, морочил голову по всем правилам науки охмурения. Перейти к разговору о Горделадзе просто физически не получилось.

* * *

Теплая сентябрьская ночь дышала запахом моря. Андрей и Галина шли по песку. Песок хранил дневное тепло, под ногами хрустели мелкие ракушки. Луна нарисовала на воде серебряную дорожку.

— Может, искупаемся? — спросил Андрей.

И услышал оч-чень порадовавший его ответ:

— А я без купальника...

— Это очень хорошо... Ой, в смысле — ничего страшного... Я тоже, так сказать... Но нас никто не увидит... Ночь ведь уже... И я вести себя прилично буду, я же не жлоб...

Галина немного помедлила, потом отошла на несколько шагов и быстро сняла платье. А под ним почти ничего и не было — так, ерунда какая-то... Ерунду она тоже сняла. Андрея заколотило. Стаскивая с себя штаны, он чуть не упал мордой в песок, но удержал равновесие и побежал к морю, догонять Галину. Она далеко уплыть не успела... Обнорский осторожно обхватил ее сзади — сначала за талию, потом, обнаглев, начал гладить груди... Первый поцелуй потащил их на дно, они вынырнули, держась за руки, и молча поплыли к мелководью. Андрей целовал ее лицо и все сильнее гладил ее бедра, живот... ну и все остальное... Он с трудом сдерживался, чтобы не заурчать от удовольствия — надо же было хоть какие-то приличия соблюдать.

— Подожди, Андрей, подожди, — задыхаясь, слегка отбиваясь от его рук, полусказала-полупростонала Галина. — Подожди... Я где-то читала... что в море... о Боже, нет... что в море это вредно... Оно соленое... Ой, Андрей...

— Врут! — убежденно выдохнул ей в ушко Обнорский. — Прессе верить нельзя, такое понапишут!

— А тебе... верить?.. ой...

— А мне... можно... Галя...

— Андрю... ша...

Обнорскому давно не было так хорошо. Он словно растворился одновременно и в море, и в женщине... Он словно пропал — и все тяжелые мысли и заботы тоже куда-то пропали. И вообще все мысли. Пару раз, правда, мелькнула одна: «Как бы Галя своими стонами коллег не всполошила», — но потом и эта здравая мысль угасла. На берег они выползли на четвереньках и долго молчали, приходя в себя... Они лежали на песке рядом и смотрели в черное небо над головой.

— У тебя шрамы, — сказала она, проведя пальцем по груди. Шрам остался, как память о встрече с бойцами Черепа. — Откуда у тебя шрамы?

— Тяжелые журналистские будни, — буркнул Обнорский.

Говорить, нарушая очарование ночи, не хотелось. Галина приподнялась на локте, прикоснулась к Обнорскому прохладной грудью с твердым соском. Высоко в небе летел самолет, пульсировал огоньками.

— Ах да, — сказала она. — Ты же великий криминальный журналист из страшного бандитского Петербурга.

— Галя, я тебя умоляю... — ответил он. — Петербург не более страшен, чем ваш Киев.

— Даже так?

— Именно так.

— Тогда это действительно страшно.

— Почему же?

— Потому что Киев — страшный город. В нем исчезают люди.

— Люди везде исчезают. В Киеве, в Токио, в Париже...

— Да, но в Токио или в Париже власти начинают бить тревогу, если пропал журналист.

— О чем ты? — спросил Обнорский лениво.

— Как о чем? О Горделадзе, — с удивлением ответила Галина.

— А-а... — разочарованно протянул он. — Опять про Горделадзе... Галя, если честно, то я не совсем понимаю, почему ты связываешь его исчезновение с президентом, с властями...

— Как же? Гия не любил президента. Однажды во время теледебатов даже поставил его в абсолютно дурацкую ситуацию — вся Украина смеялась. И вдруг пропал.

— Не вижу связи. Десятки, если не сотни журналистов, критикуют Бунчука, и ничего с ними не происходит...

— Вот и произошло! — сказала Галина горячо. — Вот и произошло! Почему ты не хочешь осознать этот факт?

— Да брось ты! Из реплик твоих же коллег-земляков на семинаре я понял, что этот ваш Гия весьма любвеобилен... Он же грузин, кровь у него горячая. Так что, Галя, не вижу пока никаких особых оснований для беспокойства. Через день-другой объявится. Покается перед женой, очухается... У журналистов такие закидоны случаются. Хочешь, я тебе одну историю расскажу, как одну нашу питерскую журналистку «похитил» не кто-нибудь, а целый «резидент литовской разведки» — двое суток, сволочь, насиловал и вербовал беспощадно. Так она, сердешная, потом мужу сказала. Был в этой истории, правда, один нюанс: «резидент» в соседней редакции завотделом работал. Но она об этом мужу говорить не стала. И я вот думаю, что...

Галина, не ответив ничего, встала и пошла прочь по песку косы. Сзади она была чудо как хороша. Андрей полежал еще несколько секунд, любуясь ее фигурой, потом вздохнул, встал и пошел догонять.

— Господи! — бормотал Андрей. — Ну при чем здесь Горделадзе?

* * *

А Горделадзе оказался очень даже при чем. Весь семинар прошел под знаком Георгия Горделадзе. В перерывах журналисты страстно обсуждали загадочное, детективное исчезновение своего коллеги. Одни говорили, что к исчезновению Георгия причастен президент Бунчук. Другие видели руку Москвы, третьи — Вашингтона. Щирый хохол из Винницы Боря Рабинович, единственный из всех участников семинара демонстративно говоривший только по-украински (вставляя, правда, иной раз английские слова) и носивший украинскую национальную рубашку, горячо доказывал, что здесь-таки не обошлось без боевиков Моссада. Журналистка из Нежина — без бюста, но зато с серьгой в пупке, сказала, что Гию похитили чеченцы...

Обнорский от этих разговоров тихо шизел. Он совершенно не понимал, на кой черт президенту, ФСБ, или ЦРУ, да пусть даже и Моссаду, нужен среднеизвестный журналист? А представить себе чеченских боевиков в Киеве, на бульваре Леси Украинки, он мог, но с очень большим трудом. Да и вообще с момента исчезновения Горделадзе прошло чуть больше четырех суток. О чем разговор, коллеги дорогие?

Примерно четверть участников семинара с доводами Андрея соглашалась. Остальные — в основном молодежь — продолжали строить догадки и версии — одна невероятнее другой. Вскоре Обнорский перестал с ними спорить. Он понимал, что молодым журналистам очень хотелось, чтобы странная история, случившаяся с их коллегой, была не какой-то «бытовухой», а настоящим героическим приключением. Героическое приключение приподнимало значимость профессии, романтизировало в глазах обывателей остальных журналистов и вообще добавляло адреналина в кровь... Все это Андрей очень хорошо понимал, поскольку давно уже был частью журналистского корпуса со всеми его примочками — и хорошими, и плохими. А принадлежность к корпоративному сообществу — это штука такая, как бы вернее сказать, — тонкая... Обнорский любил свою профессию и свой цех — прекрасно осознавая недостатки очень многих его представителей. Эта любовь и чувство корпоративной солидарности не позволяли ему издеваться и насмешничать над коллегами. Или, скажем точнее, почти не позволяли...

В конце второго дня семинара Андрей прочитал заключительную лекцию. В принципе, можно было улетать, но он решил остаться еще на один день — впереди было короткое бабье лето, а потом слякотная петербургская осень с дождями, мокрым снегом и голыми деревьями. Андрей решил задержаться на денек у моря.

Вечером он пригласил Галину в ресторан. Они поехали в Ялту, на Дарсан, в «Горку». Вечерело, садилось солнце, освещая лежащие внизу город, порт и бесконечный простор моря. Пейзаж был совершенно фантастический в невозможной своей красоте.

Андрей и Галина пили «Белый мускат Красного камня». Обнорский молчал, глядел на закат, стараясь запечатлеть его в памяти навсегда, понимая, что это невозможно.

— Обнорский, — сказала Галина осторожно, — ты не передумал?

— Про что не передумал? — спросил Обнорский, очнувшись.

— Ты все-таки улетаешь в свой Ленинград?

— В Санкт-Петербург...

— Жаль...

— Мне тоже.

— Ну так останься! — сказала она. — Давай останемся здесь еще на недельку... или махнем ко мне в Киев. Там сейчас очень красиво, каштаны на Крещатике стоят рыжие. А, Андрей?

Обнорский взял Галину за руку, сказал:

— Я не могу. Каштаны — это здорово... но не могу. У меня Агентство, лекции в университете. Извини, не могу — работа.

— Я же не предлагаю тебе отдых. Ты в Киеве проведешь еще один семинар. Для большой группы журналистов. То, что ты рассказал ребятам о методике расследования, более чем полезно. У нас практически нет журналистов, специализирующихся именно на расследовании. А в свете последних событий это актуально до предела. Исчезновение Горделадзе...

— Обнорский поморщился. Говорить о Горделадзе не хотелось. Хотелось просто смотреть на море и закат, пить это изумительное вино.

— Да, Горделадзе, — с ноткой вызова сказала Галина. — Я обратила внимание, что тебе не хочется говорить на эту тему. Но ведь ты не знаешь подробностей. Ты не знаешь, что за ним следили последнее время.

— И что — есть факты?

— Да, есть факты...

— Любопытно...

— И это все, что ты можешь сказать? Неужели у тебя нет хотя бы чувства корпоративной солидарности? Неужели тебе не хочется разобраться?

Солнечный диск спрятался, и мгновенно стало темно. Город внизу вспыхнул тысячами окон и фонарей. В море ярко светились огоньки катеров. Обнорский вздохнул и ответил:

— У меня есть чувство корпоративной солидарности... Но видишь ли, для того, чтобы, как ты говоришь, разобраться, мало одного желания. Разбираться нужно командой. Потратить на это массу времени и денег...

— Деньги будут, — сказала Галина быстро.

— Ого! Откуда же они возьмутся? Даст ваша «Виктория»?

— Да, даст наша «Виктория».

— Ого! Ты, видимо, не представляешь себе, о каких деньгах идет речь, — сказал Обнорский. — Для того, чтобы работать на серьезном уровне, необходимо задействовать хотя бы пару моих ребят. Им нужно оплатить билеты, гостиницу, командировочные. Их необходимо оснастить средствами связи, транспортом. Им необходимо иметь в своем распоряжении свободные деньги на оперрасходы.

— Деньги будут, — уверенно сказала Галина.

Обнорский посмотрел на нее с интересом. Закурил, потом спросил:

— А кто финансирует вашу «Викторию»?

— Нас финансирует правительство США.

— ЦРУ? — спросил Обнорский громким шепотом, выкатывая глаза.

Галина нахмурила брови и сказала:

— Глупости. Какое ЦРУ? Какое ЦРУ, Андрей?

— Не обижайся, — ответил Обнорский. — Мне по большому счету глубоко наплевать, кто финансирует ваш фонд.. Хоть Папа Римский, хоть Березовский, хоть союз геев и лесбиянок... на результаты расследования это никак не повлияет.

— Я могу понимать твои слова, как согласие провести расследование исчезновения Горделадзе?

— Очень быстро бежишь. Притормози.

— Но ты сказал, что...

— Погоди, Галя, — перебил ее Обнорский. — Мне нужно вернуться в Питер, посмотреть, какие есть материалы по Горделадзе... и только после этого принять решение. О'кей?

— Йес! — ответила Галина. — Материалы я тебе подберу и вышлю.

— И давай-ка сегодня больше не будем возвращаться к этой теме, — добавил Обнорский.

42

К этой теме больше не возвращались. Поужинали и вернулись в санаторий. Наутро утомленный любовью Обнорский уехал в Симферополь, оттуда вылетел в Москву, а вечером был в Питере. С собой он привез тоненькую папочку с надписью «Горделадзе». Никакие предчувствия его по-прежнему не беспокоили.

* * *

В Питере Обнорский закрутился с делами и два дня все никак не мог добраться до папки. Вечером второго дня позвонила Галина, поинтересовалась: как дела вообще и познакомился ли Андрей с содержимым папки в частности?

— Галя, — сказал Обнорский, — я страшный свин, но так и не нашел пока времени...

— Андрей, — с укором протянула Галина.

— Ну виноват, признаю! Даю честное пионерское, что прямо сейчас сажусь читать. Завтра утром тебе отзвонюсь... О'кей?

— Йес! — ответила она. — Я очень хочу тебя видеть, Андрюша... или хотя бы слышать твой голос. Я буду ждать твоего звонка. Я очень буду ждать, Андрюша.

Обнорский включил кофеварку, выключил телевизор (с экрана энтэвэшный диктор взахлеб рассказывал о «чудовищных репрессиях» против НТВ) и открыл папку.

С первой страницы на него смотрело лицо Георгия Горделадзе. Взгляд у Георгия был хороший, Обнорскому он понравился... Еще Обнорский подумал, что где-то уже видел Горделадзе... или кого-то он сильно напоминает. Андрей попытался понять, где же мог видеть или на кого похож Георгий Горделадзе, и не смог. Андрей перевернул страницу и снова увидел фото журналиста. На этот раз Георгий был сфотографирован с женщиной и двумя девочками, а подпись под снимком гласила: «Георгій Горделадзе з дружиною Мірославою і дітьми».

Обе фотографии на самом-то деле были ксерокопиями с газетных материалов. Глядя на фото, Андрей впервые подумал, что Горделадзе был семейным человеком «...з дружиною Мірославою і дітьми...» А впрочем, почему был? Ни одного факта, доказывающего, что Георгия Горделадзе убили, пока, кажется, нет. Андрей перевернул страницу, отложил в сторону. Третья страничка в досье Галины, а вернее сказать — фонда «Виктория», оказалась справкой о биографии Горделадзе.

Обнорский закурил, взял в руки листок и прочитал:

Справка:
«Горделадзе Георгий Русланович. Род. 21.05.69. Уроженец Грузии.

Паспорт: НА № 388000, выдан 18.12.96 Галицким РУВД г. Львова.

ОЗП: АМ № 898292, выдан 12.07.99 „1302".
(Не исключено наличие других паспортов.)

Постоянно прописан во Львове, фактически проживает в Киеве.

Мать — Корчак Леся, украинка. Проживает во Львове.

Отец — Руслан Горделадзе, грузин. Умер.

Жена — Горделадзе (Петренко — дев. фам.) Мирослава Станиславовна. Род. 19.07.72.

Уроженка Бережаны, Тернопольской обл.

Чета Горделадзе имеет дочерей-близнецов Нану и Саломею.

Г. Горделадзе профессионально занимался журналистикой с начала 90-х. Примыкал к Руху, участвовал в патриотических акциях Руха и Студенческого братства.

По непроверенным данным, принимал участие в боевых действиях во время грузино-абхазской войны, был ранен.

Последнее место работы — редактор Интернет-газеты „Украинские вести". Исчез 16.09.00 в г. Киеве».

— М-да, — сказал Обнорский, — жидковата справочка. Даже и не справка вовсе, а так... неполные установочные данные. Если бы мне в Агентстве принесли такую, руки бы оборвал...

Он снова взял лист с фотографией Георгия, Мирославы и девочек... Теперь, после ознакомления со справкой, он знал имена близняшек — Нана и Саломея. Возможно, они уже сироты... Он отложил фото и вторично перечитал справку... Биография... А что биография? Какое время, такие и биографии.

«Самая, — подумал Андрей, — обыкновенная биография. На первый по крайней мере, взгляд». Еще он подумал, что официальная биография может сильно отличаться от реальной. Но это уже отдельная тема... Все остальные страницы досье оказались вырезками из украинских (как правило — киевских) газет. Частью на украинском языке, частью на русском. Русскоязычные тексты Обнорский внимательно изучил. В подавляющем большинстве материалы были слабенькие — содержали массу эмоций по поводу исчезновения Георгия и очень мало фактов.

Папку Обнорский отработал довольно быстро. Он знакомился с материалом, выписывал факты и фамилии, встретившиеся в тексте. Через два часа он закончил, сложил документы обратно в папку и подвел некоторые итоги.

Итак, в субботу, 16 сентября 2000 года, в Киеве исчез журналист Интернет-газеты «Украинские вести» Георгий Горделадзе. Около восьми часов вечера Георгий Горделадзе и Алена Затула, главный редактор «УВ», покинули офис-редакцию «УВ», расположенный на улице Владимирской. В редакции остались еще два сотрудника, а Георгий и Алена отправились к Алене домой, куда пришли около девяти вечера. Квартира, снимаемая Аленой, расположена на бульваре Леси Украинки. Примерно до двадцати одного сорока пяти Георгий, со слов Затулы, принимает душ... Затем он одевается, звонит в редакцию и идет в ближайший магазин за банкой кошачьего корма для кота Затулы. У кота была даже кличка Эстик, но ее Обнорский записывать не стал, справедливо предположив, что Эстик показаний не даст.

Около двадцати двух часов Эстик получил свой ужин в виде банки «Китикэт», а еще через двадцать минут Георгий покинул квартиру Алены. Он отправился домой, на улицу Червоноармейскую. Там он снимал квартиру «З дружиною Мірославою і дітьми»... Но душ принимал у Затулы... Итак, Георгий вышел от Алены... (Андрей представил себе прихожую квартиры, в которой он никогда не был... Приоткрытую дверь в кухню, где Эстик кайфует над миской с «Китикэт»... Он представил себе женщину в домашнем халате и мужчину, одетого для выхода... Вот мужчина целует женщину, она прижимается к нему... «До свидания, Эстик», — говорит мужчина коту, но кот не реагирует.) Георгий вышел от Алены, но до своего дома не дошел. С этого дня прошло уже десять суток. Вот, собственно, и все.

Обнорский завязал тесемочки на папке, закурил и задумался. Десять дней прошло, а человек не объявился... Десять дней — не три дня. Это уже серьезно. Это наводит на очень нехорошие мысли. Первые два-три дня можно с некоторой натяжкой считать, что человек запил или «пошел по бабам». После десяти суток отсутствия такое предположение выглядит малоубедительным.

При таком длительном отсутствии возникают версии: а — несчастный случай; б — убит; в — похищен и, наконец, г — скрывается. Несчастный случай можно, пожалуй, отбросить. Сразу после исчезновения Горделадзе пресса, телевидение и радио Украины подняли невероятный ажиотаж. Власти были вынуждены немедленно отреагировать, и нет никаких сомнений, что все неопознанные трупы были «примерены» к пропавшему журналисту.

Остается убийство, похищение или добровольный уход Горделадзе на дно. Пока Обнорский не мог от-

46

дать предпочтение ни одной из этих версий... При том, что украинские коллеги в большинстве своем прямо или косвенно обвиняли в исчезновении Георгия Горделадзе президента Бунчука и спецслужбы. В папке, которая лежала посреди стола, придавленная пепельницей, не было ни одного материала самого Георгия, и Обнорский не мог судить, насколько Горделадзе был опасен для власти. Опыт подсказывал, что даже самый оппозиционный, обладающий авторитетом и «атомной» информацией журналист опасен для властей постольку-поскольку. Журналюги клеймят и разоблачают — власти вяло отбрехиваются. Или не реагируют вовсе, наглядно иллюстрируя старинную арабскую пословицу: собака лает, а караван идет.

Обнорский выкурил еще несколько сигарет, рассудил, что утро вечера мудренее, и лег спать. Снились море и берег, залитые лунным светом. И обнаженная женщина с каплями воды на загорелом теле... При чем здесь Горделадзе?

* * *

Утро не оказалось мудренее. Точно так же, как и вечером, Андрей не знал, стоит ли браться за «дело Горделадзе». А если стоит, то в какой форме: просто провести в Киеве семинар, обучив киевских коллег азам расследования, или провести расследование самостоятельно?

Он подумал, что вопрос нужно решать коллегиально, и позвонил Повзло и Звереву, предложил им приехать в Агентство пораньше для внепланового совещания.

Николай Повзло, первый заместитель Обнорского, и Александр Зверев, отвечающий в Агентстве за оперработу, прибыли на улицу Зодчего Росси к десяти утра. В коридорах Агентства было еще тихо и пусто. Только скучающий охранник нес службу в «предбаннике».

Первым появился Повзло.

— Выспаться не даешь, — сказал он, зевая. — Что случилось-то?

Андрей положил перед ним несколько листочков: читай. Документы были им предварительно рассортированы, и Николай получил «выжимку», экстракт из папки «Горделадзе». Повзло был украинец, родился в Виннице и в коллективе носил прозвища Хохол и Запорожец.

— О-о, — сказал Коля, — хохляцкая тема... Это мне сильно в кайф.

Спустя пару минут вошел Зверев. Пять лет Сашка отпахал в ленинградском уголовном розыске, потом пять лет провел в ментовской зоне УЩ 349/13 в Нижнем Тагиле. Там Обнорский со Зверевым и познакомился.

— Пошто звал, боярин? — весело спросил Зверев, здороваясь за руку с Повзло и Обнорским.

Андрей ответил:

— Читай, — и положил на стол копии «выжимки».

С бумагами мужики ознакомились быстро, минут за двадцать.

— Ну и что? — спросил Зверев.

— Как это «что»? — возмутился Повзло. — Грохнули Горделадзе, а тебе, Саня, по барабану?

— А я не вижу, из чего следует, что его грохнули.

— Ну как же? Исчез человек.

— То, что исчез — вижу. А то, что грохнули — нет.

— За ним следили, — возразил Повзло. — Он был оппозиционер. Это почерк спецслужб.

— Коля, — с иронией ответил Зверев, — даже если я буду за тобой следить, ты навряд ли это заметишь. А если ноги за тобой поставит профессиональная наружка, ты никогда об этом не догадаешься.

— Ага, — буркнул Коля, — конечно... У них среди штатных спецсредств есть шапки-невидимки. Я, между прочим, в девяносто восьмом ходил под комитетской наружкой.

— И что — засек?

— Нет... Но я догадывался. Чувствовал что-то такое.

— Догадывался — это, конечно, аргумент, — с иронией ответил Зверев.

Повзло хотел возразить, но Обнорский пресек:

— Стоп! Стоп, мужики. Ситуация вот какова: пропал журналист. Украинские коллеги, как и Николай, почему-то убеждены, что к его исчезновению причастны представители СБУ и даже лично президент Бунчук...

— Что такое СБУ? — спросил Зверев. — Предполагаю, что это — Служба безопасности Украины?

— Да, аналог нашего ФСБ. Так вот, украинские коллеги убеждены, что причина исчезновения Горделадзе в его оппозиционных Бунчуку взглядах и критических статьях.

— Ты сам читал статьи? — спросил Зверев.

— Нет, ни одной не видел. Судить о степени конфронтации не могу. Я, кстати, тоже искренне сомневаюсь, чтобы власти пошли на физическое устранение Горделадзе, даже если бы он был сверхоппозиционен. Украина — это не Колумбия и не Таджикистан.

— А Горделадзе исчез, — вставил Повзло.

— Именно поэтому я вас пригласил. Мне сделали предложение провести расследование по делу Георгия Горделадзе. Или, как минимум, семинар для киевских коллег по расследовательскому ремеслу. Сегодня я должен дать ответ и хотел бы услышать ваше мнение. Финансово-организационные вопросы берет на себя фонд помощи независимой прессы «Виктория».

— «Виктория» — это американцы, — сказал Повзло.

— А тебя это колышет? — спросил Обнорский. — Они платят, но это не значит, что им позволено заказывать музыку.

— Я считаю, что надо браться, — сказал Повзло.

— А ты, Саша? — обратился Обнорский к молчащему Звереву. Зверев пожал плечами.

— Провести семинар, — ответил он, — не проблема. А что касается качественного расследования... не знаю, не уверен. Работать-то придется на чужой территории, без агентуры, связей в правоохранительных органах. Попробовать можно, а гарантировать результат — нет.

— Так его и в Питере никогда нельзя гарантировать,— резонно возразил Обнорский.— Ну, что скажешь?

— Можно слетать, — сказал Зверев. — Мне хохлушки нравятся.

Спустя полчаса Обнорский позвонил Галине и дал согласие на предварительное расследование. На другой день Повзло и Зверев вылетели в Киев.

* * *

— Напротив, — возразил Обнорский Соболеву, — я, волею случая, неплохо знаком с делом Горделадзе, Сергей Васильевич.

— Каким же образом, Андрей Викторович? — удивился премьер.

— Наше Агентство начинало проводить расследование по исчезновению Георгия Горделадзе. Двое моих сотрудников более недели провели в Киеве, собирая первичный материал.

— Если я вас правильно понял, то расследование до конца вы не довели? — спросил Соболев.

Андрей кивнул:

— Да. Нашим заказчикам не понравилось, в каком направлении движется расследование. Они вежливо нас поблагодарили и приостановили дело.

— А кто был вашим заказчиком?

— Фонд помощи независимой прессе «Виктория», — ответил Андрей.

— Американцы, — быстро произнес Соболев.

— Американцы, — согласился Обнорский.

— Им очень хотелось увидеть тень президента?

— Да, нас осторожно к этому подталкивали...

— Но вы не согласились?

— Я уже говорил вам, Сергей Васильевич, что у нас можно заказать расследование, но нельзя заказать результат. Если бы мои ребята увидели след президента, то мы именно так и написали бы в отчете. Но мы не увидели даже тени Бунчука.

— А вы не могли бы ознакомить меня с вашим отчетом? — спросил Соболев. — Или он является секретным?

— Нет, он не является секретным. Собранная нами информация является во многом конфиденциальной, но не секретной. По соглашению с «Викторией» эта информация остается совместной интеллектуальной собственностью Агентства журналистских расследований и «Виктории». Каждая из сторон может использовать материал отчета по своему усмотрению. В полном объеме или отдельные фрагменты его... Я, разумеется, могу вас познакомить с отчетом, но лучше сделать это в Агентстве. Все материалы хранятся там. Вы сможете зайти ко мне в Агентство?

— Даже не знаю, Андрей Викторович. Мы, собственно, завтра улетаем в Москву. С утра у нас намечена экскурсия в Русский музей, а потом ваши, питерские, энтэвэшники хотели бы взять у меня интервью. Мне очень хочется побывать у вас и познакомиться и с Агентством вашим, и с отчетом. Но я уже пообещал энтэвэшникам — неудобно... Не знаю, как поступить.

— С НТВ, — сказал Обнорский, — я все решу.

— Каким образом?

— Договорюсь, чтобы они подъехали ко мне... Я отлично знаю их главного режиссера... Возьмут интервью прямо в Агентстве.

— Ну что же, давайте попробуем... С утра завтра — музей, а потом — Агентство.

* * *

Ужин в зимнем саду прошел замечательно. Прощались Соболевы и Обнорский как старые знакомые. Дома Обнорский сразу лег спать. Приснился ему Кука — капитан Кукаринцев*. Куку Андрей видел во сне

---

* События описаны в романе А. Константинова «Журналист».

довольно редко. Обычно Кукаринцев снился ему в палестинской военной форме, с пистолетом в руках.

— Извини, братишка, — говорил Кука всегда одну и ту же фразу, — служба.

И нажимал на спуск. Андрей видел, как медленно и бесшумно выкручивается из ствола тупая пуля, как она плывет в знойном воздухе... Вспышка, боль, чернота... Проклятый сон!

Этой ночью Кука приснился ему в вышитой украинской сорочке, с бандурой в руках. Кука перебирал струны и играл «Реве и стогне Днипр широкий...» Он хорошо играл, мастерски, но что-то страшное и зловещее было на этот раз в хорошо знакомой, мощной старинной песне.

— Прекрати! — закричал Обнорский во сне. — Прекрати, Кука! Немедленно прекрати, сволочь!

А Кука играл, и страшная выходила мелодия из-под его рук... Она только напоминала мелодию «реве и стогне», но ею не была. Кука играл и улыбался зловеще. Обнорский снова закричал на него... и проснулся. Он сел на диване, опустил босые ноги на пол. Болела голова, бухал пульс. Андрей нашел на ощупь сигареты, щелкнул зажигалкой, прикурил. Потом, подсвечивая той же зажигалкой, посмотрел на часы. Было половина четвертого ночи. Ветер за окном раскачивал голые березы, все еще стоял в ушах звук Кукиной бандуры...

— Сволочь ты, Кука, — произнес Обнорский и затушил наполовину выкуренную сигарету. — Сволочь ты, Кука. Когда же ты, наконец, оставишь меня в покое?

* * *

Соболев позвонил Андрею в Агентство около полудня.

— Андрей Викторович, — сказал он, — звоню, как договаривались... Наши планы остались в силе?

— Конечно, Сергей Васильевич. Когда заканчивается ваша экскурсия по Русскому музею? Я бы подскочил, встретил вас.

— Тогда подскакивайте, мы уже закончили...

— Еду. Буду через пять минут.

Обнорский, не одеваясь, выскочил во двор, сел в «Ниву». Езды от улицы Зодчего Росси до площади Искусств всего ничего, если не попадешь в «пробку». Обнорскому повезло — «пробок» не было, — и он добрался даже быстрее, чем обещал. Перед оградой Русского музея стояла «Вольво-850» с «крутыми» номерами и вторая — с охраной. Возле «вольво» Андрей увидел Соболева с супругой, директора музея Гусева и еще одного мужчину, видимо, Филатова. Несколько в стороне стояли два охранника в расстегнутых куртках.

Был сильный мороз, на ограде серебрился иней. Обнорский резко затормозил возле автомобилей, выделенных для гостя губернатором Санкт-Петербурга, выскочил из «Нивы». Мгновенно насторожилась охрана. Один из охранников даже двинулся навстречу Обнорскому, но увидел реакцию ОП* (Соболев улыбнулся Обнорскому, поднял руку в приветствии) и понял, что все в порядке.

Соболев сел в «Ниву» к Андрею... У охранников вытянулись лица... Кавалькада двинулась вокруг классической площади с памятником Пушкину посреди круглого сквера, припорошенного снегом.

— А как с энтэвэшниками? — спросил Соболев. — Удалось решить вопрос, Андрей Викторович?

— Они уже ждут вас в моей приемной, — ответил Андрей, ухмыляясь в усы.

Он вспомнил, какое удивление прозвучало в голосе Ильи Шилькина, главного режиссера питерского филиала НТВ, когда Андрей позвонил и спросил: «Хочешь взять интервью у премьер-министра Крыма?» — «Хочу, — ответил Илья, — а что?» — «Тогда присылай своих оболтусов ко мне в Агентство к полудню». — «А зачем?» — спросил Илья. «Я же тебе русским языком говорю: если хочешь взять интервью у премьер-

---

* ОП — охраняемая персона.

министра Автономной республики Крым, присылай бригаду...»

Уже с половины двенадцатого в приемной у Обнорского отирались «оболтусы» — оператор и журналист НТВ. Руководил ими лично главный режиссер господин Илья Шилькин. Многомудрый Ильюша выглядел озадаченным и все пытался у Обнорского выспросить, что же такое нужно крымскому премьеру в «Золотой пуле». Обнорский загадочно улыбался и ничего не говорил.

— ...уже ждут в моей приемной, — ответил Андрей.

«Нива» Обнорского, а за ней две «вольво» с супругой премьера, смольнинским чиновником и нервничающей охраной подъехали к Агентству... С момента звонка Соболева прошло чуть больше десяти минут.

Премьер был откровенно удивлен. Вчера вечером Обнорский умышленно не стал рассказывать о работе Агентства подробно... Андрей водил Соболева с супругой по кабинетам, знакомил с людьми, рассказывал о работе отделов. Возможно, вчера крымский премьер представил себе Агентство в виде пары прокуренных комнатух в полуподвале, в которых колбасятся полтора десятка мужиков, а по полу катаются пустые бутылки из-под пива... А сегодня он увидел четко организованную, оснащенную техникой СТРУКТУРУ... Премьер был удивлен.

После того, как уехали «оболтусы» с НТВ, Андрей и гости сели в кабинете Обнорского. Оксана принесла кофе. За окном ярко светило солнце, шеренга похожих на грачей суворовцев на плацу Суворовского училища отрабатывала упражнения строевой подготовки... Обнорский взял со стола две черные папки — одна была потоньше, другая много толще.

— Вот, — сказал он, — наш отчет по «делу Горделадзе». Двести страниц с приложениями... Плюс аудиокассеты.

— Двести страниц, — удивленно произнес Соболев и посмотрел на часы. Покачал головой.

Обнорский понял, спросил:

— Во сколько ваш самолет?

— Через полтора часа, — ответил премьер.

— О-о, худо... времени совсем нет.

— Около часа еще есть, — возразил Соболев. — Нам, слава Богу, нет необходимости проходить пограничные и таможенные формальности... Таковы, извините, привилегии номенклатуры. Но и за час все это никак не осилить...

— За час, Сергей Васильевич, осилим, — сказал Андрей. — Я загодя поработал с отчетом и выделил те документы, которые являются «узловыми». А в полном объеме вы сможете изучить отчет позже — я распорядился перегнать все на дискету.

— Замечательно, — оживился премьер. — Давайте приступим.

— Сам отчет не так уж и велик, — сказал Обнорский, — страниц пятьдесят. Остальное — тексты бесед с фигурантами, справки, схемы, фотографии, приложения и аудиокассеты с записью бесед тех фигурантов, кто дал на это согласие... Но без всех этих «приложений» отчет мертв. Нам все время придется к ним обращаться. Итак, в конце сентября двое моих сотрудников вылетели в Киев.

* * *

...Сашка и Николай вылетели в Киев рейсом № 841. В четырнадцать часов тесный, как трамвай, «ТУ-134» стартовал из Пулково и спустя два часа приземлился на бетон аэропорта Борисполь. Борисполь встретил дождем, холодом и низкой облачностью.

— Вот тебе и солнечная Украина, — сказал Зверев. — Что думаешь по поводу этого климатического бардака, Коля?.. Даже в Питере теплей.

— Не плюй в нежную хохляцкую душу, москаль поганый, — ответил Повзло. — Дай мне вдохнуть воздух родины.

— Прости, Мыкола, москаля поганого.

Встретила Зверева и Повзло разочарованная Галина — она ожидала Андрея. Повзло и Зверев были ей совсем неинтересны. На заднем стекле ее машины был прикреплен плакатик с негативным изображением головы Горделадзе и призывом: «Найдите Горделадзе!». Ограничение скорости на трассе Е-40 составляло сто десять километров, но «опель» Галины летел под сто тридцать. Моросил дождь, из магнитолы звучала музыка Корнелюка из «Бандитского Петербурга». Это было какое-то наваждение... Когда Сашка с Колей уезжали из Питера, в такси звучала та же самая музыка. После дежурных фраз: «Как долетели? Как погода в Питере?..» — «А в Киеве?» — «А вы раньше у нас бывали? Понравился вам Киев?» — «О да, бесспорно». — «А вы у нас? Как вам Питер?» — «Питер прекрасен...»

После дежурных фраз Зверев сказал:

— Галина, обрадуйте нас. Скажите, что за время нашего перелета нашелся Горделадзе.

— Я была бы рада вам сказать, что Георгий нашелся, но — увы и ах! — он не нашелся, — ответила Галина. — И, вероятно, уже не найдется...

— Почему вы так думаете? Откуда этот пессимизм?

— Спецслужбы умеют прятать концы, коллеги.

— А почему, Галя, вы убеждены, что это обязательно пресловутые спецслужбы виновны в исчезновении Георгия? — спросил Зверев с иронией.

— Вы иронизируете?

— Боже упаси! Я пытаюсь понять, — ответил Зверев.

— Георгий был в оппозиции к режиму Бунчука. Его статьи в «Украинских вестях» вызывали гнев власти...

— Довольно много журналистов в оппозиции к власти, — возразил Зверев. — Где-то я читал, что в России позиция настоящего интеллигента — всегда быть в оппозиции... Думаю, что это положение можно распространить и на Украину. Не так ли?

— Безусловно, — тряхнула шикарной гривой Галина. — Но на Украине, господа, все жестче и обнаженней, чем в России. У нас все еще не прекращается война... Георгия убили спецслужбы. Косвенным доказательством может служить такой факт: мы обратились к Бунчуку с предложением подключить к расследованию «дела Горделадзе» СБУ... Он отказал.

— Это аргумент, — сказал Зверев серьезно.

Повзло не сказал ничего. «Опель» Галины мчался в Киев.

* * *

Киев всегда прекрасен. Зверев не был в нем давно — с советской еще эпохи. Киев и тогда был дивно хорош, но нынче стал великолепен... Рыжели каштаны на Крещатике, катили потоки иномарок, шли по тротуарам красивые, хорошо одетые люди. Киев производил впечатление европейской столицы. Богатой европейской столицы... Ах, пан Киев! Древний и молодой, элегантный пан Киев!

Зверева и Повзло Галина поселила в специально для них снятой трехкомнатной квартире, в центре, на пересечении Крещатика и бульвара Тараса Шевченко, напротив Бессарабского рынка.

— Сегодня, коллеги, вы отдохнете, — сказала Галина, но Зверев возразил:

— Сегодня мы хотели бы познакомиться с Затулой, если это возможно.

— Я думаю, возможно, — ответила Галина. — Вы считаете, что нужно начать с Алены?

— Алена была последним человеком, который видел Горделадзе, — сказал Сашка. — Резонно начать с нее...

Из отчета Зверева:

«Первый контакт с Затулой (Затула Алена Юльевна, редактор „Украинских вестей", любовница Г. Г., прописана в Симферополе, снимает квартиру в Киеве по адр.: бульв. Леси Украинки, д. 7, кв. ..., тел. 235-...-..., тел. р. 220-...-..., моб. 8-050-...-...) состоялся в день прилета, 28.09.00.

Алена Затула — эффектная блондинка около 35 лет. Снимает однокомнатную квартиру в многоэтажной „башне". Стоимость проживания в такой квартире до-

вольно высока. *Контакт с Аленой организовала Галина Сомова. На встречу Затула согласилась легко.*

В комнате царит устойчивый беспорядок, на столе, в мебельной стенке, на стенах большое количество фотографий Г. Г., в том числе в полевой военной форме, с оружием. На наш вопрос относительно этих фотографий Алена З. ответила, что Гия воевал во время грузино-абхазской войны и даже был ранен.

На наше предложение вспомнить ВСЕ обстоятельства того дня, когда исчез Г. Г., ответила, что этот день — суббота, 16.09. — они с Георгием провели вместе. Жена Георгия Мирослава с девочками и няней с утра (9.15—9.30) уехали в Пущу-Водицу (ближний пригород Киева в направл. С.-З.). После этого Алена и Георгий созвонились и около 11 часов встретились в Пассаже. Вдвоем они посетили общего знакомого, у которого Г. Г. взял сто долларов. Эту купюру у них в обменном пункте не приняли, и они повторно посетили знакомого (некто Петренко) для обмена купюры.

Приблизительно с 11.45 до 12.30 Г. Г. и Алена пили кофе в кафе, где случайно встретили знакомых (Ю. Жуковский и В. Матрехина с дочкой).

В 12.30 поменяли доллары на гривны в обменном пункте около Пассажа, после чего пошли в кафе „Домашняя кухня" на улице Б. Хмельницкого, где встретили Б. Погребальского с дочкой. Г. Г. недолго (2—3 мин.) разговаривал с ними.

Около 13 часов посетили магазин „Бонсай", где купили цветок. Потом в магазине около Оперного театра купили папоротник и поехали в офис на ул. Владимирскую, 83. В офис прибыли в 13.30.

В 16 часов или около того из Пуще-Водицы в офис позвонила Мирослава и сказала, что ночевать не останется, вернется в Киев. Так же сказала, что забыла дома ключи и в квартиру ей без Георгия не попасть. Уезжая на конференцию, Мирослава говорила, что, если условия для проживания в Пуще-Водице ее устроят, она с дочками и няней останется там, однако бытовые условия ее не устроили.

Приблизительно до 17.45 Алена и Г. Г. находились в офисе, работали. Вместе с ними в офисе находился сотрудник „УВ" Константин Алания, близкий друг Георгия.

В 17.45 Алена и Г. Г. покинули офис и поехали в ресторан „Тадж", кот. находится на улице Щорса. Покинули ресторан они в 20.45, отправились домой к Затуле. По дороге к дому Г. Г. купил в магазине «Алко» на бульваре Леси Украинки кофе.

Приблизительно в 21 час Затула и Горделадзе вошли в подъезд дома, где Затула снимает квартиру. При этом их видела консьержка Лидия Михайловна.

Следует подчеркнуть, что этим эпизодом (т. е. приходом Г. Г. и Затулы к Затуле домой в 21 час) заканчивается та часть рассказа Алены, которая в той или иной степени поддается проверке. Затула утверждает также, что все это время, начиная с 11 часов, Георгий постоянно был рядом, отлучаясь не более чем на одну-две минуты. На вопрос: „Не было ли чего-то необычного в поведении Г. Г.?" — отвечает: „Не было". Не было также необычных встреч или звонков. На вопрос: „Мог ли Г. Г. позвонить кому-либо так, чтобы Алена не знала об этом звонке?" — отвечает, что мог. Либо из уличного таксофона, либо со своей „трубы".

Следующая часть рассказа Алены проверке практически не поддается. Учитывая ее важность, воспроизвожу рассказ Затулы более подробно (аудиокассеты № 1 и 2 „Алена" прилагаются. Содержат полную запись разговора): „Домой мы пришли примерно в 21 час. Поздоровались внизу с Лидией Михайловной и поднялись ко мне. Георгий сразу же отправился в душ и пробыл в ванной довольно долго — минут 40—45. Выйдя из душа он заметил, что мой кот Эстик голоден, а корма кошачьего не осталось. Тогда Георгий вызвался сходить за «Китикэт». Он вышел из квартиры примерно в 22, а вернулся через 5—7 минут с баночкой кошачьего корма. Корм мы всегда покупаем в одном месте — в магазине напротив, через дорогу. Перед выходом за кормом, насколько я знаю, у Георгия не было при себе гривен, и он должен был поме-

нять валюту — 100 долларов. После того, как Георгий принес корм, он пробыл у меня еще несколько минут и в это время дважды звонил в редакцию «УВ». Оба раза он разговаривал с Кобой (Константином Алания). В первый раз звонок сорвался, затем он перезвонил еще раз, и я слышала, что разговор идет о создании спортивного сайта. Этот разговор состоялся примерно в 22.15... Более никаких телефонных звонков от меня Георгий не делал и ему тоже не звонили. ...Он вышел из квартиры примерно в 22.15—22.30. Часов у меня нет, и более точно время я назвать не могу. Георгий торопился домой, т. к. его жена с двумя детьми должна была вернуться домой к 23 часам, а ключей у нее нет. Гия собирался ловить такси, у него было при себе около 50 долларов и 10 гривен... Ничего настораживающего или необычного в его поведении не было. Я, по крайней мере, не заметила... Уходя, Георгий унес мусор — два больших полиэтиленовых пакета. Он не любил бросать мусор в мусоропровод, говорил, что «жерло мусоропровода представляется ему жерлом Вечности, а Вечность и мусор — суть вещи несовместимые». Он не любил бросать мусор в мусоропровод и всегда выносил его во двор, в контейнеры. Тем более, что это по дороге.

Я не видела, как он выходил из квартиры, слышала только, как хлопнула дверь. Потом я вышла на балкон, чтобы помахать ему — такая у нас сложилась традиция. Из моего дома есть два выхода на бульвар (схема прилагается). Один — длинный, вдоль соседнего дома. Второй путь ближе — сквозь «тоннель» под «галереей», мимо мусорных контейнеров по лестнице наверх, на бульвар. Георгий всегда ходил вторым путем... На балконе я стояла минуты три, но Гии так и не увидела. Двор был хорошо освещен, горел фонарь, ни людей, ни машин во дворе не было... Я постояла на балконе, замерзла, так как было уже прохладно, а я вышла очень легко одетая. Георгий так и не появился. Я решила, что он успел покинуть двор быстрее, чем я вышла на балкон, или прошел другим путем... Я не знала, что видела Георгия в последний раз".

В тот вечер Затула показалась нам искренней и взволнованной. Взволнованной адекватно, ровно настолько, насколько это соответствует ситуации, так как первый шок уже прошел — от момента исчезновения Г. Г. ее отделяет уже почти две недели». АК* «Алена» № 1, 2.

— Очень жаль, Андрей Викторович, что я не знал о вашем расследовании, — сказал Соболев задумчиво.

— Почему, Сергей Василич?

— Я думаю, что мог бы оказать вам существенную помощь. Киев — это, конечно, не Крым, но и в Киеве я обладаю достаточными возможностями... Жаль, что я ничего не знал.

* * *

Из отчета:

«Со слов Затулы, Георгий Горделадзе вышел из ее квартиры в 22.15—22.30. НИКТО НЕ МОЖЕТ ПОДТВЕРДИТЬ или опровергнуть этот факт».

Из отчета:

«Лидия Михайловна Плотникова, пенсионерка, консьержка дома № 7 по бульвару Леси Украинки. Свои координаты не дала. Адрес: пр. Воздухофлотский, д. 58, кв. ..., тел. д. 245-...-...

Со слов Плотниковой, Г. Г. и Алена 16.09. пришли домой около девяти часов вечера. В начале десятого Георгий вышел на несколько минут. Отсутствовал минут 5—7, по крайности 10. Было ли что-то у Г. Г. в руках, вспомнить не может. Взволнованным или растерянным Г. Г. не выглядел. Вспомнить, были ли у Георгия влажные волосы, тоже не может.

Как выходил (во второй раз) Г. Г. Плотникова не видела. В то время, которое указывает Затула как момент выхода Георгия из дому, консьержка отлучалась „в туалет" — т. е. в кусты во дворе. Где и провела минут 20—25! Место, которое Плотникова использова-

---

* АК — аудиокассета.

ла в качестве туалета, позволяет хорошо просматри-
вать возможные пути выхода Г. Г. — нами проверено.

Плотникова утверждает, что ни во время, указан-
ное Аленой, ни позже Горделадзе из дома не выходил.
Ошибиться она не может, т.к. знает Г. Г. хорошо и
называет его „циркулем“ за быструю походку. Фонарь
во дворе не горит с начала сентября.

На лавочке, у крайнего подъезда соседнего дома, сидела парочка — девушка и молодой человек. Плотникова
их не знает, когда пришли и ушли сказать затрудняет-
ся. Посторонних людей или автомобилей в тот вечер
она не видела». АК «Консьержка».

— Так что же получается, — спросил Соболев, —
Горделадзе из квартиры Затулы не выходил?

— Как он входил, — ответил Андрей, — консьержка видела. Как он бегал куда-то...

— За кошачьим кормом, — подсказала Валентина
Павловна.

Обнорский ответил уклончиво:

— Возможно, что и за кормом, возможно... Как он
вышел и вернулся спустя пять-десять минут, консьержка опять же видела. А вот его выход в половине одиннадцатого не заметила... Странно?

— Странно, — согласился Соболев.

— Этому, однако, есть объяснение...

— Какое же?

— Возможно, она была пьяна. Как нам удалось выяснить, бабуля имеет такую наклонность. Даже когда она
общалась с моими ребятами, от нее явственно тянуло
пивком... Впрочем, то, что она была пьяна — не факт.
Однако вопросы, на которые нет ответов, остались.

Из отчета:

«Горделадзе Мирослава, пресс-секретарь партии „Движение и порядок“, жена Г. Горделадзе.

Мирослава пошла на контакт не особо охотно,
была скованна, угнетена. Для того, чтобы вызвать до-

верие с ее стороны, пришлось провести „настроечную беседу“.

Относительно событий 16 сентября Мирослава рассказала, что она провела день в Пуще-Водице на конференции для молодых политиков, где выступала с лекцией.

С утра, т. е. приблизительно с 6.30 Мирослава готовилась дома к конференции... Дети и Георгий еще спали... Около девяти пришла няня (Ступанчук Любовь Алексеевна). Приблизительно в 9.15 вместе с девочками и няней выехали в Пущу. Лекция Мирославы планировалась на 10.00.

Мирослава собиралась, если позволят условия для проживания, остаться с детьми в Пуще-Водице. Георгий сказал, что вечером приедет, присоединится к семье. Но Мирослава зная, что Г. Г. в силу привычки обязательно опоздает к назначенному времени, сказала, что лучше ему не приезжать.

В Пуще условия не показались Мирославе комфортными, и она приняла решение вернуться в Киев. Днем она обнаружила, что забыла ключи от квартиры и в районе 16 часов позвонила мужу. Георгий определенно пообещал, что к приезду жены (23.00) встретит ее дома, на Червоноармейской, 67/7. Район, кстати, довольно дорогой, ежемесячная аренда квартиры стоит 250 долларов.

Вечером Мирослава вызвала такси, чтобы вернуться в Киев. Ждали долго, так и не дождались, и уехали на автомобиле знакомого по имени Геннадий только в 23.00. К дому подъехали около 23.45. Света в окнах квартиры не было, и стало очевидно, что Г. Г. еще нет. По радиотелефону Гены Мирослава позвонила в офис „УВ“. Трубку поднял Коба и сказал дословно: „Он уже вышел и говорил, что если ты будешь звонить, то предупредить, что он уже пошел домой“. В тот момент Мирослава не поняла, откуда Георгий вышел, а попросила Аланию прийти и принести ключи». АК «Мирослава» № 1.

Из отчета:

«Константин Алания (сотрудник „УВ“, приятель Г. Г. и крестный отец дочерей-близнецов четы Горделад-

зе. В Киеве живет в офисе „УВ" и у Горделадзе дома. Тел. 220-...-...):

Вечером Георгий и Алена ушли из редакции где-то между 20 и 21 часами. Минут через 25 после того, как они ушли, позвонил Вайс. Вайс — это знакомый Гии... Потом Гия два или три раза звонил мне от Алены и каждый раз напоминал, что, если позвонит жена, я должен отвечать, что он уже вышел. Мирослава позвонила где-то около полуночи с вопросом: где Гия? И не поверила, что он вышел. Я сразу позвонил Алене, и Алена подтвердила, что Георгий ушел в половине одиннадцатого. Я, признаться, не поверил в свою очередь Алене и подумал, что Гия все еще „зависает" у нее... А Мирослава с девочками стоит ночью на улице... Я повез ключи". АК «Коба» № 1.

— Андрей Викторович, — сказала Валентина Павловна, — скажите мне откровенно: вы считаете Горделадзе порядочным человеком?

— Если вы имеете в виду его отношения с женщинами...

— Да-да, именно...

— Валентина Павловна, — ответил Обнорский, — как мужик, я его понимаю... извините за прямоту...

— Не стоит извиняться, я именно прямого ответа и жду.

— Как мужик, я его понимаю. Затула — весьма эффектная женщина и, разумеется, привлекает внимание.

— Да, я видела и Мирославу, и Алену. Все наши телеканалы не один раз показывали основных персонажей этой драмы, — ответила Валентина Павловна. — Я весьма сочувствую Мирославе.

— Ну вот видите. Я не берусь осуждать Горделадзе за то, что у него была любовница... Но в отношении порядочности Георгия у меня есть... вопросы...

— Почему, Андрей Викторович? — спросил Соболев.

— То, что выяснили о Георгии мы, свидетельствует о его непомерных амбициях, а также о том, что Гия не гнушался заказным пиаром... Но, с вашего позволения, мы вернемся к этому позже. Сейчас мне бы хотелось до конца «осветить» ситуацию с исчезновением Г. Г... Согласны?

— Да, конечно... Времени у нас не особо много, но пока есть.

— Мы близки к завершению.

Из отчета:

«*Мирослава: Коба с ключами появился в 0.10—0.15. В то время я все еще ожидала, что Георгий вот-вот появится. Никаких „предчувствий" у меня не было. Было только раздражение. Коба пришел (от офиса до дома на Червоноармейской идти 15 мин. пешком), мы вместе поднялись, и он открыл дверь своими ключами. Был явно напуган... Как только мы вошли в квартиру, раздался звонок. Я думала, что это звонит Георгий, но услышала голос Алены...*» АК «Мирослава» № 1.

Из отчета:

«*Алена Затула: приблизительно в полпервого ночи мне позвонил Коба и спросил: „Где Георгий?" Я ответила, что он давно вышел. Коба сообщил, что дома Гии нет, а жена с детьми ждут его под дверью... Я поняла, что случилось что-то ужасное... Нет, извините, „загулял, с кем не бывает?" — к нашему случаю не подходит. Хотя Георгия многие считали легкомысленным, но с ним такого не бывает. Я сразу поняла, что случилось что-то ужасное*». АК «Алена» № 2.

Из отчета:

«*Мирослава: ...Я думала, что звонит Георгий, но услышала голос Алены. Раньше она никогда нам домой не звонила. По крайней мере, в моем присутствии... Я была в шоке. Я спросила у Кобы: „Что происходит?" Испуганный Коба стал лепетать, что „все нормально". А уже стало ясно, что ненормально, ненормально. И они — Алена и Коба — непрерывно звонили друг другу...*» АК «Мирослава» № 1.

— Именно так, — сказал Обнорский, — ближайшему окружению Георгия Горделадзе стало известно, что он исчез. Это случилось около полуночи. Фактически уже семнадцатого сентября.

* * *

Дверь в кабинет Обнорского без стука распахнулась, и на пороге появился высокий мужчина в джинсах и клетчатой рубахе навыпуск.

— Андрюха... — начал он, но, увидев в кабинете посторонних, сказал: — Добрый день. Прошу прощения, не знал, что у тебя люди.

— Заходи, Саша. Ты как раз кстати. Позвольте представить: Александр Андреевич Зверев. Наш сотрудник, в прошлом оперуполномоченный уголовного розыска.

Знакомство состоялось. Зверев (один, кстати, из немногих, кто входил в кабинет Обнорского без стука) нисколько не удивился присутствию в кабинете премьер-министра Крымской республики... В этом кабинете бывали самые разные люди: от бомжей и бандитов до генералов и банкиров. Некоторые входили сюда «на пальцах», а выходили в слезах. В буквальном смысле слова.

...Зверев не удивился, он спокойно присел на угловой диван.

— У тебя что-то срочное? — спросил Обнорский.

— Нет, пока терпит.

— Можешь быстро подвести итоги расследования по Горделадзе? — снова спросил Обнорский.

— Быстро — это как? — ответил вопросом на вопрос Зверев, кося́сь на папку с отчетом.

— Быстро — это прямо сейчас, за десять минут... Наши гости улетают, — произнес Андрей, глядя на «лонжин».

Соболев тоже посмотрел на часы и сказал:

— Времени на самом-то деле несколько больше. У вас, Александр Андреич, есть полчаса.

— Отлично, — сказал Зверев. — За полчаса можно пересказать «Войну и мир». Итак, я хотел бы понять, что нашим гостям уже известно и с чего начать?

Соболев ответил:

— В общих чертах, Александр Андреевич, тема нам знакома. Мы живем на Украине и украинские события отслеживаем. Андрей Викторович уже познакомил нас с той частью вашего расследования, которое касается непосредственно эпизода исчезновения Горделадзе. Не могу сказать, что я не знал этой истории, однако же часть фактов мне оказалась не знакома. Поэтому, я думаю, вам стоит начать с самого начала. Это потому важно, что у вас взгляд свежий, «незамыленный»... Вы меня поняли?

— Да, Сергей Василич, я вас понял, — кивнул Зверев. — Для нас история с Горделадзе действительно началась с чистого листа... Итак, вечером шестнадцатого сентября в Киеве исчез тридцатилетний журналист Интернет-газеты Георгий Горделадзе. Следует, видимо, сказать несколько слов о личности самого Горделадзе. Георгий — сын украинки и грузина. Его мать — Леся — проживает постоянно во Львове, все ее координаты в отчете (Зверев кивнул на папку) есть. Отец Георгия — известный политический деятель, соратник Гамсахурдиа. Я упомянул о родителях Гии только потому, что, возможно, именно слияние славянской и кавказской крови оказало влияние на характер и темперамент Георгия.

— Мы, Александр Андреич, живем в Крыму, — сказал премьер. — У нас смешение кровей — самое обычное дело. У нас живут украинцы, русские, татары, евреи, молдаване, армяне. У нас живут турки, греки, болгары... Кого у нас только нет! Мы поняли вашу мысль.

— Очень хорошо, — сказал Зверев. — Итак, Георгий Горделадзе — филолог по образованию — приезжает в Киев в начале девяностых. Его жизнь до этого нам известна мало, сведения о ней противоречивы. Есть сведения, что он воевал в Афганистане и принимал участие в грузино-абхазском конфликте... Есть и прямо противоположные. Мать Георгия показывала Повзло газету «Свободная Грузия» — ксерокопия находится в отчете — со статьей «Журналист — опасная профессия». В ней сказано, что во время боя у реки Гулиста рядом с журналистом Г. Горделадзе, представителем Грузинского информационного агентства на Украине, разорвался снаряд... Георгий в боевых действиях участия не принимал, а только снимал бой на видео. Сам Гия тем не менее любил говорить о своих военных приключениях и фотографироваться в форме и с оружием... Мы не считаем, что этот этап его биографии имеет отношение к исчезновению Георгия и в него не углублялись. Тем более, что для этого у нас не хватало ни рук, ни времени. Итак, Георгий обосновался в Киеве. Занимался разного рода журналистской поденщиной — пахал на политиков, создавая имиджевые статьи и передачи. Иногда это давало возможность что-то заработать, но денег все равно хронически не хватало... Но даже когда появлялось финансовое удовлетворение, оставались неудовлетворенными амбиции. Георгий писал заказные статьи, помогая всевозможным кандидатам на всевозможных выборах, и мечтал о большем... У нас есть масса свидетельств, что Горделадзе очень хотел самостоятельности, хотел быть на первых ролях, и реальная ситуация его сильно угнетала. При том, что он был человек импульсивный, вспыльчивый. Мирослава говорила мне, что у Георгия иногда «падала планка».

— То есть? — спросил Соболев.

— Оскорбленный Гия мог, не раздумывая, броситься на обидчика с кулаками, избить, не думая о последствиях.

— С психикой у него все в порядке?

— Свидетельств того, что он обращался к психиатрам, у нас нет.

— А все же, Александр Андреич, каково ваше личное мнение?

— Я, прошу прощения, не эксперт, заключения — тем более заочного — дать не могу... Что касается моего личного ощущения: да, Георгий Горделадзе был возбудимым, неуравновешенным человеком с амбициями. Это не психиатрический диагноз, это факт. Это черты характера, отягощенные к тому же неупорядоченной личной жизнью, финансовой нестабильностью и профессиональной неудовлетворенностью. Есть масса фактов, косвенно подтверждающих мою точку зрения... — Зверев посмотрел на часы и продолжил: — В детали вдаваться не будем. В девяносто девятом у Георгия, видимо, созрела идея организовать собственный информационный орган. Но на его создание нужны деньги... Довольно много денег. В ноябре Георгий с киевским журналистом Шорохом и Затулой (к этому времени они уже не скрывали своих отношений) отправились в США. Разумеется, в поисках денег...

— Эта история известна, — кивнул Соболев.

— Ага... Тем лучше. В Штатах они подняли большой шум на тему свободы слова на Украине. Были в Госдепе, конгрессе, проводили пресс-конференции... В общем, когда спустя несколько дней после их прилета в Штатах появился Бунчук с официальным визитом, он встретился с Гором. (Соболев кивнул.) И Гор задал ему массу не очень приятных вопросов о положении со свободой слова на Украине... и вытекающими отсюда выводами об отношении «мирового сообщества» к Украине. После этого, со слов Шороха, к Горделадзе подошел человек из близкого окружения Бунчука и сказал: «Тебе лучше не возвращаться». Фамилию этого человека Шорох назвать отказался. Сослался на то, что фигура очень крупного калибра... Грант Горделадзе пообещали, и действительно, в середине апреля этого года Георгий получил чек на шесть тысяч восемьсот долларов. То есть, мы можем твердо сказать, что Интернет-газета «Украинские вести» создавалась на американские деньги.

— Какие вы делаете из этого выводы? — спросил Соболев.

— Никаких. Политика — не моя сфера. Я — сыскарь, я собираю факты. Итак, с апреля Горделадзе начинает делать «УВ». В это время он еще работает на радио, но в мае уходит и занимается только газетой. Пишет материалы сам и использует чужие... Надо заметить, что материалы Горделадзе довольно часто бывают элементарно некорректны, оскорбительны, а вместо конкретики содержат эмоции. Вместе с тем они не обладают той остротой, которая потребна, чтобы с Георгием «расправились власти». Тем более, что круг читателей «УВ» весьма узок. За время существования газеты с апреля по середину сентября зафиксировано всего около десяти тысяч заходов на сайт!

— Я в курсе, — отозвался Соболев. — На тот период «Украинские вести» читали только политики, журналисты и узкий круг «продвинутого» политизированного населения.

— Абсолютно справедливо, — ответил Зверев. — Зато после исчезновения Георгия Горделадзе популярность «Вестей» подпрыгнула на порядок!

Обнорский встал и приоткрыл форточку в прокуренном кабинете. Строй суворовцев покидал плац. Дыхание молодых, разгоряченных тел вырывалось облачками белого пара...

— ...популярность «Вестей» подпрыгнула на порядок. Я не хочу комментировать этот факт... Пока. Я только замечу, что период относительной неизвестности Горделадзе кончился, начался период невероятной популярности.

— Посмертно? — спросил Соболев мрачно.

— Не факт, — ответил Зверев. Соболев посмотрел на него очень внимательно и, кажется, хотел что-то сказать, но ничего не сказал. — Не факт, Сергей Васильевич, не факт... Факт лишь в том, что Георгий исчез, что нынче его популярность на Украине может сравниться... ну, скажем, с популярностью Кашпировского в свое время. События как будто сорвались с тормозов...

— Боюсь, что скоро они начнут развиваться вообще обвально, — заметил Соболев.

Зверев пожал плечами, снова бросил взгляд на часы. Все остальные — тоже. Зверев продолжил:

— Времени остается мало, поэтому я буду краток. Для объективности я должен отметить, что путь становления «Вестей» не был усыпан розами. Газета постоянно испытывала финансовые трудности, денег зачастую не хватало даже на зарплату сотрудникам. Горделадзе крутился, он брал деньги в долг, испытывал проблемы с возвратом. Из-за невыплаты жалованья многие сотрудники из газеты ушли... Горделадзе нервничал. Он метался, он искал спонсоров и, кстати, находил их. Но, благодаря абсолютно нелепым действиям своей любовницы и соратницы Затулы, он спонсоров одного за другим лишился.

— Можете доказать?

— Могу. Факты, конечно, собраны неполные, но кое-что можно с уверенностью утверждать прямо сейчас. Пример: тех денег, что дали штатники, катастрофически не хватало, но... нашелся украинский спонсор. Он — спонсор — до сих пор остается анонимным для нас. Мы догадываемся, кто стоит за ним, но только догадываемся. Итак, появился спонсор. Горделадзе, рассказывая друзьям, называл его Петровичем, описывал обстоятельства их полуконспиративной встречи. Петрович дал денег, жизнь новорожденных «Украинских вестей» сразу оживилась. Одним из условий спонсорства было не помещать никаких критических материалов в отношении одного высокопоставленного чиновника. Об этом знали в газете ВСЕ. Все, и Алена, как главный редактор, в первую очередь. И тем не менее именно Алена опубликовала на сайте «Вестей» статью, в которой жестоко критиковала чиновника! О дальнейшем спонсорстве Петровича не могло быть и речи. Более того, в редакции появились вежливые молодые люди и забрали компьютеры, присланные Петровичем. А затем предложили освободить снятый Петровичем офис.

— Я догадываюсь, кто этот неназванный высокопоставленный чиновник, Александр Андреич.

— Я понимаю, что вам, Сергей Васильевич, с вашим знанием как официальной, так и закулисной жизни Украины, вычислить его нетрудно. Однако нас сейчас больше интересует поступок Алены. Он фактически не поддается логическому обоснованию. Затула — отнюдь не новичок в политике и в журналистике... Но даже если бы она была новичком, это никак не объясняет ее поступка. Ведь было отдано недвусмысленное распоряжение: чиновника не трогать. Вы согласны со мной?

— Безусловно.

— И тем не менее объяснение ее поступку есть...

— Какое же?

— Все становится логичным и понятным, если предположить, что Затула — «засланный казачок», чужой среди своих, и сознательно осложняет обстановку внутри «Украинских вестей», — сказал Зверев.

— Смысл? — спросил Соболев.

— Воздержусь от категорического ответа, Сергей Васильевич. Наши заказчики (Зверев посмотрел на Обнорского, Андрей кивнул) ...наши заказчики — Фонд «Виктория» — несколько раз тактично и ненавязчиво подталкивали нас к мысли, что за исчезновением Горделадзе стоит Бунчук. Мы не являемся ни сторонниками, ни противниками президента... Мы просто исследовали ситуацию и не нашли ни одного веского доказательства причастности Бунчука. Направление нашей работы «Викторию» не устроило, и наше сотрудничество было прекращено. Поэтому я считаю, что мы не располагаем достаточным количеством фактов, чтобы охватить картину во всей ее полноте. Однако построить несколько версий мы все же рискнули.

— Познакомите нас?

— Конечно... Но сначала я бегло расскажу вам, что происходило ПОСЛЕ исчезновения Горделадзе. Иначе трудно будет понять нашу логику. Итак: в самом начале первого часа ночи семнадцатого сентября близким Георгию людям стало понятно, что он исчез — из дома Затулы он вышел, а до своего дома так и не дошел. Это близких, безусловно, насторожило... Тем более, что расстояние между «точкой А» и «точкой Б» весьма невелико, и за те два часа, которые прошли, Горделадзе смог бы сходить туда-обратно трижды. Беспокойство близких людей совершенно понятно... Понятно и их поведение, они начинают перезваниваться, пытаясь понять, что произошло и где Георгий. Обстановка довольно нервная, отягощенная, так сказать, тем, что «задействованы» в ней две соперницы. Люди в такой ситуации мыслят совершенно стереотипно, предположения выдвигаются совершенно «жизненные»: попал в милицию за что-то, случилось несчастье — ДТП или, допустим, внезапная потеря сознания... Или, наконец, самое мрачное предположение — убили... Каждое из этих предположений, пусть и с некоторой натяжкой, имеет право на обсуждение. Это нормально, это в рамках обычных человеческих представлений и эмоций... Тем более, что жизнь, как правило, подтверждает правоту версий про ДТП, кирпич на голову, задержание милицией или криминал... Но есть и еще одна бытовая версия... Очень, знаете ли, славянская.

— Загулял? — спросил Соболев.

— Именно. Загулял, — кивнул Зверев. — Гия — человек с широкой славянско-грузинской душой. Представьте: встретил на улице брата-фронтовика, знакомого по Афгану или абхазской войне... Ах, батоне! Сколько лет! Надо за встречу выпить!.. Возможен такой вариант?

— В принципе, возможен, — сказал Соболев.

— Он мог бы позвонить жене с мобильного телефона, — сказала супруга премьера.

— С мобильного, — ответил Зверев, — не мог. С середины августа телефон Горделадзе не работал, а он все никак не мог наскрести несколько гривен, чтобы купить карту... Но это технический вопрос. Позвонить почти всегда можно — из таксофона, из какого-нибудь кафе, в конце концов. Мы сейчас это не обсуждаем. Мы просто говорим о том, что теоретически возможность, что Георгий «загулял», была. Ее вероятность ничуть не ниже, чем пресловутый «кирпич на голову»! Однако Затула отметает ее сходу. И начинает нагнетать страсти. Вот что она говорит дословно, — Зверев взял в руки папку, быстро пролистал и нашел нужную страницу. То, как он это сделал, свидетельствовало, что содержимое отчета Зверев знает очень хорошо. — Вот что она говорит: *«Приблизительно в половине первого мне позвонил Коба и спросил, где Георгий. Я ответила, что он уже давно вышел. Коба сообщил, что Георгия нет дома и жена с детьми ждут его под дверью. Поняв, что случилось ЧТО-ТО УЖАСНОЕ, я стала звонить своим друзьям... Многих телефонов не было в моей записной книжке, поэтому я решила поехать в офис, где лежала старая записная книжка. Чтобы ОБЕЗОПАСИТЬ СЕБЯ и сообщить кому-то, куда я еду, я позвонила в Симферополь своей знакомой Елене Кагаевой. Сообщила, что пропал человек и сейчас я еду в офис».* Почему, откуда уверенность, что случилось ЧТО-ТО УЖАСНОЕ? Объяснения логического этому нет... Есть, конечно, объяснение житейское: дамочка ударилась в панику. Но люди, знающие Затулу, говорят, что она всегда очень хорошо себя контролирует. И тем не менее, не попытавшись дождаться утра, Алена едет в офис посреди ночи... При этом чего-то боится, говорит: чтобы ОБЕЗОПАСИТЬ себя, позвонила знакомой аж в Симферополь... Из офиса она обзванивает всех знакомых... Как будто не понимает, что если Георгий появится через час, другой, третий, это будет негативный штришок к репутации Горделадзе... Она звонит в морги, в милицию, «скорую». Она звонит даже своему бывшему шефу Эстеру, «в честь» которого назван ее кот Эстик, и будит его среди ночи. Эстер, кстати, здраво отвечает ей, что прошло всего три часа с момента исчезновения Горделадзе, и рано бить тревогу. То же самое Алене говорит Коба. Она не слушает никого! Она ведет себя так, словно точно знает: Горделадзе исчез по-настоящему. Навсегда. Или очень надолго. Уже в одиннадцать часов дня Алена вывешивает на сайте «Вестей» информацию об исчезновении Горделадзе. Одновременно она звонит Шороху на радио и требует дать информацию об исчезновении Георгия и повторять ее каждые четверть часа! Сам Шорох говорит: «Это очень странная реакция. Вообще-то Гия не особо пил, но напиться мог... Можно было предположить, что Георгий, выйдя от нее, пошел по барам». Таковы обстоятельства исчезновения журналиста Георгия Горделадзе и того, что последовало сразу за этим событием.

Зверев замолчал, посмотрел на часы. Все остальные тоже посмотрели.

— Пять минут, Саша, — сказал Обнорский. — У тебя есть еще пять минут на подведение итогов.

— Уложусь в две, — ответил Зверев. — Итак, в результате предварительного сбора фактов и анализа я позволил себе сформулировать следующие версии. Первая: Горделадзе похищен спецслужбами Украины, так как представлял опасность для режима. Эта версия не подтверждается ничем, кроме заявления Горделадзе, что за ним следили... Я в нее не верю. Вторая: Горделадзе убит с целью, допустим, ограбления... Но где же тело? Третья: Георгий Горделадзе основательно увяз в долгах и решил на время исчезнуть... Тоже слабовато, но более-менее привязано к реальности. И, наконец, четвертая версия, к которой я лично и склоняюсь: учитывая довольно сложную финансовую ситуацию «Украинских вестей» и низкий рейтинг газеты, Горделадзе вместе с Затулой, а возможно, с какими-то третьими лицами, решили его поднять... Для этого требовался нестандартный ход. Ну, например, исчезновение «оппозиционного» журналиста Горделадзе. Если оценить дело с этой точки зрения, странное поведение Затулы вполне объясняется, да и все остальные, сопутствующие факты, легко ложатся в схему. Разумеется, я ничего не могу доказать, но версия выглядит на сегодняшний день самой логичной и жизнеспособной... У меня — все. Вопросы?

— Благодарю вас, Александр Андреич, — сказал Соболев, поднимаясь. — Скажите, а если бы вы получили заказ на продолжение работы... с соответствующим финансированием, разумеется... Если бы вы получили такой заказ, вы бы взялись за дальнейшее расследование?

Сашка пожал плечами и сделал жест в сторону Обнорского: вот, мол, кто здесь главный.

— Андрей Викторович? — сказал Соболев.

— Не знаю, — ответил Обнорский. — Возможно...

— От чего зависит ваше решение?

— От различных обстоятельств, Сергей Васильевич. Одно из главных: отсутствие ангажированности на заданный конечный результат... Это мы уже проходили в случае с «Викторией», — ответил Обнорский, передавая Соболеву дискету с материалами папки «Горделадзе».

— Я очень рад был познакомиться с вами, Андрей Викторович. Вы были интересны мне как писатель... И совершенно неожиданно раскрылись в ином, очень важном качестве. Я восхищен тем, какую работу сумели провести ваши сотрудники всего за одну неделю. Буду рад встретиться с вами, Андрей Викторович, и с вами, Александр Андреевич, в Крыму, — сказал, прощаясь, премьер Крыма.

Обнорский проводил чету Соболевых вниз, во двор, где их ожидали две «вольво» из смольнинского гаража. Премьер с супругой сели в машину, водитель немедленно тронулся с места. Выезжая из-под арки на улицу Зодчего Росси, водитель включил «мигалку»... Машина исчезла за поворотом, остались только следы шин на снегу.

Обнорский стоял, смотрел на начинающийся снегопад и вспоминал теплую ночь над Черным морем и огоньки кораблей. Снег падал, падал, падал... Андрей подумал, что следующим летом обязательно поедет в Крым. Выберет время и поедет в Крым. И, возможно, встретится с Соболевым. Он не предполагал, что их встреча произойдет значительно раньше.

* * *

Сергей Васильевич Соболев уехал из Агентства «Золотая пуля» в задумчивости. Во внутреннем кармане его пиджака лежала дискета, переданная Обнорским... Визит премьера в Санкт-Петербург носил неофициальный характер, однако поездки руководителей такого уровня, к которому принадлежал Соболев, никогда не бывают отдыхом в привычном понимании слова. Так или иначе, но они наполнены встречами, беседами, консультациями. И хотя во время этих неофициальных встреч не подписываются договоры или контракты, на них обговариваются какие-то вопросы, завязываются знакомства, которые в будущем обернутся договорами и контрактами.

Во время этого визита в Питер Соболев провел несколько важных встреч, которые в перспективе должны были вылиться в полезные для республики Крым проекты... Однако более всего Соболева занимал сейчас журналист Обнорский и дискета, лежащая в правом внутреннем кармане пиджака.

Сидящий на переднем сиденье, рядом с водителем, Филатов пытался вести светский разговор. Сергей Васильевич что-то отвечал, но думал о разговоре с Обнорским и Зверевым. Жена, заметив, что он погружен в какие-то свои мысли, выручила, взяла беседу с Филатовым на себя. Соболев понял, благодарно пожал ей руку. Между супругами давно уже установилось такое взаимопонимание, когда не требуются слова...

Соболеву было сорок лет, он имел за плечами огромный жизненный, хозяйственный, военный и политический опыт. Это был очень жестокий опыт. Два с половиной года назад он взвалил на себя непомерно тяжелую ношу под названием «Крым». Жена тогда спросила: «Тебе это надо, Сережа?» Они сидели вечером дома, в кухне, пили чай с айвовым вареньем. Уютно светила лампа, по углам кухни лежал полумрак... Валентина смотрела в лицо мужа и спрашивала:

— Тебе это надо, Сережа?

— Надо, — ответил он после паузы. — Мне, Валя, это надо... Думаешь, не справлюсь?

— Справишься, — сказала она. — Ты — справишься. А я тебе помогу.

«Вольво» выскочила на Киевскую трассу и помчалась в Пулково. Снег над крышей вспыхивал, окрашивался в синий цвет от «мигалки». Что-то бодро говорил Филатов, что-то отвечала ему жена. Машины свернули направо, к Пулково... Впереди заблестели под низким ноябрьским солнцем пять стеклянных «башен» аэропорта. Искрился в поле снег.

— По-моему, мы опаздываем, — сказал, глядя на часы, Соболев.

— Без вас самолет не взлетит, Сергей Василич, — с холуйской интонацией в голосе произнес Филатов.

— Благодарю, — нейтрально произнес крымский премьер.

Неожиданно для себя он вспомнил то время, когда самолеты улетали без него... Это было в Афганистане, в невероятно тяжелом для Советской Армии 84-м. «Ограниченный контингент» нес тогда тяжелые потери, но для Соболева афганская эпопея подошла к концу — он возвращался в Союз. Судьба была к нему благосклонна — она провела сержанта Соболева по Панджерскому ущелью почти невредимым. Однажды автоматная очередь обожгла ему бровь и «причесала» волосы. В другой раз пуля сбила с него панаму... Смерть была рядом... совсем рядом. Но судьба хранила его — Соболев отделался контузией. Позже эта контузия даст о себе знать, напомнит бессонницей и головными болями. Но тогда, в сентябре 1984 года, он считал, что ему повезло: руки-ноги целы и он возвращается домой. В шесть утра, когда солнце только-только вставало над горами, он сидел на краю вертолетной площадки. В кармане лежало направление в Ташкентское общевойсковое командное училище, куда направляли отслуживших в Афгане сержантов с высшим образованием. Соболев ждал «вертушку», которая подкинет в Баграм... «Вертушки» приходили и уходили, они забирали убитых, раненых и больных гепатитом. Для живых и здоровых места все не находилось. Сергей Соболев и сержант-артиллерист из Сумской области, тоже направленный в училище, бросались к каждому вертолету... их не брали. Они боялись сбегать в столовую. Все казалось: вот мы отойдем на минутку и тут вдруг прилетит «стрекоза», в гулком брюхе которой найдется место для нас... Они простояли весь день в пыли, забивающейся в рот, в нос, в волосы, и надеялись на чудо. Чуда не произошло — в шесть вечера последний вертолет тяжело взмыл вверх и ушел на Баграм. Пилот сказал: «Не могу вас взять, ребята. Некуда! Может, следующий борт... Но это уже завтра. Сегодня борта не будет...»

От тоски хотелось завыть или разбить кому-нибудь морду. Но те, кому стоило бы разбить морду, были очень далеко и высоко... «Вертушка» ушла. Два сержанта стояли и смотрели ей вслед. Это была почти катастрофа.

И вот, когда они уже собирались возвращаться в казарму, над горами появилась черная точка. Точка росла, приближалась, приобретала контуры вертолета. Снова вспыхнула надежда...

— Не, — сказал усталый «летун», — не возьму. Некуда. Мне еще раненых с двух точек снимать... Не возьму. Может, следующий борт.

Вяло, медленно крутились лопасти...

— Может, следующий борт, — повторил вертолетчик, потом посмотрел в глаза Соболеву. Посмотрел —

и понял. Понял, что творится в душе солдата, который оттарабанил полгода в Афгане и рвется домой, в Союз. Они — сержант Соболев и безымянный старлей-вертолетчик — были ровесники или почти ровесники. Они были еще очень молоды, но война сделала их старше и мудрей.

Старлей помолчал несколько секунд, потом спросил:

— Убитых-раненых будешь грузить?

— Я хоть черта буду грузить, — ответил Сергей.

— Полетели...

Они собирали раненых по горам... Садилось солнце. В гулкий, наполненный воем и грохотом грузовой отсек Соболев и напарник-артеллерист грузили носилки с ранеными. Он запомнил это на всю жизнь... На одной из точек подобрали парня — сапера. Он подорвался на мине вместе со своей овчаркой. Взрывом ему выбило глаза, собаке оторвало ухо. Голова сапера была забинтована почти целиком. Только бескровные губы все шептали что-то в изувеченное ухо собаки. Пес не слышал хозяина, тот пытался повернуть его голову другой стороной, но в тесноте отсека это было очень трудно... Пес иногда скулил, и глаза его выражали человеческую тоску.

В Баграме они опоздали на транспортный борт. Виноват в этом был пьяный прапорщик, отвечающий за посадку... Он все перепутал по пьяни, а потом орал: «Вы что — охренели? Самолет вас ждать не будет!..» А «ИЛ-76» уже начал свой разбег по полосе, и Соболев в отчаянии выбежал на бетонку авиабазы, преграждая путь огромной махине. Пилот что-то кричал и показывал кулак за стеклом кабины... тот «ИЛ» ушел в Ташкент без него. Прапору — крысе тыловой — разбили морду, но это ничего не изменило.

— ...Без вас самолет не взлетит, Сергей Васильевич, — сказал Филатов.

Соболев произнес:

— Благодарю.

— Сергей Васильевич, — сказал Филатов. Он как-то упорно не замечал, что Соболев занят своими мыслями. — Сергей Васильевич, как вам наш Обнорский?

— Ваш Обнорский? Нормальный мужик ваш Обнорский.

— Нормальный-то он нормальный, но... несколько... э-э... неуправляемый.

— Неуправляемый, — механически повторил Соболев, — неуправляемый...

— Совершенно. Проблем создает море — не очень умеет считаться с... э-э... реалиями. Точнее — не любит.

Минуя здание аэропорта, две «вольво» выскочили на летное поле и поехали к серебристой сигаре «боинга» вдали.

— Пожалуй, это тот человек, который мне нужен, — прошептал Соболев.

* * *

В кабинете Обнорского зазвенел телефон. Телефон был «прямой», звонок шел, минуя секретаршу. Этот номер Андрей сообщал не всем. Обнорский снял трубку.

— Андрей Викторович, — пророкотал в трубке голос крымского премьера. — Соболев беспокоит... Не забыли еще?

— Я, конечно, старый склеротик. Да еще и контуженный, но вас, Сергей Васильевич, помню... Вы опоздали на самолет?

— Если бы! К сожалению, не опоздал. Лечу, — вроде бы весело ответил Соболев, но Андрей понял, что разговор предстоит серьезный. На его столе все еще лежали две черные папки с «делом Горделадзе». Обнорский машинально положил на одну из них руку... И вдруг вспомнил сон, в котором капитан Кукаринцев играл на бандуре «Реве и стогне Днипр широкий».

— Лечу, Андрей Викторович, лечу. А жаль... Не договорили мы с вами.

— Про «дело Горделадзе»? — спросил Обнорский.

— Именно про «дело Горделадзе»...

— Да что же о нем толковать? Вот найдется ваш Горделадзе через недельку-другую, и тогда...

— Уже нашелся, — жестко перебил Обнорского премьер.

— Ого! Вот неожиданность... Тема, значит, исчерпана?

— Он нашелся в лесу, в ста километрах от Киева. Без головы, — произнес премьер негромко. И замолчал.

Молчал и Обнорский. Машинально он раскрыл папку и увидел плакатик с черным контуром головы и призывом: «Найдите Горделадзе». Вот, значит, как обернулось.

— Эту информацию, — продолжил Соболев, — пока держат в секрете... Да и я знаю о ней, скорее, случайно... И, строго говоря, не имею права вам об этом говорить... Вы меня понимаете?

— Да, я вас понял, Сергей Василич. Ценю ваше доверие... Скажите, а может быть, это и не Горделадзе вовсе? Опознание проводили?

— С опознанием есть некоторые сложности. Обезглавленный, сильно разложившийся труп... Сами понимаете. Но с очень высокой степенью вероятности можно предположить, что это все-таки тело Горделадзе. Об этом пока не говорят, потому что обстановка сильно накалена, да и опознание действительно еще не проведено... Но обнаружение тела многое меняет. Вы согласны со мной?

— Да, это многое меняет... Если, разумеется, тело принадлежит Горделадзе.

— В свете новых обстоятельств не хотели бы вы заняться продолжением расследования?

— Нужно подумать, — сказал Андрей и захлопнул папку. «В свете новых обстоятельств» черная голова Горделадзе на плакате выглядела весьма зловеще. — Нужно подумать, Сергей Василич... Если тело принадлежит Георгию Горделадзе, то продолжить расследование представляется разумным. Но есть еще и другие аспекты.

— Какие? — быстро спросил Соболев.

— Чисто технические. В первую очередь — деньги.

— А если будут деньги?

— Тогда, конечно, можно попробовать...

— Значит, вы принимаете предложение?

— Я сказал только, что мне нужно подумать.

— Хорошо, Андрей Викторович, думайте. Я перезвоню вам вечером.

* * *

Вечером Обнорский сказал:

— Да, мы возьмемся.

— Отлично, — бодрым голосом откликнулся Соболев. В нарочито бодром голосе чувствовалась усталость. — Отлично. Нам нужно будет встретиться и обговорить детали... Вы сможете прилететь в ближайшие дни в Киев? Завтра-послезавтра?

— Завтра — нет, а послезавтра, пожалуй, смогу.

— Отлично. Позвоните мне, как надумаете. Ближайшие два-три дня я буду в Киеве, мы встретимся и обговорим все детали.

Черная папка так и осталась лежать на столе Обнорского. Сдавать ее в архив было рано.

* * *

Из Питера улетали в дождь. Низкое висело небо, и дождинки стекали по слегка запотевшему стеклу иллюминатора... Полетели Обнорский и Повзло, Зверев продолжить расследование отказался сразу и категорически.

— Да почему, Саша? — удивился Обнорский. — В деле появился новый оборот...

— Это какой же? — скептически спросил Сашка.

— Труп.

— Ага — труп... А сколько трупов находят на Украине ежегодно?

— Не знаю. Наверное, много...

— Я, Андрюха, тоже не знаю. Но думаю, что действительно очень много. Почему твой Соболев решил, что этот безголовый жмурик и есть Горделадзе?

— Пока не знаю. По телефону мы это не обсуждали... Но, думаю, есть какие-то основания так считать.

— Э-э, нет, Андрюша... Основания будут тогда, когда экспертиза даст заключение, что труп принадлежит Георгию Горделадзе.

— А если экспертиза даст такое заключение? — спросил Андрей. Участие Зверева в расследовании было очень желательно — в своем деле Сашка был классный специалист, опер «по жизни».

— Если экспертиза даст заключение, — ответил Зверев, — то можно будет и поработать. Но навряд ли такое заключение возможно.

— Почему?

— Да потому, что если даже это тело Горделадзе, в чем лично я сомневаюсь, опознать его будет очень трудно. Коли убийцы не поленились отрубить голову, то, скорее всего, они уничтожили и все прочие приметы, по которым его можно идентифицировать. Я бы, по крайней мере, так и поступил... Так что копайте без меня. И — привет «всаднику без головы».

«ТУ» разбежался по бетону аэродрома, взмыл в воздух. Когда лайнер закончил набор высоты, Обнорский позвонил Соболеву. Премьер обрадовался, сказал:

— Отлично, в Борисполе вас встретят.

* * *

— Вы, видимо, не в полной мере осознаете, как я рискую, — сказал Соболев.

Он стоял посреди номера, засунув руки в карманы брюк. Крепкий, сильный, без пиджака, с расслабленным узлом галстука. Обнорский и Повзло сидели в креслах. В Киев они прилетели час назад. В аэропорту их встретил человек Соболева на неброской серой «девятке», отвез в гостиницу, где их уже ожидал крымский премьер.

— Вы, видимо, не в полной мере осознаете, как я рискую...

— Простите?

84

— Я пригласил вас на свой страх и риск, мужики, — сказал Соболев. — Я человек президента, но пригласил вас без согласования с президентом. Можно сказать, за его спиной...

— Вы хотите сказать, что...

— Я хочу сказать, что ситуация с исчезновением Горделадзе может иметь любые, самые непредсказуемые последствия. Вы, Андрей Викторович, обмолвились как-то, что от политики далеки. Поэтому позволю себе несколько слов, чтобы вам стала понятна суть и цена вопроса... Политическая ситуация на Украине далека от идеала. Общество разрознено, не имеет единой идеи. Я мог бы познакомить вас с результатами социологических исследований, но не буду этого делать. Достаточно, пожалуй, того факта, что на Украине, как и в России, продолжается снижение численности населения... Нашу Раду лихорадит. Идет война партий и кланов. А в центре всего этого — президент. За возможность влиять на Бунчука наши олигархи готовы пойти буквально на все! В любой момент следует ожидать провокаций... Какое отношение имеет к этому дело Горделадзе? Прямое. Я не знаю, что случилось с Георгием Горделадзе. И вы не знаете. И Генеральный прокурор, скорее всего, не знает. Но карту «Горделадзе» уже вовсю разыгрывают! Сейчас, когда якобы обнаружено тело, я ожидаю новой вспышки истерии... Более того, я ожидаю вброса какого-то «компромата» против Бунчука или его ближайшего окружения...

Соболев умолк, подошел к Обнорскому, сказал:

— Дай, Андрей, затянуться.

— Да вот же сигареты, Сергей Васильевич, — сказал Андрей и протянул премьеру пачку.

— Спасибо, мне затянуться разочек, — улыбнувшись, ответил премьер.

Обнорский пожал плечами, протянул Соболеву сигарету. Сергей Васильевич сделал сильную затяжку, вернул сигарету, снова улыбнулся: мол, спасибо.

— Так вот — продолжу. Если противникам Бунчука это удастся, нас может ожидать политический Чернобыль. Думаете, я преувеличиваю? Отнюдь, друзья, отнюдь...

— У вас, — сказал Повзло, — есть факты о готовящихся провокациях?

— Нет, фактов у меня нет. Есть только ощущение, что некие события уже назрели... Дай Бог, чтобы я ошибался. Но боюсь, что я прав... Именно поэтому так важно разобраться с тем, что же действительно произошло с Георгием Горделадзе. Еще три дня назад я даже не подозревал, что обращусь к вам за помощью. Я даже не знал о существовании вашего Агентства. Мне хотелось просто познакомиться с писателем Обнорским... Я не знал, что Андрей Викторович не только писатель, но и журналист-расследователь. Что за его спиной стоит мощная расследовательская СТРУКТУРА.

— Это единственный мотив, по которому вы обратились к нам, Сергей Васильевич? — спросил Андрей.

— Нет, Андрей Викторович. Профессионализм и наличие организации — это, конечно, серьезный мотив. Но не единственный, — сказал Соболев.

— А каковы же другие мотивы? Много их?

— Их три, — ответил Соболев. — Еще не зная вас лично, я понял, что вы порядочный человек... Это во-первых. Во-вторых, мне сказали, что вы «совершенно неуправляемый» (Соболев усмехнулся). А в-третьих, вы — незаинтересованная сторона. Вы — иностранцы, вы можете посмотреть на наши дела сторонним взглядом. Спокойно и без эмоций... Поэтому я обратился к вам.

— И все же вы сказали, что рискуете, — заметил Повзло.

Соболев посмотрел на Колю очень серьезно, с прищуром. Помолчал несколько секунд, потом сказал:

— Да, Николай, я рискую... Я ведь не знаю, ЧТО ВЫ НАКОПАЕТЕ и какие это будет иметь последствия. Но я принял решение и очень рассчитываю на вас.

— Спасибо, — ответил Обнорский. У Андрея, как это часто бывает с ним осенью, сильно болела голова — память о ранении, полученном на Ближнем Востоке. Память о Куке... Сегодня, когда он на несколько секунд задремал в самолете, он снова видел капитана Кукаринцева во сне. Кука, ухмыляясь, тянул свой страшненький мотив на бандуре. Возле его ног стояла черная мертвая голова. — Спасибо, Сергей Васильевич. Мы ценим ваше доверие, — ответил Обнорский.

— Что ж... Давайте обсудим технические детали нашего проекта, — сказал Соболев.

Так началась для Андрея командировка в Киев.

* * *

Вечером Обнорский позвонил Галине.

— Андрей, — сказала она, — я соскучилась... Я ведь живой человек. Я тебя ждала, а ты прислал этих двух... москалей.

— Ну один-то, положим, все-таки хохол.

— Какая разница? Когда ты сам собираешься в Киев?

— Не знаю, — сказал Обнорский. — Работы полно... когда-нибудь.

— А я тебя жду.

— Ну тогда приеду. Коли дивчина ждет гарного хлопца — грех не приехать. Гарный я хлопец для тебя? Пардон, для тэбе.

— Гарный, гарный! А когда приедешь? К дивчине, кстати, тоже... гарной.

— Через полчаса буду, — сказал Обнорский. — Диктуй адрес.

— Как — через полчаса? — удивилась Галина. — Ты откуда звонишь?

Обнорский захохотал и повторил:

— Диктуй адрес, еду.

Ему даже не пришлось ехать — Галя жила в центре, на улице Городецкого, в двух минутах ходьбы от гостиницы «Москва», где остановились Обнорский и Повзло. Андрей купил шикарный букет, шампанское и спустя десять минут уже стоял перед дверью квартиры. Он нажал на кнопку звонка, и дверь распахнулась.

Они занимались любовью в «джакузи» огромных размеров, с зеленоватой подсветкой, и алые розы в мерцающем свете казались черными.

— Господи, — сказала Галина, — как хорошо. Как мне с тобой хорошо, Андрюша... Кажется, мы снова в Крыму. Ты вспоминаешь Крым?

— Вспоминаю, — ответил Андрей, любуясь загорелым обнаженным телом в прозрачной воде, любуясь отражением огонька свечи в зеркальном потолке.

Галина прильнула к нему и поцеловала в ухо.

— Щекотно, — сказал Обнорский.

— А я тебя защекочу... Я всего тебя защекочу, противный Серегин. А хочешь, я тебя вымою как маленькое дитя?

— Нет, — сказал он, отодвигаясь. — Не хочу.

Он вспомнил слова Затулы о пропавшем любовнике: «...Георгий уставал очень сильно. Чтобы снять стресс, я мыла его как маленького ребенка».

Андрей протянул руку и взял фужер с шампанским с бортика ванны. Как маленькие медузы, метнулись в вине пузырьки газа.

— И мне, — сказала Галина.

Андрей взял второй фужер, передал его Галине, откинулся в ванне... И тут увидел свое отражение: зеленоватое тело под водой... И голову над поверхностью. Тело под водой. БЕЗ ГОЛОВЫ... Мелькнуло лицо капитана Кукаринцева... Встала перед глазами картинка: Затула моет в ванной безголовое тело Горделадзе. Моет, трет его мочалкой, напевает «Реве и стогне» на музыку Куки.

— Что с тобой? — спросила Галина.

— Что?

— Ты побледнел... Тебе худо?

— Нет, все в порядке. Все хорошо. Все просто замечательно. — Андрей приложился к фужеру, сделал

88

глоток. Маленькие медузы заметались перепуганной стайкой. — С тобой мне очень хорошо.

— Ну слава Богу... А то я испугалась.

— Еще бы! Вот отдал бы концы прямо у тебя в ванне — и все! Международный скандал! Затрахала американская шпиёнка москальского журналюгу до смерти.

— Фу, какие глупости говоришь! Скажи лучше, зачем прилетел и надолго ли мне такое счастье привалило?

— Надолго ли — я и сам еще не понял...

— Защекочу. Зацелую в ухо!

— Боюсь!

— То-то же. А зачем ты в Киеве?

— В Киеве я, прекрасная паненка, по «делу Горделадзе», — сказал Андрей.

Галина широко раскрыла глаза:

— По «делу Горделадзе»?

— Именно так, Галка. Именно так, шоб я таки сдох.

— Я думала, на «деле Горделадзе» поставлен крест.

— Я тоже так думал. Но открылись новые обстоятельства, Галя.

— Что же это за обстоятельства? — спросила она.

Обнорский улыбнулся, поцеловал ее в нос и сказал:

— Кое-какие обстоятельства. Я еще сам точно не знаю — какие.

Она пожала плечами, поставила фужер на борт ванны.

— Это так неожиданно, Андрей... Нашелся человек или организация, которые спонсируют твое расследование?

— Да, такой человек нашелся. Он хочет установить истину.

— Или, напротив, утопить ее, — сказала Галина.

— Навряд ли, — ответил Обнорский. — В любом случае: мы уже взялись за эту работу и я намерен довести ее до конца... И хватит о мрачном. Сейчас мы с тобой идем ужинать в ресторацию. Есть в Киеве приличные рестораны с украинской кухней?

— Есть, конечно, — рассеянно ответила она. — В пяти минутах ходьбы — «Казак Мамай». Там очень мило и хорошая кухня.

— Вот и хорошо. Собирайся, приводи себя в боевой вид, а я еще полежу в твоем «бассейне»... Плесни мне шампанского.

Галина вылезла из ванной, налила Обнорскому шампанского и вышла. Босые ноги оставляли на кафеле маленькие отпечатки... Как на песке крымского берега.

В открытую дверь Андрей видел, как Галина включила телевизор, взяла трубку телефона.

— К черту! — сказал сам себе Обнорский. — Все к черту. Сегодня мы отдыхаем... К черту Горделадзе. К черту Куку. Идем к «Казаку Мамаю» и гуляем.

Андрей лежал в теплой воде, курил, пил шампанское и слушал как бормочет телевизор в комнате... Он пытался настроить себя на отдых... Через несколько минут вошла Галина — в черном кружевном белье, с трубкой радиотелефона в руке.

— Куда звонишь? — спросил Обнорский.

— В «Казак Мамай». Хочу заказать столик... Что мы будем есть?

— На твое усмотрение, лапушка, — ответил он. — Я бы лично съел тебя.

Галина засмеялась и вышла...

«Как все-таки хороша», — подумал Андрей.

* * *

Обнорский позвонил Повзло, но в номере Николая не было. Андрей позвонил на трубу, и Коля отозвался.

— Николай, — сказал Обнорский, — не знаю, где ты ходишь, но я приглашаю тебя поужинать в ресторане «Казак Мамай».

— О! — ответил Коля. — «Казак Мамай» — это в кайф... Мы придем через полчаса.

— Мы — это кто? — поинтересовался Обнорский.

— Да вот я тут одноклассницу встретил...

— Николай, вы кобель, — строго сказал Обнорский. — Байка про одноклассницу не катит — школу вы, гражданин Повзло, заканчивали в Виннице, а не в Киеве.

— А она вышла замуж за киевлянина и живет теперь в Киеве, — ответил Повзло.

— Николай, вы вдвойне кобель... Романчик с замужней женщиной? Женатого человека? В командировке? Это непристойно, гражданин Повзло. Ваше поведение мы разберем на летучке...

...Встретились в «Мамае». Спутницу Повзло звали тоже Галя. Она была роскошная полнотелая блондинка, смотрела на Николая влюбленными глазами. Поужинали хорошо, весело. Коля гусарил, балагурил. Обнорский посмеивался и говорил, что им можно загадывать любые желания — между двух Галин сидючи. Ладья казака Мамая плыла по Днепру. Черная ночь лежала над Украиной. Ни Обнорский, ни Повзло не знали, что их появление в Киеве уже вызвало интерес серьезных людей.

* * *

На следующий день, утром шестнадцатого ноября, на стол Хозяина веером легли полтора десятка фотографий.

— Что это? — спросил Хозяин.

На фото были запечатлены Обнорский, Повзло и две Галины в ресторане. Заец, начальник личной «контрразведки» Хозяина, ответил:

— Снова вернулись питерские... Собираются копать «тему Горделадзе» дальше.

— ... твою мать! — сказал Хозяин и хлопнул ладонью по столу. Звякнула ложечка в стакане. — ... твою мать, Костя! Кто они такие? Что им здесь нужно?

— Формально они журналисты.

— А фактически? Эфэсбэшники?

— Пока я не могу ответить. Мы пытаемся сейчас пробить обоих по нашим каналам, но, как вы сами понимаете, это не очень просто, Матвей Иванович... Потребуется время.

Хозяин побарабанил пальцами по столу, сделал глоток чаю.

— Что им нужно? Что они копают?

Заец промолчал.

— А бабы? — спросил Хозяин. — Что за бабы с ними?

— Одна из них — мой агент. Другую устанавливаем.

— Агент, значит, твой? Что ж, это хорошо... Пусть она этих пидерасов пощупает, так сказать. Которая из них, кстати?

Заец показал пальцем. Хозяин посмотрел, спросил, глядя поверх очков:

— Дерешь ее, Костя?

— Нет.

— Значит, дерешь... Ладно. Ты за этими «журналистами» присмотри. Знаем мы таких «журналистов»... Что у тебя еще?

— Затула вывесила на своем сайте информацию про тело Горделадзе.

— ... твою мать!

* * *

— Андрей, — позвала Галина.

— Ау!

— Андрей, иди сюда... Алена сообщила, что обнаружено тело Горделадзе!

Обнорский с бритвой в руке выскочил из ванной. Галина сидела у монитора, вид у нее был изумленный.

— Где мои очки? — спросил Обнорский, Галина подала ему очечницу. Обнорский уставился на экран с логотипом «Украинских вестей».

«Два месяца мы верили в то, что Георгий жив. И продолжаем надеяться. Но события этой среды разрушают нашу надежду...

Еще 6 ноября к нам обращались сотрудники милиции и прокуратуры с просьбой подробно описать украшения, которые носил Георгий — перстень и браслет. *Попутно они интересовались, что ел Георгий в день исчезновения... Естественно, мы предположили, что милиция что-то обнаружила. Но нам сказали, что „оснований для беспокойства нет". Однако до нас уже дошли слухи о найденном в Таращанском лесу теле... Мы пытались расспросить сотрудников милиции и прокуратуры об этом загадочном захоронении. Нам отвечали уклончиво...*

Тогда мы решили убедиться во всем сами и поехали в Таращу.

В морге районной больницы нам пошли навстречу и показали то, что осталось от тела. Смотреть на это без содрогания нельзя. Опознать — невозможно. Тело подло обезглавлено и, как считает местный эксперт, обработано химическими веществами, чтобы ускорить процесс разложения.

Однако эксперт описал нам перстень, браслет и талисман, найденные на теле и рядом с ним... У нас нет никаких сомнений, что это вещи Георгия Горделадзе... По словам эксперта, в желудке трупа сохранились арбузные косточки. Напомним, что именно арбуз ел Георгий в день своего исчезновения...»

— Надо ехать в Улашиху, — сказал Обнорский, не прочитав текст до конца.

— Куда?

— В Улашиху, Галя, в Улашиху. Тело обнаружили там.

— Минуточку, Андрей... Здесь ничего не сказано про какую-то Улашиху. Откуда ты зна...

— Потом объясню... Твой «опелек» на ходу?

— Да, конечно, на ходу... Откуда ты знаешь про Улашиху?

— Собирайся, поехали.

* * *

Низкое серое небо висело над трассой, сыпал снежок. Красный «опель» летел на юг, на Одессу. Галина сидела за рулем, Обнорский изучал карту.

— Тараща, — бормотал он, — Тараща... Ну и названьице. Вот она, Тараща-то... Нам сейчас поворачивать, Галка.

— Ага! Вот и указатель... Но откуда ты, Обнорский, знаешь про эту Улашиху?

— А ему голос сверху подсказал, — произнес, усмехаясь, Повзло.

Про Улашиху сказал, разумеется, Соболев.

«Опель» плавно вошел в поворот, взлетел на развязку. Тараща была уже рядом.

— А не вы ли, коллеги, Горделадзе мочканули? — спросила Галина.

— Мы, — ответил Обнорский. — Разумеется, мы... Кто же, как не мы? У московских спецслужб длинные руки, прекрасная панна.

* * *

Председателю Улашихинского сельсовета Василию Андреевичу Беспалому было около шестидесяти... Он был растерян.

— Да как же? — спрашивал он. — Зачем вам туда ехать? Лес — он и есть лес. Яма и яма...

— Нужно, Василий Андреич, — говорила Галина горячо, с напором. — Мы — журналисты, специально из Киева к вам приехали. А Николай с Андреем вообще из Питера прилетели...

— Из Ленинграда? — спросил Беспалый с недоверием.

Обнорский протянул ему паспорт и удостоверение.

— Из Ленинграда, — удивленно повторил Беспалый. Почему-то именно это обстоятельство и решило исход дела. — Ну раз из самого Ленинграда — поехали, покажу.

Начиналась метель, длинные белые языки стелились вдоль дороги, тучи ползли низко.

— Вот сюда нам, — сказал Беспалый. — Только на вашей машине не проехать. Пешком придется... Тут близенько.

Они оставили «опель» на обочине, вошли в лес. Лес стоял голый, мрачный. Ветер шумел в ветвях, гнул к земле рыжие папоротники. Беспалый шел впереди.

— Жуть берет, — говорил он. — Страшное тело... Да без головы. Мне уж шестьдесят лет скоро, молодые люди. Всякого в жизни повидал, а вот такого не видел... И думать не думал, что увижу когда.

Ветер нес сухой колючий снег, уносил часть слов Беспалого. Где-то в лесу с хрустом сломалась ветка. Серая рванина снеговой тучи почти цеплялась за верхушки деревьев.

— Вот, — сказал Беспалый, — здесь.

Они остановились у пересечения трех лесных дорог.

— Здесь он и схоронен был, — сказал Беспалый. — Вот она, яма-то... Здесь его и нашли.

Неглубокая, всего около полуметра, яма была частично засыпана листьями и снегом. Она вовсе не выглядела зловещей. Яма как яма... Возможно, старый окоп. От дороги ее отделяло метра три. Трое мужчин и женщина смотрели на яму молча... Выл ветер.

Повзло достал навороченный цифровой фотоаппарат, щелкнул вспышкой. Василий Андреевич, закрываясь от ветра, закурил. Коля снова сверкнул вспышкой. Потом еще, еще...

— А вот там, напротив, через дорогу, кто-то положил в развилку дерева бутылку из-под шампанского, — сказал Беспалый. — И горлышко было аккурат направлено на могилу.

— Бутылку из-под шампанского? — ошеломленно спросила Галина.

— Точно так, барышня... Из-под шампанского. «Черная вдова» называется. А горлышко — точненько на могилку указывало.

Коля сфотографировал зачем-то дерево, которое служило «постаментом» для бутылки-указателя. Таращанский лес стонал под порывами ветра.

— Василий Андреич, — обратился Обнорский к Беспалому, — а кто нашел тело?

— Гопники, — ответил тот лаконично.

— Что за гопники? Не ваши, что ли, не местные?

— Как раз наши... Есть в селе такая семейка — Сушки. Отец пьяница, жена его — несчастная женщина, да пятеро детей.

— А пообщаться с ними можно?

— А чего ж нельзя? Бутылку купите — общаться будете сколько влезет. Показать вам Сушков?

— А как же.

— Тогда пошли... Смотреть-то тут нечего. С души воротит прямо.

И они ушли. Стонал под ударами ветра Таращанский лес, сумрачно в нем было, страшно.

* * *

Семейство Сушков обитало в доме, которому более подходит название «халупа». Домишко приютился на самом краю села. В голом, без занавесок, окне светился экран телевизора. Скрипела незапертая калитка на ржавых петлях. Первым во двор вошел Беспалый... В окне мелькнуло белое пятно — лицо чье-то. Мелькнуло — и исчезло.

— Хозяин, — громко позвал Беспалый, открывая дверь.

В сенях было темно, пахло кислой капустой и нищетой. Беспалый, Галина, а за ними Повзло и Обнорский втянулись внутрь. В комнате вспыхнул свет — голая лампочка без абажура осветила убогую «обстановку»: грязную и холодную печь, шкаф с треснувшим зеркалом, черно-белый телевизор и еще какую-то разномастную мебелюху. За столом сидели трое детей... На столе лежал тощий кот. Сам Сушок лежал на диване, курил сигарету без фильтра. По телевизору гнали какое-то латиноамериканское «мыло».

— Здорово, Володя, — сказал Беспалый.

— Здоровеньки булы, Василь Андреич, — ответил Володя, слезая с дивана.

Он опустил на пол ноги в рваных носках, посмотрел исподлобья. На правой скуле у Сушка был немалый синячище. Беспалый обратился к нему на странном каком-то языке — вроде бы на украинском, но непонятном совершенно:

— Это — суржик, — шепнул Повзло Обнорскому.

— Суржик? Что такое суржик?

— Суржик — язык такой. Очень своеобразный вариант украинского языка. Суржик, Обнорский, нужно было учить, а не арабский.

— А ты понимаешь этот суржик, Коля? — спросил Обнорский.

— Мало-мало...

— Ну так переводи.

— А чего тут переводить? Сказал Василь Андреич, что, мол, мы очень важные журналисты из Ленинграда. Хотим с хозяином пообщаться. Горилкой его угостить.

Сушок смотрел довольно хмуро, чесал щетину на небритом лице. Но когда услышал про горилку, оживился и даже изобразил нечто вроде улыбки... Он что-то скомандовал детям, и те мигом исчезли в другой комнате. Рукой Володя сбросил на пол тощего кота. Кот возмущенно заорал, Володя обложил его матом совершенно по-русски, без всякого суржика. Предложил садиться.

Сели, Обнорский поставил на стол бутылку горилки, а хозяин принес несколько стаканов, миску с солеными огурцами... Василий Андреевич, пока Сушок занимался «сервировкой» стола, потихоньку беседовал с ним за жизнь. Галина и Повзло с двух сторон переводили Обнорскому, что Беспалый спрашивает, где жена, где старший сын Сергей и дочь Мирослава... Жена в больнице, отвечал Володя, ногу зашибла, болит нога, а Сергей с Мирославой скоро придут... А чего журналистам москальским трэба?

Сушок говорил, а сам все косился на бутылку в центре грязного стола. Обнорский не выдержал:

— Скажите ему, Василь Андреич, чтобы выпил и не мучился. А то он слюной может захлебнуться.

Беспалый сказал, и Сушок закивал, улыбнулся, показывая гнилые зубы, быстро свернул «голову» бутылке «Немировской»... Попытался налить и гостям, но все дружно отказались. Тогда Сушок совсем воодушевился, налил себе почти полный стакан. Пил он некрасиво — давился водкой, выкатывал глаза и даже какой-то звук утробный шел из него... Галина брезгливо отвернулась. Потом Владимир Сушок закусил соленым огурцом и что-то сказал Беспалому.

— Он спрашивает, что вы хотите у него узнать? Если про мертвеца в лесу, то ему на эту тему разговаривать нет резона... про это он разговаривать не хочет.

— Откуда у него синяк? — спросил Обнорский.

— Он говорит: о дверь стукнулся, — перевел ответ Беспалый.

— А я думаю, что это ему поставили опера из убойного отдела, — сказал Андрей. — Или эсбэушники.

Беспалый перевел, и Сушок посмотрел на Андрея с испугом. «Значит, — понял Андрей, — все правильно, в точку попал».

— А мы, — продолжил Обнорский, — пришли к нему как друзья... с угощением. Но с нами он говорить, видите ли, не хочет, а с теми, кто его бьет, говорит... Хорошо это? Правильно это?

Сушок снова налил себе водки, выпил. Противно, неопрятно съел огурец. На стол снова вскочил кот, заорал. Володя снова смахнул его на пол. Кот зашипел, а Сушок вдруг заплакал. Он обхватил голову руками и заплакал... Потекли пьяные слезы, повисла на кончике носа сопля. Пятидесятилетний алкоголик плакал, обхватив голову руками, и причитал.

Какое-то время все молчали, ошеломленные. Потом Обнорский спросил:

— Что он говорит?

— Он говорит, — ответила Галина, — что устал. Что жизнь у него собачья... даже хуже, чем собачья. Чем он так прогневил Бога? Чем он заслужил такую жизнь, люди добрые? А теперь, после того, как они с сыном нашли этого мертвяка проклятого, совсем беда. Приходят менты — бьют, приходят эсбэушники — тоже бьют. Все тюрьмой пугают... А Мирослава чуть не застрелила эсбэушника... А теперь еще вы на его голову.

Галина посмотрела на Обнорского, сказала негромко:

— Черт побери, мне его даже жалко, Андрей.

— Тогда поплачь, — отрезал Андрей. Все, кроме Сушка, молчали, но и Володя быстро успокоился, затих, вытер сопли.

Обнорский протянул ему сигарету, и Сушок взял ее, кивнул, что-то буркнул.

— Спросите, что значит: Мирослава чуть не застрелила эсбэушника? — попросил Андрей.

Беспалый опять стал толмачить:

— Он говорит: позавчера в который раз приезжали офицеры СБУ. Это он правду говорит — они сюда зачастили. То милиция, то прокуратура, то СБУ... Позавчера они были, опять допрашивали его и сына. Все допытываются, откуда, мол, Сушок узнал, где зарыто тело. Потом вывели его, Володю, из дома на улицу, за хлев, и стали бить. Потом сказали: мы тебя расстреляем, и один достал пистолет... Но тут на крик выбежала Мирослава. Ей шестнадцать лет. Она отца любит. Мирослава прибежала с ружьем и сказала этим, что сама их расстреляет, а они отобрали у нее ружье и заглянули в патронник — патрона-то нет. Один протянул ей свой пистолет и сказал: «Стреляй. Стреляй в меня, если сможешь...» Мирослава и выстрелила.

Обнорский изумленно покачал головой. Беспалый тоже.

— ...выстрелила, но, к счастью, ни в кого не попала. После этого эсбэушники сразу уехали... Но ему, Володе, все равно страшно и жить не хочется. А Мирославу потом весь вечер трясло, и уснуть она не могла... Сволочи! Все — сволочи. И зачем он только нашел это проклятое тело?

Из-за занавески, заменявшей дверь во вторую комнату, выглядывало испуганное лицо девочки лет восьми, с мутного экрана древнего телевизора страстные латиноамериканки говорили что-то о любви, хлопала на ветру калитка. Тень безголового трупа сидела возле стола с бутылкой водки и домашними огурцами...

— Попросите его, чтобы рассказал о том, как он нашел труп. Я дам денег еще на бутылку, — сказал Андрей.

Беспалый перевел. Сушок шмыгнул носом и ответил, что не хочет он ни о чем говорить. Потому что боится СБУ и не хочет, чтобы в него тыкали пистолем... Уезжайте, паны, уходите. Все — сволочи!

— М-да, — сказал Андрей. — Ну что ж, настаивать мы не будем, уважаем права личности.

На улице заскрипела, хлопнула калитка, и во дворе сушковского дома появились две тени.

— Кажись, Сергей с Мирославой, — сказал Беспалый, вглядываясь в снежную мглу на улице.

Спустя еще минуту в дом вошел парень лет восемнадцати. Он был насторожен, неуверен, щупл и здорово напоминал старшего Сушка.

— Где шлялись? — заорал на сына Володя. — За смертью вас посылать.

Сергей ответил, что везти тележку с дровами тяжело — снегу подсыпало и ветер в лицо... Беспалый переводил.

— Где Мирослава?

— На улице.

— Почему в хату не идет?

— Боится, — ответил Сергей, и Обнорский догадался, что Мирослава боится их. Увидела возле дома незнакомую машину и решила, что опять приехали эсбэушники.

Андрей спросил у Сергея:

— Сергей, ты понимаешь по-русски?

Сергей неуверенно кивнул. Обнорский встал, протянул руку:

— Нас бояться не надо. Мы не эсбэушники, мы журналисты. Меня зовут Андрей (парень слабо пожал руку Обнорского), мои друзья — Галина и Николай... Зови Мирославу в дом, никто ее не обидит.

...Мирослава затопила печь. Она оказалась настоящей красавицей, и Андрей подумал, что пропадет она здесь. И еще он подумал, что у девушки есть характер, есть сила воли — не побоялась выйти с ружьем на сотрудников СБУ... И что было бы, если бы она убила или ранила офицера СБУ из его же табельного пистолета? Даже представить трудно.

С Мирославой разговаривала Галина, а с Сергеем — мужчины. Потрескивала печь, на столе появилась вторая бутылка. Сушок-старший угрюмо пил водку, молчал. Сергей тоже пил водку, но говорил: в тот день они с отцом взяли лошадь и телегу у дяди Ивана... Дядя Иван — брат отцов. Бо-о-гатый!.. Они взяли взаймы лошадь и телегу, чтобы отвезти в Таращу два мешка картошки и продать на рынке. И поехали. В Таращу можно проехать по дороге, но они решили срезать и двинулись лесом. Так и лошади легче... Они ехали через лес, и Сергей захотел в туалет. Он соскочил с повозки и сделал пару шагов в сторону... Было это аккурат возле пересечения трех дорог... Он сделал два-три шага и вдруг увидел рыхлую землю. И холмик какой-то. «А вдруг, — подумал он, — это лисья нора? А вдруг можно будет поймать лиску?» Он подобрал сломанную ветку и стал ковырять «нору»... А потом разглядел и «холмик» — это была испачканная землей человеческая рука! Сергей сильно испугался, отскочил. Рыхлая земля под ногами просела с противным «булькающим» звуком, а рука высунулась на пару сантиметров вверх... Он испугался «нечеловечески» и закричал. Ему даже показалось, что пальцы той руки шевелятся.

Сергей замолчал и вопросительно посмотрел на бутылку. «Тоже сопьется», — подумал Обнорский... Сушки выпили.

— Рука, — спросил Андрей, — была левой или правой?

— Не помню, — ответил Сергей, — испугался нечеловечески, убежал я к телеге обратно.

...Он подбежал к телеге, крикнул отцу: «Сваливаем отсюда, батька, сваливаем. Там человек закопан, а не лиска...» Но батька пошел сам посмотреть. Он сказал: «Вот дурень», — и пошел посмотреть. Он подошел и сразу разглядел руку. Отец оказался хладнокровней... Возможно, потому, что когда ходил к брату за лошадью, распил с ним бутылку первача... И даже разгреб немножко землю возле руки и между пальцами...

Тут в рассказ сына встрял Сушок-отец.

— Он говорит, — перевел Беспалый, — что был дурак. Что нужно было ехать дальше и помалкивать про руку. Но тогда ему было интересно: а что за рука? Он ее тщательно осмотрел и даже почистил палочкой. Заметил, что ноготь на большом пальце был сломан... А перстня на руке не было. Потом они поехали в милицию.

...В таращанской милиции Сушку не поверили, сказали: «Иди, чучело, проспись». Но слова отца подтвердил сын, и тогда менты поверили. И какой-то офицер записал их показания... В тот же вечер к Сушкам домой приехали сотрудники милиции и потребовали показать место. С этого и начались неприятности Сушков... А на другой день труп выкопали.

— На другой день? — удивился Андрей.

— Да, — подтвердил Беспалый, — третьего ноября. Меня как местную власть пригласили присутствовать.

Беспалый рассказал, как выкопали тело:

— Было уже светло, когда ко мне приехал наш участковый, Юрий Николаевич Гром. И говорит: «Ты, Василь Андреич, знаешь, что в лесу-то нашли труп?» А я еще ничего не знал... «Ну так собирайся, поехали». Мы поехали. Там уже народ собрался, стояли машина прокурора, милицейская машина с Таращи, судмедэксперт Боротынцев крутился... Когда мы с Громом приехали, копать еще не начали, и всю эту «красоту» я своими глазами видел. Точно — земля, холмик и рука торчит из-под рыхлой земли-то. Правая рука. Это я хорошо помню. И бутылку эту из-под «Черной вдовы» хорошо помню. Лежит она, понимаешь в развилке, точнехонько на могилу показывает... А в наших краях никто отродясь этой «вдовы» не пил. У нас в ходу попроще напитки... Потом двое «суточников» начали копать. Да неглубоко им копать пришлось... Раз-два, и готово — вот он, покойничек-то. Глянули — мать честная! — головы нет. Боротынцев посмотрел: э-э, старый труп-то, говорит. Года два ему, говорит. А я про себя подумал: что за дела? Я сам этой дорогой хожу дважды в день. Каждый, можно сказать, пень знаю. Да и накануне ходил... никакой руки или свежей земли не заметил. И бутылки этой не видел. Что, думаю, за ерунда? ...А вот, кстати, про «каждый пень». Там, действительно, был у могилы пень... старый пень. Но я вот обратил внимание, что по нему чем-то ударили. Кора на нем ободрана и древесина видна плотная, светлая... Выкопали, значит. Эксперт присмотрелся: э-э, говорит, что-то тут не то, братцы... — А что такое? — Да вот, фрагменты кожи сохранились. По виду-то труп очень старый — два или три года ему, не должна кожа сохраниться. А сохранилась. Значит, «свежий» покойничек-то... А потом из Улашихи пригнали грузовик и отвезли тело в Таращу, в морг.

— Голову не искали? — спросил Обнорский.

— А где ее искать? — пожал плечами Беспалый.

— Поблизости. Почти наверняка голова где-нибудь поблизости. Не перекапывали землю в округе, Василий Андреич?

— Нет. Чего не было — того не было. А просеивать — просеивали...

— Расскажите, Василь Андреич, — попросил Обнорский.

Они сидели в доме Беспалого, куда Василий Андреевич пригласил их после посещения Сушков. Приглашение было принято. Жена Беспалого накрыла на стол, аппетитно запахло борщом, появилась запотевшая бутылка горилки с перчиком. После похода к могиле в Таращанском лесу, после тяжелого, «душного» общения с Сушками в доме Беспалого было уютно и комфортно. Все еще бушевала за окном непогода, а они сидели в тепле, обедали, выпивали по чуть-чуть и... получали бесценную информацию. Из чувства такта на диктофон не фиксировали.

Василий Андреевич налил всем, кроме Галины, горилки, сказал незамысловатый тост за гостей и, после того, как выпили-закусили, рассказал:

— На другой день, четвертого ноября, значит, позвонила мне следователь прокуратуры, попросила поприсутствовать при осмотре места. Хотели они, значит, еще раз пройтись с гребешком.

— С гребешком? — переспросил Обнорский. — Из «суточников»?

— Точно так... Дело было в субботу, в выходной. Ну, я прибыл на место. Стали там они, значит, шукать. Как уж там «просеивали», я особо не интересовался. Но вдруг зовут меня: смотри, Василь Андреич. Гляжу, лежит на багажнике ихней машины кулончик из белого металла в виде полумесяца... Вот, мол, возле ямы нашли.

Обнорский и Повзло быстро переглянулись: в ориентировке на Горделадзе было указано, что Георгий носил кулон белого металла в виде полумесяца.

— То есть, — сказал Обнорский, — как нашли кулон, вы своими глазами не видели?

— Чего не видел, того не видел... врать не буду.

— Больше ничего не нашли?

— Нет, — ответил Беспалый, но Андрей уловил в его голосе неуверенность. Повзло тоже это заметил.

— Ой ли, Василь Андреич? — спросил Обнорский. — Вы уже начали нам помогать, так уж помогайте до конца.

— Нет, — повторил Беспалый, — больше ничего не нашли.

— А перстень? — спросил Коля. — Покойник носил на правой руке перстень с черным камнем.

— Вы у эксперта спросите, — ответил хозяин. — Дело вот в чем, мужики: я ту руку видел...

— Точно — правую?

— Точно. Я ту руку видел... своими глазами. Не было никакого перстня, но...

— Что — «но»? — быстро спросил Андрей.

— А потом, говорят, появился.

— Как — «потом появился»?

— Не знаю, не знаю... Вы у эксперта спросите. У следователя спросите... А я не знаю. Может, я не разглядел. Рука в земле была, и... страшно.

* * *

Уехали от гостеприимного хозяина они только спустя часа полтора. Было уже совсем темно, метель улеглась, и небо очистилось. Выкатилась луна, и присыпанные свежим снегом поля казались накрахмаленными простынями. Идиллическая, хрестоматийная картинка... Тепло салона, пейзаж за окном и некоторое количество выпитого располагали к благодушному созерцанию под музыку Моцарта, несущуюся из магнитолы.

Но не было и намека на благодушие. Были подогретый событиями сегодняшнего дня азарт и страстное желание докопаться до истины.

— Что думаешь по поводу этого безголового трупа, Коля? — спросил Андрей.

Галина приглушила звук магнитолы.

— Кажется, в цвет, — отозвался Повзло. — Похоже, это трупик Горделадзе. А ты что скажешь?

— Не знаю... Жаль — не удалось поговорить с экспертом, — произнес Обнорский.

Эксперту Боротынцеву позвонили, но к телефону подошла жена... Долго выясняла: кто звонит? По какому вопросу? Потом сказала, что Константина нет. Он в командировке и когда будет, неизвестно... Не удалось связаться и со следователем прокуратуры — ее телефон не отвечал.

— С экспертом еще поговорим, — сказал Повзло. — А что тебя смущает, Андрюха? Все вроде в цвет... И кулон, и большой рост покойного. И даже приблизительный «возраст» трупа — около двух месяцев... Что тебя смущает?

Андрей помолчал, закуривая, потом сказал:

— Все! Меня смущает все, начиная как раз с «возраста» трупа и даже самого места захоронения...

— Хорошо. Давай по пунктам. Чем тебя не устраивает место захоронения? — спросил Коля.

— Если это тело Горделадзе... Если предположить, что это действительно тело Горделадзе, который исчез в центре Киева два месяца назад... Как оно попало сюда?

— Привезли! Элементарно, Ватсон, — привезли.

— Это понятно, что привезли. Но какой смысл тащить его сюда из Киева за сто тридцать верст, рискуя погореть на случайной проверке ГАИ?

Галина повернулась к Обнорскому:

— А это смотря на какой машине везти, Андрюша... Если перевезти труп на автомобиле милиции или того же СБУ, то, я думаю, никаких проблем и не будет.

— Логично, — согласился Обнорский.

В принципе, версия Галины не содержала ничего нового: уголовная практика знала примеры, когда заложников или криминальный груз перевозили под милицейским прикрытием. Не обязательно даже иметь для этого милицейскую машину — достаточно посадить в любую тачку сотрудника в форме и с милицейским удостоверением. Гаишники такой автомобиль почти наверняка не станут проверять из соображений корпоративной солидарности.

— Логично, — сказал Обнорский. — В качестве рабочей версии звучит вполне. И тем не менее вызывает сомнения: и далеко от Киева, и не на сто процентов надежно... Да и место выбрано крайне неудачно. Если бы это был непроходимый лесной массив, где тело никто и никогда не найдет, я бы, пожалуй, согласился. Но Таращанский лес не похож на тайгу... Весь пробит дорогами и тропинками. Здесь очень трудно спрятать тело надежно... Да, видно, и не старались: тело бросили у пересечения трех дорог, по которым ежедневно проходят десятки людей. Достаточно было отнести его в массив метров на сто, и сразу меняется весь расклад. А так, возле дороги, тело было обречено на скорое обнаружение. Удивляюсь, что его не нашли раньше... Тем более, что ребятки, которые его «похоронили», откровенно снебрежничали. Какое это, к черту, «тайное захоронение», если рука трупа торчит на поверхности?

— Может быть, торопились, — сказал Коля.

— Или помешал кто-то, — добавила Галина. — А может, просто не заметили в темноте... Возможно?

— Возможно, все возможно. Даже опытные и хладнокровные люди совершают ошибки, — согласился Обнорский.

— Еще бы, — сказала Галина. — Я вообще не могу себе представить, каким же нужно обладать характером, чтобы возить и закапывать безголовые трупы? Бр-р...

— Позвольте мне, дорогие коллеги, закончить все-таки мысль относительно места и способа захоронения... Итак, место выбрано неудачно. Способ захоронения вообще не выдерживает никакой критики — рука торчит! Куда уж дальше? Но ведь и это еще не все. Трупу отрубили голову. С какой, спрашивается, целью?

— Затруднить опознание.

— Ага, затруднить опознание, — сказал Обнорский. — Логично. Но только на первый взгляд. Потому что, уничтожив «улику», каковой является голова, нам услужливо оставляют перстень, браслет и кулон... Причем эти улики «вводят» в игру довольно топорно, довольно сомнительными способами. Например: перстня на трупе не видели ни Сушки, ни Беспалый.

— Сушок был пьян, — сказала Галя.

— Но Василь-то Андреич — трезв, — возразил Андрей.

— Но напуган, — сказала Галя. — Сам признает, что мог и не заметить перстенька.

— Конечно, мог, Галя. В состоянии аффекта... Запросто мог. Но постарайтесь посмотреть правде в глаза, друзья мои. Если каждый из перечисленных фактов поддается какому-то обоснованию и объяснению, то в сумме они вопиют и подталкивают к некоторым выводам.

— К каким? — спросила Галя.

— К простым. Первый: тело сознательно «прятали» так, чтобы оно было обнаружено как можно быстрей.

— М-м, — протянул Повзло. — Согласен.

— Вывод второй: обнаружение трупа представляет для нас огромный интерес, но...

— Но?

— Но это, скорее всего, не Горделадзе.

* * *

Обнаружение «таращанского тела», как окрестила его пресса, произвело эффект взорвавшейся бомбы. Прошло два месяца со дня исчезновения Георгия Горделадзе, и интерес, как журналистов, так и обывателей, начал угасать. Нельзя же бесконечно обсасывать одну и ту же тему. Надоедает.

Но поначалу исчезновение Горделадзе вызвало мгновенный и ничем не объяснимый ажиотаж. Казалось, что украинские журналисты в сентябре просто сошли с ума! Какое-то затмение нашло, но не на одного кого-то, а почти на всех сразу... Прошло всего два дня после исчезновения Г. Г. всего два дня!.. А Крымская Ассоциация независимых журналистов спешно опубликовала заявление, едва ли не манифест:

«Мы считаем, что случившееся стало последним звонком, который должен заставить задуматься, в какой стране мы живем. Эта страна не может считаться демократической, если журналист, пишущий правду о власти, должен бояться выходить на улицу».

А прошло всего-то два дня, и даже у сотрудников милиции не было еще ни одной более или менее осмысленной версии. Не было даже уверенности, что случилось нечто худое. В любой момент любвеобильный, темпераментный Георгий мог появиться с покаянной и застенчивой улыбкой. Именно в таких случаях говорят: «С кем не бывает?»

— Э-э, — говорим мы, — черт, видать, попутал!

А С КЕМ НЕ БЫВАЕТ?

Это выразительное «с кем не бывает?» сопровождается понимающей улыбкой, подмигиванием, пожатием плеч, разведенными руками и должно, видимо, означать, что это бывает с каждым. С любым... Или может случиться. И ничего тут особенного нет: ну загулял мужик... Ну с кем не бывает?.. А уж амбициозному, ведущему полубогемный образ жизни журналисту сам Бог велел... Не рано ли панику поднимать? Зачем мужика загодя хоронить?

Однако Алена Затула вывесила информацию об исчезновении своего любовника на сайт «Украинских вестей» всего через двенадцать часов после исчезновения Георгия!.. Не будем корить Алену. Она всего лишь женщина. Напуганная женщина. А уже вслед за ней в «бой» ринулись многие другие: уже упомянутая Крымская Ассоциация... А чуть позже аналогичное заявление опубликовало посольство США... Потом подключилось несколько общественных организаций... А депутаты Верховной Рады направили запросы во все спецслужбы Украины «о проверке обстоятельств исчезновения» журналиста... Без запросов проверить бы не догадались.

Бредовость ситуации нарастала, но никто этого, кажется, не замечал. С каждым днем, с каждым часом вал публикаций, запросов, ответов, брифингов, открытых писем обеспокоенной общественности, теле- и радиопередач нарастал. Спустя неделю после исчезновения Георгия Горделадзе в Киеве уже прошли первые митинги под лозунгом «Найдите Горделадзе!».

Некий народный депутат О. на каждом углу заявлял, что это именно он передал Горделадзе документы о коррупции в высших эшелонах украинской власти. И именно это послужило причиной гибели Г. Г. Предъявить эти самые «документы» депутат не смог. И многие нормальные люди, обалдев от вспыхнувшей истерии, принимали все за чистую монету. Поведение обывателя объяснить можно просто — хочется людям, жизнь у которых часто тяжела, скучна и лишена авантюрной интриги, хочется им жареных фактов, сенсации, громких разоблачений, закулисных интриг, тайных операций спецслужб... Поведение журналистов объясняется несколько сложнее. В принципе, мотивы — те же, что и у обывателя (см. выше). Но к этому, в отличие от бескорыстного желания домохозяйки приобщиться к «уж-ж-жасным тайнам», добавляется иной раз далеко не бескорыстное желание заработать на исчезновении Г. Г. некий капиталец...

Итак, многие, очень многие журналисты дружно обвинили в исчезновении Горделадзе власть. Фактов почти не было. Были слухи, сомнения, предположения... Однако этого хватило, чтобы пятнать власти. Безгрешных властей, конечно, не бывает, но факты все же надо иметь... И элементарную логику. Но и ее не было — заявляя, что обвиняют в исчезновении Г. Г. президента, его окружение и спецслужбы, господа журналисты к ним же приходили «за правдой». По принципу: вы убийцы — требуем от вас найти убийц. Почему-то почти никто не обращал на это внимания.

Равно как мало кто обращал внимание и на следующий пустячок: круг общения Горделадзе ограничивался в основном журналистской политтусовкой. «Страшно узок был их круг, страшно далеки были они от народа». Именно там, в кругу журналистов, собирали сотрудники милиции, прокуратуры и СБУ информацию о Г. Г. Потом на брифингах они рассказывали журналистам то, что услышали от журналистов. Ситуация дошла до некоего порога, за которым начинается сюрреализм или, по-другому, — идиотизм... А впрочем, называйте как хотите. Истерия и кликушество нарастали, рейтинг малоизвестных до этого «УВ» рос как на дрожжах, милиция докладывала обеспокоенной общественности о титанической работе:

«...Во дворе дома, из которого ушел Георгий Горделадзе, постоянно находятся более 10 человек, которые вновь и вновь обыскивают двор и территорию».

«...милиция обследовала 17 тысяч объектов, „отработала" 29 человек, с которыми тесно контактировал Горделадзе, а также 157 абонентов, чьи номера телефонов найдены в его записной книжке».

«...На поиски журналиста ориентированы 5 тысяч источников оперативной информации и 7,8 тысяч доверенных лиц»*.

«...милицией обследованы 55 тысяч объектов...»

«Апофигея» ситуация достигла тогда, когда в состав оперативно-следственной группы была включена Мирослава Горделадзе, которую, впрочем, на совещания не приглашали, и... любовница Георгия Алена Затула, из дома которой исчез журналист. Видимо, поэтому Алену приглашали на совещания. И она на них ходила. Слушала доклады генералов заместителю министров МВД, принимала участие в выработке стратегии... Но обижалась. Все ей казалось, что чего-то на этих совещаниях не договаривают. Не доверяют, что ли?

Но это она зря. Быть такого не может. Генералы МВД — милейшие, открытые люди. Никогда ничего не скрывают. Что ни спроси — ответят... Э, да что там! Заходи прямо в кабинет, залезай в сейф, листай бумаги с грифом «Совершенно секретно». Так что не права была Алена — ничего не скрывали генералы... Тем более от любовницы исчезнувшего человека, которая сильно путалась в своих показаниях.

Но к началу ноября ситуация стала «устаканиваться». Шум стих. Запросы о судьбе Георгия Горделадзе почти иссякли... И вдруг — новая бомба: обнаружен труп Горделадзе! Очень вовремя, очень кстати.

---

* Читай — стукачей.

* * *

«Опель» мчался в Киев. Голубел под луной снег на полях. Вихрился за машиной длинным шлейфом, поднятый колесами. Сверкал волшебно, сказочно, рождественски.

— Это не Горделадзе, — повторил Обнорский. — Голову отрубили не потому, что хотели сделать невозможным опознание Г. Г. Ее отрубили потому, что хотели кого-то, неизвестного нам, выдать за Георгия...

«Опель» мчался в Киев, и снежный шлейф за ним сверкал, как в рождественской сказке... Но страшная получалась сказка.

* * *

Из гостиницы Андрей позвонил в Симферополь Соболеву. Рассказал о странностях с трупом. Попросил:

— Нам бы хотелось познакомиться с материалами, которые подняли ребята из СБУ. Это реально?

— Нет, Андрей Викторович... Но я мог бы связать вас с одним человеком из СБУ приватно. Я не знаю, захочет он с вами разговаривать или нет. Сами понимаете — люди в этой организации... э-э... специфические. Но я попробую. Устроит вас?

— За неимением гербовой, Сергей Васильевич, пишут на простой.

— Тогда я свяжусь сейчас с ним. И, если он не будет против, он сам вам позвонит. Вы согласны?

— Да, разумеется, Сергей Васильевич. Буду ждать звонка.

В ожидании звонка Андрей стоял у окна, смотрел на Крещатик. На потоки автомобилей, на крыши, увенчанные гроздьями спутниковых антенн... Глядя на мирный, нарядный и как будто беззаботный Киев, он ощущал смутную тревогу. Он думал о ее причинах и не мог их найти. А тревога была. Андрей вспомнил, как он стоял на трапе самолета, только что приземлившегося в Борисполе... и как нахлынула мощной волной паскудная мелодия Куки. В Питере она звучала негромко, приглушенно, издали. В самолете окрепла, усилилась. А в Борисполе зазвучала так, что давила на барабанные перепонки. Стоя на верхней площадке трапа, Андрей даже прикрыл глаза...

Резко запиликал телефон. Обнорский вздрогнул, обернулся и взял в руку трубку:

— Алло.

— Андрей Викторович? Меня зовут Костенко Олег Маркович, меня просил позвонить вам один наш общий знакомый из Симферополя. Вы меня поняли?

— Да-да, конечно... Весьма рад вас слышать, Олег Маркович. Я, собственно, сам и попросил крымского знакомого, чтобы он нас познакомил.

— Чем я могу быть вам полезен, Андрей Викторович?

— Может быть, мы поужинаем вместе, Олег Маркович? — спросил Обнорский.— За ужином и пообщаемся.

— Сегодня? — спросил Костенко.

— В идеале — сегодня.

— Хорошо. Через тридцать минут я за вами заеду, — сказал Костенко. — Выйдете из холла гостиницы ровно через тридцать минут.

На этом Костенко разговор оборвал. Андрей посмотрел на часы, пожал плечами. Спустя двадцать девять минут он вышел из холла, закурил сигарету и, отойдя в сторону метров на пять, остановился.

Практически сразу рядом с ним затормозил довольно грязный «жигуленок» с плафоном «такси» на крыше. Обнорский махнул рукой: проезжай, мол... Но стекло передней двери со стороны пассажира опустилось и его окликнули:

— Андрюха!

Обнорский увидел незнакомого мужчину с внимательными глазами. Потом посмотрел на номер такси.

— Андрюха, черт старый! Не признал? Падай в тачку, покатаемся.

Обнорский, изображая радостную улыбку, быстро сел на заднее сиденье. «Шестерка» рванула с места.

* * *

Машина петляла по улицам минут десять. Андрей попытался завести разговор, но по реакции Костенко понял, что с разговором стоит повременить. Андрей сидел на заднем сиденье, видел перед собой коротко стриженный затылок Костенко и — отчасти — профиль водителя. На дисплее магнитолы отпечаталось число — «106» — «Шансон»... Господи, ну почему все водилы слушают «Шансон»?

«Шестерка» двигалась в потоке автомобилей в классическом стиле городского такси: обгон — перестроение — обгон, обгон... Правая рука водилы всегда на рычаге переключения передач. Левая нога на педали сцепления.

«Шестерка», резко набрав скорость, ушла под красный свет и нырнула с бульвара Тараса Шевченко на Владимирскую... остановилась. Пассажир, не прощаясь, вышел. Андрей проводил его удивленным взглядом. Таксист перехватил его взгляд в зеркале и сказал:

— Не удивляйтесь, Андрей Викторович... Я — Костенко.

— Весьма рад, — буркнул Андрей, а про себя подумал: «Ну, блин, конспираторы».

— Не удивляйтесь. Меры безопасности вынужденные. Вы ведь прибыли в Киев по весьма щекотливому делу, Андрей Викторович.

— Вы в курсе?

— В общих чертах.

— Вы, Олег Маркович, непосредственно занимаетесь «делом Горделадзе»?

— Организация, в которой я работаю, не одобряет обсуждения подобных тем. Очень сильно не одобряет. Вы, наверно, понимаете, что я согласился на встречу с вами только потому, что меня попросил человек, которого я искренне уважаю.

— Я понимаю, — сказал Андрей.

— Тогда спрашивайте... Если я смогу ответить на ваши вопросы — отвечу. Если нет — извините.

— В СБУ есть версии исчезновения Горделадзе?

— Есть, разумеется, — кивнул Костенко. — Не думаю, что наши версии сильно отличаются от ваших... Вы ведь уже работали эту тему?

— Работали... И все же, Олег Маркович, какие версии разрабатывает СБУ?

— Наиболее реалистичной нам представляется версия о «самопохищении».

— Мотивы?

— Самые прозаические: раскрутка имиджа «мученика за правду» с дальнейшей реализацией в политических целях. Например, выдвижение своей кандидатуры на выборах. Наш народ, как и ваш, очень любит тех, кто «пострадал за правду».

— Каким образом можно аргументировать появление Горделадзе после столь длительного отсутствия? — спросил Андрей.

— Это вообще не вопрос. Сбежал из плена, например.

— А не поверят?

— Поверят. Кто захочет поверить — поверит. Вылезает Гия где-нибудь в глубинке тощий, бородатый, в наручниках... Ух, герой! У вас пьяный Ельцин в речку упал, но ведь поверили, что его пытались утопить некие злодеи... Захотят поверить — поверят.

— Факты в подтверждение этой версии?

— Прежде всего более чем странное поведение Затулы. С самого начала она вела себя так, как будто знала точно: похищен. Или даже убит... Недаром ее первое сообщение напоминало некролог. Второе: полное отсутствие следов. Нормальное дело: в центре города исчезает человек и — никаких следов целых два месяца. Таращанское тело я в расчет не беру. Есть и еще некоторые нюансы, но я вам их не сообщу.

— Другие версии?

— Мы рассматривали версию похищения или убийства из-за долгов. Но она не подтверждается. Долгов было не так уж и много.

— Кому он был должен?

— Самый большой долг — две тысячи долларов — был у Горделадзе некоему господину Матецкому по кличке Отец.

— Криминальная фигура?

Костенко обернулся к Андрею вполоборота, сказал, глядя в глаза:

— Ну что вы! Разве может быть криминальной фигурой депутат Верховной Рады, член Комитета Рады по борьбе с оргпреступностью и коррупцией? Вы меня удивляете, Андрей Викторович...

— Действительно, — сказал Обнорский и «записал» в памяти: Матецкий.

А Костенко добавил.

— Про Отца вам лучше наводить справки в Крыму.

— Спасибо, Олег Маркович. Скажите, а версию мести со стороны власти вы не рассматривали?

— Нет, — сказал Костенко, — это просто несерьезно. Вы знакомы с так называемыми «критическими статьями» Горделадзе?

— Знаком, — ответил Андрей. Он вспомнил строчки из доклада. Анализ «критики» в «Украинских вестях» провел Повзло.

Вот что написал Коля по этому поводу:

«При тщательном изучении всех публикаций „УВ“ за период с 15.08 по 16.09 с. г. (т. е. за месяц, предшествовавший исчезновению Г. Г.) обнаружены несколько публикаций „критического характера“, в которых фигурируют высокопоставленные чиновники:

1. Глава налогового ведомства Украины Н. Назаров. Суть: налоговое ведомство слишком много денег расходует на свои собственные нужды.

2. Народный депутат А. Медведев. Суть: слишком богат, близок к семье президента. Этот материал (пе-

репечатанный „УВ" с одного из российских электронных изданий) содержит определенный набор фактического материала, порочащего репутацию Медведева. Непонятно, правда, почему газета обрушилась именно на А. М. — претендентов на те обвинения в его адрес, которые содержатся в данном материале, на Украине немало, а конкретного информационного повода в статье нет.

3. Руководитель секретариата Верховной Рады Кузнец. Суть: помещение для журналистов в парламенте отгорожено стеклянной стенкой. Ни одного доказательства, что именно Кузнец был „строителем" перегородки, в материале не приводится.

4. Судья Замченко. Суть: Замченко отказался изменить меру пресечения с содержания под стражей на подписку о невыезде двум находящимся под следствием бизнесменам. Материал написан невнятно, мотивы решения судьи не раскрыты.

5. Председатель СБУ Л. Сварог. Суть: Л. С. сообщил о полученной его сотрудниками информации, что якобы готовится теракт в отношении одного из участников саммита глав государств СНГ. Горделадзе обвинил Л. С. в том, что, скорее всего, к Бунчуку этот теракт мог не иметь никакого отношения.

...Совершенно очевидно, что серьезный ущерб чьему-либо имиджу Г. Г. нанести не мог. Ни он, ни его подчиненные не располагали действительно ОПАСНЫМ фактическим материалом. Большинство статей в „УВ" строятся на предположениях и эмоциях, а не на конкретных фактах. До 17.09. малоизвестные „УВ" и скандально-безобидный Г. Горделадзе всерьез никого не интересовали.

Вывод: нейтрализация Георгия Горделадзе как политической фигуры БЕССМЫСЛЕННА».

Обнорский Повзло доверял, но все же и сам просмотрел материалы Горделадзе в «УВ». Полностью согласился с выводами Николая: похищать, а тем более убивать журналиста не было никакого смысла.

— Да, я знаком со статьями Георгия, — ответил Обнорский украинскому «чекисту».

— Тогда вам все должно быть понятно относительно возможности политического преследования... Ну что еще вас интересует, Андрей Викторович?

— Ваша личная точка зрения на «дело Горделадзе», Олег Маркович?

— Я реалист, Андрей Викторович, в системе работаю пятнадцать лет. Каждое событие имеет причины и следствия. Извините за банальность. Попробуйте задать себе вопрос: а кому приносит дивиденды исчезновение Горделадзе и связанная с ним шумиха? Определенно ни Бунчуку, ни МВД, ни СБУ...

— Вы хотите сказать, что...

— Я ничего не хочу сказать. Я просто предлагаю вам подумать... А вообще-то, если бы я мог, я бы поработал с Затулой. Это дама знает много больше, чем говорит.

— Что же вам мешает поработать с Затулой?

— Э-э, Андрей... вы не понимаете. Алена теперь вошла в разряд священных коров. Ее пальцем нельзя тронуть — сожрут. Мигом ярлыков навесят, обвинят в политическом преследовании.

— Я вас понял. Позвольте в связи с этим еще один вопрос...

— Извините, Андрей Викторович, все что я мог вам сказать, я сказал... — ответил Костенко. Он посмотрел на часы. — Сейчас подойдет хозяин этого славного автомобиля, и мы отвезем вас в гостиницу.

— Понял. Но в перспективе, мы сможем с вами пообщаться?

Костенко задумался. Потом сказал:

— Наше с вами общение не всегда желательно. Если вас устроит, вы сможете связаться со мной через Сергея. Я имею в виду хозяина этой тачки. — Костенко похлопал по рулю.

— Ваш сотрудник? — осторожно спросил Андрей.

— Нет, — ответил с улыбкой эсбэушник, — друг... Устроит вас такой контакт?

— Вполне.

— Тогда запомните или запишите его трубу. — Костенко продиктовал номер мобильного телефона.

Обнорский повторил его дважды и запомнил навсегда. Костенко мигнул дальним светом, и спустя минуту к машине подошел Сергей. Он молча занял пассажирское место. Костенко пустил двигатель, сказал:

— Сейчас, Андрей Викторович, мы доставим вас в гостиницу. Или у вас есть какие-то другие планы?

— Да я, пожалуй, прогуляюсь, — сказал Обнорский.

Он попрощался с Костенко и Сергеем, вышел. «Шестерка» отъехала от тротуара, и ее огни быстро растворились вдали.

* * *

Снег быстро таял, оборачивался слякотью, и следы на снегу мгновенно наполнялись талой водой. Ноябрь в Киеве, лежащем на широте Лондона, капризен и непредсказуем... Катились, расплескивая грязь, автомобили, торопились пешеходы. Андрей стоял на тротуаре, глядел вслед уехавшей «шестерке» с сотрудником СБУ в роли таксиста.

...Ну и что эсбэушник? А ничего... потрепался, отделался общими фразами и ничего толком не сказал. А впрочем, сказал. Мягко, ненавязчиво, обозначил фигуру для разработки — Затула. Затула знает больше, чем говорит. А сотрудники СБУ взять ее в разработку не могут. Бред, конечно, но не больший, чем включение Алены в состав оперативно-следственной группы. Обнорский еще раз прокрутил в голове разговор с Костенко и решил, что Алену эсбэушник упомянул неслучайно. Ребята из конторы — те, настоящие, а не нынешние СКОРОСПЕЛКИ, вроде орлов, которые вручили шестнадцатилетней Мирославе пистолет, а потом сами жиденько обделались... Так вот, те, настоящие ребята из конторы, просто так, случайно, постороннему ничего не скажут. Костенко подтолкнул Обнорского, намекнул: присмотритесь к Затуле. Мы сами не можем, нам нельзя... А вы — варяги, вам можно.

Обнорский подумал: «А ведь и Зверев склонялся к тому, что роль Затулы в исчезновении любовника может оказаться не так уж и безобидна». Опыту и интуиции Зверева Андрей доверял. Другой объект для разработки — депутат Верховной Рады с криминальным душком. Тоже ничего себе объектик.

Обнорский представил себе мысленно карту Киева, развернулся и пошел по Владимирской в сторону бульвара Тараса Шевченко. Он остановился на минуту возле дома 80, в котором когда-то помещался офис «Украинских вестей»... отсюда вечером шестнадцатого сентября вышли Затула и Горделадзе. Серый, скучный, пятиэтажный дом с кленом около «підізда № 2». Дерево потеряло еще не все свои листочки, и Андрей машинально сорвал маленький, как будто игрушечный, засохший лист американского клена, положил в карман. Отсюда, из этого подъезда, Горделадзе вышел, чтобы больше уже не вернуться... Знала ли его любовница Затула, что Георгий не вернется? Ответа на этот вопрос «підізд № 2» дать не мог.

Андрей вышел на бульвар Шевченко, побрел вниз, к Крещатику. Он прошел мимо памятника Ленину, пересек Крещатик и обогнул Бессарабский рынок. По коротенькой, изогнутой Бассейной вышел к бульвару Леси Украинки. Слева круто уходила вверх Шелковичная, и торчал посреди нее небоскреб, похожий на огромный стеклянный член. Блестела булыжная мостовая, отражала свет фонарей.

Обнорский не спеша дошел до дома номер семь, где снимала квартиру Затула. Андрей закурил и несколько минут рассматривал «башню» с вынесенной наружу, застекленной лестницей. Потом спустился вниз, во двор дома. По всем раскладам выходило, что именно отсюда исчез Г. Г.

Из отчета:

«Со слов Затулы, Георгий, уходя, забрал с собой два пакета с мусором. Мусорные контейнеры расположены во дворе, по маршруту следования Горделадзе. При осмотре контейнеров на другой день был обнаружен только один пакет. Алена опознала его по содержимому — арбузным коркам и разбитой тарелке. Второй пакет исчез». АК «Алена» № 1.

Уличный фонарь на стальной шее горел ярко, освещал двор и те самые контейнеры для мусора. Андрей вспомнил показания Алены: фонарь горел ярко...

...и показания консьержки: «Фонарь не горел с начала сентября. Не горел он и в тот вечер. Я устала в ЖЭКе ругаться».

Он прошел мрачноватым тоннелем под «галереей» и вышел к подъезду дома № 7. Именно отсюда шагнул в ночь шестнадцатого сентября Георгий Горделадзе... если не лжет Затула. Он прошел мимо консьержки... было тепло, тихо, у соседнего дома сидела на скамейке ПАРОЧКА. Ни милиция, ни СБУ парочку так и не установили. Либо не смогли, либо не захотели, либо никакой парочки не было... Г. Г. вышел, в руках он держал два пакета. Сверху, с бульвара, доносился негромкий звук поредевшего к вечеру транспорта.

Предположим, что так и было... предположим. А что было дальше? Совершенно естественно, что человек с мусором в руках идет к мусорным контейнерам... куда же еще ему идти?

Андрей повернул налево и двинулся обратно к тоннелю. Тоннель — квадратная «труба» под домом, облицованная серым декоративным камнем, — вывел обратно, во двор с контейнерами. Горел фонарь, освещал решетку, отгораживающую часть территории двора, голые деревья впереди и двухпролетный подъем наверх, на бульвар Леси Украинки... Горделадзе подошел к контейнерам, выбросил пакет... или два?

Из отчета:

...он выбросил пакет. Что дальше? Если Горделадзе
ушел сам, то он попросту поднялся наверх, на бульвар, и поймал тачку. Или — если он собирался ехать
далеко... в Таращу? — тачка уже ожидала его...

Ладно, сказал себе Обнорский, попробуем посмотреть на дело по-другому: похищение действительно
имело место. Предположим, что оно произошло именно
здесь — возле дома Затулы. А почему именно здесь? Ответ прост: похитители знали, что Мирослава в отъезде,
и Георгий обязательно пойдет к любовнице. А потом,
когда он выйдет от нее... Стоп! А зачем ему вообще от
нее уходить, если жена в отъезде? Он спокойно может
оставаться до утра. Не могли же они спланировать возвращение Мирославы с детьми? Не могли. Соответственно, не могли планировать операцию на этот вечер.
Полная ерунда получается, а не грамотное, квалифицированное похищение. Серьезные люди так не играют.

А если устроить так, чтобы Георгий гарантированно вышел вечером из дома любовницы?.. Но как это
устроить? А просто:

— Милый, у моего кота кончился корм. Ты сходишь в магазин?

От этой мысли Андрея аж в жар бросило. Он застыл с неприкуренной сигаретой во рту... «Китикэт»!
Вот в чем загадка «Китикэт»!

Из отчета:

«Пришли мы примерно в 21 час. Георгий сразу отправился в душ, где пробыл минут 40. Выйдя из душа, он увидел, что мой кот голоден, а корм кончился и вызвался купить для него „Китикэт". Он вышел из квартиры примерно в 22 часа, вернулся с баночкой корма через 5—7 минут. Корм мы всегда покупаем в одном месте — в магазине напротив, через дорогу. Перед выходом за кормом, насколько я знаю, у Георгия не было с собой гривен, и он должен был поменять валюту — 100 долларов». АК «Алена» № 2.

Так-так-так... Увидел, что корм кончился и вызвался купить. Но до магазина так и не дошел...

Из отчета:

«Светлана Михайловна, бухгалтер магазина „Продукты" по бульвару Л. Украинки, 10, р. тел. 225-23-...

На мой вопрос о покупке банки „Китикэт" стоимостью 6,24 гривны Георгием Горделадзе (с демонстрацией фотографии Г. Г.) ответила, что на все вопросы она уже отвечала сотрудникам милиции. Показать фискальные чеки на товары, проданные 16.09.00 в период с 21 часа до 22.30 — отказалась. Чеки, с ее слов, уже проверяли сотрудники милиции, продажа корма на 6,24 грн. не зафиксирована. Я пытался вызвать Светлану Михайловну на откровенность, предполагая, что она может стоять на своем из-за желания скрыть „левые" продажи, но разговор не получился. Считаю, что бухгалтер говорит правду — Горделадзе корм у них не покупал. Ближайшая точка, где можно приобрести „Китикэт" находится минутах в десяти быстрой ходьбы». АК «Свидетельства». № 2.

...Итак, во-первых, корм Горделадзе не покупал. Это факт. А во-вторых, почему его не похитили в тот момент, когда он выходил «за кормом»?.. Или за чем там он выходил?

Андрей закурил сигарету, пробормотал: «Ерунда какая-то», — и двинулся вдоль дома номер пять. Теоретически Горделадзе мог уйти и этим путем... Теоретически, конечно, мог. А практически? От контейнеров с мусором до бульвара его отделяют двадцать метров и полтора десятка ступеней... При движении вдоль дома номер пять ему придется пройти метров двести... Зачем? Можно, конечно, предположить, что на «коротком пути» что-то Георгия насторожило — например, на верху лестницы шумела пьяная компания... Но Затула показала, что ни людей, ни машин она с балкона не видела.

Андрей двинулся вдоль пятого дома. Дом как дом, двор как двор — какая-то будка типа трансформаторной, несколько гаражей, обнесенная сеткой спортивная площадка... никакой подсказки об исчезновении Г. Г. двор не дал. Обнорский дошел до конца дома, отшвырнул окурок и посмотрел назад — там высился дом номер семь, горели десятки его окон, слабо светилась застекленная наружная лестница.

* * *

Утром семнадцатого Заец докладывал Хозяину:

— Питерские проявляют высокую активность. Днем ездили в Таращанский район...

— Ну и что?

— Там-то ничего... что там можно нарыть? Ничего. А вот вечером Обнорский встречался с неустановленным лицом. Встреча носила явно конспиративный характер. Вот фотографии.

— Хозяин откинулся в кресле, надел очки и взял в руки фото. На первом снимке был запечатлен Обнорский. Он стоял возле ярко освещенного входа в гостиницу, курил. Потом в кадре появилась «шестерка»-такси. Отдельно, крупно — номер: 6...9 КИЯ. Рассмотреть людей за блестящими стеклами было невозможно. Хозяин поднял глаза:

— Машину установили?

— Разумеется. Принадлежит некоему Забияке Сергею Андреевичу. Адрес: ..., телефон ... Лицензию на из-

124

воз оформил в декабре девяносто седьмого. По информации ДАИ* нарушений не зафиксировано. В восемьдесят четвертом Забияка проходил по делу об ограблении некоего Пресмана. Дарницким районным судом был оправдан. Пресман Леонид Григорьевич нынче проживает в США.

— Вы к этому Забияке присмотритесь.

— Уже работаем.

— Ага... так чего там было?

— Обнорский сел в машину этого Забияки в 18.04. Там, на фото, внизу есть таймер.

— Вижу. Ты мне суть говори.

— Так точно. Сел — обратите внимание — на заднее сиденье. Впереди, видимо, был пассажир, но точно мы сказать не можем.

— Плохо, Константин.

— Наружка не всесильна, Матвей Иванович.

— Дальше.

— Дальше мы их потеряли в районе площади Перемоги. Совершенно очевидно, что они рубили хвосты — крутились, уходили под красный.

— ... твою мать!

— Силами двух экипажей квалифицированное наблюдение не поставишь, Матвей Иванович, — спокойно ответил Заец.

Хозяин бросил на стол фотографии, посмотрел с прищуром. Заец взгляда не отвел.

— Хорошо... а где был третий экипаж?

— Третий занят на Повзло. Нам не разорваться.

— А еще можешь привлечь людей?

— Квалифицированных — нет... если только со стороны.

— Нет, этого не нужно. Только со стороны нам и не хватало, — ответил Хозяин и замолчал. Он о чем-то сосредоточенно думал, хмурил брови. Заец тоже молчал.

_____

* ГАИ по-украински.

— Ладно, — сказал Хозяин. — Ты говоришь: они рубили хвосты... Они что — знают о слежке?

— Навряд ли. Наружку у меня обеспечивают спецы, а не быки.

— Тогда почему? Почему они рубили хвосты?

— Возможно, из осторожности. Для страховки. Я бы вел себя точно так же.

— Значит, они профессионалы?

— Думаю, что это так... Обнорский, как я выяснил, служил в ГРУ. Военный переводчик. Специализация — арабский язык.

— Ага! Вот тебе и с говна пенки... Знаем мы таких «военных переводчиков»! Москали казачка заслали.

Заец кашлянул, ответил:

— Информация нуждается в проверке.

— Так проверяй! Я, что ли, должен этим заниматься?

— Проверка ведется, Матвей Иванович. Результаты обязательно будут.

— Ладно... А что этот — Повзло? Тоже «переводчик»?

— Нет. Николай Степанович Повзло — наш, хохол. Родился в Виннице. Сейчас проживает в Санкт-Петербурге, гражданство российское. О нем мы соберем информацию быстрее.

Хозяин посмотрел на часы, бросил:

— Ладно, излагай коротко, у меня скоро встреча с президентом.

— Третий экипаж вчера обеспечивал Повзло. Повзло... Кстати, ему дали псевдоним Родной... провел вчера три встречи.

— Активный землячок... А как окрестили этого — «переводчика»?

— Араб... Так вот — Повзло провел три встречи. Посмотрите фото. — Заец положил на стол пачку фотографий. — В двух случаях фигуранты установлены. Это журналисты, работавшие ранее с Горделадзе. Все установочные данные на них есть. Но интереса не представляют — шушера, пиарщики.

126

— Знаю обоих, — сказал Хозяин, разглядывая фото. — Гиены, падальщики... о чем говорили?

— Один разговор мой человек смог подслушать в баре «Эрикс». Говорили, разумеется, о Горделадзе. Родной пытался выяснить источники финансирования «Вестей», взаимоотношения внутри коллектива, версии исчезновения... в общем, ерунду.

— Ну и что? Что-то выяснил?

— Пустой разговор, Матвей Иваныч. Ничего путного этот хлыщ сказать не может. Пыжится, порет всякую х... Отчет здесь — в папке. — Заец положил на стол пластиковую папку. Хозяин недовольно поморщился, снова посмотрел на часы. Заец продолжил: — Разговор со вторым писакой подслушать не удалось. Есть фото и номер такси, на котором он уехал... Но я думаю, он тоже из журналистской братии.

— О чем говорили?

— Не было возможности послушать.

— Еще что?

— Пока все... отчеты...

— Отчеты потом посмотрю, оставь. Сейчас мне некогда.

— Так точно.

Хозяин встал, встал и Заец. Хозяин взял фотографии, папку с отчетами наружки, убрал их в сейф.

— Так вот что, Костя... ты их, «переводчиков-то» — из виду не упускай. Но лучше продумай схему, как бы их вообще из дела вывести... так, чтобы и духу их здесь не было. На х... они здесь нужны? Мы скоро такое замутим, что только держись! Некогда будет тут с ними возиться. Ты продумай этот вопрос, Костя.

«Ты поучи жену щи варить», — подумал Заец, бывший сотрудник КГБ. Вслух он ответил:

— Конечно, Матвей Иваныч. Этот вариант разрабатываем.

— Ладно... Молодцы. Еще вот что — ты отслеживаешь, как развивается шум вокруг трупа? — спросил Хозяин, запирая сейф.

— Мы, собственно...

— Ладно, не надо. Я найду, кому поручить. А у тебя и так работы полно... Вот, бля, москали зае...али! Ну иди, иди. У меня встреча с президентом.

Заец вышел. Хозяин, покачиваясь на носках сшитых на заказ туфель, повторил:

— Ну москали зае...али!

* * *

За ночь снег растаял, над столицей сверкало солнце, ворковали на карнизах сытые киевские голуби... как будто и не было вчера зимы и снегопада. Обнорский и Повзло позавтракали в гостиничном ресторане, вышли на Крещатик. Напротив почтамта Андрей нашел серую «девятку». Постучал в стекло. Водитель вышел, Обнорский представился. Водитель как будто обрадовался.

— Вот доверенность и техпаспорт, — сказал он. — Ключи в замке, бак полный. Чем я еще могу вам помочь?

— Да, пожалуй, что ничем, — ответил Андрей. — Спасибо.

— Не за что. Желаю вам удачи. Машина в вашем распоряжении на все время пребывания в Киеве.

Обнорский сел за руль, Повзло — рядом.

— Откель экипаж? — спросил Коля удивленно.

— Договорился с Соболевым, — ответил Андрей, пуская движок. — Нельзя же вечно Галку эксплуатировать.

— А она, кажется, не против того, чтобы ты ее на всю катушку эксплуатировал.

— Николай, вы кобель, — сказал Обнорский и тронулся с места. — Лучше работай с картой, чтобы не блуждать. Я Киев-то плохо знаю.

Немножко все равно поблуждали, но потом выехали на Голосеевский проспект и десять минут спустя уже катили по трассе Е-95 — в Таращу.

* * *

На въезде в Таращу заскочили в кафе «Наталі», кафе было «відчинено» — открыто, но кроме очень красивой девушки за стойкой внутри не было ни души. Попили кофейку, который оказался здесь втрое дешевле, чем в Киеве, полюбовались на пруд за окном, на стайку уток...

— Коля, — сказал Обнорский, — а вот эта «пятерочка»... головой не крути!.. вот эта «пятерочка», что стоит у моста, за нами ехала от трассы.

— Ну и что? — спросил Повзло.

— Нет, ничего... Но — факт, ехала. А теперь встала, и никто из нее не выходит.

— Эге ж, хлопчик... есть такая болезнь — мания преследования. Вот если бы эта «пятерочка» ехала за тобой от Киева...

— Нет, от Киева — нет. Была на трассе какая-то «девятка», которая долго за нами катилась, но потом ушла на Белую Церковь.

— Ну так и не хрен голову себе забивать.

— Это точно.

Они попили кофейку, чуть-чуть потрепались с мило смущающейся девушкой за стойкой и двинулись искать морг. Тараща — городишко маленький, летом, наверное, очень зеленый и уютный... скучный и вялый в ноябре среди облетевших каштанов и мертвых акаций... с безмолвной лютеранской кирхой и единственным на всю четырнадцатитысячную Таращу светофором у рыночной площади.

Больницу отыскали легко — на зеленых воротах была нарисована красной краской змея над чашей. А на задворках больницы нашли и морг — приземистое одноэтажное здание под шиферной крышей... К некоторому удивлению нашли и судмедэксперта Боротынцева.

— Ну я Боротынцев, — сказал он в ответ на вопрос. Он сидел в маленькой клетушке, заполнял какие-то бумаги. В помещении стоял устойчивый специфический запах, присущий моргу... и запах алкоголя, исходивший от эксперта. — Ну я Боротынцев. Чем могу?

— Здравствуйте, Дмитрий Исаич, — сказал Обнорский. — Мы вчера вам звонили, но ваша жена сказала, что вы в командировке...

— А-а, журналисты?

— Журналисты.

— Из Москвы?

— Нет, из Питера. Есть некоторые вопросы.

— Про народного героя Горделадзе?

— Про тело, обнаруженное в Таращанском лесу, — ответил Андрей.

Боротынцев посмотрел на него с интересом, ухмыльнулся и сказал:

— А на документики ваши можно взглянуть?

— Разумеется, — ответил Обнорский и протянул удостоверение.

— Грозно, — сказал, изучая удостоверение, Боротынцев. — Агентство... расследований! Весьма грозно. Чем же я могу вам быть полезен, господа?

— Очень даже можете, Дмитрий Исаич. Мы занимаемся расследованием истории исчезновения народного, как вы выразились, героя Горделадзе. Скажите, какая связь между телом, обнаруженном в Таращанском лесу, и Георгием Горделадзе?

— Я обязан отвечать на ваши вопросы?

— Нет, не обязаны...

Боротынцев положил в рот таблетку «Рондо». Протянул гостям. Обнорский хотел отказаться, но вспомнил: «свежее дыхание облегчает понимание» — и таблетку взял.

— Свежее дыхание, — сказал Боротынцев, — облегчает понимание.

Сказал — и хохотнул. Он был изрядно нетрезв.

— Я, впрочем, господа, больше общаюсь с субъектами, которые на такие пустяки, как свежее дыхание, внимания не обращают... В то время как сами пахнут... Да-с... таращанское тело? Я его откапывал, я с ним работал. Спрашивайте. Хотя меня уже предупредили, чтобы языком не трепал.

— Кто? — одновременно спросили Обнорский и Повзло.

Боротынцев засмеялся, и Андрей понял, что эксперт пьян значительно сильнее, чем показалось на первый взгляд.

— А вы догадайтесь, господа расследователи...

— Кто вас предупредил, Дмитрий Исаич? — спросил Андрей. — На вас оказывают давление?

— Бросьте вы! Кто — я вам все равно не скажу. А давление на меня оказывать нельзя. Эксперт — по закону — лицо независимое.

— Именно на независимых и оказывают, — возразил Повзло. — На зависимых-то и давить не надо.

— Логично, — кивнул Боротынцев. — Но я вам все равно не скажу. Итак, вас интересует: не принадлежит ли тело, обнаруженное в лесу, герою Горделадзе?

— Да, интересует.

— Я думаю, что это его тело. Больше того — я в этом уверен.

— Почему вы пришли к такому выводу?

Боротынцев закурил дешевую болгарскую сигарету, проигнорировав предложенный Андреем «Кэмел», разогнал рукой дым и только после этого ответил:

— Сначала, конечно, никаких выводов не сделал... тело как тело... давнее, без ПК.

— Без чего?

— Без персонального компьютера, — сказал эксперт и постучал себя по голове. — Потом я обнаружил некоторые странности. Какие? — спросите вы. Отвечаю: на первый взгляд трупу годика два... плюс-минус... Но потом я заметил, что местами сохранился кожный покров. Местами очень даже прилично сохранился. Под мышками, например. Но у трупа двухлетней давности кожа сохраниться не может!

— Тело чем-то обработали? — спросил Андрей.

— Возможно... какими-нибудь кислотами, щелочами... не знаю, не знаю, не могу утверждать. Факт, однако же, настораживающий. Я до сих пор с подобным не сталкивался. А на другой день при более тщательном осмотре места мы обнаружили фрагмент кулончика на порванной цепочке. И я вспомнил, господа расследователи, ориентировку на Горделадзе... и все сразу встало на свои места!

— Так уж и все? — спросил Повзло.

— Все! И рост, и перстень на руке, и браслет, и кулон. И приблизительный возраст трупа, — сказал эксперт. — Выпить... э-э... не желаете?

— Нет, спасибо.

— Ну как знаете... А я выпью. — Боротынцев поднял с пола из-за стола темную бутылку, накрытую пластмассовым стаканчиком.

На бутылке было написано: «ЯД!». Весело скалился череп на перекрещивающихся костях. Заметив удивленный взгляд Повзло, эксперт подмигнул, сказал:

— Чистый, медицинский... а этикетка — мера защиты. Примерно то же самое, что мимикрия у животных и растений.

Боротынцев хохотнул, налил спирта. Быстро выпил, запил из носика чайника, выдохнул: а-ах!

— А скажите, Дмитрий Исаич... — произнес Обнорский.

— А? Что? — быстро спросил эксперт.

— Скажите, перстень был на руке?

— Конечно. Не на ноге же.

— А вот нашедшие тело отец и сын Сушки перстня не видели.

— Худо глядели эти ваши Сушки. Пьянь.

— Может быть... может быть, худо. Но Василий Андреич Беспалый тоже его не видел. Он-то не пьянь.

— А-а, старый коммуняга? Да он же слепой.

— А у меня сложилось впечатление, что Василий Андреич хорошо видит, — сказал Повзло.

Боротынцев посмотрел на Колю бесцветными глазами, ответил после долгой, секунд десять, паузы:

— Ерунда. Да и что они вообще видели?

— Руку. Руку, торчащую из земли.

— Правую! — воскликнул эксперт. — Правую руку! А перстень был на левой.

— Ах, вот оно что.

— То-то и оно, — сказал Боротынцев. — Вот оно все и совпало: и рост...

— А как можно определить рост безголового тела? — спросил Обнорский.

— В анатомическом строении тела, господин журналист, — назидательно сказал Боротынцев, — есть железные закономерности и пропорции. Если нет патологии... А Горделадзе обладал правильным телосложением... Вычислить длину тела не представило большого труда. Я это сделал без калькулятора. На листочке бумажки. В столбик. И получил искомые сто девяносто шесть сэмэ... плюс-минус. Вам все понятно?

— Пожалуй. А отпечатки пальцев у трупа сохранились?

— Нет. Для идентификации категорически непригодны.

— Что-то еще приметное есть? — спросил Андрей.

— Есть, господа, есть! Еще и как есть! — сказал эксперт таким голосом, что стало ясно: действительно есть.

— Что же? — спросил Обнорский после паузы.
Боротынцев тоже выдержал паузу, потом сказал:

— Труп пролежал в земле совсем недолго — два-три дня. Максимум. А скорее всего — не более суток.

— Почему? На чем основывается ваш вывод?

— Потому что он, можно сказать, стерилен. В нем нет никаких личинок насекомых! — торжественно произнес эксперт.

— Ну и что это означает?

— Неужели непонятно, что это означает? Характер гнилостных изменений дает — как минимум! — месячный «возраст» трупа. Даже с учетом возможной химобработки с целью искусственного «старения». А на теле ни одной личинки! Так, господа, не бывает. Если тело хранится в земле, на нем обязательно откладывают личинки насекомые. Тело хранили где-то в другом месте. Причем хранили в герметичной упаковке... Вот именно об этом мне велели молчать.

— А кто, Дмитрий Исаич, велел вам молчать? — снова спросил Андрей.

Эксперт посмотрел на него ехидно, пьяновато и погрозил пальцем.

— К Затуле, — сказал он, — к Затуле! Все вопросы к ней.

— А почему к ней?

— Потому что к ней. Я все сказал и больше не скажу НИ-ЧЕ-ГО. Понятно вам?

— Понятно. А хоть на труп-то можно взглянуть?

— Нельзя.

— Да бросьте вы, Дмитрий Исаич. Вы так интересно рассказывали! Можно нам взглянуть на труп?

— Нельзя, господа, нельзя. Нету у меня трупа.

Повзло и Обнорский переглянулись.

— Простите, — сказал Андрей. — Простите, а где же он?

— Изъяли вчера. Увезли. А руку забрала Затула.

Коля Повзло приоткрыл рот. Боротынцев захохотал.

* * *

Когда они вышли из помещения морга, было им немножко не по себе. Сверкало солнце, и плыли в небе белые завитки облаков. Грелся на скамеечке толстый рыжий кот, косил сонным глазом. Все вокруг было тихо, мирно и безмятежно. Теплый ветер слегка шевелил ветви деревьев... за белой кирпичной стеной морга, в облаке тяжелого трупного запаха, сидел сильно нетрезвый человек в несвежем халате. Только что он рассказал такое, от чего волосы могут встать дыбом.

* * *

— ...А руку забрала Затула.

Повзло приоткрыл рот. Боротынцев захохотал. Обнорскому хотелось схватить эксперта за ворот халата, тряхнуть и спросить: «Что ты мелешь? Что ты несешь, трупорез? Какую руку?! Какую, к черту, руку забрала Затула?..» Он сдержался. Он закурил и спросил:

— Простите, Дмитрий Исаич, я не понял. Какую руку забрала Затула?

— Правую. Правую руку забрала.

— Зачем?

— На холодец, — ответил эксперт и снова захохотал.

Андрей и Коля переглянулись: белая горячка? А черт его знает!.. Желание тряхнуть эксперта или врезать ему по «персональному компьютеру» стало еще сильнее. Обнорский затянулся и сказал:

— Честное слово — ничего не понял. Объяснитесь, Дмитрий Исаич.

И Боротынцев «объяснился»: он тоже долго не понимал, что труп принадлежит Горделадзе. Труп и труп. Не первый и не последний. Их каждый день на Украине десятками находят... Зарезанных, зарубленных, застреленных! А сколько самоубийц вынимают из петли — вы знаете? А сколько дохнет наркоманов? А сколько каждую зиму замерзает бомжей и беспризорников?.. То-то, р-р-расследователи! Мать вашу! Сидите в сытеньком Киеве... пардон, в Москве,.. пардон, в Питере... а впрочем, какая на х... разница?! Сидите в своих столицах и ни хера вы не понимаете. В политику все играете. А политика-то вся к одному сводится: кто к пирогу дорвался, тот и отрезал себе кусок. Другим — шиш. Другим — хер смачні. Стороннім візд заборонено... А Бунчуки, Лазаренки, Тимошенки все воруют, воруют... Все тащут, бляди.

Алкоголь уже давил на мозг эксперта стопудовой тяжестью, речь сделалась неровной, временами бессвязной. Паузы между фразами становились все длинней. Обнорский и Повзло слушали этот монолог отстраненно. К теме, которая привела их сюда, «поток сознания» Боротынцева не имел никакого отношения...

Ломая спички, эксперт долго прикуривал. Прикурил наконец и поднял глаза на Обнорского.

— Горделадзе! — сказал он. — Горделадзе...

Конечно, сначала он не связал голого, безголового мертвеца с киевским журналистом... труп и труп. И даже перстень не подтолкнул его к этой мысли. И кулончик найденный не подтолкнул. Случайно вдруг в голове вспыхнуло... потом, через день! Сидели вечером с Панасом... Панас Игоревич — главврач местный... сидели, выпивали, зашел разговор о Горделадзе... сейчас все говорят о Горделадзе... И — как вспыхнуло в голове: вот! Вот оно — срослось все! Я враз вспомнил ориентировку. Панаса Игоревича бросил, побежал в морг...

— Когда это было? — спросил Повзло.

— А?

— Когда вы поняли, что таращанское тело — это тело Горделадзе?

— Давно...

— Хороший ответ. А точнее?

— Пятого, кажется, ноября.

— Что было дальше?

Дальше было так: он пошел к Петренко — следователю прокуратуры: это — Горделадзе! А Петренко — дура дурой — испугалась. «Ох, — говорит, — только этого нам не хватало, Дмитрий Исаич...» Да и ее понять можно — без году неделя бабенка на следствии, кроме пьяных драк ничего и не вела... А тут — Горделадзе! «Ой, — кричит дурища, — караул. Без ножа, Исаич, режешь. Только нам этого хохляцкого грузина не хватало...» В общем, подал бумаги по инстанциям. Но ведь никому ничего не надо. Ментам — не надо, прокуратуре — тоже не надо... все пишут бумажки. Стулья жопой полируют, лохи гребаные. И тогда

136

он позвонил Затуле. Он позвонил Затуле, и на другой день она приехала. Берию с собой притащила... «Кого-кого?» — спросил Повзло. «Лоха кавказского. Ну чистый Берия, только без пенсне. Зато в очечках, и зовут — не поверите — Лаврентий».

— Поверим, — сказал Коля. Он сразу опознал человека, которого так колоритно описал эксперт.

...Алена привезла с собой медицинские документы Горделадзе. Сказала, что в Абхазии Георгий попал под минометный обстрел. В правой руке остались мелкие осколки... И тогда эксперт ОТДЕЛИЛ КИСТЬ ПРАВОЙ РУКИ ТРУПА. (Обнорский и Повзло переглянулись. История все больше превращалась в нечто совершенно невообразимое, кошмарно-голливудское... В углу комнаты как будто сидел Стивен Кинг, а за его плечом прятался в тени педагог Сливко*... жутко было и противно...) Он отделил кисть руки и отнес в соседний корпус, на рентген. Рентген показал наличие мелких металлических осколков!.. Затулу колотило... Ее колотило, а Берия ее успокаивал, давал какие-то таблетки. Потом они пошли искать машину.

— Какую машину?

— Грузовую. На легковухе труп не повезешь.

— Вы собирались отдать им тело? — спросил Андрей.

— А на х... оно мне? — ответил Боротынцев. — Пусть забирают.

— И они забрали?

— Не успели. Приехали киевские менты и сами забрали. А мне сказали, чтобы я помалкивал... не желаете выпить?

После рассказа эксперта самое то было бы выпить. Хлебнуть из бутылки с черепом и надписью «ЯД!». Запить водой из старого чайника с потрескавшейся синей эмалью и заорать что-нибудь матерное, злое,

---

* Анатолий Сливко — маньяк-расчленитель. Заслуженный учитель РСФСР.

обращенное непонятно к кому... к эксперту? К мертвому, обезглавленному, лишенному еще и руки Горделадзе? К самому себе?

— Спасибо. Не желаем.

Они вышли из морга. Сверкало в небе солнце, и плыли белые завитки облаков.

* * *

В Тараще зашли и в прокуратуру. Следователь Петренко оказалась на месте. Визит журналистов (да еще иностранных журналистов!) застал ее врасплох. Она темнила, путалась в датах, событиях, фамилиях. Возможно, от растерянности. А возможно — нет. После вопроса: кто и на каком основании изъял труп из морга? — занервничала и, сославшись на занятость, выставила Обнорского и Повзло из кабинета.

Андрей с Николаем захотели пообщаться с прокурором, но прокурора, как на грех, не было — его вызвали в Киев. Вышли из здания прокуратуры, сели в машину, закурили.

— Похоже, — сказал Повзло, — госпожа Петренко не очень-то искренна с нами.

— Похоже, — ответил Обнорский, — ей тоже посоветовали не трепать языком. Ладно, поехали к Сушкам.

Метрах в тридцати от здания прокуратуры стояла серая «пятерка». Мужчина на заднем сиденье щелкал затвором «Никона».

Разговор с Сушками не принес ничего нового. Старший Сушок уже несколько осмелел, оправился, сам попросил пять гривен на бутылку. Синяк у него начал менять цвет. Пять гривен ему дали. Он оживился и рассказал, что с трупом — дело-то серьезное... ого, какое серьезное!.. В поселке говорят, что на дороге, недалеко от того места, где нашли тело, люди видели дорогой джип. А рядом с ним — женщину с автоматом в руках. Причем женщина стояла так, чтобы закрыть собой номер. Было это дня за два до обнаружения тела... Ох, нечисто тут, нечисто.

— Я этот бред даже слушать не хочу, — буркнул Обнорский.

От Сушков поехали обратно в Киев. На трассе никто их не сопровождал, но в Киеве, возле ипподрома, на хвост аккуратно села скромная «девятка». Довела до гостиницы.

* * *

— Количество непременно переходит в качество, — устало произнес Обнорский.

— Что ты имеешь в виду? — спросил Повзло.

Они сидели в номере Повзло, смотрели в сгущающиеся сумерки за окном. Работал телевизор. Показывали то Бунчука, то Затулу, то Горделадзе. Вперемешку звучала русская и украинская речь. Раскручивался новый виток скандала — вокруг тела... Грузинский хохол (хохляцкий грузин?) становился «народным героем» и «знаменем оппозиции».

— Я имею в виду, что количество разного рода «маленьких хитростей» в исчезновении Г. Г. уже зашкаливает за все разумные пределы и представляется совершенно шизофреническим, — сказал Обнорский.

Коля приглушил звук телевизора, ответил:

— Да, триллер еще тот получается... Но теперь-то ты веришь, что в лесу нашли тело Горделадзе, а не бомжа какого-то?

— С вероятностью девяносто девять процентов — верю.

— А один процент? Его куда девать?

— Оставим его, Коля, на те непредвиденные чудеса, которых в этом деле уже больше, чем в сказке про Золушку... Но, поскольку мы материалисты, то в чудеса не верим. Давай-ка прикинем, с чем мы столкнулись и на какие вопросы хотим получить первоочередные ответы.

Повзло совсем выключил телевизор, расследователи сели за стол друг напротив друга.

— Итак, — сказал Обнорский, — давай подведем итоги по «таращанскому телу». Сформулируем вопросы — возможно, получим и ответы. Горделадзе исчез шестнадцатого сентября. Похищение это было или нет, мы пока не знаем.

— Конечно, похищение, — убежденно сказал Николай.

— Я на сто процентов не уверен. Нельзя исключить, что Г. Г. был «похищен» по согласию...

— А тело?

— А вот потом, когда «похитители» поняли, что эффекта достигли большего, чем ожидали, они решили, что возвращение живого Г. Г. им уже не нужно. Но это всего лишь версия. Итак, Георгия похитили. Сразу убивать не стали — это однозначно.

— Обоснуй.

— Если бы убили сразу — стоило бы увозить тело? Грохнули, бросили труп на месте и смотались. Или уж, по крайней мере, выбросили в Днепр... зачем в Таращу-то везти? Но ведь увезли. Резонно предположить, что с Георгием хотели плотно поработать в спокойной обстановке. Например, получить от него некую информацию.

— Какую?

— Не знаю. Знаю только, что его увезли за сто с лишним верст. Для этого нужны веские причины. Возможно, у них там есть некая конспиративная хата, «нора»... бункер...

— Ага, функционирующий с войны бендеровский схрон, — поддакнул Коля. — Сидят гады в бункере, хлещут «Черную вдову», а пустую тару выбрасывают наружу.

— Или, — продолжил Обнорский, — его просто там выдерживали. Ждали момента, когда его можно выпустить... но что-то в их планах переменилось.

— Возможен другой вариант: ничего они не хотели узнать от Г. Г., а наоборот — накачать его самого информацией, а потом сделать из него информационную бомбу.

— Довольно сложно, — сказал Обнорский, — но в принципе не исключено. Гадать сейчас бесполезно... Факт: Георгий исчез. Увезен либо добровольно, либо принудительно. Живым. Возможно, в Таращу или близлежащие окрестности. Спустя какое-то время его убивают... Кто? как? почему? — мы не знаем. Знаем только, что труп до поры до времени «выдерживают», «томят» как гуся. Но при комнатной температуре, в герметичной упаковке.

— Это, — сказал Повзло, — всего лишь точка зрения эксперта.

— Верно. Но я не думаю, что Боротынцев это выдумал. Он растерян, он, вероятно, напуган и потому пьет... но в своем деле он не новичок. Новичок, может быть, вообще не обратил бы внимания на эти нюансы. А Боротынцев обратил. Итак, труп «выдерживали». Зачем? Почему? Да потому, что ждали момента, когда его можно будет запустить в игру. Когда появление мертвого Горделадзе будет выгодно... Что скажешь, Коля?

— Ну не знаю... — неуверенно сказал Николай.

— Так ведь и я не знаю, — усмехнулся Обнорский. — Я просто рассуждаю. И запросто могу ошибиться...

Зазвонил телефон. Андрей снял трубку:

— Алло!

— Обнорский, — сказала Галина, — куда ты пропал?

— Здесь я, Галя, здесь.

— Я уже соскучилась. Когда ты придешь?

— Давай я, как освобожусь, позвоню.

— А что ты делаешь?

— Я сейчас занят.

— И как ее зовут?..

— Коля, — вздохнул Андрей.

— Как-как? Оля?

— Ладно, это мы с тобой потом обсудим.

— В ванне?

— И в ней тоже... о'кей?

— Йес. Жду звонка. Целую. Оле привет.

Андрей положил трубку, закурил. За окном было уже совсем темно, «вулиця Хрещатик» сияла огнями. «Чем я занимаюсь? Меня такая женщина ждет, а я херней занимаюсь... Покойнику безголовому кости перемываю. Что ж я за мудак такой? Почему у меня в жизни все шиворот-навыворот?..»

— На чем мы остановились? — спросил Обнорский.

— На том, что ты не уверен в своих выводах.

— Да, я не уверен... я запросто могу ошибиться. Но косвенные факты подталкивают к выводу: труп «выдерживали» под некое событие. Недаром же его и закопали так, чтобы он был гарантированно обнаружен... что и произошло.

— Ну допустим. Допустим, что это так... Небрежно «спрятали» тело, «забыли» украшение, «забыли» бутылку-указатель. Но зачем голову-то в таком случае рубить? А, Андрюха?

Обнорский ничего не ответил. Он задавал себе тот же вопрос: зачем Горделадзе отрубили голову?

* * *

Андрей и Галя валялись в джакузи и обсуждали вопрос о женском эгоизме и мужском альтруизме. Собственно, обсуждали — это громко сказано. Обнорский лишь вяло отвякивался, а ораторствовала в основном Галина. Она считала, что весь мужской альтруизм — это вывернутый наизнанку эгоизм. Считая, что делает счастливыми несколько женщин, мужик на самом-то деле не делает счастливой ни одну, а сам цинично эксплуатирует женские чувства и тела...

— Но с тобой, Обнорский, — подвела итог Галина, — вообще бесполезно говорить. Ты испорчен окончательно и бесповоротно.

— Почему же это, — удивился Андрей, — я испорчен окончательно?

— Потому что ты несколько лет провел на Востоке, где отношение к женщине известно какое.

142

— Какое же?

— Потребительское.

— Да ну?

— Конечно. Если женщину можно купить, как горшок, и поместить в гарем, как в тюрьму... Ты испорчен, Обнорский. Ты перенял менталитет восточного мужчины. Нормальная баба должна обходить тебя за километр, — сказала Галина и брызнула на Андрея водой.

— А что же ты не обошла за километр?

— Дура! Дура и есть... все бабы — дуры, Андрюша. Расскажи мне, что ты делал на Востоке.

Говорить о службе Андрею не хотелось, и он по привычке свернул на любимую тему — на женщин.

— Вот ты говоришь, что на Востоке женщину можно купить, как горшок... Это не совсем так... Вернее, купить-то, наверное, можно — как и во всех других странах мира... Но если ты про жен, то их не покупают. А так называемый выкуп — то есть «мохр»... или «колым» — у нас это слово больше известно... это страховка женщины на случай развода. Эти деньги предназначены для нее же — если семейная жизнь не заладится... А если мужик надумает вторую жену взять — то, кстати говоря, сделать он это может, только если у него есть достаточные средства — чтобы уровень жизни первой не упал, а вторая жила не хуже первой. Между прочим, когда в Ливии Каддафи хотел отменить многоженство, начались демонстрации протеста. И знаешь, кто протестовал?

— Кто?

— Одни тетки. Вот так. А про гаремы ты вообще какие-то мифы залежалые пересказываешь... Ты что, думаешь, что гарем — это большой бассейн, в котором голые тетки плавают, а хозяин их оттуда по очереди тягает? Да если хочешь знать, гарем — это своего рода важнейший социально-политический институт на Востоке. Именно в гаремах многие очень важные решения принимались — и не без участия женщин... Гаремы вообще...

— Я все поняла, Обнорский, — грустно сказала Галя,— ты просто бабник. И тебе хочется иметь свой гарем.

Не слушая невнятных возражений, она закрыла Андрею рот поцелуем...

Потом он позвонил Повзло, и в девять вечера они снова встретились в «Казаке Мамае». Николай, разумеется, пришел с «одноклассницей». Они сели внизу, «на корабле», в интерьере, имитирующем казачий корабль, плывущий по Днепру. «Реве и стогне Днипр широкий»,— подумал Обнорский, усмехаясь. И тут же отогнал от себя неприятные ассоциации. Думать о мрачном не хотелось. Хотелось спокойно отдохнуть за легким ни к чему не обязывающим разговором... не о Горделадзе же говорить, в конце-то концов!

Но разговора о Горделадзе избежать не удалось.

— Мальчики, — сказала Галя номер два, подружка Повзло, — а вы надолго задержитесь в Киеве?

— Пока не найдут голову Горделадзе, — сказала Галя номер один, подружка Обнорского, — не улетят.

— Голову Горделадзе? — удивленно переспросила «одноклассница». — Вы здесь по «делу Горделадзе»?

— А Николай тебе ничего не сказал? — усмехнулась Сомова. — Вот конспиратор... весь Киев знает, что эти двое здесь по «делу Горделадзе». Ищут следы заговора...

— Как интересно... — протянула «одноклассница». Глаза у нее засверкали, на Колю она посмотрела, как на комиссара Каттани.

Галина улыбнулась, встала:

— Извините, я вас на минуту оставлю. Сумочку мою стерегите, расследователи... украдут — будете искать ее, а не голову Горделадзе.

Она удалилась, Обнорский с удовольствием смотрел ей вслед. Многие мужчины «на корабле» смотрели ей вслед.

— А ты, Коля, ничего и не говорил... Напустил туману, мы, мол, здесь так, семинар проводим. А на самом деле — Горделадзе! Это же, наверно, очень опасно?

144

— Обычная журналистская работа, — ответил Коля неискренне. — Встречаемся с людьми, разговариваем... ничего особенного.

— Коля, — попросила «одноклассница», — расскажи! С какими людьми вы встречаетесь?

— Да ерунда все это, — сказал Повзло. — Я — с журналистами... с пиарщиками. Это вон Обнорский — звезда. Он тайно встречается с генералами СБУ.

— С генералами СБУ?

Обнорский наступил Коле на ногу и сказал «однокласснице» с улыбкой:

— Шутка юмора... твой одноклассничек, Галя, ба-а-льшой шутник. А про Горделадзе давайте больше не будем говорить нынче.

Вернулась Галина, Обнорский сразу переменил тему:

— А вот и госпожа «Виктория»... Вашу сумочку мы уберегли.

Больше в этот вечер о Горделадзе не вспоминали.

Из ресторана вышли около полуночи. Вечерний воздух был свеж, слегка моросило, и морось вокруг фонарей светилась по-особому, преломляла свет, разбрасывала преломленные лучики всех цветов спектра.

Галина взяла Обнорского под руку, прижалась, сказала на ухо негромко:

— Сегодня ночуешь у меня, расследователь... никуда не отпущу.

— Ага, — негромко ответил он. — Дай только пошепчусь с Миколой две минуты.

— Тильки трошки.

— Трошки-трошки... две хвылины, — сказал он и тронул Николая за рукав. — Коля, на пару слов.

— Опять секреты? — надула губки «одноклассница».

— Прошу меня извинить, — произнес Андрей.

Вдвоем Обнорский и Повзло отошли в сторону, закурили. Две Галины медленно пошли в сторону Крещатика.

— Коля, — сказал Обнорский, глядя вслед удаляющимся женщинам. — Коля, ты языком-то поменьше бы трепал...

— Ты про что?

— Вообще... про генералов СБУ, например.

— Ты чего, Андрюхин? Я Галку давно знаю. Нормальная баба, секретарь у одного депутатика.

— Что — действительно одноклассница?

— Как тебе сказать... почти.

— Понятно. Давно познакомились?

— В прошлый приезд. Когда с Сашкой здесь работали.

— Понятно. Давно знаешь... Один старый друг лучше новых двух. Я свою Галю тоже давно знаю. По сравнению с твоим стажем — так вообще целую вечность.

— Да ладно... — протянул Коля.

— У тебя какие планы на завтра?

— Хочу пообщаться с несколькими орлами из журналистско-политической тусовки.

— Это правильно. Теперь уже совершенно очевидно, что случай с Г. Г. имеет политический подтекст. Работай в этом направлении... Есть даже одна конкретная фигура — депутат Рады Леонид Матецкий. Мне на него дал наколочку эсбэушник. А я завтра хочу лично побеседовать с Аленой. Потом созвонимся.

— Хочешь, я схожу с тобой? — предложил Коля. — Меня она уже знает.

— Нет, Мыкола. Я — спасибо — и сам справлюсь. А ты работай «политику». Связи Горделадзе, конфликты Горделадзе, спонсоры Горделадзе.

На этом расстались. Коля ушел со своей Галей, Андрей со своей прогулялись по ночному Крещатику и вернулись к ней домой.

* * *

— Не знаю, почему, но мне очень нравится твоя ванна.

— Это не ванна, — улыбаясь, ответила Галя, — это я тебе нравлюсь.

146

— Как деталь интерьера, — сказал он, — женщина, конечно, не сравнима ни с чем.

— И после этого ты говоришь, что на Востоке уважают женщину?.. — сказала она. И без всякой логики добавила: — Перебирайся ко мне жить, Обнорский. Что тебе в этой гостинице?

— А это мысль... В гостинице хорошего ничего нет. Да и дорого.

— Значит, переберешься ко мне?

— Нет. К тебе не стоит. Мне нужно работать, встречаться с людьми. С разными людьми... Кроме того, я хочу подтянуть сюда еще пару своих ребят. Поэтому разумнее всего снять квартиру. Ты же помогла моим орлам в прошлый их приезд? Как насчет квартирки? Найдешь?

— О Господи! Обнорский! — сказала Галина со вздохом. — Я тебя... ТЕБЯ!.. к себе приглашаю. А ты: мои орлы... хата для конспиративных встреч «с разными людьми»...

Андрей сел на край ванны, прикурил от огонька свечи.

— Не обижайся, Галя... не обижайся. Я здесь потому, что это моя работа. Меня попросили помочь разобраться с «делом Горделадзе». Уже теперь стало ясно, что с наскоку эту проблему не решить... если вообще удастся ее решить... Поэтому нужно работать командой, нужна «хата», как ты выразилась. Поможешь?

— Не знаю, — сказала она недовольно. — Попробую...

— Ну вот и ладушки.

— Думаешь, что ты здесь надолго?

— Не знаю. Трудно сказать что-либо определенное...

— Ладно, я тебе помогу... Бросай курить, ныряй ко мне.

— Скоро я превращусь в Ихтиандра, — сказал Обнорский, сползая в ванну.

* * *

Утром Заец, как всегда, докладывал Хозяину. Хозяин был в добром расположении духа. Перед приходом начальника личной «контрразведки» он просматривал обзор прессы, подготовленной пресс-службой... Все идет правильно, убедился он, все идет как надо. Еще несколько шагов, и можно запускать Мельника. И вот тогда...

Заяц вошел в кабинет, как всегда, ровно в десять. Хозяин был пунктуален и ценил пунктуальность в других.

— Заходи, заходи, Константин Григорьевич, — прогудел Хозяин.

Заяц понял, что босс в хорошем расположении. Обычно он обращался к подполковнику Константин. Или даже Костя.

— Заходи, заходи... садись, что у тебя нового?

Заяц присел, положил на стол папку с отчетом и фотографиями. Сначала доложил о результатах контрольного прослушивания телефонных разговоров «аппарата» Хозяина. Есть основания предполагать, что один из сотрудников употребляет кокаин... пока не факт, нуждается в проверке, но...

— Кто? — спросил Хозяин.

— Сиволапко.

— Гнать в три шеи.

— Я еще не провел проверку.

— Немедленно гнать. Мне проверка не нужна. Гнать!

— Понял, Матвей Иваныч.

— Вот, бля, подонок! Мы, на х..., боремся за моральную чистоту, а какой-то выблядок может скомпрометировать всю идею!

Заяц промолчал. Подумал только: чего ты передо мной-то перья распускаешь, борец за чистоту? А то я твоей «чистоты» не знаю?

— Чтоб сегодня же его не было в аппарате. Понял?

— Так точно, Матвей Иваныч.

— Можешь ему еще и пиз...лей напоследок отвесить?.. Ладно... что у тебя с этими «переводчиками»? С питерской бригадой этой? Не нравится мне их возня подковерная, бля.

— Боюсь, что с этими могут быть проблемы.

— Что такое?

— По-прежнему проявляют высокую активность. Обзавелись транспортом. Собственную «девятку» им предоставил некто Валько. Валько прописан в Симферополе, проживает в Киеве. Компромата на него нет.

— Каким образом этот Валько связан с питерской бригадой?

— Не готов к ответу.

— Погано, Костя... Кто такой этот Обнорский, ты не знаешь, с кем он встречается конспиративно, ты тоже не знаешь. Кто такой Валько, ты опять же не знаешь. Что за х...ня?

— Работа ведется, Матвей Иваныч...

— Погано она ведется, Костя... погано!

— Биография Обнорского нами проверяется по всем доступным каналам. Валько мы взяли в разработку. Что касается конспиративной встречи Обнорского позавчера, то я получил агентурную информацию, что Обнорский встречался с сотрудником СБУ.

— ... твою мать! С кем? Конкретно — с кем?

— Источник сообщает, что с генералом СБУ.

— ... твою мать! — повторил Хозяин и бросил очки на стол. Одно стекло выпало из металлической оправы и осталось лежать маленьким овальным озером. Сгоряча Хозяин смахнул его на пол. — Фамилия у генерала есть?

— Фамилии пока нет... Но я, Матвей Иваныч, вообще сомневаюсь, что генерал СБУ пошел на контакт с этим журналистом. Что я — наших генералов не знаю? Им карьера дороже.

— Думаешь, не пойдут?

— На свой страх и риск — почти наверняка нет.

— А если контакт санкционирован сверху? — спросил Хозяин и повертел в руках «одноглазые» очки.

— Тогда, конечно, контакт возможен, — спокойно ответил Заец.

— Погано... Если питерских гэбистов пригласил Бунчук, они могут нам сильно подгадить. Бунчук, сука такая, с Путиным спутался. А Путин — питерский чекист... Вот тебе и цепочка, Костя. Вот и объяснение, почему здесь питерские «переводчики», а не тамбовские или ярославские. Понял теперь?

«Ах какой ты умный», — ядовито подумал Заец.

— Никакие они не журналисты, — продолжил Хозяин рассуждать, — агенты Путина... А это серьезно. В общем, так: надо держать их под колпаком, Костя. А еще лучше сделать так, чтобы они отсюда убрались. И чем скорее, тем лучше. Иди, работай... Да, отчет свой оставь, посмотрю потом... Ну зае...али москали в доску!

* * *

К Затуле Андрей отправился с Галиной. Была суббота, киевляне прогуливались по Крещатику, наслаждаясь теплом, которое в любой момент могло смениться холодом. Андрей и Галина тоже пошли пешком, растворились в потоке людей. Они шли мимо дорогих магазинов и кафе. Мимо бесчисленных, на каждом шагу, щитов «Обмін валют». Мимо вывесок «Парфуми», «Мобільный зв'язок», «Взуття» и «Перукарня»... и везде была «знижка».

— Мы могли бы встретиться с Аленой в кафе, — сказала Галина.

— Э-э, нет, Галя... Великий сыщик Зверев — ты его знаешь — учит: на человека нужно посмотреть в домашней обстановке. Человек в кафе и человек домашний — это две большие разницы... Важно посмотреть, как человек живет. Какие предметы его окружают.

— Не стоит ли у Алены в углу банка с головой Горделадзе...

— Точно. Не висит ли на стене топор со следами крови? Ты все правильно просекаешь, Галя... Но если всерьез, то это действительно важно — жилье отражает личность. Ты сразу увидишь, какие у человека книжки лежат на столе, какие видеокассеты на полке. Оценишь приблизительно уровень достатка. Аккуратность или, наоборот, раздолбайство... Замки и «глазки» на входной двери, фотографии на стене... Очень интересно бывает заглянуть в холодильник... в перекидной календарь...

— В корзину с грязным бельем, — вставила Галина язвительно.

— Да, и в корзину с грязным бельем, — подтвердил Обнорский.

Они пришли в уже знакомый Обнорскому двор. Все в нем было так же, но вместе с тем и не совсем так, как ночью. Возле контейнеров с мусором сидела бродячая собака, блестела лужица ночного дождя. Совершенно не верилось, что из этого мирного двора мог исчезнуть человек, которого позже найдут в ста тридцати километрах отсюда и без головы.

Консьержка Плотникова была на боевом посту. Вид имела несколько «вчерашний», и пахло от нее пивом. Галину она узнала, а у Обнорского спросила документы. «Лучше бы ты, — подумал Андрей, — проявляла бдительность вечером шестнадцатого сентября...» Из радио на столе консьержки Пугачева пела «Брошкину».

Затула открыла дверь после разглядывания пришедших в панорамный глазок и дежурного вопроса: кто? Андрей с Галиной пришли в точно назначенный срок — в полдень, но Алена все же поинтересовалась: кто? — и Обнорский отметил этот факт: осторожна.

Затула была бледна, почти без косметики, в домашних, застиранных до белизны джинсах «Левис» и черном свитерке... Она, несомненно, была красива, но шарма ей не хватало. Вслед за Аленой вышел кот. Тот самый кот, который любит «Китикэт», и стал

в Киеве более известен, чем «кот ученый» из пушкин-
ского Лукоморья...

— Входите, — сказала Алена. — Можно не разу-
ваться.

С Галиной она поцеловалась, с Андреем поздоро-
валась за руку. Рука была прохладной, с длинными
тонкими пальцами. Эта рука мыла Горделадзе как ребенка... Снимала стресс. Андрей и Галина прошли в
комнату. Сразу бросилась в глаза фотография Георгия
в рамке на столе рядом с включенным монитором
«пентиума». Часы в виде корабельного штурвала и
между ними — снова фото Горделадзе. В расшитой
украинской сорочке. Покойник улыбался.

— Присядьте, — сказала Алена. — А я пока сделаю
кофе. Или, может быть, чай?

— Все равно, — ответил Андрей.

— Я тебе помогу, — сказала Галина и вместе с хо-
зяйкой отправилась в кухню.

А в комнату вошел кот. Сел и стал внимательно
смотреть на Обнорского.

— Ну что, Эстик? — прошептал Обнорский. — Что
скажешь? Ты ведь свидетель... ты знаешь, что происходило в тот вечер. Расскажи.

Кот молчал. Только смотрел немигающими глазами с вертикальным зрачком... Жаль. Если бы он умел
говорить, он многое мог бы рассказать о последнем
вечере Георгия Горделадзе в этой квартире. О баноч-
ке «Китикэт» за 6,24 гривны... которой, может быть,
не было. А что было? Зачем выходил Георгий? Куда
он ходил? Встречался с кем-то? С кем? Сколько па-
кетов он вынес с собой, уходя? Один? Два? Если два,
то что было во втором пакете?.. Эстик фыркнул и
вышел. Его спина выражала презрение и надменность
аристократа.

— Гусь свинье не товарищ, — вздохнул Обнорский
и отправился вслед за «гусем» в кухню.

— У нас уже все готово, — сказала, обернувшись,
Алена. — Сейчас мы принесем в комнату.

— Не стоит, наверно, Алена, — ответил Обнорский, — у вас симпатичная, уютная кухня... Давайте поговорим здесь.

— Как хотите.

Андрей сел, привалился спиной к холодильнику с веселенькими переводными картинками на дверце и на боку. Галина поставила на стол чашки с дымящимся кофе. В тарелочке лежали куски полузасохшего бисквита. Било в окно солнце, плыл кофейный аромат.

— Так что вы хотели от меня услышать, Андрей? — спросила Алена. — Я, кажется, все, что могла, рассказала вашим коллегам.

— Я понимаю, Алена, что вы уже устали от назойливости и коллег-журналистов, и милицейских чинов, но меня привело к вам не праздное любопытство, а желание разобраться в том, что произошло... Почему исчез Георгий...

— Спрашивайте, — сказала она. — Я постараюсь ответить.

Она сказала это очень естественно и спокойно. Не было, кажется, никаких оснований предполагать, что Алена лжет. Но Обнорский все-таки не был уверен в ее искренности... как и многие из тех, кто беседовал с Затулой до него. Как и Зверев, как и сотрудник СБУ Костенко.

— Я не буду, Алена, расспрашивать вас о событиях того дня. Думаю, что они известны уже едва ли не поминутно... Я бы хотел услышать, что предшествовало тому дню и что происходило после...

— После? После был кошмар... А — до? До тоже был кошмар, но другой.

— Можно подробней?

— Да, да, конечно... Вы в курсе, что за Гией следили?

— В курсе.

Из отчета:

«Горделадзе Леся, мать Г. Г., дом. адр. г. Львов, ул. Хвылевского, 77, кв. ..., тел. соседки Людмилы 93-...-...,

153

брата Яна 74-...-..., брата Марека 76-...-... (координаты в Киеве: ул. Ивана Кудри, д. 93, кв. ..., тел. 295-...-...):

Примерно 3 или 4 августа на львовскую квартиру пришел интеллигентного вида человек лет 30—32, представился сотрудником райисполкома (проверить документы не сообразила). Сперва стал изучать док-ты на недавно оформленную на Георгия квартиру — малосемейку. Потом спрашивать про Георгия. Леся спросила: „Зачем это вам?" Ответил: „Георгий — независимый журналист. Мне интересно". Тогда она поняла, что гость — сотрудник спецслужб (скорее всего — СБУ) и поспешила с ним распрощаться. Позвонила Г. Г. в Киев, сообщила о визитере. Гия, в свою очередь, сообщил, что за ним установлена слежка. Через несколько дней по совету мамы, проконсультировавшейся со знакомым юристом, написал открытое письмо генпрокурору». АК «Леся» № 1.

Были и другие свидетельства:

«Голова Лариса, бывший сотрудник „УВ". Дом. адр.: ул. Героев Севастополя, д. 14, кв. ..., д. тел. —, р. тел. 293-...-...:

...был один инцидент с милицией где-то в начале августа. Возле подъезда „УВ" появились три милицейские машины, в каждой по три человека. Никаких действий не предпринимали, просто стояли. Георгий очень нервничал, считал, что это слежка за ним. Георгий считал, что за ним и за Аленой ведется слежка. По его словам, это началось после возвращения из Америки». АК «Свидетельства» № 2.

— В курсе, — кивнул Обнорский. — Но знаете, Алена, мне не кажутся убедительными ваши предположения. Профессионалы ведут слежку значительно изощреннее. Засечь ее неспециалисту практически невозможно... Ну что такое три милицейских машины под окном? Ерунда какая-то...

Затула упрямо сжала губы, потом произнесла:

— Но это было. Вы что — не верите?

— Я верю, что было. Это, однако, совсем не похоже на слежку. Скорее уж на неумную попытку устрашения. Кому нужно было запугивать Георгия?

— О! Многим. Многим в этой стране. В первую очередь Бунчуку и его приспешникам.

— Кого вы относите к приспешникам Бунчука?

— В первую очередь гэбистов.

— А конкретно? Есть какие-то факты?

— А факта слежки недостаточно?

— Маловато...

— Тогда вам и трупа будет маловато, — упрямо сказала Затула.

— О трупе мы еще поговорим. Сейчас мне бы хотелось услышать, что странного, необычного происходило с Георгием или вокруг него в канун шестнадцатого сентября, — мягко сказал Обнорский.

— Но я же сказала: за ним следили. Наверное, вы правы, и слежку обнаружить можно не всегда. Но ее можно ПОЧУВСТВОВАТЬ. Гия ощущал ее очень хорошо. Он нервничал, он стал курить...

— Раньше он не курил? — спросил Андрей.

— Скорее нет, чем да... Последнее время курил постоянно. И даже стал употреблять какие-то таблетки.

— Таблетки... какие таблетки?

— Сейчас покажу, — сказала Затула, встала и открыла дверцу холодильника. С полочки, утопленной в дверцу, взяла упаковку таблеток. — Вот, взгляните.

Андрей взял пачку в руку. На блестящей фольге было написано название по-английски: «Прозак».

— Что это? От какой хворобы?

— Георгий говорил, что это «таблетки успеха». Сейчас они в моде.

— Помогают?

— Помогли, — ответила Алена и посмотрела на Андрея. Ему показалось, что не на него, а дальше, дальше... в глубь холодильника за его спиной. — Еще и как помогли.

— А вы сами, Алена, не принимаете? — спросил Андрей.

— Н-нет... не принимаю.

— А давно Гия начал принимать «таблетки успеха»?

— Пожалуй, с начала года. Его пристрастил к этому Вайс.

— Эдуард Вайс? Тот, которого задерживали после исчезновения Георгия? — быстро спросил Андрей.

Из отчета:

«Вайс Эдуард Оттович, коммерсант, директор ООО „Биопрепарат“, раб. тел. 581-...-..., 285-...-..., д. тел. 265-...-..., моб. -...-...:

С Гией я познакомился в самом конце 99-го или в начале 2000 года. Я зашел в клуб „Сайгон“ и встретил там Горделадзе с Затулой... Георгия я узнал, т. к. видел его несколько раз по телевизору. Кроме того, я люблю джазовую музыку, поэтому слушал радио „Материк“... Там во время работы Горделадзе были вполне приличные блоки новостей. Так что Георгия я знал заочно и симпатизировал ему. В „Сайгоне“ я его узнал и подошел просто познакомиться. Знакомство состоялось. Мы поговорили, поиграли в бильярд, обменялись визитками... Позже стали встречаться иногда. В дальнейшем общение стало вполне дружеским. Именно я подал ему идею издания Интернет-газеты. Примерно в то же время Георгий ушел с „Материка“. Я ему говорил, что это неправильно, что он мог бы успешно продолжать работать... Но у него другой характер. Он быстро загорается, все бросает, окунается в новое дело. Потом оказывается, что он это дело до конца не продумал. И он снова переключается на что-то другое... При этом у него никогда не было денег, он стрелял по несколько рублей, был нищий... У него неконструктивная критика. Говорить по радио умел. Хотя и сумбурно, но более или менее интересно. Писать не умел. Лаял в статьях всех подряд, при этом ничего конкретного. Но кричал, что все журналисты кругом — продажные...

*...23 сентября мне позвонил майор С. из ОБОП, про-
сил подъехать, переговорить. Я приехал. У С. сидел какой-то тип из УБЭП. Он начал нести ахинею про какие-то мои махинации... А потом предложил показать
на карте крестиком, где я закопал труп Горделадзе».
АК «Свидетельства» № 3.*

— Да, — сказала Алена, — это тот самый Вайс. — Его
задержали в связи с подозрением на убийство Георгия.
— Но оно не подтвердилось?..
Затула пожала плечами.

Из отчета:
*«Олег Дубовицкий, журналист, дом. тел. 572-...-...,
электронный адр. ...*
*Он (Вайс) сказал мне, что менты ему сказали, что
Горделадзе „заказали" Алена и Алания». АК «Свидетель-
ства» № 3.*

— Вайс, — сказала Алена, — очень странный господин.
— Почему?
— Он как-то очень уж откровенно набивался в
друзья к Георгию. Приходил в редакцию, угощал всех
вином... Я думаю, он провокатор. Либо ментовский,
либо эсбэушный.
— Ну как же — ментовский? — если его привлека-
ли, и он даже отсидел десять суток, — возразил Андрей.
— Это могла быть акция прикрытия... Вокруг этого Вайса всегда что-то мутное происходит... Да взять
хотя бы провокацию в баре «Эрикс». Вы в курсе?

Из отчета:
*«Вадим, охранник бара „Эрикс", Сергей, бармен,
р. тел.: 235-...-...:*
*Через несколько дней после исчезновения Горделадзе
сюда, в бар, пришли сотрудники милиции. Их интересовал некий Эдуард Вайс, которого, как они сказали, за-*

держали по подозрению в причастности к убийству Гор-
деладзе. Вайс, как сказали менты, утверждает, что в
момент исчезновения грузина находился в нашем баре, а
потому не мог иметь к этой истории никакого отно-
шения. Мы ему нужны в качестве алиби.

Вайс — человек, которого невозможно не заметить.
Алиби его мы подтвердили, т. к. он действительно был
в тот вечер у нас. Приехал на темно-синем „крайслере“.
Он вообще часто у нас бывал, так же как и Горделадзе.
Мы все это рассказали ментам, и они показали нам
фоторобот (?) Горделадзе.

Горделадзе мы тоже знаем в лицо... Мы всех посто-
янных клиентов знаем в лицо (но не по фамилии). Я,
естественно, сообщил, что Горделадзе был у нас на сле-
дующий день после Вайса, т. е. в воскресенье (17.09)
вечером примерно с 20.30 до 21.30. С ним были неизвест-
ный мне мужчина и две девицы.

...После разговора в баре мне предложили поехать в
ОБОП, там у них было много фотографий Горделадзе.
Я посмотрел, сказал, что, кажется, он... Похож, во
всяком случае, здорово. Но менты взяли с меня подписку
о неразглашении. Я прошу никому не говорить, что об-
щался с вами».

Рассказ Вадима подтвердил бармен Сергей. В то
воскр., 17.09, они еще ничего не знали о похищении Г. Г.».
АК «Свидетельства» № 3.

— Но ведь факт появления Георгия в баре «Эрикс»
не нашел подтверждения, Алена, — сказал Андрей.

Затула пожала плечами:

— Да, конечно. Он и не мог найти подтверждения,
потому что это — провокация. Катька Горчакова бу-
хала там с кем-то в тот вечер, семнадцатого числа...
Говорит, что обошла все залы, разыскивая своего ха-
халя. Не то что Георгия, вообще никого из знакомых
не встречала. Это очень странно — у «Эрикса» обычно
толчется много знакомых. Но Катька была там в девять вечера и Георгия не видела.

— Как вы, Алена, расцениваете этот факт? — спросил Андрей.

— Это только подтверждает, что к исчезновению Гии причастны спецслужбы. Подобрали похожего человека, чтобы напустить туману. А может, поступили еще проще: подкупили или запугали шестерок из «Эрикса»... Вы такого не допускаете?

— В принципе, — ответил Андрей, — допускаю. В криминальной практике подобные примеры есть. Есть также масса случаев роковых случайностей... Но давайте вернемся к Вайсу.

— А что Вайс? — спросила Затула. — Сволочь он, Вайс...

— Почему?

— Подошел к нам в кабаке, наделал Гии комплиментов. Гийка, дурачок, и растаял. В общем, втерся в доверие этот Вайс. А потом подсадил на таблетки... Он же бывший врач — анестезиолог.

— А что — этот прозак — наркотик?

— Нет. Это «таблетки успеха».

— А Георгий употреблял наркотики?

— Ну что вы! Конечно, нет...

— Тогда я немножко не понимаю: почему Вайс — сволочь?

Затула взяла у Андрея таблетки, сунула их обратно в холодильник

— А вы, — спросила она, — видели Вайса лично?

— Нет, не видел.

— Пообщаетесь, поймете сами. Он же натуральный бандит. Лысый.

— Что же — раз лысый, значит — бандит?

— Думайте как хотите... Но он не просто так вокруг Георгия крутился. Липкий он какой-то.

— Алена, — сказал Андрей, — вы же входите в оперативно-следственную группу.

— И что?

— Видимо, вы владеете фактами, а не только эмоциями... Есть у вас факты о причастности Вайса?

— Нет.

— Видимо, я неправильно выразился: не у вас лично, а у милиции? Они ведь работают.

— Они не работают! — выкрикнула Затула. — Они не работают... Они создают видимость работы. Блефуют и темнят.

— Понятно, — сказал Андрей.

Он совершенно не был уверен в правоте Затулы, но предполагал, что во многом ее слова справедливы. Дела, в которых потенциально могут быть замешаны высокие должностные лица, всегда вызывают очень мало энтузиазма у сотрудников МВД... Кому нужны неприятности? Работа в таких случаях ведется, скорее, на публику: «обследовали семнадцать тысяч объектов»... «провели три тысячи допросов»...

— Понятно. Скажите, Алена, как вы узнали об обнаружении тела в Тараще?

Затула посмотрела на Обнорского долгим-долгим взглядом. Андрей подумал, что она сейчас заплачет, но этого не произошло.

— Мне позвонил тамошний эксперт... Братынский, кажется?

— Боротынцев, — сказал Андрей. — Когда это было?

— Четырнадцатого. Утром, часов в девять.

— Что он сказал?

— Сказал, что, видимо, найдено тело Георгия... неподалеку от Улашихи. Я сразу позвонила Лаврентию, и мы поехали туда.

— Минутку... Он сказал вам, почему он думает, что это тело Георгия?

— Да. Он описал кулон, браслет и перстень. Я сразу поняла — это Гия.

— Понятно. И вы поехали с Лаврентием в Таращу.

— Да. Мы долго плутали, пока нашли эту самую Таращу. Потом искали морг и Братынского...

— Боротынцева.

— Господи! Какая разница: Братынский — Боротынцев. Мы его нашли, и он... и он...

И вот здесь Алена все-таки заплакала. Галина сразу придвинулась к ней, обняла. Алена всхлипывала по-детски и закусывала нижнюю губу тоже совершенно по-детски. Беспокойно мяукнул кот. На секунду Андрей ощутил себя скотиной. ...Скотиной, журналюгой-папарацци. Он даже вспомнил когда-то сказанные ему одной израильтянкой слова: «Тебе что, нравится в чужой беде ковыряться?»

Алена всхлипывала, Галина успокаивала ее, говорила какие-то соответствующие такому случаю банальные слова. Андрей курил. Начинала болеть голова, и он подумал: «Мне, что ли, начать принимать „таблетки успеха"?»

Понемногу Алена успокоилась, всхлипывания прекратились.

— Извините меня, — сказала она.

— Это ты нас, Алена, извини, — сказала Галина. Обнорский промолчал. Он сделал глоток остывшего кофе, вдавил в пепельницу сигарету, разогнал рукой дым.

— Что вы еще хотели узнать? — спросила Алена.

— Алена, на какой руке Георгий носил перстень?

— На правой.

— Точно на правой?

— Иногда надевал на левую.

— Вы показали эксперту медицинские документы Георгия. Откуда они у вас?

— От Леси. От матери Георгия, — ответила Алена. Кажется, она успокоилась. — Она дала их мне, когда я обращалась к экстрасенсу.

— Понятно. Потом эксперт сличил документы с рукой Георгия, и все совпало. Так?

— Да. Это — Георгий. Сомнений у меня нет.

— Простите, Алена... Еще один вопрос... несколько... э-э...

— В холодильнике, — сказала Затула.

— Что?

— Вы хотели спросить: где рука Георгия? Я отвечаю: в холодильнике... в морозилке.

Обнорский видел, как изменилось лицо Галины. Жаль, что он не видел своего лица.

* * *

С утра Николай Повзло созвонился с помощником депутата Верховной Рады Леонида Матецкого. Помощник подробно расспросил Николая, кто он и на какую тему разговор... Коля представился, назвал тему разговора: Горделадзе. После этого помощник вежливо, но твердо Коле отказал, ссылаясь на высокую занятость народного избранника. Повзло не удивился и не расстроился: народных избранников (по крайней мере, питерских) он знал как облупленных, и стал прикидывать, как ему добраться до Матецкого с другой стороны. Он был уверен, что у него это получится...

Однако придумывать ничего не пришлось. Только Николай побрился, как ему перезвонил помощник Матецкого и очень любезно сообщил, что Леонид Семенович готов принять Николая Степановича сегодня, после четырнадцати... «Устроит вас, Николай Степанович?» — «Устроит», — ответил Коля.

До часу дня Коля успел пообщаться с парой парламентских журналистов. В Питере Повзло специализировался на политике и с коллегами легко находил общий язык. Не упоминая фамилии Матецкого, он навел справки о работе Комитета ВР по борьбе с оргпреступностью и коррупцией. Коллеги вывалили на Колю столько, что он пришел к пессимистическому обобщению: видимо, в СНГ есть народная эсэнговённая традиция — на борьбу с преступностью и коррупцией сажать преступников и коррупционеров... Так, по крайней мере, следовало из слов киевских коллег. Бог им судья.

Ровно в четырнадцать ноль-ноль Николай вошел в приемную члена Комитета Верховной Рады Украины по борьбе с организованной преступностью и коррупцией Леонида Семеновича Матецкого.

От шока Обнорский и Галина оправились не сразу.

— В холодильнике, — сказала Затула, — в морозилке.

Андрей сидел, прислонившись затылком к боковой стене холодильника «Индезит». Голова находилась как раз на уровне морозилки... Он представил себе, что от черной, частично разложившейся кисти правой руки его отделяют всего несколько сантиметров. «На холодец», — сказал эксперт Боротынцев и захохотал... Обнорский оттолкнулся спиной от холодильника, ставшего вдруг филиалом таращанского морга. Он оттолкнулся, но все равно продолжал «видеть» полиэтиленовый пакет с отрубленной рукой Горделадзе... а рядом — пачку пельменей и пакет с сосисками.

— Ах! — сказала Галина.

Андрей повернулся к Алене:

— Как это понимать, Алена?

— А что тут понимать, Андрей? Эксперт отсек кисть, чтобы сделать рентген... Рентген подтвердил — да, это рука Георгия. Мы с Лаврентием собрались забрать тело, но пока искали транспорт, тело исчезло, его увезли менты. Мне осталось только забрать кисть... и немного ТКАНИ с того картона, на котором в морге лежало тело Георгия.

Обнорский отдавал себе отчет в том, что ничего мистического, вампирского не произошло... Эксперт отсек кисть для исследования. Менты тоже забрали тело совершенно официально, скорее всего, по предписанию прокуратуры, а не для совершения сатанинских обрядов или черной магии. Но все равно тень мистера Стивена Кинга улыбалась из угла морга.

Галина покрылась нехорошей бледностью. А СТЕРИЛЬНАЯ, без личинок насекомых, рука Горделадзе все так же соседствовала с пачкой пельменей. Гаденько хихикал педагог Сливко.

— Покажите... руку, — наконец выдавил Обнорский.

— Хотите посмотреть? — спросила Затула быстро, нервно.

— Да, покажите, — сказал Андрей.

Алена положила ладонь на ручку холодильника. Галина еще раз сказала:

— Ах! — сделалась совсем белой и вылетела из кухни. Шарахнулся в сторону кот, заорал.

* * *

— ...на холодец! — сказал эксперт Боротынцев... с чувством юмора у мужика было все в порядке.

В полном порядке... На холодец! Веселенький юморок с запахом морга. Если бы сейчас этот самый эксперт оказался рядом, Андрей ткнул бы его мордой в морозилку: «На холодец? Жри! Кетчупу тебе дать? Остренького, с чесночком...»

Но эксперта рядом не было. А была Затула... Невозмутимая и спокойная. Настолько спокойная, что Обнорский не мог поверить: эта ли женщина плакала недавно?

Она раскрыла дверцу морозильной камеры. На дверце были «переводяшки» — вишенка, клубника, подсолнух. Обнорский чувствовал, что тихо дуреет. Он украдкой посмотрел налево, на дверь туалета, где скрылась Галя... Господи! Только бы не вернулась не вовремя. Вишенка, бля, с клубничкой! Подсолнух... А внутри... Что внутри? Сосиски? Пельмени? Ножки Буша?

...Дверца распахнулась. Не было там, внутри, ни сосисок, ни пельменей... Господи! Ну какое это имеет значение?.. Дверца распахнулась, Андрей увидел длинный, уходящий в бесконечность... В Таращанский лес?.. объем «морозилки» и стены из нержавейки, покрытые наплывами льда. Яркий свет заполнял безжизненную антарктическую бесконечность бокса. Сверкал иней, отражала свет нержавеющая сталь. Киевский «филиал» таращанского морга был светел и чист, как дворец Снежной Королевы. Кристаллики льда манили, искрились. Даль манила, искрилась.

— Вот, — сказала Затула.

Голос у нее был скучным, обыденным, напоминал голос экскурсовода, обращенный к туристам: посмотрите налево... На пластиковом зеленом подносе лежала горка льда (Вам водку со льдом?), а в центре ледяной горы покоился полупрозрачный полиэтиленовый пакет с кистью правой руки.

— Вот, — сказала Затула. Обнорский сглотнул комок. — Смотреть будете?

...Потом, когда дверца холодильника закрылась, как многотонная дверь сейфа, Андрей испытал острое желание выйти вон, убежать из этой квартиры... Он подавил его: ну что ты? Что ты в самом деле? Трупов не видел? — Видел. Столько уже их видел, что, кажется, даже привык. Насмотрелся... Но почему-то именно этот «фрагмент тела» вызывал острую реакцию отторжения. Скорее всего, подумал Андрей, это происходит из-за несоответствия «формы и содержания»: обычная... самая обычная киевская кухня... Вишенка, подсолнух... Вода негромко капает из крана... Маленькое кофейное пятнышко на скатерти, бисквитные крошки... Десятки тысяч точно таких же кухонь есть в Москве, в Питере, в Харькове или Чите.

Но только в одной из них лежит отрубленная кисть правой руки. На зеленом подносе. В хрустальной горке кубиков льда... как во дворце президента Бокассы. НА ХОЛОДЕЦ!..

— Вы позволите, Алена, я выйду на балкон... покурю.

Только что Обнорский курил в кухне. Пепельница с изображением статуи Свободы стояла на столе, в ней лежал окурок... Затула пожала плечами.

— Заодно посмотрю на ваш двор сверху. С той позиции, с какой глядели вы в тот вечер, — сказал Андрей, схватил сигареты, зажигалку и вышел.

Светило солнце, ворковали голуби. Андрей закурил, облокотился на перила. Маленький стерильный кошмарчик бокса из нержавейки остался за стеной. Обнорский затянулся, сказал себе: «Пустое! Пустое все это.

Не заморачивай себе голову. Ну рука... Затула — не маньяк, не людоедка, не фетишистка. Руку эту Алена взяла, чтобы отправить на независимую экспертизу. Лежит себе рука и лежит... во льду. Не портится. Не комплексуй, журналюга. Займись-ка лучше делом. Ты ведь все равно собирался посмотреть на двор „глазами Затулы". Вот — балкон. Вот — двор внизу. Включай „взгляд Затулы". Работай, работай...»

Андрей выщелкнул сигарету и наблюдал за ее полетом, пока сигарета не упала на асфальт. Неправильной формы двор был весь как на ладони. Контейнеров для мусора Затула видеть сверху не могла — их прикрывает галерея, соединяющая башню дома номер семь (счастливое... счастливое число) с небольшим строением на бульваре... Да, контейнеры она видеть сверху не могла. Но все остальное просматривалось очень хорошо: и овальная «голова» фонаря (горел все-таки фонарь или не горел в тот вечер?) в следах голубиного помета, и лестница наверх, на бульвар, и автобусная остановка, возле которой Горделадзе обыкновенно ловил машину... В тот вечер он так и не вышел к остановке. Или все-таки вышел?

Сейчас на бульваре было пустынно. Редкие шли прохожие, да на остановке кучковалась группка цыганок в ярких одеждах... Скорее всего, они просто ждали автобуса — клиентов для гадания почти не было.

Андрей вздохнул и вернулся в квартиру. Галина уже сидела в кухне, красилась. Затула ела бисквит. Маленьким желтым солнышком улыбался подсолнух на дверце морозилки. Андрей сел на табурет, но затылком к холодильнику больше не прикасался... На холодец, мать вашу! На холодец.

Квартиру Затулы Галина и Андрей покинули спустя полчаса. Обнорский задал Алене довольно много вопросов, она довольно гладко на них ответила. Чувствовалось, что подобных вопросов за последнее время ей задавали много, и она «набила руку» на ответах... РУ-КУ. Руку она набила. Беда просто какая-то! Всюду вылезает эта рука. И скрепляет нашу дружбу рукопожатием.

Когда они уходили, Алена явно испытывала облегчение. Андрей тоже.

* * *

— Это ужасно, — сказала Галина.

Они шли тоннелем под галереей. Свод отражал стук Галиных каблуков.

— Что ужасно? — спросил Андрей.

— Все. Все ужасно. Но особенно — рука в холодильнике. Как она может спать в квартире, где хранится эта рука?

Андрей пожал плечами, не ответил.

— Наверное, — сказала Галя, — ей уже все равно. Она пережила такую трагедию, что теперь ей уже все равно. Несчастная женщина!

Они вышли из туннеля. Поднялись по лестнице на бульвар. Стайка цыганок все так же кучковалась на остановке... Увидев Обнорского с Галиной, одна из них сразу направилась им навстречу. «Вот тебя только не хватало, — подумал Обнорский раздраженно.— Сколько они уже на этой остановке трутся? Все уехать не могут?»

— Ай, молодые! — сказала цыганка. — Ай, красивые!.. Погадаю вам. Всю правду расскажу, счастье нагадаю.

— В другой раз, — буркнул Андрей.

Он пытался обойти цыганку, но та уверенно преградила дорогу. От остановки спешили еще две... Табор прямо.

— Некогда, некогда, — говорил Обнорский, но цыганки уже окружили, уже лопотали все разом, наперебой, хватали за руки.

— Пусть погадают, Андрюша,— сказала вдруг Галина.

Андрей посмотрел на нее удивленно: ты что? Ты же просвещенный журналист. Эмансипированная образованная женщина из самого конца двадцатого века...

— Пусть погадают... Я так хочу.

— Ну, — нехотя сказал он, — пусть... Нижний астрал, бубен верхнего мира... Все решено Верховными, а мы лишь читаем их знаки...

— Зачем так говоришь? — вскинулась одна из цыганок. — Всю правду узнаешь, жизнь старую и новую узнаешь. Положи на ладонь денежку, какую не жалко.

Андрей усмехнулся и положил на ладонь одну гривну. С купюры строго смотрел Володимир Великий.

— Сумочку, — сказал он Галине, — сумочку держи крепче. Рот не раскрывай. Обернулся к цыганке: — Ну так что там в моей старой жизни, Кассандра? Что ты видишь?

Гадалка стрельнула на Андрея живыми темными глазами, придала лицу сосредоточенное выражение... А гривна как-то совсем незаметно исчезла с ее ладони. Была — и не стало ее. Как ветром сдуло.

— О! — сказала цыганка. — Я вижу все. Вижу много крови во тьме египетской, африканской (Андрей ощутил, с какой неожиданной силой сжимает узкая рука женщины его запястье). Вижу путь воина. Ты воин, Андрей... Ты воин. (Обнорский стиснул зубы. Цыганка посмотрела ему в лицо — глаза жгли.) Ты видел много смертей — и друзей, и врагов. И сам пережил две смерти... (Встало перед глазами лицо Куки...) А третья рядом уже. Третью не пережить. Никому это не дано. Кроме бессмертных. Ты — человек. Ты — смертен. Рядом смерть твоя ходит... Тебя ищет.

Цыганка говорила медленно и глухо. Как будто была в трансе. С ужасом глядела на нее Галина. Цыганка стискивала руку Андрея очень крепко.

— Ты приехал сюда с севера. Приехал искать чужую смерть. А уже твоя ищет тебя. Спасайся, воин... Беги на север.

Обнорский резко вырвал руку. Перед глазами плыли темные круги, болела голова.

— Спасайся, Андрей... беги!

— Кто тебя прислал? — спросил Обнорский. — Кто велел меня «закошмарить»?

Он схватил цыганку за плечо. Вздрогнуло монисто на груди, качнулись серьги в ушах. Гадалка болезненно скривила рот, и Андрей подумал, что она, кажется, действительно в трансе... Две других цыганки загалдели, стали хватать Андрея за одежду, за руки. Говорили много, наперебой. Одна по-русски, другая на древнем певучем языке. С ужасом смотрела на них Галина.

Цыганки ушли по залитой закатом улице. Длинные юбки мели тротуар, горели шали. Двое поддерживали третью — ту, что гадала Андрею. Обнорский ошалело потряс головой. Встряхнул занемевшую руку. Всхлипнула Галина.

— ...твою! — сказал Обнорский. — Нормально... Называется — черную метку вручили.

А группа цыганок удалялась, удалялась... На фоне заката они казались черными птицами.

— Табор уходит в небо, — пробормотал Андрей.

* * *

Вечером Андрей рассказал Николаю о Затуле, руке в холодильнике и гадалке. Они сидели в кухне квартиры, которую сняла для них Галина. В этой самой квартире Повзло и Зверев жили во время первой своей командировки. Квартирка стоила шестьсот баксов в месяц. Но поскольку сняли ее на короткий и неопределенный срок, оплата начислялась посуточно, по шестьдесят пять баксов в сутки... Ну-ка умножим на тридцать... Ого! Но все равно дешевле, чем снимать два номера в гостинице.

Обнорский и Повзло сидели в кухне, пили «Черниговское». Андрей рассказал о своих приключениях.

— Думаешь, что цыганка — подстава? — спросил Коля.

— Не думаю — убежден.

— Аргументируй.

— Ну во-первых, этих цыганок я засек, еще когда был на балконе. Они уже паслись на остановке. И спустя сорок минут они тоже были там же... Что же они — автобус ждали целый час? Во-вторых, сразу ринулись к нам. В-третьих, сразу после «гадания» отвалили. В-четвертых, осведомлены о моей биографии... Видимо, в самых общих чертах, но все-таки осведомлены.

— А ты, — спросил Коля, — не допускаешь, что она действительно может что-то такое? Типа проникать в прошлое... ворожить...

Обнорский сделал глоток пива, ответил:

— А черт его знает, Коля. Что-то она, конечно, умеет. Цыгане же веками этим бизнесом занимаются. Я определенно ощущал некое воздействие. Глаза у нее ведьмины, да и рука у меня по-настоящему онемела... Выбрали ее, видимо, не случайно. Да и уходила она как будто обессиленная. Выстрелила в меня какой-то энергией, и ей самой поплохело. Но информацию о моей биографии ей, скорее всего, передали. Она даже говорила так, как будто повторяла чужие слова. Так гадалки не говорят.

— А ты знаешь, как гадалки говорят? — скептически спросил Коля и налил в бокалы «Черниговского».

— Не знаю. Я к гадалкам не хожу.

— Ну вот!

— Но в «бубен Верхнего Мира» я никогда не поверю. И тебе не дам. Иначе — сами скоро шаманить начнем.

— Мудрено все это, Андрюхин. Больно уж сложно. Можно ведь элементарно позвонить по телефону из автомата. Сказать: вы, мальчиши, валите из Киева по-быстрому. Иначе — грохнем. Согласен?

— Согласен, — кивнул Обнорский.

— Ну вот, — удовлетворенно сказал Коля.

— Но факт имел место, Колюхин. Была гадалка со странным своим гаданием и не менее странным пророчеством.

— Испугался? Пророчества неграмотной цыганки испугался?

— Да, испугался. Не пророчества, конечно...

— А чего же?

— Того, что мы попали в поле зрения неких серьезных людей. По всей видимости — СТРУКТУРЫ. И люди из этой СТРУКТУРЫ намекнули нам... пока только намекнули. Артистично. Без дешевых звонков с угрозами... Так вот, нам намекнули, что наше расследование нежелательно.

— А по телефону, — сказал Коля, — хуже? Менее артистично?

— Прямолинейно. И, кстати, дает нам право поднять шум. А с гадалкой и шума поднять нельзя. Все скажут: совсем с ума сошли, шизанутой гадалки испугались... Согласись, что всерьез такое заявление не примут?

Обнорский встал, прошелся по кухне с бокалом пива в руке, остановился у окна. Окно выходило во двор, открывая вид на крыши, усеянные антеннами.

— Как сказать, — сказал Коля. — Возможно, что и примут. Обстановка складывается определенно истерическая. Тут всякое лыко в строку. Экстрасенсы изо всех щелей прут, как тараканы... Может быть, именно история с загадочной гадалкой пришлась бы ко двору.

— М-да, — сказал Андрей и обернулся. — Сегодня-то она определенно была к месту. Только что мы «поручкались» с Горделадзе, а вслед за этим вылезла цыганка... Галина была почти в истерике. Предложила мне отказаться от расследования... Нормально?

— Чего хочет женщина — того хочет Бог.

— Но мы-то не женщины и дело бросить не можем.

— Да уж. Назвался груздем — полезай в кузов, — сказал Коля.

— А коли взялся за грудь — говори хоть что-нибудь, — подхватил Обнорский.

— Однако ж и другое сказано: семь раз отмерь...

— А вылетит — не поймаешь... Но важнее для нас сейчас другая истина: один в поле не воин. Надо подтянуть из Питера Зверева и Каширина. Думаю, пора «браться за грудь» плотно, бригадным подрядом. — Обнорский вернулся к столу, сел, поставил бокал. — Ты, Коля, свою линию — «политику» — продолжай, но необходимо, видимо, включать оперативные методы — анализировать распечатки телефонных переговоров всех причастных лиц, проверять биографии, выявлять компромат... Нам с тобой вдвоем это не потянуть.

— Зверев, скорее всего, откажется, — ответил Повзло. — Он очень скептически отнесся к «делу Горделадзе» еще в наш первый приезд.

— Вольному воля, — сказал Обнорский. — Принуждать не будем, но поговорить с Саней я попробую. В понедельник я все равно улетаю в Питер, у меня лекция в университете, и отменить ее я не могу. Вот тогда с Сашкой и поговорю.

— Валяй... говори. Но он не согласится.

— Посмотрим. А теперь расскажи-ка, как ты пообщался с господином Матецким, — сказал Андрей.

— О! Матецкий — тот еще борец с оргпреступностью.

* * *

Леонид Семенович Матецкий встретил Николая радушно. В приемной борца с оргпреступностью тусовались, кроме секретаря, трое молодых людей с характерной внешностью. Коля был изрядно удивлен — в Питере и Москве показной бандитский стиль в одежде, прическах и манере держаться уже давно ушел в прошлое. А в приемной депутата Матецкого сидели откровенного вида бандюки. На посетителей походили мало — уж больно уверенно чувствовали они себя здесь. В приемной депутата Верховной Рады, тем более депутата — члена Комитета по борьбе с оргпреступностью, таким типажам делать нечего. Но они, однако, дело себе нашли: двое играли в нарды, третий раскидывал картишки в компьютере. Помощник был вылеплен из другого теста, но именно он, а не братки, выглядел в приемной инородным телом.

И приемная, и кабинет Матецкого были обставлены весьма шикарно. Можно даже сказать — неприлично шикарно. В кабинете обращали на себя внимание два огромных аквариума.

Матецкий принял Николая радушно. В его демократически-деловой манере держаться человек не особо искушенный, пожалуй, ничего особенного и не заметил бы, но Николай Повзло был человеком искушенным. Он уловил и характерную «крымскую» речь, и криминальный налет... Поздоровались, познакомились. Не теряя времени (Депутатский шик: мое время принадлежит избирателям.) Матецкий поинтересовался целью визита иностранного журналиста. Очень спокойно поинтересовался, но Коля уловил фальшь в его голосе.

— Горделадзе, — сказал Коля. — Расследуем дело об убийстве Георгия Горделадзе.

— А у вас, Николай... э-э...

— Степанович.

— ...Степанович, есть заказ на это расследование?

— Разумеется.

— Чей? — как будто безразлично спросил Матецкий.

— Главного редактора нашей газеты «Явка с повинной», — совершенно серьезно ответил Коля.

— А-а, — разочарованно протянул депутат. «А чего, — подумал Коля, — ты ждал? Что я тебе открою заказчика?» — А кто вас финансирует?

— Есть такая детская книжка — «Денискины рассказы», — весело сказал Повзло. — Там в одном рассказе ребятишки спектакль ставили — «Смерть шпиона Гадюкина». Так вот, этот шпион говорит «нашему»: «Мы с вами недолго знакомы, но я вас очень прошу, дайте мне, пожалуйста, план аэродрома...»

Матецкий юмор оценил, ухмыльнулся.

— Пиар делаете?

— Нет, пиар не делаем. Делаем расследования.

— Значит, независимая пресса?

— Независимая, Леонид Семенович.

— Хорошо, хорошо... Рад за вас... А ко мне-то что вас привело? Я к «делу Горделадзе» никаким краем...

— Мне компетентные люди посоветовали к вам. Вы, говорят, были с Георгием в хороших отношениях.

— Это только некомпетентные люди могли вам такое сказать... Кто сказал-то?

— Да уже и не помню. Кто-то из журналистской тусовки...

— Наврали ваши «компетентные». Не был я с ним в хороших отношениях. Знаком — и все. Не более.

— А я слышал, вы ему деньги ссужали.

Матецкий поглядел на Колю внимательно, колюче:

— Опять «компетентные» сказали?

— Не ссужали, Леонид Семенович? Врут?

— Ну... ссужал. Был такой факт.

— А велика ли сумма?

— Нет, ерунда. Мелочь. Говорить не о чем.

— А все-таки? Это, надеюсь, не секрет?

Матецкий взял со стола карандаш, легко сломал его пальцами одной руки.

— Какой же секрет? Тыщу баксов, — сказал он. Потом посмотрел на половинки сломанного карандаша и добавил. — Или две.

— А он отдал?

— Э-э... отдал.

— Вы как-то неуверенно это произнесли.

— Отдал, отдал... — сказал, раздражаясь, депутат. Швырнул сломанный карандаш на стол. Коля посмотрел на его сильные, «трудовые» депутатские руки. — Отдал он мне долг, Николай Степаныч. Мне долги всегда отдают. Я человек авторитетный.

— Это хорошо. Но, коли вы дали покойному Горделадзе...

174

— А почему покойному? Кто видел мертвого Георгия? — перебил Матецкий.

— А «таращанское тело»?

— Э-э! Это еще нужно доказать, что в лесу нашли тело именно Георгия, — возразил депутат.

— Хорошо. Не будем дискутировать на эту тему. И все-таки, раз вы дали Горделадзе в долг значительную сумму...

— Мелочь я ему дал, мелочь.

— Понятно... Но раз все-таки дали две тысячи долларов в долг, значит, отношения у вас были неплохие. Так?

Матецкий взял второй карандаш. «Сейчас сломает», — подумал Николай. Но депутат повертел карандаш в руке и швырнул его на стол.

— Отношения у нас были никакие... Так, здоровались. Я его знаю, он — меня. Тут все друг друга знают. Киев — город маленький.

— А почему все-таки дали? — продолжал настаивать Николай.

— Он попросил — я дал. Думаю: почему не дать? Горделадзе — он же отвязанный. Не дашь — начнет грязью поливать. А так — дал небольшую денежку и как в рекламе: заплатил налоги и сплю спокойно.

Матецкий засмеялся. Коля тоже улыбнулся.

— Тем более, — продолжил депутат, отсмеявшись, — деньги Георгий вернул. Так что я, Николай Степаныч, не в убытке. Но друзьями мы с Горделадзе не были. Извиняюсь... Какие еще есть ко мне вопросы?

Коля задал еще с десяток общих вопросов, на этом «интервью» и закончилось.

* * *

В воскресенье, девятнадцатого ноября, Обнорский улетел в Питер. В понедельник прочитал лекцию в университете, поговорил со Зверевым. Заниматься «делом Горделадзе» Сашка, как и предполагалось, не захотел. А давить на него было бесполезно по двум при-

175

чинам: во-первых, характер; во-вторых, Обнорский считал, что если человек работает из-под палки, то и результат будет соответствующий.

— Как знаешь, Саша, — сухо сказал Андрей и вызвал Родю Каширина.

Родион, как и многие, в Агентстве оказался случайно. Относительно, разумеется, случайно. Его трудовая биография началась в заполярном Диксоне, где Родя работал радистом после окончания ЛАУ. Наслаждался романтикой Севера и северным сиянием. Но эта же романтика повела его дальше, и Каширин сделался сыщиком там же, в Диксоне... Как он сам говорил: белых медведей профилактировал. Спустя два года он наелся романтики по уши и вернулся в Питер. Здесь, не нужный никому со своим трудовым опытом, помыкался туда-сюда и с грехом пополам устроился охранником в частную контору, которых к тому времени расплодилось видимо-невидимо. Возможно, так бы и прожил Родион Каширин свою жизнь. Но на фирму, которую он охранял, как-то наехали бандиты из свежеиспеченных отморозков. Роде, когда он попытался рыпнуться с целью выполнения своих профессиональных обязанностей, крепко дали дубинкой по голове. После трехмесячного лечения он остался инвалидом без всяких средств к существованию, кроме нищенской пенсии. Жена от него ушла, зато осталась боль в позвоночнике и — иногда — приступы слепоты... Они были редкими, кратковременными, но обрушивались всегда внезапно. Как будто чья-то рука выключала гигантский рубильник, и весь мир погружался в темноту. В такие минуты Родион оказывался даже более беззащитен, чем «настоящие» слепые.

Как бы сложилась дальнейшая судьба Родиона Каширина, неизвестно. Даже сильные люди при подобном жизненном раскладе, случалось, спивались, опускались на дно... Роде повезло. Однажды он стоял на улице, а точнее — посреди Литейного моста, курил и мрачно смотрел на серую невскую воду. И мысли у

176

него были самые мрачные... В этот-то момент его и окликнул Жора Зудинцев. С Зудинцевым Родион вырос в одном дворе. Возможно, в этот день Георгий спас Родиону жизнь. В ближайшем кабачке они пообедали, выпили немного, и Каширин рассказал Зудинцеву про свою невеселую жизнь.

Георгий и привел Родиона в Агентство... Обнорский два дня думал: стоит ли брать на работу инвалида? Тем более, что и в профессиональном плане бывший радист-сыщик-охранник не Бог весть какое приобретение.

Но все-таки взял. Зудинцев очень просил, и что-то такое Андрей сам в глазах Родиона увидел... «Если, — подумал Обнорский, — начать оценивать людей только по их ценности для дела, то... то — что? Мир вокруг нас жесток, и превращать Агентство в приют для убогих нельзя. Всех не пожалеешь... Но если исходить из подобных рассуждений, то можно уподобиться нашему родному государству». Обнорский уподобляться государству не хотел.

Он взял на работу инвалида Каширина. Журналистского опыта у Родиона не было вовсе, да и оперский был более чем скромным. За два года его не наработаешь. Тем более в заполярном Диксоне. Инвалид включился в работу с энергией ледокола, вспарывающего арктический лед, и уже через год Зверев сказал Обнорскому:

— Толкового мужика взяли, Андрюхин. Я вот его еще поднатаскаю по нашему ремеслу — не нарадуешься...

...Обнорский вызвал Каширина, дал папку с «Отчетом», стопку аудиокассет, сказал:

— Изучай. Завтра вылетаешь в Киев.

* * *

Утром двадцать первого Обнорский и Каширин вылетели в Москву. В аэропорту и во время полета Андрей проверял, как Родя изучил тему (оказалось — вполне прилично), и рассказывал о тех событиях, которые произошли позже и в отчет, естественно, не вошли. Родион был заинтригован и, можно сказать, польщен — в расследованиях такого уровня работать ему еще не доводилось.

В Шереметьево пути Обнорского и Каширина разошлись. Андрей улетал в Симферополь, Родион — в Киев.

— В Борисполе тебя встретит Повзло, — сказал напоследок Андрей. — Удачи, инвестигейтор... Поосторожней там.

* * *

В самолете Андрей вздремнул. Снился Кука. Кука весело бренчал на бандуре. В качестве медиатора Кукаринцев использовал отрубленную руку Горделадзе... Весело играл, весело.

* * *

Даже во второй половине ноября в Симферополе было очень тепло. После стылого Шереметьева, с поземкой над голой бетонной пустынькой аэродрома, Симферополь встретил двенадцатиградусным теплом и щедрым солнцем. Воздух пах степью...

В аэропорту Андрея ожидал человек, присланный Соболевым. Сказал, что Сергей Васильевич приносит извинения, сам встретить не может — дела. Срочные, неотложные дела в Красноперекопске на севере Крыма. Но вечером встреча состоится обязательно. Водитель — его звали Игорь — отвез Обнорского в гостиницу (по стечению обстоятельств она, как и в Киеве, называлась «Москва») и уехал, оставив папку. Папку, сказал он, велел передать Сергей Васильевич. Возможно, дескать, вы найдете в ней что-то полезное, Андрей Викторович...

* * *

Папка содержала подборку материалов СМИ по «делу Горделадзе». Около полутора сотен вырезок или

178

ксерокопий из украинской, российской и заграничной прессы... Плюс дискета. Компьютера в номере не было, и дискету Обнорский оставил «на потом».

Андрей снял ботинки, лег на диван и стал изучать папку. Часть материалов была ему знакома, но бо́льшая — нет. Уже через час Андрей понял, что подборка составлена толково. Она отражала хронологию развития скандала, мнения известных украинских политических деятелей и «простого народа», наглядно иллюстрировала, как раскручивались события вокруг обнаружения тела. Документы, собранные воедино, показывали, что делу сознательно придают политический характер, заостряют, нагнетают... Каждый Божий день появляются все новые «подробности», новые «свидетели» и «информированные источники». Кликушествуют экстрасенсы, контактеры и откровенные сумасшедшие.

Власти отбивались неумело и неубедительно. К концу изучения папки Андрей выкурил пачку сигарет и приобрел ощущение, что весь этот шум неслучаен, что кто-то умелый и циничный стоит за кулисой и режиссирует исподтишка. Потирает руки и чего-то ждет. Чего он ждет?

Андрей встал, оделся и вышел из номера, оставив на полу и на столике возле дивана ворох материалов из папки. Внизу, в холле гостиницы, он купил сигареты и вышел на улицу. Было уже почти темно, горели фонари... Андрей закурил и пошел наугад. Через минуту вышел на берег Салгир. Темная вода, обильно покрытая ковром из опавших листьев, почти не двигалась.

Андрей курил, смотрел на воду и думал: «Кто стоит за кулисой? И чего он ждет?»

«Партия Куки» звучала в темноте все громче. Страшный «медиатор» молотил по струнам бандуры.

* * *

Соболев приехал около десяти вечера. Усталый, замотанный.

— Извини, Андрей Викторович, — сказал он, — дела. Пришлось вне плана смотаться в Красноперекопск.

— Проблемы? — спросил Андрей.

— Жизнь премьер-министра как раз и состоит из одних проблем. Вот только решаются все по-разному. Некоторые легко, другие посложнее, а третьи вообще носят характер хронических болезней... Как язва желудка.

— Если язву нельзя вылечить, от нее можно избавиться оперативным путем, — сказал Андрей.

— Можно, — кивнул Соболев. — Если у хирурга есть скальпель. В государственных делах скальпелем могут служить финансы и законы... Увы, очень часто у нас скальпеля либо вовсе нет, либо он совершенно тупой. Да ты не подумай, что жалуюсь.

Соболев и Обнорский сидели в ресторане «Тайфун», ели телятину с грибами, которая здесь была фирменным блюдом.

— Ну, как сам? — спросил Соболев. — Рассказывай, рассказывай, как у вас идут дела...

Обнорский объяснил, что пока никакого особого движения нет — продолжается рутинный процесс сбора информации. Соболев поинтересовался: а конкретней? Андрей рассказал и добавил, что сюда, в Крым, он приехал опять же за информацией. Не для доклада Соболеву — нечего еще докладывать, — а именно за информацией о некоторых лицах.

— Кто интересует? — спросил премьер.

— В Киеве живут как минимум два человека, которые могут представлять интерес для нашего дела. Оба — выходцы из Крыма.

— Ну так кто конкретно?

— Затула и Матецкий.

— Затула — понятно, — согласился Соболев. — А Матецкий каким краем шьется к этому делу?

— Не знаю, — ответил Андрей. — Возможно, и никаким. Но... намекнули на него. Ваш же человек и намекнул.

180

— Олег Костенко?

— Он самый. Вы, Сергей Василич, ему доверяете?

— В общем, да, — сказал премьер.

— В общем?

— Понимаешь, Андрей Викторыч... Тут ведь какое дело? Я Олежку знаю давно... Считай, со студенческих лет. Он человек порядочный. И я ему, разумеется, доверяю. Но... Расклады в этой игре идут такие, что козыри могут меняться. В начале игры — черви, в середине буби козырями стали, а в конце вдруг может оказаться, что пики... или крести. Или опять черви. Понимаешь?

Обнорский понял: премьер имел в виду, что в очень сложной многоходовке вокруг Горделадзе возможны любые комбинации: вчерашний союзник может быть перевербован или использоваться втемную... Возможно, именно поэтому Соболев предпочел пригласить для расследования варягов. Людей, не имеющих на Украине ни родственных, ни клановых связей, ни бизнеса, ни политических врагов или друзей.

— Я вас понял, Сергей Васильевич, — сказал Андрей. — Итак, есть ли в Симферополе люди, которые могли бы мне рассказать о Затуле и о Леониде Матецком?

— Найдем, — со вздохом сказал премьер.

* * *

Утром двадцать второго ноября Заец вошел к боссу для ежедневного доклада на полчаса раньше, чем обычно. Сегодня это было уместно.

— Ну? — спросил Хозяин. Кажется, он немного нервничал.

— Все в порядке, — доложил Заец. — Вылет в 14.50.

— Я прошу тебя, Константин Григорьич, — сказал Хозяин, — проследи лично. Проводи до посадки.

— Так точно, Матвей Иваныч, — ответил Заец.

Он не знал всех деталей операции «Почтальон», но знал, что Хозяин придает ей исключительное значение. Заец доложил о текущих делах и ушел. Вплоть до вылета он находился неподалеку от Почтальона. Не рядом с ним, но неподалеку... Когда Почтальон оказывался в зоне визуального контакта, Заец видел, что Почтальон бледен, внутренне напряжен. Было очевидно, что он боится. В баре второго терминала аэропорта Почтальон хлопнул коньяку.

За час до вылета Почтальон без проблем прошел таможенный и паспортный контроль... Вместе с ним рейсом ОК 917 Киев—Прага вылетел человек Зайца. Точно по расписанию, в 14.50, «Боинг-735» начал движение по бетону аэропорта. В 15.33 агент Зайца позвонил из Праги и доложил, что все в порядке. Почтальон на месте, и его встретили.

— Можешь возвращаться, — ответил Заец и в свою очередь позвонил Хозяину.

— Слава Богу, — сказал, выслушав доклад, Хозяин. — Ну теперь мы такое замутим, что мало не покажется, ... твою мать!

Он положил трубку на аппарат, посмотрел на календарь — до начала раскрутки операции «Почтальон» осталась неделя.

* * *

Человек был явно из оперсостава. Обнорский понял это сразу, как только увидел его через стекло кафе. Понял по стремительности походки, по цепкому, внимательному взгляду, «простреливающему» улицу... Так ходят сыщики и воры.

Человека звали Сергей. Он позвонил Обнорскому утром. Представился лаконично: «Сергей... Вас интересует Отец?» — «Да, — ответил Андрей, интересует. Вы от Соболева?» Проигнорировав вопрос про Соболева, Сергей сказал: «Завтра в полдень. Устроит?» — «Вполне». — «Кафе „У Татьяны" на улице Воровского знаете?» — «Найду», — ответил Андрей.

Сергей вошел в кафе. Остановился в дверях, привыкая после света улицы к полумраку... Кожаная куртка поверх свитера без ворота, и, разумеется, без шарфа, руки в карманах брюк. Чем-то он напоминал Андрею Зверева. Впрочем, понятно чем — опер. Опер по жизни.

Андрей поднял руку, Сергей увидел и быстро подошел к столику. Обнорский встал, поздоровались... Быстро подошла официантка, улыбнулась Сергею:

— Здравствуйте, Сергей Иваныч.

— Мы с тобой, Светка-конфетка, договорились на «ты»?

— Хорошо, Сергей... вам... то есть тебе...

— Кофе, — быстро ответил Сергей.

Официантка отошла.

— Итак, — сказал Сергей, — вы из Питера. Журналист. Вас интересует Отец.

— Да, меня интересует Леонид Семенович Матецкий.

— Нет повести печальнее на свете... — произнес Сергей и провел рукой по усам. — Вас интересует какая-то конкретная сторона его деятельности?

— Меня интересует этот человек, Сергей... Меня интересует все о нем.

— Все о нем знает только АИПС «Скорпион» и «Бизон».

— Что это такое?

Подошла официантка и поставила перед Сергеем кофе.

— Вам принести еще кофейку? — спросила у Андрея.

— Да, сделайте, пожалуйста, — ответил Обнорский.

Когда Светка-конфетка отошла, Сергей ответил:

— АИПС — это аналитическая информационно-поисковая система. «Скорпион» — разработка ОПГ, «Бизон» — разработка лидеров и членов ОПГ. У эсбэушников есть аналогичная система под названием «Фронт».

— Доступа к ним, конечно, нет, — сказал Обнорский.

Сергей улыбнулся:

183

— Почему же? Относительно «Фронта» ничего не могу сказать, а к «Скорпиону» с «Бизоном» доступ в Крыму имеют аж целых шесть человек... Но я в их число не вхожу.

— Понятно... Вы, коли не секрет, кто по званию, Сергей?

— А нет у меня звания. Я штатский человек.

Обнорский подумал, что Сергей не хочет расшифровываться, но тот продолжил:

— Служил я когда-то в уголовном розыске... Давно это было. Уволился в звании майора. Так что нынче я человек сугубо штатский. Руковожу союзом «афганцев».

— Воевали в Афгане?

— Было такое дело... Там и с Серегой Соболевым познакомился. И с вами говорю потому, что он за вас слово замолвил, Андрей. К нему я отношусь с огромным пиететом.

«Уже второй человек, — подумал Обнорский, — заявляет мне, что говорит со мной только по рекомендации Соболева».

— А премьер-министр имеет доступ к «бизонам-скорпионам»? — спросил Андрей.

— А вы сами у него спросите... Впрочем, и без экзотических «бизонов-скорпионов» я вам кое-что могу рассказать. Официальную биографию депутата Рады мы трогать не будем. Согласно этой версии биографии он почти святой. Но есть у Лени Матецкого и другая, неофициальная, биография. Вот она-то, Андрей, гораздо более интересна. Итак, Ленечка Матецкий. Ленечка — наш, крымский. Как сказал один выдающийся ваш политик: мать русская, отец — юрист. Это аккурат про нашего Леню. Отец его покойный — Семен Лейбович Матецкий, кстати, действительно был юристом. Говорят, довольно известным. Леня родился в Симферополе, здесь же прошла вся его сознательная жизнь. Мать Ленечки была моложе отца на двадцать с лишним лет... Именно после того, как Семен Лейбович бросил свою первую жену, карьера юриста пошла под откос. Так, по крайней мере, говорят. Красота и ветреный характер молодой жены были для пожилого еврея причиной многих огорчений и в конечном итоге привели его к инфаркту. Вдова горевала не очень долго и связала свою жизнь с известным в Крыму авторитетом Башмаком. В восемьдесят девятом Башмака кто-то угостил картечью из охотничьей двустволки... Ну это так, к слову. Хотя кое-кто тут у нас считает, что Ленечка мог приложить к этому руку. Он мальчонкой рос решительным. Спортом занимался... борьбой. И хотя в науках не сильно превзошел, но зато стал кандидатом в мастера по вольной борьбе. Мог, мог Леня приложить руку к смерти Башмака. А потом «подхватить выпавшее знамя». Он его и подхватил, вошел в группировку. Конечно, не на первых ролях... Молод еще. Ничем себя не проявил, зону не топтал.

— А он, кажется, и вообще ее не топтал? — спросил Андрей.

— Точно... Дважды его задерживали с оружием. Первый раз под сиденьем машины, в которой он ехал, обнаружили ТТ. Но Отец отмазался, объяснил, что тачка досталась по наследству от Башмака и про пистолет он ничего не знал. Отпечатков пальцев на стволе не было, и следствие его объяснениями удовлетворилось. Второй случай был серьезней. Намного серьезней. Ствол — под мышкой, патрон — в патроннике, пальцев — как грязи... Но экспертиза не признала пистолет огнестрельным оружием.

— Почему? — спросил Андрей.

Спросил, заранее догадываясь, каков будет ответ. Снова к столику подошла официантка, принесла кофе Обнорскому. Когда она отошла, унося пустую чашку, Сергей ответил:

— Якобы пистолет был не пригоден к стрельбе по техническому состоянию... Да из него стреляли пять часов назад. Из ствола тухлым яйцом тянуло... твою мать! Но — у эксперта иное мнение. Так что формально Отец перед законом чист. А уж теперь наш Леня для закона и вообще недосягаем — депутатская неприкосновенность. Парит на облаке под названием «Верховная Рада».

— Как же он со своей репутацией конкретного пацана пролез в комитет Рады по борьбе с преступностью? — спросил Обнорский.

Вопрос был риторический, подразумевал простой ответ: с помощью денег. Избитая фраза: криминал идет во власть, — давно превратилась в общее место... Никто уже, кажется, всерьез и не задумывается над ее смыслом. Отношение к «походу криминала во власть» сложилось в обществе почти философское. Примерно такое, как к плохой погоде. Слова «идет криминал» произносились почти так же, как «идет дождь».

Сергей сделал глоток кофе, ответил:

— Ты же и сам все понимаешь... Бабки плюс связи. Вот и все объяснение. Но тебе ведь нужна конкретика?

— Конечно.

— Все, что у меня есть на Отца, — дам.

— А что у тебя есть?

— Кое-что есть. Киевских дел Лени я, разумеется, не знаю. Но по Крыму материал подсобрал. Могу осветить, как, где, с кем и сколько. Кому он в УБЭП платит, кому в налоговой... Есть некоторые счета-фактуры по отдельным сделкам. Есть смета на строительство развлекательного центра на Южном берегу... Смета очень интересная.

— Сергей, можно я задам один вопрос, на который ты отвечать не обязан, — сказал Обнорский.

— Задавай... Тем более, что отвечать я не обязан...

— Как ты собираешь информацию?

— А как ты у себя в Питере собираешь информацию?

Обнорский улыбнулся. Улыбнулся и Сергей. Они отлично поняли друг друга.

— Я, — сказал Сергей, — не один... У меня за спиной союз «афганцев». Да и связи старые, ментовские, остались.

— Зачем, скажи честно, тебе это надо?

— А тебе зачем это надо?

— Я и сам задаю себе этот вопрос, — произнес Обнорский. — И, скажу тебе честно, изрядно запутался в ответах... Видно, не могу без этого.

— Вот и я, Андрей, не могу без этого... А конкретным толчком знаешь, что послужило?

— Нет, конечно...

— Дело давнее уже. Мы тогда только-только организовали наш союз ветеранов. И вот ко мне в мой обшарпанный кабинетик приходят двое... Шеи — во! Штаны — «адидас», цепуры золотые и стрижки соответствующие. И заводят такой разговор: а чего вы за союз такой и как бабки шинкуете? Я им спокойно объяснил, что бабок мы не шинкуем. Что мы союз ветеранов... Можно сказать, клуб, где ребята могут иногда собраться, поговорить... Да хоть и выпить, в конце концов. Душу облегчить. Память-то афганская во многих так сидит страшно — хоть «караул» кричи! Но перед этими быками я не рассыпаюсь... Что им объяснишь? Быки и есть быки. А они видят, что я их не боюсь, и ни хрена понять не могут. Че, говорят, за дела? Помещение в центре города занимаете, а бабок никаких не отстегиваете... Кому это я должен бабки отстегивать, говорю? — Ты чего? Отцу бабки... — Э-э, говорю, не могу я ему бабки отстегивать. У меня другая крыша. Тут, значит, быки оживились: а кто у тебя крыша? А у меня, Андрей, в кабинете икона висит. Большая икона, с Георгием Победоносцем. Один хороший человек подарил. Я на эту икону показываю: вот моя крыша. Быки оторопели. Не поняли они ничего... А я чувствую, что начинаю закипать, что злость во мне разгорается нехорошая и я могу их просто-напросто искалечить... Что-то они почувствовали... на свое счастье. Ладно, говорят, разберемся. И ушли. Я их еще до выхода проводил, раскланялся и сказал: мол, коли что не так, то вы уж простите ВЕЛИКОДУШНО. От таких слов они чуть с лестницы не скатились... А я у себя в кабинете сел. Сижу и думаю: да что же это такое? Что же это за мразь? Противно мне — край! Бандиты, спортсмены... УРОДЫ! А ты говоришь: зачем мне это нужно?

— Понял, — сказал Обнорский. — Я все понял, Серега...

Посидели, помолчали... Потом Андрей спросил:

— Ты информацию качаешь, а потом что — в стол кладешь?

— По-всякому бывает. Иногда удается кое-что реализовать. Но в основном это касается рядовых быков... Отец для меня недосягаем. Потому и отдаю тебе — может, ты сумеешь?

— Я попробую. Но как ты сам понимаешь...

— Я все понимаю. Ну что, поехали за бумагами?

— Поехали.

* * *

Первый тревожный звонок от Повзло раздался под вечер в среду. Андрей сидел в номере, просматривал документы, которые передал Сергей. Часть бумаг большого интереса не представляла — газетные статьи о Матецком, написанные как его сторонниками, так и противниками. Полезной информации они несли немного. Другая часть документов представляла несомненный интерес — в них описывался «бизнес» депутата в Крыму. Обнорский любил и умел работать с документами. Он сел к письменному столу, включил настольную лампу и взял в руку справку о покупке Матецким санатория в районе Ялты... В этот момент и позвонил Повзло. Собственно говоря, перезванивались они ежедневно, но именно сегодня Колин голос насторожил Обнорского с первых секунд разговора.

— Коля, — сказал Обнорский, — что-то случилось, Коля?

— Нет, — сказал Повзло. — Ничего не случилось. Ты когда приедешь?

— Не знаю. Дня через три-четыре... А что?

— Ничего. Просто, понимаешь... — произнес Коля и умолк.

— Ну давай рожай, Николай Степаныч.

— Следят тут за нами. И вообще, мутно что-то.

— Та-ак... давно?

— Как ты уехал — так и началось, — ответил Повзло.

Обнорский вспомнил, что еще накануне уловил в Колином голосе какие-то странные нотки, но не насторожился, не придал этому значения... Конечно, это можно списать на собственную усталость и головную боль... Конечно. Списать все можно. Но ребят сюда привез он. И отвечает за все тоже он.

— Рассказывай, — сказал Обнорский...

Все можно списать на усталость, но если твои товарищи обеспокоены и «что-то мутное» вокруг них, ты несешь за них ответственность и еще вчера обязан был врубиться. И еще вчера обязан был об этом знать. Потому что, как сказал Соболев, «...расклады в этой игре идут такие, что козыри могут меняться».

— Рассказывай, Коля, — произнес Обнорский.

— Трудно рассказывать. Ситуевина совершенно непонятная ни мне, ни Родьке. Что-то варится, а что — непонятно.

— Интересное кино. Ну хоть факты изложи. Потом вместе будем соображать, что это означает.

— У нас сложилось впечатление, что за нами глаз смотрит...

— Да это я понял, — перебил Обнорский. — Факты-то каковы?

— Да фактов-то нет... Серьезных по крайней мере.

— А несерьезных? — уже раздражаясь, спросил Андрей.

— Два дня подряд к нам без вызова приходят. Вчера — сантехник, сегодня — «скорая»... А мы не вызывали.

— Любопытно. И это все?

— Не совсем, — вяло сказал Коля. — Когда я встречал Родиона в Борисполе, на трассе меня тормознул гаишник, очень долго проверял документы.

— Ну и что?

— Да, в общем, ничего... имеет право. Но он и у Родьки проверил документы. Скажи мне: на кой ляд у пассажира проверять?

Обнорский испытал облегчение: ну ни хрена себе — слежка! Ну ни хрена себе «мутное заваривается»! Ребята, вы чего?

— Слушай, Николай Степаныч, — сказал Андрей, — вы чего там — бухаете с Родионом Андреичем? После крутой пьянки — по себе знаю — давит депрессняк и все чего-то нехорошее чудится...

— Андрюхин! Мы не бухаем. Но у нас... у обоих — заметь!.. у нас складывается впечатление, что вокруг как-то нечисто.

— Креститься надо, голуби, — сказал Андрей. Повзло промолчал, и Обнорский уже серьезно продолжил: — Да вы чего, мужики? Возьмите себя в руки. Это ж бред какой-то... сантехник, гаишник... «скорая». Ерунда все это. Даже слышать этого не хочу. Рассказывай, Коля, по существу дела.

Коля рассказал «по существу дела». Кажется, он несколько успокоился. Обнорский тоже расслабился... а зря.

* * *

В Киев он прилетел через день. Сергей предложил ему взять с собой документы, которые могут представлять интерес. Обнорский взял часть бумаг, от другой категорически отказался.

— Спасибо, Серега, — сказал он. — Не хочу я тащить с собой копии документов с грифом «совершенно секретно». Сам подумай: я иностранный подданный... Коснись чего — у меня вдруг обнаружат такие интересные бумажки. Нормально это?

Сергей рассмеялся и сказал:

— Шпионаж все равно не пришьют... Но — смотри сам.

— Спасибо. За информацию спасибо. Если бы мне пришлось самому копать — я бы и за год столько не накопал.

— Да брось ты... Невелика помощь-то. А тебе пригодится то, что я тебе дал?

— Не знаю, — честно сказал Обнорский.

— Ну бывай... Соберешься в Крым — звони.

Они попрощались, обменялись номерами телефонов, и машина умчала Обнорского в аэропорт. По дороге он думал об этом загадочном руководителе союза «афганцев»... Кто он? Откуда он черпает информацию? Как ее реализовывает? Ответа не было.

Спустя три часа, после двухчасовой утомительной болтанки в «АН-24», Андрей прилетел в киевский аэропорт Жуляны. Он ничего не стал сообщать Повзло и Каширину о своем прилете, взял в аэропорту такси и за пятьдесят гривен быстро добрался до центра... Сидя на переднем сиденье старенького «жигуленка», Андрей некоторое время размышлял, куда ехать: к Галине или к ребятам, в «штаб-квартиру»? Решил, что сначала к ребятам.

Водитель остановил машину на углу Крещатика и Тараса Шевченко, Обнорский вышел. В Киеве было даже теплей, чем в южном Симферополе, шел дождь. Андрей поднял воротник, посмотрел поверх головы памятника Ленину на окна квартиры. В одном из них горел свет. Значит, дома инвестигейторы.

Обнорский перебежал бульвар, вошел в темный подъезд и поднялся в лифте на пятый этаж. Нажал кнопку звонка... Из озорства закрыл дверной глазок пальцем. В квартире было тихо. Обнорский подождал несколько секунд и повторил звонок.

— Кто? — спросил из-за двери напряженный голос Повзло.

— Серый волк, — сказал, изменив голос, Андрей.

— Кто-кто?

— Волк из Таращанского леса, — очень серьезно, с украинским акцентом, произнес Андрей. — Я принес вам голову Горделадзе.

Тишина за дверью сделалась напряженной, как струна за мгновение до обрыва. Обнорский понял, что его шуточка не так уж и безобидна... Он кашлянул и сказал нормальным голосом:

— Коля, Родик... Это я. Открывайте.

— Андрюха? Андрюха, это ты?

— Да я, я. Кто еще?

— Ты один?

— Глаза разуй, Повзло, — рявкнул Обнорский, — в «глазок» погляди.

— Заклеила глазок сволочь какая-то, — ответил Коля из-за двери.

— А, черт! — спохватился Андрей и снял палец с выпуклой стекляшки «глазка».

Спустя секунду-другую звякнула цепочка, дважды металлически щелкнул замок, и дверь отворилась. Из прихожей на Андрея смотрели Коля и Родион.

— Ну вы, блин, даете, — произнес Обнорский и шагнул в квартиру, протягивая руку.

Поздоровался с Колей. Потом протянул руку Каширину и... Родя застенчиво переложил из правой руки в левую сковороду. Повзло за спиной Обнорского закрыл дверь.

— А сковорода зачем? — спросил Андрей.

— Да... так, — ответил Родя неопределенно.

Обнорский посмотрел на Родю... посмотрел на Колю. Покачал головой.

— Тяжелый случай, мужики, — сказал он. — Совсем, можно сказать, запущенный случай... Будем лечить.

* * *

Через пятнадцать минут сковородка стояла на плите. Родя бойко жарил яичницу с сосисками.

— Сосиски, — говорил Родя. — Сосиски — это что? Тьфу эти сосиски, вот что... Я, когда на Диксоне служил, оленьими языками питался. Погранцы с вертолета набьют оленей...

— Как они набьют оленей? — поинтересовался Коля.

Родя шуровал у плиты, Обнорский и Повзло сидели за кухонным столом. Посреди стола стояла запотевшая бутылка «Немировской» и три стопки. Выпить предложил Андрей. Он видел, как сильно напряжены мужики, испытывал некоторую неловкость за свое озорство (пошутил, блин, серый волк!) и предложил выпить...

— Есть? — спросил он.

Ясное дело, нашлось.

— Да как? Обыкновенно. Поднимают вертушку, находят стадо ...а стада там — тысячи голов... находят стадо и — из автоматов! А потом вырезают только языки да печень.

— А остальное мясо? — спросил Коля. — Остальное куда?

— Остальное песцы сожрут, — ответил Родя. — Но языки оленьи, доложу я вам, — чудо. Вкуснотища. На всю жизнь запомнил.

— Сволочи вы, — сказал Коля. — Из-за языка оленя убить!

— Сволочи, — согласился Родя. — Но языки очень хороши. Это вам не сосиски.

Обнорский сидел, курил, улыбался. Они уже выпили по первой, и было видно, что напряжение ребят несколько отпустило, и они заговорили. И все же было Андрею очень тревожно. Он видел, что мужики здорово не в себе. Можно сказать: напуганы... Что же тут происходит? Мужики-то не трусы, не истерички...

— Готово, — сказал Родион, снимая сковородку с плиты.

Коля разлил водку по стопкам. Выпили под старинный воровской тост: «за дела и удачу», взялись за яичницу.

— Ну так что тут у вас происходит? — спросил Обнорский, когда расправился со своей порцией.

Повзло и Каширин переглянулись. Андрей щелкнул зажигалкой, закурил, посмотрел в окно. За окном шел дождь, блестела мокрая крыша соседнего дома, покрытая тарелками спутниковых антенн.

— Понимаешь ли, Андрюха, — сказал Коля и кашлянул. — Конечно, все это может показаться смешным... Сантехники, гаишники... странные звонки...

— Странные звонки? — спросил Андрей.

— Да, Андрюха, именно так — звонят и молчат. Дешево, конечно, но на нервы действует, — ответил Коля. — А самый интересный звоночек был вчера. Позвонил мужчина и сказал, что в почтовом ящике лежит нечто для нас очень интересное.

— Он представился?

— Нет, — сказал Каширин, — он, разумеется, не представился.

— Что дальше? — спросил Андрей.

— Мы спустились вниз. В почтовом ящике лежал конверт.

— Вы его взяли? — быстро спросил Обнорский.

— Мы на него посмотрели.

— Но не взяли?

— Ты нас за дураков держишь? — спросил Повзло.

Андрей тяжело задумался...

Вспомнил предложение «афганца» Сергея взять ксерокопии любых документов из досье Отца. Неужели Серега подставной? Да нет, не может быть. Во-первых, его рекомендовал премьер. Во-вторых, Обнорского, будь Сергей провокатором, взяли бы с документами прямо в гостинице. Но его не взяли...

— Где сейчас этот конверт? — спросил Андрей.

— К утру его в ящике уже не было, — ответил Каширин.

— На конверте был адрес? Ваши фамилии?

— Ничего не было, Андрюха. Простой белый конверт. Без адреса, без марок. Довольно толстый. А лежать в нем могло все, что угодно — от наркотиков до документов Генштаба Украины.

— Больше этот человек не звонил?

— Нет.

По кухне плыла волна сигаретного дыма. Мрачно молчали три задумавшихся мужика... Теперь, после истории с конвертом в почтовом ящике, Обнорскому стали понятны опасения коллег. Вполне возможно, что если бы мужики взяли конверт, то сидели бы сейчас на нарах СИЗО, а пресса раздувала скандал про русских шпионов под журналистским прикрытием. Окажись ребята менее опытны и осторожны... Возьми они этот чертов конверт...

Андрей разлил водку, сказал:

— Молодцы.

Выпили не чокаясь. Каширин закусил маринованным огурчиком, сказал:

— Теперь нас трое. Думаю, что одному необходимо постоянно находиться в квартире.

— Почему? — спросил Коля.

— Потому что подбросить какую-нибудь бяку могут и в квартиру. В наше отсутствие.

— Могут и в машину, — сказал Обнорский, — могут и в карман опустить незаметно...

— А что делать? — спросил Коля.

Андрей пожал плечами.

— Соблюдать осторожность в доступных нам пределах... Видимо, их возможности тоже не особенно широки. Иначе бы нас уже подставили по-крупному. Но варежку разевать все равно нельзя. Пока нас просто пугают, предупреждают: ребятки, ваше расследование нежелательно. Но могут перейти к активным действиям. И вот тогда... — Андрей замолчал, посмотрел на Николая с Родионом очень серьезно. — Вот тогда может прийти настоящий серый волчара с головой Горделадзе под мышкой. В общем, так, мужики: риск в нашем деле есть. И немалый. Запросто могут подкинуть и наркоту, и шпионские микропленки... Или — хуже того — сделать «насильником». Неволить вас я не могу. Если чувствуете, что не готовы к таким поворотам событий, можете выходить из игры, возвращаться в Питер. Никаких претензий у меня к вам не будет...

— Ты что, Андрюха? — сказал Повзло. — Ты что несешь? Мы первый год друг друга знаем?

— Не первый, но...

— Извини, Шеф. Извини, но я уже влез в это дело с головой.

— А я, — сказал Каширин, — влез с ногами и делать ноги не собираюсь.

— Давайте не будем горячиться, — сказал Обнорский. — Дело действительно серьезное. Против нас сейчас играют те самые люди, которые причастны к убийству Горделадзе... Это хладнокровные и умные люди. Я не хочу сказать, что с нами могут поступить так же, как с Георгием. Это, пожалуй, перебор. Но пришить дело могут. А украинские зоны ничем не лучше русских... Гарантировать вам безопасность я не могу, мужики.

— А наш заказчик? — сказал Коля.

— Наш заказчик, — ответил Андрей, — весьма влиятельный человек. Влиятельный, но не всесильный... Поэтому я предлагаю вам подумать до утра. Утро, как говорится, вечера мудренее.

— И думать нечего, — сказал Повзло.

Обнорский посмотрел на часы.

— Я сейчас, — сказал он, — уйду... в одно место...

— Привет передавай, — вставил Коля.

— Передам... Так вот, я сейчас уйду. Приду завтра в десять. Проведем оперативку. О'кей?

— О'кей.

Андрей позвонил Галине. Оделся и ушел. В подъезде постоял несколько секунд перед дверью... Резко повернулся и вышел через второй выход, во двор. Если бы кто-то спросил у Обнорского, зачем он это сделал, Андрей не смог бы дать толкового объяснения. Он пересек двор, вошел под арку и секунд двадцать простоял в арке, прислушиваясь, не скрипнет ли дверь, не появится ли «хвост». Но ничего не происходило. Никто не вышел из подъезда, никто не шел вслед за ним.

Обнорский выскользнул на Крещатик и двинулся в сторону площади Незалежности. Он шел и думал: гадалка, странные звонки и визиты... А еще раньше, в Тараще, предполагаемый «хвост»... И, наконец, конверт в почтовом ящике... Что дальше? Что они предпримут дальше? И кто, собственно говоря, прячется за словом «они»?

Ответов у Андрея не было.

* * *

— Как продвигается твое расследование? — спросила Галина утром.

Утро было солнечным, блестел мокрый после дождя асфальт, ветер из форточки играл шторой на кухне. Андрей и Галина завтракали.

— Пока не знаю, — ответил Обнорский, намазывая джем на булочку.

— Интересно! А кто же тогда знает? Что значит «пока»?

— «Пока» значит, что через пятнадцать минут у меня совещание с моими коллегами... Обменяемся информацией, которую накопали за эту неделю, подобьем итоги. Может быть, что-то и прорежется. А может быть, нет. Любое расследование начинается с накопления информации. Именно этим мы и заняты.

— Я еще помню вашу блистательную лекцию по расследовательскому искусству, профессор, — сказала Галина. — Помню, что накопление первичной информации — важнейшее звено расследования.

— Нет, лапушка, не так. Важнейшее звено — это все-таки анализ, умение отделить важную информацию от второстепенной. Понять, какие события имеют значение, а какие нет. Когда информации нет — беда. А когда информационный поток захлестывает — не лучше. Ну ладно, извини — мне надо бежать... Орлы-инвестигейторы ждут.

Обнорский быстро допил кофе, поцеловал Галину и убежал. Она проводила его грустным взглядом...

* * *

Хозяин ходил по кабинету. Он был без пиджака, и Заец подумал, что хотя Хозяину без малого шестьдесят, он еще очень крепок. Подтяжки охватывали сильные широкие плечи, стекали к брюкам по плоскому животу.

— Ну и что же получается, Костя? — сказал Хозяин, остановившись посреди кабинета. — Сначала ты мне докладываешь, что у тебя есть способы воздействия на Араба... Потом он как бы даже улетает в свой Питер. А здесь остается один этот... Как его? Родственник?

— Родной, — поправил Заец. — Николаю Повзло мы присвоили псевдоним Родной.

— Хорошая родня, — сказал Хозяин, покачиваясь на носках. — Да, остался один Родной, который, по твоей оценке, не профессионал. Его, сказал ты, легко вывести из равновесия... Однако ни х... ты его не вывел. Он всю неделю шастает по своим делам, копает все чего-то... Так, Костя?

— Ничего опасного он не накопал, Матвей Иваныч. В своей оценке относительно профессионализма Родного я уверен. Могу повторить, что Родной не может являться кадровым сотрудником ГРУ или ФСБ. А из равновесия мы все-таки сумели его вывести... Он явно взвинчен.

— Что с того, что он взвинчен? Он здесь, он продолжает копать. Так вот, этот Араб не только подключил к делу еще одного «переводчика» (слово «переводчик» Хозяин произнес так, как говорят «урод»), но и сам вернулся. Теперь их уже трое. Целая резидентура, голубь ты мой. Ни от кого не прячутся, работают внагляк. А ты их только конвертиками пугаешь. Так что будем делать, Костя? Дальше смотреть, как они тут копошатся?

Заец подумал, что Хозяин нашел правильное слово — копошатся. Он считал, что Араб с командой не представляют реальной угрозы. Копают? Да пусть копают. Все концы спрятаны так глубоко и надежно, что зацепить их нельзя... Еще он понимал, что спорить с Хозяином бесполезно. Питерская бригада раздражает Хозяина. Вероятно, он тоже отдает себе отчет в том, что эти журналисты (или кто там они на самом деле) ничего не найдут. Но если Хозяин уперся, то что-то с питерскими надо решать. Теперь уже жесткими методами.

— Решим вопрос, Матвей Иваныч, — сказал Заец.

— Сколько времени тебе понадобится?

— Два дня.

Хозяин посмотрел на календарь, кивнул и бросил:

— Иди. Через два дня они должны быть нейтрализованы. Как ты это сделаешь, меня не интересует. Но сделай это обязательно.

* * *

Была суббота, движение транспорта по Крещатику на выходные закрыли, и можно было смело идти прямо по проезжей части. Блестел мокрый асфальт, блестели лужицы, шли киевляне. Они были беспечны и совершенно не думали о возможной слежке и предполагаемых провокациях. Обнорскому тоже не хотелось думать об этом, и он запретил себе такие мысли. Он сказал себе: «Ты легок, свободен и беспечен. Ты идешь по Крещатику, покуриваешь сигаретку, не задумываясь ни о „хвостах“, ни об отрубленной голове, ни о кисти руки в морозильной камере из нержавеющей стали». Он отлично понимал, что это самообман, что спустя всего несколько минут он сядет за стол и будет думать и говорить об этих малоприятных предметах... Но пока он шел по Крещатику, смотрел на нарядных, красивых женщин, улыбался про себя...

До «штаб-квартиры» Андрей дошел за десять минут. Мужчина в серой «девятке», припаркованной у «готеля» «Премьер-палац», зафиксировал в блокнотике время...

Андрей поднялся на пятый этаж, положил руку на кнопку звонка.

— Я пошел в сортир, — раздался из-за двери громкий голос Каширина.

Обнорский замер, удивленно поднял брови: чего это он орет? Зачем так громко сообщать о столь выдающемся событии?

— Слышь, Мыкола? — снова заорал за дверью Родион. — Я пошел в сральник.

— Нормально, — пробормотал Обнорский и нажал на кнопку.

Желтая точка «глазка» сделалась темной — Каширин прильнул к нему глазом, — замок щелкнул, звякнула цепочка, и дверь отворилась.

— Здравствуй, Андрей Викторович, — жизнерадостно произнес Родя.

— А ты чего орешь-то? — спросил Андрей.

— Так я в сортир собрался.

— А что — об этом надо орать так, чтобы все соседи узнали о твоем пафосном поступке?

— Я не для соседей орал, а для Повзло... Он, тетеря глухая, в телек уперся в дальней комнате и ничего не слышит, — говорил Родион, закрывая дверь за Обнорским.

— А Повзло зачем это знать? — спросил Андрей.

— А-а, так ты же не в курсе... У нас в сортире защелка замка сломалась, изнутри закрыться нельзя. Он дня три назад заперся, а выйти обратно не может. Я его оттуда минут двадцать выковыривал. Хорошо, у меня нож швейцарский с кучей прибамбасов — там и отвертка, и шильце...

— Молодец, — сказал Андрей, — спас товарища, заточенного врагами в сортире. А теперь, значит, вы орете о каждом своем посещении этого замечательного места?

Родя несколько раз моргнул глазами и бесхитростно ответил:

— А как же, Андрюхин? Только, например, угнездишься на толчке — Повзло тут как тут... непременно ему приспичит, аккурат когда мне надо из тюбика подавить. Ну разве это дело? Процесс требует интимности и вдумчивости, а тут — Повзло! Вот и приходится включать оповещение...

— Дурдом, — сказал Андрей, покачав головой.

На самом деле ситуация своей бытовой непосредственностью ему понравилась. Она как бы разряжала напряженную обстановку последних дней. Каширин сказал:

— Извини, поджимает меня. Спешу я... а то еще Повзло опередит. — Сказал — и юркнул в туалет. Из-за двери раздался его довольный голос: — Как горный орел на вершине Кавказа я гордо сижу на краю унитаза... Па-а-шел процесс!

Обнорский еще раз буркнул:

— Дурдом, — и прошел в квартиру.

В дальней комнате Повзло смотрел новости НТВ.

— Привет, инвестигейтор, — сказал Андрей. — Что хорошего в мире?

— А что же может быть в мире хорошего, Андрюха? Приморье замерзает, в секторе Газа евреи долбят арабов, американцы никак не могут решить, кто же у них нынче президент... Одним словом — дурдом. Суета сует и всяческая суета. Ты завтракал?

— Спасибо.

— Ну, тогда давай — за работу.

— Погоди, вот полярный волк просрется, тогда и примемся втроем.

Полярник прос... только минут через десять. Коля выключил телевизор, втроем сели вокруг стола, в гостиной. Повзло положил на стол блокнот, пачку бумаги, карандаши, диктофон и несколько кассет, маркированных черным фломастером.

— Итак, — сказал Андрей, — давайте подобьем некоторые итоги нашего расследования, господа инвестигейторы. Ежели, конечно, мы чего-то наработали, а не просто ели тут, пили... и занимались другими нехорошими делами за счет нашего заказчика.

— Обижаешь, Шеф, — ответил Повзло. — Мы, конечно, живые люди. Мы ели, пили... занимались другими нехорошими делами, но про основное не забывали. Кое-чего наработали.

— Доложьте нам, господин Повзло, — скомандовал Андрей.

Он ерничал. И Коля тоже ерничал, и Родька со своим «горным орлом на краю унитаза» — тоже... Потому что все помнили про белый конверт, появившийся в почтовом ящике и «наивные» телефонные звонки... И про отрубленную голову Г. Г.

— Докладаю, — ответил Коля. — За то время, которое вы, господин Обнорский, грелись в Крыму...

— Когда я улетал из Симферополя, там было всего плюс шесть градусов... холодней, чем здесь, — возразил Андрей.

— Это тебя не оправдывает. Холод в Крыму — не твоя заслуга... Итак, пока ты неизвестно чем занимался в Симферополе, мы тут с Родионом продолжали работу... Я окучивал тему с точки зрения политической, рассматривая контакты Горделадзе в политтусовке. Родион разрабатывал... Впрочем, он расскажет сам. С кого начнем?

Андрей пожал плечами, потом сказал:

— Решайте сами.

— Тогда, с вашего позволения, начну я, — ответил Коля, раскрыл свой пухлый блокнот. — Итак...

...Итак, «новейшая история» Г. Г. началась и реально отслеживается где-то с середины девяносто девятого. Все, что предшествовало этому, интереса, скорее всего, не представляет, да и изучению за давностью времени поддается только в самых общих чертах... В девяносто шестом Гия уже крутится в политике, но на тот период никому не известен. В девяносто девятом пробует себя в разных ипостасях. В основном на поприще предвыборных кампаний. Он предлагает свои услуги различным политикам. Сначала работает в штабе кандидата Н. В. Он — автор пиар-проекта, а Мирослава осуществляет проект в жизни. Проработали они у кандидатки месяца полтора. Затем госпожа Н. В. присвоила идеи, забрала все базы, все наработанные материалы и... не заплатила ни гривны.

— Кинула, — сказал Родя.

— Кинула, — согласился Коля. — Для Гии это был удар. Финансовое положение семьи Горделадзе было далеко не блестяще. Жилье — съемное, за него платить надо, двое девочек... Плюс ко всему — стремление жить «как белый человек»: ездить на такси, ужинать в ресторанах, отдыхать за границей. После кидка госпожой Н. В. Георгий работает имиджмейкером у депутата М. Эта работа не приносит ни денег, ни морального удовлетворения. Правда, позволяет потихоньку обрастать некими связями в политтусовке, примелькаться в кулуарах, разобраться «кто ист ху?» в Киеве... А Гия амбициозен, он хочет стать как минимум украинским Доренко. Однако время идет, а карьерного роста нет. Георгий комплексует. В девяносто девятом же он начинает работать на радио «Материк», ведет там программу о политике и часто приглашает туда известных людей, например, посла США Стивена Пауэра. Параллельно продолжает работать на депутата М. В голове у Горделадзе крутятся свои проекты... Но на их осуществление нужны деньги. Денег у Горделадзе нет. Он мечется, пытаясь занять то там, то тут, но серьезных спонсоров не находит. Чтобы не быть голословным, проиллюстрирую свои слова фактами... Я тут составил «попурри» из свидетельских показаний. — Коля нажал клавишу на диктофоне. Зазвучал сначала его голос, представляющий собеседника:

— Бывший сотрудник «Украинских вестей» Галина С.

Затем женский голос:

«В ноябре 99-го Гия решил съездить в Америку, чтобы провести там пресс-конференцию о нарушении свободы слова на Украине. Перед поездкой он написал грант на весьма немалую сумму... Надеялся таким образом осуществить свой проект на радио или в Интернете. Грант повезли в Америку Георгий и Алена, побывали в нескольких международных организациях и вроде бы получили формальное согласие. Но следовало еще продублировать его

на Украине... *Кажется, в малом гранте было 6000 долларов, а в большом — сто или около того. Малый грант они действительно получили. А большой не получили из-за Алены. Дело в том, что заниматься оформлением бумаг могли только либо Георгий, либо Алена — именно они были внесены в американские документы. Но Георгий не мог заняться этим, так как „халтурил" в то время в Виннице, в штабе городского мэра. А Алена отказалась заниматься продвижением гранта, ссылаясь на то, что она не менеджер, а журналист. В результате грант на 100 000 долларов им не дали».*

Обнорский спросил:

— Она что — дура?

— Нет, — ответил Повзло, — она не дура... Но грант не получили именно из-за нее. Сто тысяч зеленых! Если бы они были получены, Горделадзе разрешил бы все финансовые вопросы.

Коля снова включил воспроизведение:

«...Мое имя Колова Лариса. Я работала в „УВ" со дня основания. Вообще, разговоры о создании сайта начались где-то в начале января. Но все упиралось в деньги... В начале марта Гия принес 5000 гривен*. Где он их взял, я не знаю. В конце марта получили малый грант — 6000 долларов. Но эти деньги пришли на счет „Материка", потому что у Гии не было юридического лица. Решили купить на эти деньги технику... Редактор „Материка" — Сергей Шорох — приобрел компьютеры у своих знакомых в фирме „Легенда". По оч-чень „специальной" цене... Вышел скандал.

...Потом Алена подставила Георгия с большим грантом».

«...Мое имя — Виктория Губенко. Горделадзе я знаю с 98-го года. Мы познакомились во время проведения президентских выборов. Я в курсе истории с грантами... Летом, не помню точную дату, но где-то в июле, Гия позвонил мне: срочно нужны деньги. Я рекомендовала его в Кредитный союз, где он и получил кредит, эквивалентный одной

---

* Около $ 1000.

тысяче долларов США. Кредит Георгию дали как физическому лицу. По условиям кредита он обязан был ежемесячно выплачивать 6 процентов от занятой суммы. В сентябре сотрудники Кредитного союза позвонили мне и сообщили, что Георгий ни разу еще не выплатил процентов. Я попробовала найти его, но не смогла, передала только, чтобы он со мной связался. Но он не связался ни со мной, ни с кредиторами. Вскоре после этого Георгий пропал. Долг Горделадзе до сих пор не оплачен, проценты растут».

«...В январе Георгий созрел к началу работы над Интернет-газетой. К тому времени его нигде не печатали, а подписываться чужими именами он не хотел, ему надоело, он психовал, очень часто раздражался из-за ерунды... В январе утвердили название сайта — „Украинские вести" и эмблему — изображение Дон-Кихота.

Выкуп пространства в Интернете составил 60 долларов. Сайту присвоили адрес vesti.com.ua. Создание сайта отметили ужином в ресторане „Индийский". Почти сразу в начале работы пошли финансовые проблемы».

Повзло выключил диктофон.

— Собственно говоря, — сказал он, — такого рода рассказов у меня довольно много. Цитировать их в рабочем порядке большого смысла нет, оставим для отчета. Общие выводы из сказанного: во-первых, Георгий Горделадзе — амбициозный человек. Возможно, с комплексом непризнанного гения. Об этом свидетельствуют разные люди и его собственные статьи. Во-вторых, он очень рассчитывал на свой проект и, кстати, мог бы, видимо, добиться успеха, если бы не некоторые ошибки Алены... В-третьих, Георгий был не очень чистоплотен в финансовых вопросах. Он брал деньги у всех, кто давал, — от бандитов до американского посла. В-четвертых, очень худо отдавал. И, наконец, к сентябрю финансовое положение обострилось настолько, что Гия не мог отдавать даже по шестьдесят долларов банку. Сотрудники из-за невыплаты зарплаты бежали один за другим, само существование газеты было под вопросом... Списочек долгов у меня есть. Думаю, что он не полон — не все, видимо, хотят говорить о том, что давали Г. Г. деньги.

— Велики ли деньги? — спросил Андрей.

— Ерунда, — ответил Коля. — В сумме около трех тысяч, включая проценты Кредитному союзу... Самый большой долг частному лицу — около семисот баксов. За такие деньги не убивают.

— А кому он должен семьсот? — спросил Андрей.

— Вайсу, — ответил Родион за Колю.

— Вайсу, — кивнул Коля. — Но это пусть тебе Родя расскажет. Он нынче Вайсу лучший друг.

— Эва как, — удивился Обнорский.

— Ну, может, и не лучший друг, — сказал Родион, — но контакт установил. Эдик Вайс — мужик интересный... или, по крайней мере, он так о себе думает. Я ему не мешаю так думать. Наоборот, помогаю... Чтобы вам легче было составить представление о нем, можем послушать его самого:

Родион извлек кассету Повзло и зарядил свою:

«*Меня зовут Вайс Эдуард Оттович, я родился в Киеве, в одна тысяча девятьсот шестидесятом году четырнадцатого октября, в семье потомственных интеллигентов. После школы закончил Киевский медицинский институт по специальности врач анестезиолог-реаниматолог, служил полтора года офицером в войсках ВДВ в Африке. Вернулся в Киев, с восемьдесят пятого по девяносто первый работал в роддоме по специальности, потом занялся бизнесом... Торговал автомобилями, бытовой техникой, а в девяносто пятом разорился — меня кинули немецкие партнеры. Сейчас работаю директором фирмы, которая является дистрибьютором американской компании, занимающейся компьютерами... У меня много приятелей среди бывших спецназовцев, в том числе есть несколько друзей среди руководителей киевского ОМОНа. Одному такому человеку я позвонил в воскресенье, на следующий день после исчезновения Гийки...*»

Родион нажал клавишу, остановил запись.

— Уловили? — азартно спросил он. — Уловили, сколько понта и скрытого самодовольства?..

— Есть такое, — согласился Обнорский.

Повзло кивнул.

— Еще бы! — сказал Родя. — Когда просишь человека представиться, он обычно называет имя и фамилию. Должность. Реже — отчество. Но практически никто и никогда не сообщает дату рождения. И уж тем более не рассказывает о «семье потомственных интеллигентов». А Эдик Вайс исполнен чувства собственной значимости... исполнен во всем! И служил он не где-нибудь, а непременно в ВДВ и, разумеется, за границей... И работой занимался благороднейшей — в роддоме. И друзья у него — спецназовцы, да еще из руководства ОМОН... Вайс, впрочем, умен. Он как бы не выпячивает это, он говорит об этом небрежно, как бы между делом. Дескать: ты спросил — я ответил... А так-то я мужик простой, открытый. Запросто могу поговорить о Моцарте, геополитике, Монике Левински и парфорсной охоте. Простой я, ребята, простой... Если только у вас хватит интеллекта оценить глубину моей простоты. Я понятно объяснил?

— Думаю, да, — ответил Андрей.

Коля снова кивнул.

— Теперь второй вопрос... А почему, собственно, мы сейчас говорим об Эдуарде Вайсе? — сказал Родион.

— Почему? — спросил Обнорский.

— Потому, что Затула указала на него, как на человека, который подсадил Г. Г. на «таблетки успеха»... Это во-первых. И, во-вторых, потому, что Вайс сам вышел на Георгия. Все остальные знакомые Г. Г. появились естественным, так сказать, путем. Как правило, по работе, по тусовке. А Вайс, он это сам рассказывает, познакомился с Горделадзе «явочным порядком»... Запросто давал ему деньги, посоветовал некие таблетки...

— Прозак, — подсказал Андрей, — «таблетки успеха».

— Э-э, нет, Андрей Викторович, — возразил Родя. — Э-э, нет... прозак — это нечто другое. Я разобрался. Вот, извольте, справочка.

Родион достал из папки и протянул Обнорскому лист бумаги. Андрей взял в руки, надел очки.

— Мне, — сказал Родион, — дал эту информацию коллега-журналист. Но он не только журналист, он еще и врач-нарколог. Ты почитай, Андрей, почитай... Думаю, это весьма интересно.

Обнорский прочитал:

«Василий Прокопенко, журналист газеты „Обозреватель“, врач-нарколог (р. тел.490-...-...):

Справка. Таблетки прозак применяются для лечения депрессий. Средство пьется в режиме: одна таблетка (20 мг) утром, если не помогает, то по одной таблетке утром и вечером. Являясь ингибитором обратного захвата серотонина (медиатора, который отвечает в нашем организме за настроение) купирует также т. н. обессивно-компульссивное (непреодолимое) влечение к наркотикам. То есть — снимает наркозависимость после выхода из абстиненции. Наркотик, помимо своего наркотического действия, резко угнетает выработку серотонина в организме, и все наркоманы, даже после того, как им проведут дезинтоксикацию, страдают жестокими депрессиями. В Киеве прозак широко применяется именно для этого. Длительное применение Горделадзе именно этого препарата наводит на мысль о том, что он применял его с целью снятия постнаркотической депрессии, так как купирование обыкновенных депрессий не требует длительного курса лечения, в силу того, что уровень серотонина при этих заболеваниях снижен не столь сильно и легко поддается корректировке при коротком курсе лечения более старыми препаратами (например, мелипрамином). Если Горделадзе проводил в течение нескольких лет два-три курса или больше — это подтверждение наркозависимости. При проведении лечения именно прозаком или его аналогами нельзя резко бросать его пить, так как это приводит к усилению депрессии. В том числе нельзя употреблять спиртные напитки. *Украинских или российских аналогов, то есть тех, которые можно было бы назвать отечественными, нет. На Украине кроме прозака (английского или индийского производства) можно приобрести его аналоги: депрекс (Чехия), апофецидин (Канада), наиболее распространены словенские портал и флувал».*

— Минуточку, — сказал Обнорский удивленно, — это что же получается — Горделадзе сидел на наркоте?

— Получается, что он пытался скинуться. Его подсадили на некие «таблетки успеха»... А потом он попытался скинуться. Если все это действительно так, то подсадил его Вайс. И подсадил сознательно. Врач-анестезиолог не мог не понимать, *что́ именно* он рекомендовал Георгию в качестве «таблеток успеха».

— Чем еще подтверждается эта версия? — спросил Андрей.

Родион пожал плечами, сунул справку в папку, сказал:

— Я только начал отработку этой версии... Пока ничем, кроме косвенного факта: у Георгия часто менялось настроение — от депрессняка до эйфории. Впрочем, он вообще был весьма эмоциональным человеком, да еще и в непростых обстоятельствах: неудачи в профессиональном плане, долги, проблемы в личной жизни...

— А какие таблетки он применял в качестве «таблеток успеха»? — спросил Коля.

— Хороший вопрос, — ответил Родион. — Вот только ответа на него нет. Ни Затула, ни Мирослава, ни коллеги по работе ничего путного сказать не могут... Сам Вайс смеется, говорит, что снабжал Георгия обычными витаминами. Никаких упаковок дома у Затулы или Мирославы, естественно, не сохранилось... Что теперь проверишь?

Некоторое время все трое молчали. Информация, сообщенная Родионом, была довольно неожиданной... Горделадзе — наркоман?

— Подождите, — сказал Повзло. — Подождите, мужики... Если это так, то получается, что Георгия действительно сознательно подсаживали. Причем давно... С какой целью?

— На наркоту, — пожал плечами Родя, — всегда подсаживают с одной целью: сделать человека управляемым. Или, как минимум, зависимым.

— Тогда получается, что его «готовили» уже давно? С того времени, как он познакомился с Вайсом? С января? Только вот — к чему готовили?

— Получается, — сказал Андрей, — что еще раньше. Операции такого рода планируют загодя. Хотя не исключены и импровизации «по ходу пьесы»... Как-то его, видимо, хотели использовать, но вот как? Жизнь вносит коррективы, и режиссер на ходу делает поправки... Что еще, Родион?

— Пока ничего... Хорошо бы поработать с распечатками телефонных контактов всех фигурантов этой истории. В Киеве, слава Богу, даже домашний телефон платный — идет поминутная тарификация и, следовательно, можно отследить все звонки. Но доступа к базам местных телефонных компаний у меня нет... Пока я получил только распечатки звонков с телефонов Затулы, Мирославы, Георгия и офиса «Украинских вестей». Проанализировать их просто не было времени, я только-только начал.

Обнорский задумался, потом сказал:

— С распечатками я попробую решить вопрос. Дашь список, кто тебя конкретно интересует.

— Половина Киева, включая президента, — усмехнулся Родя. — Список дам... Интересуют ВСЕ сотрудники «УВ». Действующие и уволившиеся. А также Вайс и приятель Горделадзе Алания. Много?

— Много, — согласился Андрей. — Только ведь и это еще не все.

— А что еще?

— А еще нас интересует Тараща и Таращанский район. Все события с трупом так или иначе замыка-

210

ются на Таращу. Есть резон проверить звоночки из Киева в Таращу и наоборот?

— Это тысячи звонков, Андрей, — сказал Повзло.

— Да, — сказал Родион, — тысячи. Но существуют компьютерные «фильтры».

— Что это такое? — спросил Андрей.

— Это когда в компьютер вводят данные на интересующие нас телефоны. Например, номер мобильного телефона Обнорского. А компьютер сам «фильтрует» весь массив звонков — тысячи, десятки тысяч — и выявляет только те разговоры, которые велись с заданным абонентом.

— Что для этого необходимо? — спросил Андрей.

— Запросы. Запросы во все телефонные компании, которые обслуживают нужных нам людей. Обслуживают и их мобильники, и их домашние, и их рабочие. Такой запрос может дать либо владелец телефона, либо представители правоохранительных органов. В Питере мы со Зверевым такие проблемы решаем через знакомых ментов. А здесь, конечно, все по-другому, все неизмеримо сложнее.

— Ладно, — сказал Андрей. — Попробуем решить. Мы все-таки не в Англии какой-то, а в славянском государстве, у братьев.

— С семидесятилетней советской закваской, — сказал Повзло.

Родион сразу Колю поддержал:

— Это дорогого стоит. Все нельзя, но все, если очень захотеть, можно. Иной раз самый крутой государственный секрет можно купить у прапорщика за литр водки. Пять иностранных резидентов три года могут целого полковника разрабатывать, агентурные подходы искать... а наш человек с прапором литруху выкушает и за один день все узнает. Только ему это на х... не нужно. Логично, Андрей?

— Логично, — вздохнул Обнорский, — логично.

Он встал, подошел к окну, распахнул створку. В комнату ворвались звук улицы и свежий воздух.

— Ну а ты в Крыму что-то интересное накопал, Андрей? — спросил Повзло.

Обнорский обернулся к коллегам:

— И да, и нет, — сказал он. — Моя поездка в Крым была вызвана тем, что и Алена, и Матецкий из Крыма. К Алене у меня самого есть вопросы, а относительно господина депутата подсказал один... э-э... информированный человек. Намекнул, что господин Матецкий может быть причастен.

— А не может быть так, что твой «информированный человек» подбрасывает нам ложный след? — спросил Родион.

— Может, — согласился Обнорский. — Но поинтересоваться господином депутатом я счел важным. Проверяем же мы всякую ерунду типа заявления Генпрокуратуры о том, что Горделадзе уже после исчезновения приобретал билеты в Москве для поездки в Смоленск?.. Проверяем.

— А что показала проверка? — спросил Родя.

Андрей молча положил перед ним бледный факс:

«Министерство путей сообщения Российской Федерации.

Московская железная дорога.

Информационно-вычислительный центр.

107140, Москва, ул. Краснопрудная, д. 18.

Тел. 266-39-79, 264-86-77 (телефакс)

16.11.2000 г. № ИВЦ 117-131/185

Агентство журналистских расследований

Обнорскому А. В.

Подтверждаю, что проездные документы на фамилию Горделадзе Ю. Ю. были оформлены следующим образом:

1. 21.09.00 г. в 12-08 на терминале ММ 37М17 по документу ПС — XXI АК № 003338 на поезд № 33 Москва— Смоленск до станции Смоленск отправлением 24.09.00 г. в вагон 09Л место 01.

2. 21.09.00 в 12-09 на терминале ММ 37М17 по документу ПС — XXI АК № 003338 на поезд № 604 Смоленск—

Москва до станции Москва отправлением 26.09.00 г. в вагон 09Л. Место 11.

Возврата указанных мест не было.

Начальник отдела ИВЦ Дурягин В. Л.

(печать)».

Родион хмыкнул, протянул факс обратно.

— А что, — спросил, — Генпрокуратура Украины не могла сама дать такой запрос?

— А они его дали. Но в тот момент для прокурорских было важнее заявить, что Горделадзе жив. Вот они и прогнали дуру: покупал, мол, билеты какой-то Горделадзе в Москве... Уж не тот ли? Ну ладно, друзья мои, давайте вернемся к нашим баранам. В Крыму я пытался выяснить, кто такой Отец и кто такая Затула?

— Выяснил? — спросил Коля.

— Пожалуй, да... Леонид Семенович Матецкий действительно бандит. В случае с Леней наблюдается трогательное единство формы и содержания.

— Да уж, — поддержал Коля. — Наши депутаты Думы давно уже научились фасон держать. Даже если он по уши в криминале, все равно с виду порядочный человек... Интеллектуал. На концерты Петросяна ходит! А Ленечка — ну чисто конкретный пацан, пальцы веером... Шаланды, полные кефали, и «бабочка» поверх парадно-выходной тельняшки... Так чего он там?

— Все как положено. В конце восьмидесятых — банальный рэкет, период первичного накопления, «семерка» с тонированными стеклами, кабаки, шлюхи, обрез, дружба с ментами, кооперативные ларьки, «стюардесса по имени Жанна...» В девяносто третьем, когда стрельба приняла совсем уже фронтовой характер, Ленечка слинял в Израиль. Отсиделся.

— Мудро, — заметил Родион.

— Еще бы. Из тех, кто остался здесь, больше половины в живых уже нет. Потом Леня вернулся, подружился с Киселем, подружился с политиками. Вел себя паинькой, поводов ментам не давал.

— Бабки давал, — сказал Родион.

— Бабки давал, — согласился Обнорский. — Но, если было нужно, действовал решительно. Неподалеку от Симферополя есть совхоз «Дубки». В войну немцы расстреливали там евреев. Ленечка традицию продолжил — врагов он вывозил в Дубки... Но немцы там людей только расстреливали... Только расстреливали, а не пытали. Отец пытал. Говорят, что одному менту, который у Отца с ладошки клевал, а потом подвел, Леонид Семенович перед тем, как застрелить, лично отрезал нос.

— М-да, — сказал Повзло. — Теперь я понимаю, почему господин Матецкий входит в комиссию по борьбе с преступностью и коррупцией... Блядство какое!

— Воздержитесь от эмоций, господин Повзло. Леонид Матецкий — депутат Верховной Рады. Он избран украинским народом.

— Ты меня народом не тыкай. Я сам хохол, — свирепо произнес Коля. — Навыбирали хер знает кого на свою жопу... Что хохлы, что москали! Противно! И ведь ничего же поделать нельзя!

— Коля, — сказал Обнорский. — Уймись, Коля... Ты что, первый раз бандита во власти видишь?

— То-то, что не первый... А все равно — противно!

Обнорский посмотрел на Повзло поверх очков. С иронией. С понимающей иронией... И с усталой грустью. Противно? Конечно, противно. Иногда безумно противно. Так что хочется напиться, послать всех к такой-то матери, уехать в деревню и сидеть с удочкой на берегу Медведы... Слушать ветер в ивах, топить по вечерам печку, читать Гоголя.

А вместо этой лубочной идиллии — Тараща, Матецкий, ложь, ложь, ложь, протоколы допросов, морги, «Китикэт» за 6,24 гривны, «шаланды, полные кефали», чужая жизнь, шорох за дверью, аэропорты, аэропорты, «источник сообщает», стакан с водкой, телефонный звонок... еще один звонок... повестка в суд, похожая на растяжку с РГД... ненависть, запах гостиничного номера, НН*, на-

---

* НН — наружное наблюдение.

214

кладная, счет-фактура, «рейс задерживается». Длинный коридор в Смольном и длинный коридор в «Крестах»... ТЕБЕ ЭТО НУЖНО?

У тебя всего одна жизнь. Тебе это нужно? Нужно тебе возиться с уродами, ждать выстрела в спину, таскаться по гостиницам? Раскланиваться с депутатами, пить кофе с ворами, встречаться в проходных дворах с сотрудниками «гестапо»?..

...Обнорский посмотрел на Колю поверх очков.

— Мы, Николай Степаныч, зачем здесь собрались? — спросил Андрей.

— Да ладно... Что там дальше?

— Дальше-то? Дальше скучно, серо и неинтересно. Ни одного факта, свидетельствующего, что Леонид Семенович как-то причастен к судьбе Горделадзе, нет... Но есть интересный фактик из жизни Алены. Я встретился с ее бывшим мужем и выяснил, что госпожа Затула была в интимной связи с господином Эстером. Я не буду рассказывать вам, чего мне стоил этот разговор, — ведь ни один нормальный мужик не хочет рассказывать, как жена ему изменила... Но бывший Затулин муженек допустил одну оговорку, и я за нее зацепился. Потом два часа его раскручивал. И раскрутил! Это стоило мне полпуда нервов, но теперь мы точно знаем: Затула была любовницей Эстера.

— Нормально,— сказал Повзло.— Факт интересный.

— Нормально, — сказал Коля. — Эстер — фигура не очень маленькая.

— Вот именно. Хотя, опять же, к исчезновению Георгия это никак не шьется. Можно, конечно, построить версию, что Эстер убил Горделадзе из ревности, но это уже из области детективов... Вот, собственно, и весь отчет о моей поездке в Крым, коллеги. Предлагаю подвести итоги нашей работы на сегодняшний день.

— Итоги, — сказал Коля, — пока весьма скромные. С более или менее высокой степенью уверенности мы можем констатировать, что Горделадзе был похищен и убит. Причин для убийства Георгия более чем достаточно... Классический, так сказать, джентльменский набор: долги, женщины, неразборчивость в профессиональных методах, наркотики.

— И все же, — сказал Родион, — бытовая версия — бабы, долги, наркота — под большим сомнением. В таких случаях валят проще — либо сковородой по голове, либо пуля в затылок. А здесь что получается? Гия играл в политику. В большую политику. Явных врагов вроде бы и нет... То одного куснет, то другого... Но кого-то он зацепил очень сильно. Так сильно, что Гию решили слить.

— Факты, Родя? — сказал Обнорский.

— Фактов нет. По крайней мере, прямых. Но косвенных — выше крыши.

— Валяй.

— А давайте так: вот живет себе некий журналист. Амбициозный, шакалящий в меру, любвеобильный... Нормальный, в общем, журналюга. Что он — один такой? Нет, не один. Тьма таких. Бывает, им морды бьют. Бывает — угрожают по телефону. Но ведь не убивают. Для того, чтобы человека убить, нужны очень веские причины. Так?

— Так.

— А Гию убили. Умно, расчетливо, зная, что исчезновение и смерть журналиста вызовет шум. И ведь именно на шум-то и рассчитывали.

— Аргументируй.

— Запросто. Если бы просто хотели убить — просто бы и убили. Шмальнули из ТТ — и все! Или под видом ограбления... Но нет, его похитили, увезли за сто тридцать километров. А потом демонстративно подбросили тело. Тело «спрятали» так, чтобы его гарантированно и быстро нашли. Оставили побрякушки, по которым Георгия можно опознать. Или подбросили их.

— Хорошо, — сказал Обнорский. — Хорошо, я согласен... Но голову-то зачем отрубили?

— А в голове, Андрей, была пуля. Они не голову прятали, они прятали пулю, — ответил Родион.

— А зачем ее прятать? — спросил Повзло. — Пуля — она и есть пуля.

— Э-э, нет, Николай Степаныч... Если пуля из «левого» ствола, то ее, конечно, прятать нет никакого резона. А если ствол табельный и закреплен за конкретным человеком? А?

— А? — сказал Коля и посмотрел на Обнорского.

— Ага, — сказал Обнорский и подмигнул.

— Так вот, коллеги дорогие, я убежден, что Георгия убили из пистолета, который стоит на учете, числится в пулегильзотеке и может быть опознан. Вот потому Горделадзе и отрубили голову.

— Логично, — произнес Обнорский. — Абсолютно логично. Из этого, очевидно, следует вывод, что Георгия убили сотрудники МВД или СБУ?

— Не обязательно, — ответил Каширин. — У частных охранников тоже есть оружие. И оно тоже на учете... В любом случае исполнитель — человек, легально владеющий оружием. Скорее всего — профессионал из силовых структур. Потому что красиво, без лишнего шума, захватить и увезти человека за сто верст от Киева можно, только если есть ксива ментовская или эсбэушная.

— Логично, — произнес Обнорский. — Но каков, Родя, смысл всей этой довольно сложной операции? Как ты думаешь?

— Да ты ведь, Андрей Викторыч, и сам уже прокинул.

— А все же?

— Думаю, что Горделадзе что-то знал. Что-то у него хотели спросить. Потому и увезли в спокойное место, где можно основательно расспросить. Скорее всего, в Тараще у них есть какая-то берлога. Там его допрашивали, там же держали в «стерильных» условиях труп.

— Согласен, Родион Андреич. Я думаю, ребята, что все именно так и было. Возможно, наш друг Горделадзе что-то знал... Какие-то документы к нему попали, например, а те люди, которые его грохнули, должны были сначала его допросить — выяснить, откуда у Гии эти документы. А после того, как с ним поработали и узнали все то, что хотели узнать, он стал ненужен...

— Но это, — сказал Коля, — не объясняет всех последующих событий...

— Верно, — сказал Андрей. — Это не объясняет не только последующих, но и предыдущих событий, как то: почему Затула так торопилась объявить об исчезновении Г. Г.? Почему пресса подняла такой ажиотаж? Почему нам буквально подбросили труп?

— И что ты думаешь по этому поводу? — спросил Повзло.

— Я думаю, что те, кто развернул всю эту операцию, работают на перспективу, что они планировали именно такой расклад: скандальное, провокационное исчезновение «оппозиционера» и «Дон-Кихота» Горделадзе... с последующим нагнетанием ситуации. Но это было только первым этапом операции. Надо признать, что он им блестяще удался.

— Второй этап — «предъявление» трупа? — спросил Каширин.

— Именно. «Таращанское тело» стало козырем в этом раскладе.

— Да, — согласился Родя, — козырек славный.

— Но не главный, — ответил Обнорский.

— Не главный? Каков же главный?

— Главный козырь еще не открыт, Родя. Но, думаю, будет открыт со дня на день... Чего-то они ждут. Что-то у них, видимо, еще не готово.

— А что это за козырь? — спросил Повзло.

— Я думаю, что они предъявят миру «доказательства» причастности к убийству Горделадзе силовых структур. Скорее всего — голову с пулей, — сказал Обнорский.

Часть вторая
ЗАГОНЩИКИ

...Обнорский ошибся. Ошибся дважды. Первый раз, когда сказал, что в убийстве обвинят силовые структуры. Силовиков действительно обвинили, но косвенно — как исполнителей заказа. Второй ошибкой явилось предположение, что «козырем» станет голова Горделадзе.

Козырем стала кассета с голосом президента Бунчука.

Бомба взорвалась 28 ноября. Для Обнорского «кассетный скандал» начался со звонка Галины. Когда заверещал телефон, Андрей ехал по набережной.

— Алло, — сказал он в трубу. Андрей был напряжен — его беспокоила серая «шестерка», которая уже довольно долго висела на «хвосте». Что это — слежка? Случайность?

— Обнорский! — возбужденно сказала трубка голосом Галины. — Обнорский, ты уже в курсе?

— А что такое?

— О Господи! Ты еще ничего не знаешь?!

— Да что случилось?

— Включи радио. Немедленно включи радио. У тебя есть под рукой радио? — быстро говорила Галина. Чувствовалось, что она очень взволнована.

— Есть, — ответил Андрей. — А какой канал?

— «Материк»... или любой другой. Все об этом говорят.

— Сейчас, — ответил Обнорский.

Он притормаживал на красный свет, параллельно говорил по телефону и поглядывал в зеркало на стремную «шестерку». Он нажал на кнопку магнитолы, сразу попал на «Материк». В салон ворвался возбужденный голос диктора:

«Час назад лидер соцпартии Александр Стужа обвинил президента Бунчука в организации похищения и убийства Георгия Горделадзе».

Обнорский остановился перед светофором.

— Включил? — спросила Галина.

— Включил... ну и что?

— Ты слушай, слушай, — ответила Галя и оборвала связь.

Взволнованный комментатор «Материка» вещал:

«„Сползанию общества во тьму криминала и бандитизма, — сказал Стужа, выступая в Верховной Раде, — необходимо положить конец. Именно поэтому, имея достаточные основания, я обязан заявить, что заказчиком исчезновения журналиста Георгия Горделадзе является президент Украины Леонид Бунчук". Также господин Стужа заявил, что располагает данными, которые свидетельствуют о том, что заказчик „систематически контролировал ход выполнения своего поручения". „В курсе подготовки и осуществления этого заказа, — говорит Александр Стужа, — с самого начала был глава администрации президента Владимир Латвин. Непосредственным разработчиком сценария и организатором осуществления операции является министр внутренних дел Юрий Марченко". В качестве доказательства своих слов Александр Стужа продемонстрировал аудиокассеты с записью фрагментов разговора президента с Латвиным и Марченко...»

Сзади засигналили. Обнорский бросил взгляд на светофор — уже вовсю горел зеленый.

— Началось! — сказал Обнорский. — Началось!

«Кассеты, со слов лидера соцпартии, ему передал один из офицеров СБУ, который обеспечивает информацион-

ную безопасность президента. Александр Стужа уверен в подлинности кассет и готов передать записи в специальную следственную комиссию Рады по исчезновению Георгия Горделадзе. „Я не хотел бы, — сказал Стужа, — чтобы обнародование записей выглядело так, что я иду «на вы» против Леонида Бунчука. Меня беспокоит то, что в государстве исчезают политики, депутаты, журналисты, и никому нет до этого ДЕЛА".

У Андрея снова зазвонил телефон.

— Ты знаешь, что Стужа... — услышал он голос Повзло.

— Знаю, — бросил Андрей. — Через десять минут буду дома, тогда и поговорим. Отбой.

Но телефон зазвонил снова. На этот раз позвонил Соболев.

— Андрей Викторович, — сказал премьер, — ты уже в курсе?

— Слышал, Сергей Васильевич. А что это за кассеты, которыми размахивает Стужа?

— Я знаю не больше тебя, Андрей, — мрачно произнес Соболев.

— Фальшивка? Подлинник?

— Не знаю. Скажу только, что Стужа — очень умный и выдержанный человек. Он почти не совершает ошибок. Не думаю, чтобы он так подставился...

Андрей выехал на Крещатик... «Шестерка» плелась следом.

— Сергей Васильевич, — сказал Обнорский.

— Да?

— Сергей Васильевич, вы бы хотели, чтобы мы прекратили расследование? — спросил Обнорский осторожно.

— Ни в коем случае! Бог с тобой, Андрей. Вот как раз сейчас-то и нужно напрячься до предела, — ответил Соболев. — Я ведь знал, что что-то готовится, что-то зреет... Не предполагал только, что удар нанесет Стужа... Ну да ладно. Я завтра буду в Киеве, тогда и поговорим.

— Отлично, — сказал Андрей. — Жду вашего звонка.

Из киевских СМИ:

«*Александр Стужа призвал депутатов парламента обратиться к посольству США с просьбой о независимой экспертизе „таращанского тела“*».

«*Лидер соцпартии заявил, что обнародование имеющихся у него записей может привести к импичменту президента Леонида Бунчука*».

«*Стужа обвинил Бунчука в „заказе“ Горделадзе. От имени своей парламентской фракции „Левый центр“ ее лидер Александр Стужа заявил: „Профессионально организованное исчезновение, пассивность следствия, игнорирование элементарно необходимых действий, неубедительность пояснений высоких милицейских чинов наводит на мысль о специфичности спланированного дела“*».

Владимир Латвин:

«*На Украине было время и хуже, но не было времени подлее*».

«*Пресс-служба президента уполномочена заявить, что обвинения Александра Стужи в адрес Президента Украины Леонида Бунчука и главы администрации Президента Владимира Латвина о причастности к исчезновению журналиста Георгия Горделадзе не имеют под собой никаких оснований и являются инсинуациями, и, соответственно, как оскорбление и клевета подпадают под действие Уголовного кодекса Украины*».

«*Александр Стужа... потерпев поражение на президентских выборах и катастрофически теряя остатки своего политического рейтинга, не в первый раз прибегает к скандальным методам, чтобы привлечь к себе внимание и как-то удержаться во властных структурах*».

«*Глава администрации президента Владимир Латвин заявил о намерении подать в суд на лидера соцпартии Стужу. Сумма ущерба, которую Латвин намерен истребовать с Александра Стужи, равна тридцати трем гривнам. Видимо, по аналогии с иудиными сребрениками*».

«*Центр общественных связей МВД Украины обратился к Генеральному прокурору Украины Михаилу Прокопенко „для проверки фактов, изложенных в заявлении*

*Александра Стужи и соответствующей правовой оцен-
ки по этому поводу"».*

*«Александр Стужа заявляет, что записи, переданные
ему сотрудником СБУ, — подлинные, они уже прошли
экспертизу на аутентичность за границей. Как сообщает наш корреспондент, запись не очень четкая, однако
голос президента Бунчука на ней различим хорошо».*

«Бунчук — палач!»

* * *

Обнорский подъехал к дому. Чертова «шестерка»
наконец-то отвалила. Андрей запомнил ее номер, проводил внимательным взглядом и сквозь зубы матюгнулся.

Коля Повзло кружил по квартире, как зверь в клетке.

— Чернобыль! — сказал он Обнорскому.

— Чернобыль уже был, Коля.

— Это политический Чернобыль.

— Не горячись, Коля. Еще неизвестно, что это за
пленки. Подлинные или фальшак? Ты сам их слышал?

— Нет, разумеется. Но даже если фальшак — все
равно это политический Чернобыль. Оппозиция на-
валится на Бунчука так, что мало не покажется. Вполне возможен импичмент, даже если записи — левые...
Люди в таких случаях реагируют нервно: хоть пять
экспертиз проведи, и если даже все пять дадут заключение, что пленки фальшивые, народ все равно скажет: э-э, нас не проведешь. Горделадзе убил Бунчук.
Тем более что Стужа на Украине пользуется известным уважением.

— Я пошел в сортир, — проорал Родя в прихожей.

— Относительно реакции населения ты, безусловно, прав... К власти люди — что в России, что на Украине — относятся с большим недоверием, подозрева-
ют во всех смертных грехах... Положение у Бунчука
незавидное. Надо достать эти записи. Сможешь, Коля?

— Сделаем, — сказал Коля. — Но все равно — Чернобыль. Вот ведь абсурдная ситуация: президент «за-

казал» журналиста! Абсурд? Полный абсурд! Но хрен кому чего докажешь. Сейчас начнется! Сейчас такое начнется, что шалости Билла с Моникой покажутся детским пустяком...

Обнорский сидел за столом, курил, а Коля ходил по кухне туда-сюда и рассуждал о геополитическом значении «пленок Стужи» и о размахе предстоящих политических штормов на Украине. Потом он подошел к туалету, встал против двери и заорал:

— Ты, полярник хренов! Ты что — зимовать там собрался?

Дверь распахнулась, и выскочил Родя с рулоном туалетной бумаги в руках.

— А я что? — сказал Родя. — Я ничего... Я вот тебе, Мыкола, бумажки припас... мягонькой.

Коля молча взял у Родиона рулон, повертел в руках:

— Мягкая, говоришь?

— Мягкая, Коля, мягкая.

— Все равно — Чернобыль, — сказал Коля и скрылся в сортире.

— Дурдом, — прошептал Обнорский.

* * *

Когда Повзло ушел добывать записи, Обнорский сказал Родиону:

— Слушай, Родя... есть темочка одна. Давай обмозгуем.

— Давай. А что за темочка?

— А вот слушай. У Горделадзе всю дорогу были проблемы с деньгами... Так?

— Так.

— Но все же он как-то выкручивался.

— Занимал, перезанимал.

— Занимать-то занимал. Но долги ведь отдавать надо. Около трех тысяч он в конечном итоге так и не отдал... Бог с ними. Но остальные-то свои долги он как-то гасил. Значит, где-то он брал деньги, а?

— Действительно, — озадаченно произнес Родион.

— Вот давай-ка сядем и прикинем доходы Горделадзе, начиная с января, и его расходы за тот же период.

— Логично, шеф, — поддержал Родион.

Через минуту Обнорский и Каширин сидели, обложившись бумагами. Родя выписывал в столбик все известные доходы Горделадзе, Андрей — расходы. Многое приходилось прикидывать приблизительно.

— Интересно, — сказал Обнорский, когда они сличили свои цифири. — Что скажешь, Родион?

— Бухгалтерия — увлекательная наука, — ответил Каширин.

— Весьма, — согласился Обнорский.

Сравнение видимых доходов и расходов Георгия Горделадзе за двухтысячный год показало превышение расходной части над доходной на сумму не менее десяти тысяч долларов...

* * *

Зазвонил телефон. Каширин снял трубку, потом протянул ее Андрею:

— Тебя.

— А кто там?

— Не знаю, мужик какой-то.

— Алло, — сказал, взяв трубку, Андрей.

— Андрей Викторович? Мы с вами не знакомы, и моя фамилия вам ни о чем не скажет, поэтому я, извините, не представляюсь... Вы расследуете дело об исчезновении Георгия Горделадзе?

— А вы кто? Как, простите, вас зовут?

— Николай.

— Весьма приятно. Я вас слушаю, Николай.

— Я хочу вам помочь, Андрей Викторович.

— Как же вы собираетесь мне помочь?

— Вас интересует полная версия записей Стужи?

— Предположим. Сейчас это всех журналистов интересует.

— Я могу ее вам продать, — сказал человек, представившийся Николаем. — Полную версию и за разумную цену.

— Любопытно. Сколько же вы хотите?

— Недорого. Сто долларов кассета.

— А сколько у вас кассет?

— Одиннадцать штук. Полный комплект.

— Тысяча сто баксов? Не такие уж и маленькие деньги, Николай.

— А где вы еще эти записи возьмете? А у меня товар с гарантией, качественный. Полная, подчеркну, версия. Без купюр.

— Хорошо, давайте поступим так — я куплю у вас одну кассету...

— Нет! Или все, или ничего. Я и так здорово рискую. Если надумаете — приходите в двадцать ноль-ноль к монументу воссоединения Украины с Россией. Знаете, где?

— Знаю, — ответил Обнорский.

— Приходите один. Только один. Если еще кто-то с вами будет — контакт не состоится. Все.

В трубке пошли гудки отбоя. Обнорский задумчиво почесал затылок телефонной трубкой... Полная версия?

* * *

Повзло и Каширин уговаривали его не ходить.

— Эти «кассеты» ничем не лучше конверта, который подбросили нам, — убеждал Коля. — Откуда ты знаешь, что это за тип и что он тебе подсунет с этими кассетами? Откуда он взялся? Кто дал ему этот телефон?

— Коля, — отбивался Андрей, — я тоже задаю себе эти вопросы. И ответа пока не знаю.

— Тем более не надо ходить на эту встречу, — сказал Родион.

— Послушайте меня, ребята. Во-первых, у этого человека есть корыстный мотив. Это очень важно... Вот если бы он сказал: хочу вам помочь бескорыстно, тут я бы, пожалуй, насторожился. А он откровенно корыстен и, кстати, труслив. Во-вторых, риск всегда есть. Если ты хочешь совсем без риска, то надо менять ремесло. Так что я пойду — встречусь с этим Николаем. Ты же добыл только двадцать минут записи? — Андрей кивнул на диктофон.

— Столько, сколько Стужа обнародовал и позволил записать...

— Ну вот. А теперь появился шанс — пусть и неопределенный — получить запись.

— А если он тебя кинет?

— Посмотрим... Может, и кинет. Но если упустим шанс — будем потом локти кусать. Так что надо идти.

— Мы тебя подстрахуем, Шеф, — сказал Родион.

— Не стоит. Засечет вас этот Николай — и обломится контакт. Да и чем вы мне поможете, если он впарит мне наркоту?

— Ну... мы для моральной, так сказать, поддержки...

— На фиг. Вы меня морально поддержите, если этот конь впарит мне кассетки с Пугачевой за тысячу сто баксов... Вот тогда мне действительно понадобится моральная поддержка.

В девятнадцать сорок Андрей оделся и вышел из дому. Было довольно холодно, дул ветер. Обнорский сел в машину, прогрел пару минут движок и поехал на встречу с Николаем.

* * *

По привычке Андрей немного попетлял по центру, приглядываясь к машинам на предмет «хвоста»... Никого не засек, пожал плечами. Без трех минут восемь он выехал на Европейскую площадь, поставил машину у Малого зала Филармонии. Посидел, прислушиваясь к ощущениям, потом неохотно вылез из теплого салона. Сразу навалился ветер с Днепра.

Андрей поднял воротник куртки, пошел к площадке с монументом Воссоединения Украины с Россией. Огромная, монументальная дуга врезалась в небо. Снизу ее подсвечивали прожектора, она серебрилась от инея. Кроме Андрея на площадке никого не было. Он прошел под аркой Воссоединения, остановился у парапета. Рядом с огромной, но несколько нелепой конструкцией человек казался маленьким и ненужным. Арка вибрировала, распространяла невидимые волны.

Вниз уходил крутой, покрытый голыми деревьями спуск к Днепру. Деревья качались под порывами ветра. По дороге вдоль реки мелькали фары машин... Темный Днепр был почти невидим. Но Обнорский представлял его себе — широкий, мощный, в полосах седой пены на ледяной воде.

Андрей посмотрел на часы — «лонжин» показывал ровно восемь. Ну и где этот Мыкола? Андрей зябко поежился, обвел взглядом пустую площадь... Признаться, ему было очень неуютно, он уже жалел, что отказался от помощи Коли и Родиона. В случае провокации помочь они бы, конечно, все равно не смогли (Обнорский представил себе, как все может быть: Николай — встречная передача денег и «кассет с полной версией» — стремительное появление мужчин в штатском — наручники и т. д.), но если бы они сидели сейчас в салоне «девятки» в сотне метров отсюда, Андрею было бы легче. Вообще-то, Обнорский понимал: то, что он сейчас делает, является грубым нарушением одного из правил безопасности при проведении журналистских расследований. Нельзя встречаться с незнакомыми людьми в уединенном месте. Понимал — и все равно пошел на встречу. Заело его.

Андрей снова посмотрел на часы — «двадцять годын, дви хвылыны». В кармане запел телефон.

— Але, — ответил он, быстро поднеся трубку к уху. Телефон, пригревшийся во внутреннем кармане, был теплым.

— Вам следует сейчас спуститься вниз, к Днепру, — сказал голос Николая.

— Мы так не договаривались, Николай, — сказал в ответ Андрей.

228

— Я помню. Вы не понимаете, Андрей, чем я рискую... Извините, но я обязан подстраховаться... Вы деньги принесли?

— Принес. А вы — кассеты?

— Разумеется. Сейчас, Андрей, вы пройдете налево, мимо зданий Филармонии, по Владимирскому спуску и спуститесь по лестнице к Днепру.

Обнорский колебался. Ситуация ему определенно не нравилась. Человек, назвавшийся Николаем, молчал. Свистел ветер.

— Хорошо, — произнес Андрей, — я иду.

«Слава Богу, — подумал Обнорский, — что меня не видят сейчас мои студенты».

Он сунул телефон в карман. Снова прошел под аркой, ощутил ее тревожную вибрацию. В принципе, в действиях этого Николая нет ничего необычного... Навряд ли эти кассеты (если, конечно, они существуют) попали к нему легальным путем. Возможно, это тот самый офицер СБУ, который осуществлял запись... Теперь он спешит срубить бабок. Возможно, он «напек» копий, как пирожков, и сейчас распродает их налево и направо. Впрочем, что гадать?

Андрей прошел мимо зданий Филармонии, оставил Европейскую площадь за спиной слева, довольно скоро увидел лестницу, ведущую к Днепру. Он посмотрел назад — никого. Взглянул на длинную бесконечную лестницу, уходящую в темноту... Лучше не придумаешь места для конспиративной встречи. Скорее всего, этот Николай ждет его где-нибудь посредине, спрятавшись среди деревьев.

Обнорский вздохнул и, обозвав себя дураком, ступил на лестницу. Он прошел один пролет по ступенькам, чуть запорошенным снегом, второй... Господи, ну куда меня несет? Прошел еще один пролет. И еще. А потом оглянулся и посмотрел наверх — наверху, на фоне освещенного Владимирского спуска, стояли две черные мужские фигуры... Вот, значит, как! Конспиративная встреча? Для передачи кассет? По корыстным мотивам?

Два черных силуэта были видны четко, как на фото. Фары проезжающей по спуску машины на секунду мазнули по ним ярким светом... Тускло блеснули кожаные куртки. Но лиц все равно было не разглядеть. И никаких других деталей тоже. Да и нечего их разглядывать! Фары машины лизнули их и умчались. Обе фигуры сделали синхронный шаг на первую ступеньку.

Андрей почувствовал, как бухнуло у него сердце... По той спокойной уверенности в себе, которая ощущалась даже на расстоянии, по манере двигаться легко и свободно, он понял, что перед ним — боевики. Молодые, здоровые, крепкие, привыкшие решать вопросы решительно и жестко. Торпеды!

Андрей повернулся и быстро пошел вниз. А ноги в добротных теплых кроссовках двинулись вслед за ним... «Интересно, — думал Обнорский, — видят они меня или нет? Здесь темновато, но снег уже дал белый фон, и человека в темной одежде почти наверняка можно различить...» Андрей оглянулся и понял, что торпеды приблизились. Теперь их разделяло всего три пролета. Они двигались легко и бесшумно с неотвратимостью настоящих самонаводящихся торпед.

Андрей шепотом матюгнулся и побежал. Впереди, далеко-далеко внизу, виднелась освещенная набережная. Там ехали машины, там плыл, как маленький кораблик, трамвай. Но все это было страшно далеко. А преследователи за спиной — моложе, тренированней, с хорошей дыхалкой, с крепкими ногами. На бегу Андрей оглянулся и увидел, что двое тоже перешли на бег. Неторопливый бег, с ленцой.

Он снова посмотрел вниз — на бесконечную лестницу, сжатую перилами... Ох как далеко еще было до набережной. И все же прорываться нужно туда. Вступать с ними в схватку здесь, на лестнице — бесполезняк. Их двое, они имеют преимущество в позиции — находятся выше, они моложе и почти наверняка вооружены. Скорее всего, из оружия у них что-нибудь уличное, хулиганское — кастет, цепь, нунчаки... Они догонят, и тогда — проломленный череп, вывернутые карманы... В общем, банальный разбой.

Андрей бежал, бухало сердце, скользили ноги по снежку, и холодил лицо ветер. Рискуя оступиться и свернуть шею, он снова оглянулся. Двое преследователей заметно отстали. Это придало ему сил. Пролет! Еще пролет... Странно, что они не торопятся. А может, им просто дали команду попугать питерского писаку? Провести «психическую» атаку, но не трогать?

Еще пролет, еще... еще... И вот уже виден темный зев тоннеля, ведущего под улицей к набережной. Из тоннеля дуло, как из аэродинамической трубы. Мощный напор воздуха нес вихри снега, мертвых листьев и мусора. До тоннеля оставалось всего три пролета, когда Андрей наконец понял. Он понял, почему так медленно движутся по лестнице преследователи. Так, как будто и не пытаются догнать...

А они действительно не пытаются. Они не догоняют — они гонят. Они гонят его, как загонщики волка, туда, где уже стоят на номерах стрелки. Через несколько секунд разгоряченный Обнорский влетит в тоннель, где его встретят. А двое сверху «запечатают» обратный выход. Тогда шансов не останется вовсе.

Андрей резко затормозил. До входа в тоннель осталось два пролета, а сзади уже подпирали загонщики. Ветер леденил лоб, завывал в трубе тоннеля... Андрей положил левую руку на холодные перила, еще раз оглянулся назад — двое приближались, тускло отсвечивали куртки... Да вот хрен вам! Обнорский резко оттолкнулся и перелетел через перила.

— Стой! — ударил крик сзади.

От перил до земли было метра два или даже побольше. Андрей сгруппировался, подогнул ноги, упал, как на занятиях по парашютной подготовке. Уже целая вечность прошла с тех пор, когда он последний раз прыгал с парашютом, но тело все помнило и действовало само. Слой листьев спружинил, захрустели под ногами ветки. Андрей перекатился, вскочил, быстро побежал налево от лестницы. Налево — и вниз. Он петлял как заяц, оскальзывался, прикрывал лицо рукой. Он не слышал, как спрыгнули с лестницы его преследователи, но нисколько не сомневался, что они это сделали.

Он бежал, сознавая, что шансы не так уж велики, но все же есть. Первый раунд он выиграл, он не дал загнать себя в ловушку. А дальше: что будет, то будет... Главное — не влететь в какую-нибудь яму.

Преследовавшие его боевики замешкались, сообщая по рации другой двойке, что Араб выкинул номер, сорвался и сейчас уходит в сторону Почтовой площади:

— В «Макдоналдсе» на площади сидят Туз с Кузей... Пусть попробуют перехватить.

На разговор они потратили всего несколько секунд, но именно эти секунды дали возможность Обнорскому оторваться.

Он выскочил на Почтовую площадь. Освещенную, чистую и почти безлюдную. Ярко светился павильон «Макдоналдса», женщина с детской коляской боролась с ветром на пешеходном мостике над дорогой.

Андрей почувствовал боль в перебитой шесть лет назад ноге. «Значит, — подумал он, — спрыгнул я не так уж и удачно. Ладно, теперь это уже не важно. Сейчас я нырну в метро. А там милиция, там полно людей, там они уже ничего не смогут...» Он оглянулся назад, никого не увидел и быстро пошел к входу в метро... Боль в ноге стала сильней. Черт с ней — лишь бы дойти, там уже безопасно... Почти безопасно.

Двери «Макдоналдса» распахнулись и выпустили на улицу двух бойцов в кожаных куртках и вязаных шапочках. Один говорил по телефону. Второй толкнул его локтем и показал на Обнорского.

— Да сколько же вас здесь? — прошептал Андрей, раздражаясь.

Путь к метро был отрезан. Двое уродов смотрели на Обнорского. Андрей резко повернул влево, пошел, прихрамывая. Он не знал, куда идет. Знал только, что дальше здесь оставаться нельзя — спустя несколько секунд на площади появятся еще несколько охотничков. И что тогда делать?

...Он увидел станцию фуникулера — знаменитого киевского фуникулера — и пошел туда, предполагая, что там будут люди. Много людей, которые, сами того не зная, станут его щитом. Он вошел в нижнюю станцию... Никто его не преследовал. Что, неужели получили команду «отбой»?

— Когда поедем? — спросил Обнорский у кассира... Неужели они получили команду «отбой»?

— Сейчас. С вас пятьдесят копеек... Ой, шо то у вас кровь на щеке и курточка порвана?

— Упал, — буркнул Обнорский и пошел к вагону.

Сел у окна, продолжая поглядывать на вход на станцию... Неужели его отпустили? Нет, не отпустили — в помещение станции вошли двое из «Макдоналдса». Один все так же говорил по телефону. Практически не скрываясь, они разглядывали Обнорского в упор, но ничего не предпринимали. Прошла минута, другая.

Вагон дернулся и со скрипом поехал наверх. Двое из «Макдоналдса» остались внизу. — «Ну и что? — спросил сам себя Обнорский. Встретят наверху... Почти наверняка машина с парой торпед уже едет наверх. Почти наверняка они успеют. Фуникулер-черепашка ползет медленно. Ах как медленно он ползет...»

Скрипел трос, мелькали за окном голые деревья. Андрей сидел, привалившись головой к холодному стеклу. Вместе с ним в купе фуникулера ехали полная дама с крашеными волосами и девушка — по виду студентка.

«Надо позвонить, — подумал Обнорский. — Надо позвонить ребятам... или лучше в милицию... еще лучше эсбэушнику Костенко. Или его приятелю — таксисту Сереге. Они помогут. Должны помочь. Я позвоню, попрошу Серегу подскочить к станции фуникулера. Обязательно его дождусь... Можно, в конце концов, позвонить прямо Соболеву. Премьер сейчас в Крыму.

Но даже из Крыма он сможет помочь». Андрей сунул руку в карман... Телефона не было. Обнорский понял, что выронил его, когда прыгал с лестницы.

Андрей выругался сквозь зубы и перехватил неприязненный взгляд пожилой дамы. Подумал, что выглядит не лучшим образом — кровь на щеке, полуоторванный рукав куртки...

Вагон фуникулера выкатился на двухколейный участок, где разъезжаются два вагона. За окном мелькали шпалы, наматывался трос, черный от мазута... Внезапно в свете, падающем из окна, Андрей увидел человека. Человек стоял, прислонясь к дереву, и поднимал правую руку. Рука была длинной... Не бывает таких длинных рук, подумал Андрей и вдруг все понял.

— Ложись, — закричал Обнорский.

Рука человека за окном полыхнула пламенем. Андрей рванулся вниз, на пол, увлекая за собой девушку-студентку. В стекле фуникулера образовалась огромная дыра. Посыпались сверху стеклянные осколки, потянуло холодом. Кто-то изумленно вскрикнул. Грохнул второй выстрел. Провизжала пуля. Андрей лежал, прижимая к полу девушку. Прошла секунда, другая, третья... Больше никто не стрелял. Стало тихо. И в этой тишине пронзительно закричала пожилая дама. Обнорский поднял на нее взгляд: ранена?

Дама не была ранена. Она сидела и кричала на одной ноте. В крашеных волосах искрились осколки стекла.

...Когда вагон-черепашка дополз до верхней станции, Обнорский чувствовал себя подобным выжатому лимону. Он вышел и бессмысленно уставился на диораму, изображающую фуникулер. В пояснении к диораме было написано, что фуникулер был открыт в девятьсот пятом году. «Почтенный возраст», — автоматически подумал Обнорский.

Возбужденные пассажиры толпились, гомонили. Откуда-то появился молоденький сержант в милицейской форме.

234

— Это в него стреляли, — прорезал гомон истерический голос дамы с крашеными волосами. Она показывала на Обнорского пальцем. — Это из-за него всех нас чуть не убили... из-за него! Из-за него нас всех чуть не поубивали!

Толпа как-то незаметно растеклась в стороны, Андрей остался один. Сержант (или как он там называется?) подошел к Андрею и неуверенно сказал, козырнув:

— Предъявите документы.

* * *

В отделении милиции Обнорского продержали почти три часа. Сначала Андрея допрашивал милицейский следак. Потом, когда он узнал, что Обнорский журналист из России да еще проводящий здесь, в Киеве, расследование по «делу Горделадзе», он куда-то позвонил, и вскоре в кабинете появились люди в штатском. Они тоже представились сотрудниками милиции, но у Андрея сложилось впечатление, что они работают в другой организации... Держались люди в штатском вполне доброжелательно, но вопросы задавали быстро и много.

— Как вы оказались в фуникулере, Андрей Викторович?

— Гулял... Увидел фуникулер, захотел прокатиться.

— Гуляли в такую погоду?

— Я с севера, господа. Из Санкт-Петербурга. У нас такая погода — обычное дело.

— А что вы делаете в Киеве, Андрей Викторович?

— Я уже говорил вашему сотруднику, — ответил Андрей, улыбаясь, и кивнул на следака.

Тот явно был лишним в собственном кабинете. Держался сковенно, в разговор не встревал.

— Расскажите нам еще разочек, Андрей Викторович.

— Ради Бога, господа. Я журналист, директор Агентства журналистских расследований... В Киеве я и мои коллеги заняты расследованием исчезновения Георгия Горделадзе...

— Это благородно, — сказал один, которого Обнорский про себя окрестил «Полковником». — А кто дал вам задание заниматься этим расследованием?

— Задание? Мы независимая организация и сами выбираем темы расследований, — ответил Андрей.

— А что — в «бандитском Петербурге» вы уже все дела расследовали? — спросил второй. Его Андрей окрестил «Милашкой».

— Нет, не все. Осталась заначка на черный день... далеко не все.

— Тогда почему же вас так волнуют киевские дела?

— Дело очень необычное, резонансное. Грех пройти мимо.

— Вас нанял Стужа?

— Нет. Первоначально исчезновением Горделадзе нам предложили заняться сотрудники Фонда «Виктория». Потом уже мы сами не могли бросить расследование... Понимаете?

— Как движется расследование?

— Спасибо, хорошо...

Полковник и Милашка переглянулись.

— Давеча вы обмолвились, что гуляли... в одиночестве гуляли?

— Да, я люблю прогуляться один.

— Можете описать маршрут вашей прогулки?

— Могу...

— Опишите, пожалуйста, Андрей Викторович.

— Можно закурить? — спросил Обнорский у хозяина кабинета.

Вместо него ответил Полковник:

— Курите.

Андрей закурил, выпустил струйку дыма, потом спросил:

— Это беседа или допрос?

— Это беседа, Андрей Викторович, — сказал Полковник.

— Но она может перейти в допрос, — добавил Милашка.

236

— В таком случае я как иностранный подданный потребую присутствия российского дипломатического представителя.

— Андрей Викторович, — сказал Полковник, — фуникулер, в котором вы ехали, подвергся обстрелу...

— В нем ехало еще полтора десятка человек.

— Но пассажиры считают, что именно из-за вас обстреляли фуникулер.

— Ну допустим, не все пассажиры так считают, а одна истеричная бабенка...

— Эта, как вы выразились, «истеричная бабенка» — преподаватель университета.

— Какое совпадение, — сказал Андрей. — Я, представьте себе, тоже читаю лекции в Санкт-Петербургском университете... Стало быть, мы коллеги? Не ожидал.

— Андрей Викторович, мы уже проанализировали список пассажиров фуникулера. Среди них нет ни одного человека, который мог бы вызвать интерес киллеров... за исключением вас.

— Да бросьте вы! Во-первых, в вагоне ехало полтора десятка человек. На практике это означает, что фуникулер тащил в гору полтора десятка проблем и даже, я бы сказал, тайн... Даже «маленький» человек из тех, кто живет на зарплату и ни в чем крамольном властями не замечен, может мучиться от ревности, например. Или от ненависти. Быть больным психически, иметь долги или — напротив — должников... У него могут быть проблемы в сексуальной жизни, в карьере. На него может свалиться наследство или гнев соседа-алкоголика. Жизнь, господа, значительно богаче и разнообразнее каких-либо схем. Любой человек может, сам того не ожидая, стать преступником или жертвой преступления в любую минуту и в любом месте. Не стоит подходить к сегодняшнему происшествию так прямолинейно и противопоставлять полтора десятка пассажиров-киевлян одному питерскому журналисту... Жизнь сложнее.

— Браво, Андрей Викторович, — сказал Милашка. — Чувствуется рука романиста: тайны, ревность-ненависть, внезапные загогулины судьбы... Вы правы, криминальная практика выдает иногда такие сюжетцы, что куда там Бальзаку! Но мы реалисты, Андрей Викторович. Мы, как положено, набросаем десяток версий. Среди них будет и бытовая и даже хулиганство... Но здравый смысл, опыт и практика подталкивают к элементарному выводу: стреляли в вас. В купе фуникулера вас было трое: студентка восемнадцати лет, пожилая и безобидная преподаватель универа и вы, журналист-расследователь, занимающийся весьма неординарным делом. Кто первый должен попасть на прицел? Угадайте с трех раз.

Андрей пожал плечами. Было совершенно очевидно, что Милашка прав. Рассуждения о том, что, в принципе, любой человек (в нашем случае: пассажир фуникулера) может быть объектом посягательства, имеют, конечно, право на жизнь... Но в данной, конкретной ситуации, Обнорский был фигурой номер один, дураку понятно.

— Андрей Викторович, — сказал Полковник, — давайте начистоту: стреляли в вас. Только в вас. Со слов кассирши на нижней станции фуникулера, вы были возбуждены, возможно — напуганы. У вас была поцарапана щека и порвана куртка... А я, глядя на вас, добавлю — брюки испачканы землей.

— Ну и что? — спросил Андрей. — Я упал. Было скользко, и я упал.

Полковник посмотрел на милицейского следака, сказал:

— Выйди, майор, покури в коридоре... У нас тут разговор такой... неинтересный.

Следак поспешно встал и вышел. Даже сейф не запер. Полковник сел в его удобное, вращающееся кресло.

— Давайте начистоту, Андрей Викторович... Это в вас стреляли. Это вас преследовали... Я могу предположить, что в районе Почтовой площади у вас была какая-то встреча. Конфликтная встреча. Об этом свидетельствует ваш внешний вид... Но на площади вам удалось от своих... э-э... собеседников уйти. Их, однако, такой расклад не устроил, и они решились на крайнюю меру — на стрельбу. Я думаю, что они сделали это сгоряча, в азарте преследования («А вот тут, — подумал Обнорский, — ты заблуждаешься, Полковник. Хрен там сгоряча».) и без желания убить.

— Любопытная версия, Игорь Кириллович, — сказал Андрей. — Она ведь ни на чем не основана, кроме ваших предположений, верно?

Вообще-то, Андрей не был уверен, что поступает правильно. Возможно, было бы лучше рассказать о звонке Николая, о засаде, о преследователях-загонщиках, о двух орлах из «Макдоналдса»... У СБУ (а то, что с ним беседуют сотрудники именно этой организации, сомнений не вызывало) огромные оперативные возможности. У них — «Фронт», агентура и прочее. Вполне вероятно, что они смогут в считанные часы выйти на исполнителей, а то и на заказчиков акции... Андрей не был уверен, что поступает правильно. Но он не знал, на чьей стороне «играет» СБУ, и решил не форсировать события.

Полковник кивнул:

— Пока у меня нет фактов, но в районе Почтовой площади уже вовсю работают оперативники... Глядишь, что-то и всплывет.

— Я тоже очень хочу, чтобы ваши опера нашли исполнителей этой мерзкой затеи... А почему вы сказали, что у стрелка не было желания убивать?

Ответил Милашка:

— Обе пули попали в потолок вагона, Андрей Викторович. Стрелок сознательно стрелял так, чтобы никого не зацепить.

— Так ведь он стрелял из обреза. Очень, знаете ли, неприцельное оружие, — возразил Андрей.

Внутренне он был согласен с эсбэушником: стреляли над головами. Причем с хорошим запасом —

даже если бы пассажиры фуникулера стояли, а не сидели, им ничего всерьез не угрожало. За исключением осколков стекла и шока. Что и произошло.

— Да, — согласился Милашка, — обрез не для снайперской стрельбы. Но с дистанции пять метров промахнуться все-таки весьма затруднительно... Впрочем, мы не настаиваем на нашей версии. Какое задание было у стрелка, мы узнаем только тогда, когда доберемся до него. А вот в том, что стреляли из-за вас, мы убеждены. И, вероятно, сумеем это доказать.

Некоторое время все молчали. Затем Полковник спросил:

— Вы ничего не хотите сказать, Андрей Викторович?

— Мне нечего добавить к тому, что я сказал...

— А вы не боитесь, что история может повториться?

— Не думаю.

— А нам представляется, что она может иметь продолжение. Гораздо более трагическое, чем сегодня... Если бы вы поделились с нами информацией, мы бы смогли вам помочь.

Обнорский внимательно посмотрел на Полковника: что это — предложение сотрудничества? Неуклюжая вербовка? Полковник тоже внимательно смотрел на Андрея.

— Это любопытная мысль, — сказал Обнорский нейтрально. Голова болела, он чувствовал невероятную усталость.

* * *

Из отделения милиции он ушел в начале двенадцатого. Ментовский следак тщательно опросил его по факту стрельбы, заполнил протокол допроса свидетеля. Оба эсбэушника присутствовали при этом, но вели себя пассивно, лишь изредка задавая некие уточняющие вопросы. Андрей стойко придерживался своей версии, совсем как Семен Семеныч Горбунков («шел, упал, очнулся — гипс»)... Все — и мент, и эсбэушники — понимали, что он лжет, но никаких эмоций не проявляли.

Эсбэушники же вызвались подвезти Андрея до дому. Сперва он хотел отказаться, но, подумав, согласился. Эта маленькая услуга ни к чему его не обязывала. Нога успокоилась, но голова болела. Он согласился с предложением Полковника, и эсбэушная «Волга» за пять минут домчала его домой.

— Вы, — сказал Полковник, прощаясь, — подумайте о моем предложении, Андрей Викторович.

— Обязательно. Вы мне номера телефонов своих оставьте, Игорь Кириллович, — ответил Андрей.

Он надеялся получить визитку, где будет указана должность Полковника. Но Игорь Кириллович написал свои телефоны — домашний, рабочий, мобильный, — на листочке, вырванном из блокнота.

* * *

— Мы тут чуть с ума не сошли, — сказал Повзло. — Мы звоним тебе, начиная с половины девятого, каждые три минуты... Почему ты не отвечал? Что происходит?

— Погоди, Коля, — произнес Обнорский. Не раздеваясь, он опустился на табуретку в кухне. — Погоди, дай оклемаюсь маленько... Смудаковал я, ребята. Есть такое дело.

— Да что случилось? На тебе лица нет... куртка порвана...

Андрей достал из кармана таблетку, вылущил одну из блестящей фольги, жестом попросил воды. Родион налил ему стакан минералки... Андрей запил таблетку. Родя и Коля сидели напротив него с напряженными лицами. Они ждали объяснений, но тактично давали Обнорскому возможность оклематься. Андрей ценил их такт. Он понимал, что ребята встревожены. Ведь с момента контрольного звонка, который он обязан был сделать, но не сделал, прошло больше двух часов. С сотрудниками «Золотой пули» уже не раз случались... как бы это помягче?.. нештатные ситуации. Иногда очень серьезные. В Агентстве была выработана практика: отправляясь на задание, которое может иметь «последствия», сотрудник обязательно ставил об этом в известность руководство и обязательно отзванивался че́рез загодя оговоренное время. Эти нехитрые меры иногда позволяли избегать неприятностей... Андрей в контрольное время не отзвонился, и теперь ему было неудобно перед подчиненными.

— Может, чайку? — спросил Коля.

— Конечно, — сказал Андрей. Он бодро улыбнулся и закричал: — Я пошел в туалет!

...Он умыл лицо и присел на край ванны. Закурил. Глядя на себя в зеркало, подумал, что обязан извиниться перед ребятами и еще раз напомнить о праве выбора — присяги они не давали и рисковать жизнью не обязаны. Игра, которая шла до сих пор в обычных, в общем-то, рамках, пошла на грани фола, и не исключено, что может перейти эту грань.

Из ванной Обнорский вышел, когда таблетка уже начала действовать и голову отпустило. Чайник вскипел, вкусно пахло лимоном, в кухне царил домашний уют, и почти не верилось, что всего три часа назад он уходил от погони... от погони в центре Киева. Но все-таки это было: темная, заснеженная лестница, спускающаяся к Днепру... загонщики за спиной... ледяной ветер... блеск битого стекла в прическе университетской дамы... «беседа» с Полковником и Милашкой.

И обо всем этом надо рассказать Коле с Родькой.

— Может, коньячку, Шеф? — спросил Родион.

— Две капли, — сказал Андрей.

Родя быстренько налил стопку янтарной жидкости, но Обнорский к ней не притронулся. Он сделал глоток горячего, крепкого чаю... Зазвонил телефон.

— Это Соболев, — сказал Коля.

— Почему Соболев? — спросил Андрей.

— Пока ты был в ванной, я сообщил, что ты нашелся, — ответил Коля.

Андрей взял трубку, покачал головой. «Я сообщил, что ты нашелся», означало, что сперва Повзло сообщил Соболеву, что Андрей пропал.

— Нормально, — сказал Обнорский Коле и — в трубку: — Алло.

— Ну слава Богу, — услышал он голос премьера. — Что случилось, Андрей?

— Нетелефонный разговор, Сергей Василич, — ответил Андрей. — Вы завтра прилетите в Киев — тогда все и расскажу.

— Кое-что я и так уже знаю, — сказал Соболев.

— Каким образом?

— После звонка Николая Степаныча я связался кое с кем из киевского руководства... Им, правда, сейчас ни до чего. Все стоят на ушах из-за заявления Стужи... Но десять минут назад мне позвонили и намекнули, что некий журналист попал в неприятную историю на киевском фуникулере. Это так?

— В общих чертах — так.

— Немедленно прекращай расследование, Андрей.

— Почему, Сергей Васильевич?

— Я приглашал вас поработать. Но не под пулями. Немедленно прекращай расследование... Я не хочу иметь на совести ваши трупы.

— Давайте, Сергей Васильевич, мы все это обсудим завтра.

— И обсуждать нечего, Андрей Викторович. Расследование закончено.

Обнорский положил трубку, выпил глоток коньяку... Но снова зазвонил телефон. Он вздохнул и взял трубку.

— Алло?

— Господи, Андрей, — сказала Галина. — Где ты пропадаешь? Я звоню тебе на мобильный, я звоню сюда... Твои орлы темнят, путаются... Что у тебя случилось?

— Все в полном ажуре...

— А где ты был?

— Это ревность?

— Может быть, и ревность... Я же чувствую, что Повзло мне врет.

— Он не врет. Он просто проявляет мужскую солидарность.

— Ах, даже так? Ладно, разберемся... Ты придешь сегодня?

— Извини, но сегодня не могу. Я очень устал.

— Ну вот! А я тебя жду.

— Завтра, Галя, завтра. Ты извини.

Обнорский положил трубку, посмотрел на коллег.

— Ну-с, господа инвестигейторы, слухайте сюды.

Рассказ Обнорского был сух, полностью лишен эмоций, лаконичен. Он излагал только факты и не давал никаких комментариев. Напоследок сказал:

— Соболев считает, что расследование необходимо прекратить.

— ... твою! — сказал Коля.

— Спокойно, Коля. Все оценки и решения будем принимать завтра. Сейчас есть более насущная задача.

— Какая? — спросил Родион.

— Возле Филармонии брошен автомобиль. Нужно его пригнать.

— Сейчас мы сгоняем за ним, — кивнул Родя.

— Вместе пойдем, — ответил Андрей.

— Да ладно, ты-то отдыхай.

— Рад бы, но не могу. Потому что хочу посмотреть все на месте. Я уронил там телефон... Не исключено, что дружбаны мои — загонщики — тоже что-нибудь обронили. Надо поискать.

— Это лучше утром, — возразил Коля. — Что мы в темноте найдем?

— Нет, — возразил Коле Родя, — откладывать не гоже. Те, что гоняли Андрюху, могут нас опередить... Если уже не опередили.

— Тогда поехали.

* * *

Машина никуда не делась. Стояла там, где Обнорский ее оставил. Нетронутый, чистый снег вокруг подтверждал, что никто к ней не подходил. Дотошный Каширин все-таки долго всматривался сквозь заиндевевшие окна внутрь салона, подсвечивал себе фонариком-«карандашом».

— Что ты там хочешь найти, полярный волк? — спросил Повзло.

— Голову Горделадзе, — огрызнулся Каширин. Потом лег на снег и заглянул под машину. — Вроде чисто, — сказал, поднимаясь. — Открывай, Шеф.

Обнорский нажал кнопку брелока сигнализации, «девятка» мигнула «габаритами», щелкнул центральный замок. Втроем сели в машину, пустили движок.

— Значит, так, — сказал Обнорский. — Мы с Родей идем на лестницу, осматриваем место, где я спрыгнул, авось найдем хотя бы мой телефон. А ты, Коля, постоянно находишься в машине. Сидишь с включенным движком, готовый нас подхватить при шухере... Давай определим точки, где ты подберешь нас, ежели что.

Обнорский набросал от руки схемку, на которой обозначил треугольник, образованный Владимирским спуском, набережной и лестницей от спуска до набережной.

— Вот так. Точки для экстренной эвакуации по вершинам треугольника. Номер один — верх, начало лестницы. Номер два — то самое место, где я выскочил на Почтовую площадь, и номер три, наконец — тоннель с выходом на Набережное шоссе. Вопросы есть?

— Вопросов нет... Но лучше было бы обойтись без шухера.

— Тогда — вперед! К лестнице.

Ветер утих, вызвездило. Обнорский и Родион ступили на лестницу. Андрей посмотрел на часы — почти полночь, прислушался к своим ощущениям: страха не было, но напряжение он определенно испытывал.

— Как ты, Родя? — спросил Андрей негромко.

— Нормально. А что?

— Да нет, ничего. Не боишься? Можем ведь и нарваться...

— А это уж как выйдет, Шеф... Два-то раза все равно убить нельзя.

— Резонно, — буркнул Обнорский, думая про себя, что убить два раза, конечно, нельзя, но убивать можно очень долго. Душу это никак не греет.

Они пошли вниз. Слегка поскрипывал снег под ногами, светился Днепр внизу... Машинально Андрей оглянулся назад. Наверху никого не было. Он усмехнулся.

Сейчас лестница не казалась ему такой бесконечно длинной, как четыре часа назад, когда вслед за ним шли «самонаводящиеся торпеды». И вход в тоннель не выглядел таким зловещим.

— Кажется, здесь, — сказал Андрей, останавливаясь.

Каширин посветил фонариком — стали видны полузанесенные снегом следы. Довольно аккуратно, без каскадерских трюков, Андрей и Родя перелезли через перила, стали изучать снег под ногами. Он еще хранил следы ног трех спрыгнувших с лестницы крупных мужчин. Но телефона нигде не было видно.

— Худо, — сказал Обнорский. — Если его подобрали эти быки — лучшего подарка для них не придумаешь.

— Еще бы, — вздохнул Каширин.

Сотовый телефон, попавший в чужие руки, — идеальное средство для провокации. В самом примитивном виде можно просто подбросить принадлежащий Андрею телефон рядом с каким-нибудь трупиком... А на нем эксперты найдут «пальцы» Обнорского. Однако, даже если «пальцев» нет, откреститься от «трубы» невозможно. Как автомобиль или оружие, сотовый телефон подлежит обязательной регистрации, имеет «привязку» к конкретному человеку. Установить этого человека очень легко... Лучшего средства для провокации нет. Можно, конечно, подбросить «трубу» рядом с трупом. А можно поступить тоньше: сделать с «трофейной трубы» звонок о заложенной бомбе.

— Да уж, — вздохнул Родя. — А точно здесь уронил?

— Больше негде, — ответил Андрей.

— Давай его позовем.

— Точно! — улыбнулся Обнорский. — У меня сегодня что-то с мозгами. Не мой день. Что ни делает бедняк — все он делает не так.

— Лишь бы не разбился при падении, — говорил Родя, набирая на своем мобильном номер трубки Андрея. — Лишь бы работал.

В ночной тишине знакомая трель прозвучала отчетливо и громко. Занесенный снегом «эриксон» лежал почти под ногами у Обнорского.

— Ну до чего телефоны насобачились маленькие делать, — сказал Родион. — Лежит под ногами — и хрен заметишь... Но надежные. Четыре часа пролежал на морозе, в снегу, а поди ж ты — работает.

Андрей поднял трубу, осторожно обтер от снега, сунул в карман. Они покружили вокруг места обнаружения телефона, но ничего больше не нашли... Медленно двинулись тем же маршрутом, которым Обнорский убегал к Почтовой площади. Следы двух «торпед» в точности повторили его путь. Андрей и Родион вышли на площадь и, оставаясь в тени деревьев, вызвали Колю.

— У вас все в порядке? — сразу откликнулся Коля.

— В порядке... Выезжай в точку два.

— Пять секунд, — ответил Повзло. Ожидая его, Родя вертел головой по сторонам. Когда рядом затормозила «девятка», Каширин что-то высмотрел на снегу, наклонился и подобрал.

В теплом салоне автомобиля было уютно, как дома. Пахло табаком, играл джаз.

— Телефон нашли? — спросил Повзло.

— Нашли.

— А еще что-нибудь?

— Больше ни хрена, — пожал плечами Андрей.
Родя хмыкнул и сказал:

— Как знать... Может, и нашли.

— А что?

Родион молча показал смятую пачку из-под «Мальборо». Он держал ее за уголки кончиками пальцев.

— Ты что же, Родя, хочешь сказать, что эта пачка...

— Не знаю. Не знаю, Шеф. Но эта пачка лежала там, где ты выскочил из «леса». А твои преследователи остановились там же. Они за тобой не пошли, рассчитывая, видимо, перекрыть тебе дорогу обратно, если ты надумаешь рвануть наверх по Владимирскому спуску. Эта пачка может принадлежать одному из них.

— Э-э, брось, Родя, — сказал Андрей. — По Владимирскому спуску в день проходят сотни людей. Пачку может выбросить любой. Да и вообще — неизвестно, сколько она тут валяется... Так?

— Нет, не так... По спуску, конечно, проходит много народу. Но, во-первых, не каждый забросит смятую пустую пачку за восемь метров от тротуара. Пачка — не камень. Она легкая и далеко не летит. Во-вторых, пачка совсем свежая. Она хранит отчетливый запах сигарет, она сухая и чистая. Значит, выбросили ее совсем недавно. Скорее всего, несколько часов назад. В-третьих, она найдена именно там, где тормознулись твои «торпеды».

— Из этого ты, Родион, делаешь вывод, что...

— Я не делаю выводов. Я просто обнаружил пустую пачку, которая может принадлежать одному из твоих «друзей»... Всего лишь может. Но подобрать ее с земли мне было нетрудно. Может, удастся проверить на «пальцы».

— Свернет завтра Соболев наше расследование, — сказал Коля, — вот и проверишь.

Обнорский посмотрел на часы и произнес:

— Уже сегодня, мужики... уже сегодня.

248

* * *

«Брюссель 28 ноября 2000 г.
Господину Ивану Вьюну,
Спикеру Верховной Рады,
Киев,
Украина.
Уважаемый господин спикер!
Во время Вашего визита в Брюссель на прошлой неделе мы уже имели возможность встретиться и обсудить проблемы в отношениях между Европейским Союзом и Украиной. Среди затронутых нами тем было исчезновение украинского журналиста Георгия Горделадзе. За время, прошедшее после нашей встречи, в прессе появились сообщения о некоторых новых обстоятельствах, связанных с его исчезновением. Так, информационное агентство „Интерпресс" обнародовало информацию о том, что в Таращанском районе обнаружено изувеченное тело Горделадзе, что подтверждают данные судебно-медицинской экспертизы. Сегодня я получил сообщения о том, что к исчезновению и жестокому убийству Горделадзе могут быть причастны некоторые высшие должностные лица страны. В распоряжение голландской газеты „De Valksrant" попала аудиозапись, предположительно содержащая разговор президента Украины с другими лицами, в котором президент требует „исчезновения" Горделадзе. Информация о существовании и содержании записи впервые была представлена бывшим спикером Верховной Рады Украины г-ном Стужей. Как нам стало известно, после объявления о существовании записи г-н Стужа удерживается в здании парламента, не имея возможностей для связи с внешним миром. Такие сообщения вызвали у нас серьезную озабоченность состоянием свободы слова и прессы на Украине, и я хотел бы обратить Ваше внимание на то, что, если правдивость упомянутых фактов подтвердится, отношения между нашими парламентами окажутся под угрозой. В этой связи я прошу Вас провести тщательное и не-

зависимое расследование обстоятельств исчезновения и возможного убийства г-на Горделадзе. Я также надеюсь, что украинские власти воздержатся от каких бы то ни было репрессивных действий в отношении тех, кто пытается выяснить правду об исчезновении Горделадзе и обнародовать полученные данные. Заверяю Вас, г-н спикер, в том, что мое письмо не преследует целью вмешательство в ход следствия и судебного разбирательства по делу Горделадзе, но свидетельствует о глубокой озабоченности Европейского Союза наступлением на свободу слова и прессы на Украине.

С наилучшими пожеланиями,

Ян Мариус Вирман, председатель комитета по связям с Украиной Европейского парламента».

* * *

Соболев выглядел усталым и в какой-то мере встревоженным.

— Расследование останавливаем, — сказал он сразу после взаимных приветствий.

— Почему? — прямолинейно спросил Обнорский.

Обнорский и Соболев встретились «полуконспиративно». На деле это означало, что премьер приехал в киевскую штаб-квартиру «Золотой пули» один, без сопровождающих лиц и без охраны.

— Потому, что расследование смерти одного журналиста ценой жизни другого представляется совершенным абсурдом, — прямолинейно же ответил Соболев. — Я не прав?

— Выслушайте меня внимательно, Сергей Васильевич...— начал Обнорский, но Соболев перебил его:

— Нет, это вы меня выслушайте, Андрей Викторович. Вы сами обмолвились во время нашей встречи в Санкт-Петербурге, что далеки от политики. Вы просто не совсем понимаете, что означает вчерашнее выступление Стужи. Дело-то ведь даже не в том, подлинные это пленки или нет. Дело даже не в Горделадзе!..

— А в чем же дело?

— Дело в том, что кто-то хочет спровоцировать стратегический кризис в Украине. Стужа в данном случае — винтик. Он, может быть, даже не понимает подлинной своей роли. Но за ним обязательно есть эшелоны политической и силовой поддержки... Речь идет не только о смене курса и правительства, но и о досрочной отставке президента. Фактически — это легализованный переворот. Ваша жизнь в таких условиях ничего не стоит.

— Стрелок не пытался меня убить... Выстрелы были демонстрацией силы, предупреждением, — возразил Обнорский.

— Вот именно. Вчера было предупреждение... А завтра? — очень серьезно произнес Соболев. Он замолчал, побарабанил пальцами по столешнице.

— И тем не менее, Сергей Васильевич, расследование я теперь уже не брошу, — упрямо сказал Обнорский.

— Амбиции? — спросил Соболев.

— Я не в том возрасте, чтобы тешить амбиции, Сергей Васильевич. Но всякое расследование проходит несколько стадий. Первая — накопление информации... Эта работа рутинная и трудоемкая, но именно она является фундаментом того здания, которое зовется «расследованием». Сейчас я могу сказать, что фундамент уже есть. Провокации против нас свидетельствуют, что мы на правильном пути. Или, по крайней мере, что мы верно очертили круг лиц, которые причастны к делу... Потому они и нервничают, потому и решились на стрельбу в центре города. Прекращать в таких условиях дальнейшее расследование — ошибка. А ошибка, как сказал Талейран...

— Хуже, чем преступление, — продолжил Соболев. — Талейран, конечно, великий человек, но...

— Что — «но»?

— Но это не аргумент, Андрей. Это расхожий афоризм, который в полемике уместен, а при обсуждении серьезнейшего вопроса — нет.

— Однако, Сергей Васильевич, таково мое мнение: расследование останавливать нельзя.

— А что думают ваши коллеги? — спросил премьер.

— Давайте спросим у них, — ответил журналист и позвал Повзло с Кашириным.

Андрей думал, что Родиона надо представить, но оказалось, что премьер запомнил его по посещению Агентства. Он уверенно назвал Каширина по имени-отчеству, и Родя даже несколько смутился.

— Мужики, — сказал Обнорский, — дело вот в чем: Сергей Васильевич считает, что расследование необходимо прекратить. Мотив: ситуация стала опасной в первую очередь для самих расследователей. Я хочу услышать ваше мнение по этому вопросу.

Коля и Родя переглянулись. Видимо, этот взгляд означал: ну, кто первый?.. Повзло пожал плечами, сказал:

— Я считаю, что прерывать расследование сейчас — нецелесообразно... Возможно, скоро мы получим результаты.

— А возможно, и не получите? — спросил Соболев.

— Все возможно, — согласился Коля. — Но если мы остановим расследование, то результатов точно не получим.

— А ваше мнение, Родион Андреич?

Родя кашлянул в кулак, ответил:

— Ситуация однозначная, Сергей Василич... Мы вышли на тот рубеж, на котором уже можем получить результат. Скорее всего, мы его получим. Я категорически против того, чтобы закрыть тему.

— Вот так, значит?.. А риск получить пулю вас не пугает?

Обнорский сказал, усмехнувшись криво:

— Пугает. Но, как говорил незабвенный Фокс из «Места встречи»: «Жизнь без риска — что еда без соли».

Соболев встал, прошелся по гостиной. Ноги утопали в толстом паласе. Было очевидно, что крымский премьер напряженно думает. Он остановился у окна...

Трое «варягов» — питерские журналисты — смотрели ему в спину. От Соболева зависело, будет ли продолжаться расследование «дела Горделадзе» или нет. Достаточно премьеру прекратить финансирование — и все. Вытянуть немалые расходы, характерные для длительной работы «на выезде», Агентство просто не могло... А их уже подстегивал охотничий азарт. Охотничий азарт — это очень опасно. Испытывая этот азарт, охотник часто забывает об опасности. И может сам стать дичью.

Премьер резко повернулся к журналистам лицом.

— Хорошо, — сказал он, — хорошо. Я услышал ваше мнение и отношусь к нему с уважением. Но ответственность... моральная ответственность за вашу безопасность... лежит на мне. Попробуйте убедить меня, что риск оправдан, что вы на верном пути.

Все трое облегченно вздохнули и переглянулись. Стало понятно, что Соболев готов к диалогу, и это открывает перспективу... Всем трем журналистам был известен чиновничий апломб, когда переубедить обладателя некой должности (чем она меньше — тем хуже) попросту невозможно. Невозможно потому, что носитель этой должности уже принял решение и не намерен его менять ни при каких обстоятельствах... за исключением указания «сверху».

Соболев был открыт для диалога и даже сам предложил убедить его.

— Я попробую, Сергей Васильевич, — сказал Обнорский. — Я попробую... Может быть, вы присядете?

— Конечно, — улыбнулся Соболев и сел в кресло.

— Буду краток, — сказал Андрей. — Итак, что мы имеем на сегодняшний день? На сегодняшний день картина такова: обнаружен обезглавленный, разложившийся труп... Формально труп не опознан, но с очень высокой степенью вероятности мы можем считать, что это действительно Георгий Горделадзе. Первоначально я считал, что это не так, что нас просто пытаются запутать, подтолкнуть к мысли: это — Горделадзе. Однако, по мнению эксперта, прижизненные ранения Георгия соответствуют следам на теле. Даже если эксперт ошибся, что представляется крайне маловероятным, но даже если он ошибся, труп все равно представляет огромный интерес.

— Почему? — спросил Соболев.

— Потому что те люди, которые произвели захоронение, несомненно причастны к исчезновению Георгия... Откуда бы иначе они взяли его украшения: перстень, браслет, кулон? Итак, мы считаем, что обнаружен труп Георгия Горделадзе. Мы знаем, что журналист был похищен шестнадцатого сентября, в Киеве, в период между десятью часами вечера и полночью. Спустя полтора месяца его обезглавленный труп был обнаружен в ста тридцати километрах от Киева. Лица, захоронившие тело, сделали все, чтобы труп был скорейшим образом обнаружен и опознан.

— А зачем же, — спросил Соболев, — ему отрубили голову?

— Нас тоже это поначалу озадачило, но потом мы нашли объяснение — скорее всего, в голове Горделадзе осталась пуля, которую можно привязать к конкретному стволу. Отсюда вывод: ствол легальный. Табельный. Может принадлежать сотруднику МВД, СБУ или лицензированному охраннику. Учитывая небезопасность захвата и дальней перевозки пленника или трупа, резонно предположить, что осуществили ее не частные лица, а все-таки офицеры спецслужб.

— Худо, — серьезно сказал Соболев. — Очень худо. В свете заявлений Стужи ваши выводы работают на его версию.

— Ничего странного в этом нет, Сергей Васильевич. Те, кто спланировал акцию, именно на это и рассчитывали. Они просчитали, что следствие придет именно к такому выводу. Тут все не случайно, все с дальним прицелом... Это, однако, всего лишь логические построения, не подтвержденные фактами. Они позволяют почти наверняка исключить бытовые версии, как то: ревность, ограбление, случайное убийство шпаной. Однозначно видно, что похищение и убийство Георгия Горделадзе — спланированная и организованная акция. Но пока это не выводит нас ни на заказчиков, ни на исполнителей...

— Что же из этого следует? — осторожно произнес Соболев.

— Мы стали исследовать личность Георгия, предысторию убийства, людей, которые его окружали. Сам день исчезновения Горделадзе мы исследовали практически поминутно. На девяносто процентов события этого дня прозрачны и не внушают никаких подозрений: происходят обычные встречи, контакты, разговоры... Ничего, за что можно было бы зацепиться. Но вечером, после того, как Георгий и Алена пришли к Алене домой, начинаются «маленькие странности». Я их перечислю: во-первых, неизвестно, куда и зачем выходил Георгий в начале одиннадцатого. Алена ссылается на голодного кота... Но факты свидетельствуют, что Гия не покупал «Китикэт». С какой же целью он выходил? Во-вторых, консьержка утверждает, что не видела, чтобы Горделадзе второй раз выходил из дома. Возможно, консьержка была пьяна... возможно... Но почему-то милиция не зацепилась за этот факт. На слово поверила Алене и даже включила ее в следственную группу. А ведь обычно бывает наоборот — человек, который последним видел исчезнувшего, попадает под подозрение. В-третьих, Алена утверждает, что фонарь во дворе дома горел, а консьержка утверждает обратное... Соседи Затулы дают противоречивые показания. Одни говорят, что фонарь горел, другие — что нет.

— Какие из этого следуют выводы, Андрей Викторович? — спросил Соболев.

— Позвольте, к выводам я перейду чуть позже, Сергей Васильевич? Мы движемся, как вы обратили внимание, в обратном порядке: от обнаружения тела к началу истории. Так вот, предыстория вопроса... Отнюдь не бездарный, но вместе с тем не имеющий ши-

255

рокой известности журналист Горделадзе мечтает о большем. А вынужден все время находиться на вторых, а то и на третьих ролях, заниматься поденщиной, жить в долг, пощипывая по несколько долларов... Естественно, Георгия эта ситуация не устраивает. Он делает острые материалы на радио, он пишет скандальные статьи, он едет в Америку... Он заявляет: «Я! Вот — я! Я талантливый, умный и смелый! Я никого не боюсь!..» Но его не замечают. Многие украинские читатели и слушатели даже не знали о существовании некоего Горделадзе до его исчезновения. — Андрей сделал паузу. — Но кто-то все же Георгия заметил.

— Кто же?

— Я не готов назвать фамилии. Но это те самые люди, которые организовали похищение, потом убийство, потом обнаружение тела и, наконец, осуществляют сейчас скандал с записями... Мы считаем, что на Горделадзе обратили внимание год назад, в ноябре девяносто девятого, когда он и Затула предприняли вояж в Штаты. Этот вояж как-то очень странно совпал с визитом в Америку президента, и есть сведения, что президент был не очень доволен тем, что Горделадзе рассказывал о положении прессы на Украине.

— Да, — сказал премьер, — я в курсе.

— Видимо, именно тогда Георгия «назначили» на роль жертвы, на роль знамя оппозиции...

— Почему вы так думаете?

— Я попробую объяснить. Повторюсь при этом, что все то, что я сейчас вам говорю, — не есть факты. Но все наши построения основаны на цепочке фактов... Итак, кто-то очень недовольный «режимом» или своим местом в «режиме», задумался о том, каким путем можно сменить власть на Украине или изменить ее состав. Таких сил довольно много: это США, которым не нравится перспектива сближения Украины и России... Это Россия, которой не нравится перспектива сближения Украины и США. Это и внутриукраинские движения и кланы разной ориентации...

256

Это олигархические семьи и их конкретные представители во власти...

— Андрей, я представляю себе политический расклад Украины, — сказал крымский премьер.

Андрей улыбнулся:

— Извините. Извините, Сергей Василич... Итак, Георгий Горделадзе был избран на роль жертвы. В принципе, он на эту роль подходил почти идеально: горяч, молод, амбициозен, оппозиционен, симпатичен, беден... Но те, кто задумал акцию, считали (и правильно считали), что этого маловато. Горделадзе стали «откармливать на убой»... Проще говоря, готовить на роль жертвы. То есть развивать в нем именно те черты, которые необходимы будущей жертве. Ему подбросили идею о создании собственной Интернет-газеты. Несолидно как-то выставлять знаменем рядового журналиста с радио... А оппозиционера с собственным изданием — в самый раз! И ему подкинули мысль об Интернет-газете. Многие бывшие сотрудники Георгия рассказывают, что он сомневался, не очень верил в сетевые возможности. Но его убедили... Мы даже можем назвать имя человека, который в январе или, возможно, в конце декабря девяносто девятого подбросил ему эту мысль.

— Что за человек? — спросил Соболев.

— Человека зовут Эдуард Вайс, — ответил Обнорский.

— А-а, этот, — разочарованно протянул премьер, — он же, кажется, мелкая сошка...

— В смысле политического или экономического веса он, разумеется, никто... Ноль! Мелкий бизнесмен. Но истинная его роль в этом деле для нас пока не очень ясна. Напомню вам только, что это Вайс подбросил Георгию мысль о создании «УВ». Вайс сам вышел на Горделадзе. Причем в нужное время... В конце девяносто девятого или в самом начале двухтысячного года. Кроме того, у нас есть основания полагать, что он подсадил Георгия на наркотики...

— Вот так?

— Мы полагаем: так... Затула продемонстрировала нам препарат прозак, который последнее время принимал Георгий. Прозаком лечат депрессии, в том числе депрессии, связанные с отказом от наркотиков. А до этого Вайс подкармливал Гию некими «таблетками успеха»...

— Интересно,— сказал Соболев.— Очень интересно, мужики. Похоже, Горделадзе обрабатывали всерьез...

— Мы тоже так думаем. Его обрабатывали всерьез и в расчете на перспективу. Более того, его все время держали не только на наркотическом поводке... Это не очень надежно. Жизнь это подтвердила — Гия попытался скинуться... Но его держали еще и на очень крепком финансовом поводке. Это делали умно, тонко, то давая, то отбирая деньги. Георгий был все время как бы на грани краха. Положение Георгия и «Украинских вестей» было очень зыбким, что дополнительно делало его раздражительным и даже, можно сказать, озлобленным... И вот здесь мы подошли к очень важному моменту. К роли в этой истории Алены.

Обнорский закурил, помолчал несколько секунд, потом продолжил:

— Алена... Алена Затула... Женщина, загадочная, как Луна,— открытая для наблюдателя только с одной стороны. И эта — видимая сторона — светла и даже романтична. Алена — соратница, Алена — любимая женщина. Дом Алены — это то самое место, где Георгий отдыхал душой от опостылевшей Мирославы, которая в делах мужа участия не принимала. Алена — та самая женщина, которая первая подняла тревогу по поводу исчезновения Георгия... А позже сделала все, чтобы привлечь внимание общественности. Алена вызывает уважение и сочувствие... Ах как трудно ей, бедняге! Одна, совсем одна... Мирослава-то с детьми осталась! Всяко Мирославе легче. Да и любила ли мужа-то? От любящей жены к любовнице не бегают!.. Вот так примерно выглядит в глазах обывателя боевая подруга Георгия Алена Затула. Эта — видимая, романтическая сторона Луны... А что же невидимая, темная? Что там? Да и есть ли она вообще? Есть! Есть вторая сторона. Пока мы знаем о ней очень мало, но даже то, что знаем, настораживает, а хрустальный образ самоотверженной боевой подруги очень сильно мутнеет. Обыватель — читатель, зритель и, если хотите, «болельщик» — этого не видит. Не видит потому, что не хочет видеть. Восприятие происходящего идет по прямой: это — черное, это — белое. Как в сериалах. И никакие полутона ему не нужны. Сериал еще только начался, но зритель уже четко разделил героев на белых и черных. Белым — понравившимся — он загодя прощает все, наделяет их только положительными качествами. Черным — отказано в каком-либо понимании вообще... Мы, в отличие от зрителя-болельщика, обязаны смотреть наш «сериал» вдумчиво, с повторами, в замедленном воспроизведении. Прикидывая про себя все задумки сценариста и режиссера и пытаясь восстановить те фрагменты, которые при монтаже вырезали... Собственно, наша задача как раз и состоит в том, чтобы увидеть эпизоды, не вошедшие в версию для широкой публики. Именно это мы пытаемся сделать. Мы бродим по задворкам студии, подбираем забытые куски пленки, оброненные странички сценария. Беседуем с осветителями, гримерами, рабочими... И, видимо, правильно делаем. Не зря же так занервничали сценарист с режиссером! Впрочем, простите, отвлекся... Итак — Алена. Если присмотреться к Алене внимательно, то не так уж она романтически-лунна. Давайте позволим себе некоторое количество морализаторства и даже, я бы сказал, ханжества. В разумных пределах это иногда позволяет взглянуть на вещи здраво... Итак, Алена — любовница. В этом есть некоторая романтика. В кино и в литературе это проходит. В реальной же жизни всякая женщина ненавидит соперницу (даже всего лишь предполагаемую) всем инстинктом собственницы... Искренне и глубоко. Потому что романтика в кино оборачивается разрушением в жизни. Любовница — это же Разлучница... И женщина, вступающая в отношения с женатым мужчиной, отлично это сознает. Она сознает, что причиняет боль другой женщине. Она разрушает чужую жизнь... Но — стоп! Ханжества уже достаточно. Потому что пришла пора задать себе вопрос: а если это Любовь? О, если это Любовь! Если это Любовь — можем ли мы предъявлять какие-либо претензии Алене? Конечно, нет... Вот только была ли любовь? Мне кажется, что нет. Не было ни любви, ни сподвижничества... Очень странные были у них отношения. Постель? Да. Но постель — это очень мало, чтобы соединить мужчину и женщину. Постель способна соединить лишь на то время, пока они находятся в постели. Это, коллеги, не любовь — это ПАРТНЕРСТВО. Вы можете спросить: а чего ты так распыляешься на отвлеченные темы? К чему все эти разговоры о любви? Какое отношение они имеют к расследуемой теме? Отвечу: прямое. Мне важно понять: могла ли Алена предать Георгия? Если женщина любит, она не предаст. А если она видит в мужчине всего лишь партнера? Это уже совсем другое кино... В таком случае возможно лицедейство, лицемерие и, в конечном итоге, предательство. Боюсь, что именно так все и было в отношениях Затулы и Георгия.

Андрей умолк. Трое слушателей его монолога тоже молчали. Через несколько секунд Соболев произнес:

— Вы весьма образно описали ситуацию, Андрей. Но все это — сплошная лирика.

— Я прошу прощения за то, что говорил длинно, не очень внятно и, вероятно, несколько пафосно... У нас мало конкретики и действительно много лирики. Есть только предположения о том, что Алена играла неоднозначную роль в судьбе Георгия. Она как бы стояла рядом. Как бы была соратницей... И вместе с тем дважды отсекала Горделадзе от денег. Один раз по ее милости был упущен большой американский грант, в другой раз — некий спонсор. Это, кстати — факты. А деньги были нужны позарез! Но Алена все время как будто подталкивала Георгия к краю. К такому состоянию, когда он будет готов принять деньги из любых рук, когда он пойдет на любую авантюру. Она толкала «любимого» в финансовый капкан. Или — выводила его на конкретных хозяев. А это покруче наркотической ловушки — с помощью прозака из нее не вылезти.

— Но, как я понял, у Георгия не было серьезных долгов?

— Спорный вопрос, Сергей Васильевич, — ответил Обнорский. — До поры до времени мы тоже так думали... Пока не провели небольшой сравнительный анализ доходов и расходов Г. Г.

— И что же?

— Очень интересная получилась картинка. По нашим оценкам... очень приблизительным и неточным... Так вот, по нашим оценкам расходы Горделадзе тысяч на десять долларов превысили его видимые доходы.

— Очень интересно... Вы не могли ошибиться?

— Могли. Но только в сторону занижения суммы. Все доходы мы брали с повышающим коэффициентом, а расходы, наоборот, — с понижающим. Скорее всего, окончательная разница составит тысяч пятнадцать—восемнадцать... Возможно, больше.

— Выводы?

— Очевидны. Либо кто-то тайно спонсировал Георгия, либо он нашел скрытый способ заработка. Либо имело место сочетание двух этих источников... В любом случае для Горделадзе это создавало очень серьезные проблемы.

— Почему?

— Потому что если у Горделадзе и был спонсор, то наверняка небескорыстный... В любой момент Георгию могли предъявить счет. Как может журналист отработать «бескорыстную спонсорскую помощь»? Только пиаром... Если же он нашел левый заработок, то это тоже пиар. Есть, конечно, и третий вариант.

261

— Шантаж?

— Да, Сергей Васильевич, шантаж. Сейчас, когда мы имеем представление о личности Горделадзе, мы можем точно сказать, что он не Дон-Кихот... Теоретически мог Гия подхалтурить шантажом. Практически — навряд ли.

— А почему вы так думаете? — живо спросил Соболев.

— Какую же убойную нужно иметь информацию, чтобы снять с жертвы как минимум десять тысяч?

Премьер переменил позу, посмотрел на часы.

— Вы спешите? — спросил Обнорский.

— Э-э... Не то чтобы спешу. Но...

— Ничего, я почти закончил свой доклад. Попробуем подвести итог сказанному. Итак, ситуация представляется нам следующей: Георгия Горделадзе готовили на роль жертвенного бычка. Готовили основательно, долго, профессионально... Среди вероятных исполнителей этого этапа — Эдуард Вайс и Алена Затула. Возможно, они не знали истинных целей операции. Возможно, они даже не предполагали, что делают общее дело... Вполне вероятно, что к этой сладкой парочке примыкает «конкретный» депутат Рады господин Матецкий. Почему я так думаю? Потому, что Леонид Семенович не тот человек, который может просто так дать кому-то в долг... Если он давал Горделадзе деньги, то вовсе не потому, что боялся его. У Отца есть масса возможностей заткнуть рот Г. Г. Впрочем, утверждать что-либо наверняка нельзя... Хотя фигура Матецкого у нас вызывает живейший интерес.

— У меня тоже, — сказал Соболев.

— Так вот, отработка этих трех фигурантов вполне может дать интересные результаты. Это одно направление работы. Второе — Таращанский район. Мы полагаем, что труп обнаружен в Тараще не случайно. Вполне вероятно, что Георгия после похищения отвезли в те края... Там с ним «работали». Потом, когда убили, не рискнули перевозить труп куда-то далеко.

Третье направление — попытка установить лиц, организовавших стрельбу в фуникулере.

— И как же вы собираетесь их устанавливать?

— Есть определенные соображения. Если вы нам поможете, то шансы на успех достаточно велики, — ответил Обнорский.

— Какого рода помощь требуется от меня? — спросил Соболев.

— Нам необходимо пошуровать в телефонных сетях Киева. Для этого нужен контакт с сотрудником МВД. Обязательное условие — это должен быть надежный человек уровня начальника отдела главка...

— Такого человека я найду, — сказал премьер. — Даже не одного.

— Достаточно будет одного, Сергей Васильевич.

— Не вопрос, — ответил Соболев и достал пухлую записную книжку.

Стало очевидно, что расследование продолжается. Обнорский прикрыл глаза.

* * *

— Я пошел в сортир! — заорал в коридоре Родя.

Премьер-министр республики Крым удивленно посмотрел на матюгнувшегося шепотом Андрея, спросил:

— А что это Родион Андреич?..

— Э-э, — сказал Обнорский, — это у нас шутка такая.

— Очень смешная шутка... Петербургская традиция?

— Н-нет... скорее — киевская. Но вообще-то... Знаете, я своим сотрудникам часто повторял слова Чехова о том, что нужно каждый день по капле выдавливать из себя раба. Вот они и... демонстрируют, что... что поняли эти слова и приняли их, как руководство к действию...

* * *

Из прессы:

«Сегодня сотрудники СБУ из отдела охраны президента Украины распространили в СМИ открытое пись-

мо. Одиннадцать офицеров, подписавших письмо, „глубоко возмущены" и расценивают заявление народного депутата Верховной Рады Александра Стужи как „грубую клевету на СБУ и ее сотрудников, рассчитанную на неосведомленных людей". Подписанты считают ложью слова Стужи о том, что пленки с аудиозаписями разговоров высших должностных лиц государства, которые якобы причастны к исчезновению журналиста Горделадзе, ему передал один из офицеров СБУ — некий анонимный „офицер спецслужбы связи".

Одиннадцать „связистов" утверждают, что такие записи просто невозможно осуществить: „Каждому элементарно грамотному специалисту известно, что снимать информацию с каналов связи, чтобы фиксировать разговоры в помещениях, которые используются руководителями страны, невозможно ни с какой стороны: технической, организационной и физической". В письме отмечается, что каждый офицер подразделения правительственной спецсвязи во время выполнения своих служебных обязанностей может находиться в упомянутых помещениях только в присутствии представителя Управления государственной охраны. Все работы на средствах правительственной связи в этих помещениях документально фиксируются. Существующая система организационно-технических средств исключает какие-либо отклонения от порядка проведения подобных работ. Кроме того, пишут сотрудники СБУ, „этого не позволяет сделать существующая правовая база, честь офицера, верность долгу и присяге, что традиционно является нормой поведения сотрудников СБУ. Со всей ответственностью заявляем, что никто из нас никогда, ни при каких обстоятельствах не имел отношений со Стужей. Его заявления относительно причастности руководителей государства и представителей СБУ к событиям, связанным с именем Георгия Горделадзе, считаем популистскими, не взвешенными, недостойными звания народного депутата Украины и лидера политической партии", — подчеркивается в письме. В документе также говорится: „Посту-

пок Стужи оцениваем как провокационную, но неудавшуюся попытку опорочить высокое звание офицера СБУ, посеять недоверие к нам со стороны общественности, высших должностных лиц Украины, вбить клин между руководством страны и правоохранителями"».

* * *

— Теперь нас пинают все, кому не лень, — сказал полковник Перемежко.

Полковник был грузен, лысоват, одет в невзрачное пальтецо. Мясистый нос украшали очки в металлической оправе. Его можно было принять за бухгалтера или какого-нибудь инженера-неудачника, так и не поднявшегося по служебной лестнице за двадцать лет службы.

— Все, — говорил полковник, — об нас ноги вытерли. Как о половичок. Да если бы мы знали, что с этим грузином что-то может случиться, мы бы к нему взвод «Беркута» приставили... Нам нужны эти головные боли?

— Думаю, не нужны, — ответил Обнорский.

Поезд метро летел над Днепром. Стылая серая вода лежала внизу широкой лентой. В вагоне было почти пусто: полковник, Обнорский, молодая парочка, Каширин и двое мужчин. Мужчины, как полагал Андрей, были людьми Перемежко. Полковник позвонил на трубу Обнорского спустя час после разговора «варягов» с крымским премьером, представился, спросил, чем может быть полезен. Андрей ответил, что необходим личный контакт.

— Хорошо, — ответил Перемежко. — Давайте часиков в восемь в Ботаническом саду... Место там тихое.

Обнорский усмехнулся про себя: вчера уже провел одну встречу в «тихом месте». Ботанический сад был неподалеку — на бульваре Шевченко, почти у площади Победы... Он отказался от встречи в «тихом месте». Предложил что-нибудь нейтральное... метро, например. Со скрипом полковник согласился, но перенес встречу на более позднее время — на одиннадцать вечера. За час до назначенного срока Обнорский и Повзло поехали «кататься». Они кружили по городу минут двадцать, потом Обнорский выскочил у площади Независимости, нырнул в метро. «Хвоста», кажется, не было... Он купил за пятьдесят копеек пластмассовый жетончик зеленого цвета с абстрактным изображением пятилистника, спустился вниз. Киевское метро оказалось на удивление глубоким, напоминало в этом смысле питерский метрополитен. Почти сорок минут он катался туда-сюда, пересаживался с линии на линию, наблюдал за пассажирами. Убедился, что «хвоста» действительно нет...

Ровно в двадцать три ноль-ноль Обнорский встретился на перроне станции «Арсенальная» с полковником Перемежко. Вместе с ними в вагон вошли двое неприметных мужчин и Родя Каширин.

Поезд выскочил из тоннеля, остановился на станции «Днепр» и ринулся по мосту на левый берег. Внизу тускло блестела холодная вода.

— ...нужны нам эти головные боли? — сказал полковник.

— Думаю, не нужны, — ответил Обнорский.

— Правильно думаете... От «дела Горделадзе» все сейчас шарахаются, как от чумной крысы. Поэтому, поймите меня правильно, моя помощь может быть весьма ограниченной.

— Я понимаю.

— Чего же вы хотите?

— Мне нужны распечатки телефонов нескольких человек из окружения Горделадзе... это реально?

— Реально, — не очень охотно произнес полковник. — Кто конкретно интересует?

— Вот списочек. — Андрей передал газету.

Перемежко взял газету в руки, заглянул внутрь. Поезд летел над пустым и мрачным Гидропарком.

— Вайс, Затула, Мирослава и Алазония — это реально, — сказал полковник. — Но — Матецкий! Вы с ума сошли. Он депутат Рады, член Комитета по орг-преступности и...

— Я знаю, — перебил Андрей. — Я знаю, кто такой Отец.

— Тем более... Вы что же, хотите, чтобы меня раком поставили?

— Нет, не хочу.

— Тогда забудьте про Отца... Контроль за депутатом Рады исключен полностью. Это стопроцентный звиздец, — сказал полковник.

— Хорошо, я понял... С остальными поможете?

— Да... А за какой период нужны распечатки?

— С первого августа по сегодняшний день.

— Вы отдаете себе отчет в том, что это тысячи звонков?

— Да.

— Что ж, Бог в помощь, как говорится. Будут вам распечатки. Что-нибудь еще?

Поезд, расталкивая холодный воздух, вылетел на Русановский мост.

— Да, Василий Василич. Вчера на домашний телефон квартиры, которую я снимаю, звонили. Звоночек был в шестнадцать тридцать. Полагаю, из таксофона. Сможете уточнить?

— Смогу, — усмехнулся полковник. — Видимо, вас интересует номер таксофонной карты и все остальные звонки, которые были сделаны с этой карты? Я правильно понял?

— Да, очень интересует...

— Понятно. Что-то еще?

— Еще необходим «фильтр» звонков из Таращанского района на телефоны указанных лиц... за тот же период.

— Ох, круто солите, питерские, — покачал головой полковник. — Сделаю. Что еще?

— Вот это пачка из-под сигарет. — Андрей достал из кармана полиэтиленовый пакет. — Нельзя ли проверить «пальчики» по вашим учетам?

— Да-а... Ну вы даете! Надеюсь, это все?

— Хорошо бы еще пробить номера трех автомобилей, которые записаны на другой стороне листа. Они проявляют к нам определенный интерес.

— Понятно. Предупреждаю сразу: если это наша или эсбэушная наружка, то ответа не будет... За вами, кстати, и сейчас наблюдают.

— Кто? — изумился Обнорский.

Вагон был практически пуст. Молодая пара приготовилась выйти на «Левобережной».

— Вон тот тип справа, в кепке... видите?

— Это мой человек, — улыбнулся Обнорский.

— Я так и подумал, — ухмыльнулся в ответ полковник.

На «Дарнице» он вышел. Вместе с ним вышли мужчины, что сели порознь на «Арсенальной».

* * *

— Бездарно, Костя, — сказал Хозяин. — Просто бездарно... Стрельба по фуникулеру?! Эт-то, брат, нечто... Неужели нельзя по-другому?

«Ну ты и урод, — подумал Заец. — Ты же сам, сучара, говорил, что методы тебя не интересуют. А теперь вот как: „нельзя ли по-другому“».

— Стрельба не входила в первоначальный план. Бойцы перестарались... Но там такая обстановка сложилась.

— ...Твою мать! — стукнул кулаком Хозяин. — У тебя как у большевиков: «исторически сложилась». Ничего не складывается само по себе! Обстановку, как ты выразился, создают люди. Твои, между прочим, люди. Профессиональные кадры, а?

Хозяин замолчал, налил себе минералки. Выпил.

— А если бы пассажиры в фуникулере пострадали? А?

— Никто, включая Араба, не пострадал. Это была всего лишь акция устрашения.

— Акция устрашения? А если менты сейчас всерьез возьмутся за эту твою «акцию устрашения»? И выйдут на твоих недоделанных «профессионалов»?

— Во-первых, не возьмутся... Во-вторых, даже если возьмутся, то ничего не найдут. Оружие уничтожено, ребят я отправил на пару недель в Таращу. Посидят там, пока шум не уляжется. Даже наружку за питерскими я временно снял... Им, кстати, тоже нет резона хвост подымать. Все чисто, Матвей Иванович. Зацепиться ментам не за что.

Заец держался очень спокойно. Он вообще-то понимал, что Хозяин прав: сработали бездарно. В первоначальный план входило «отделать» этого Араба под видом банального разбоя. Ни в коем случае не убивать — просто «попортить здоровье»: сломать руку, челюсть... не более. Но Араб перехитрил всех. Ребятишки растерялись, упороли косяка... Константин Григорьевич Заец отлично это понимал. В советские времена за такую организацию операции звезды полетели бы — только держись! Но в советские, безвозвратно ушедшие, были бы задействованы совсем другие человеческие и технические ресурсы... Да и вообще, тогда самой такой истории и ситуации сложиться просто не могло бы.

— Ладно, ... твою! Главное, что люди не пострадали, — произнес Хозяин, и Заец в который раз подивился его цинизму.

Хозяина он знал давно, знал, что люди для него ничего не значат. И Хозяин знал, что Заец это знает, но все равно лицедействовал. Видимо, такова природа публичного политика.

— Ладно, Костя... Араба вы просрали. Это факт. Но, слава Богу, люди не пострадали. Кое в чем ты, однако, прав: менты за дело всерьез взяться не могут. Не до того им. А скоро им вообще ни до чего будет. Скоро на Украине такое начнется! Папу маненько подожмем — чтоб не ох...евал в атаке. За...бал этот гитарист. Пусть теперь Путину в уши дует «подмоскальские вечера»... Ха-ха-ха. Но!.. Но питерских «переводчиков» из виду не выпускай. Ситуация уже не та, чтобы они смогли что-то переменить. Однако не нравятся они мне. Шустрые больно.

Заец кивнул:

— С ними работает моя агентеса. Это во-первых. Во-вторых, я предлагаю внедрить в их квартиру «ушки».

— А сумеешь? — с сомнением спросил Хозяин.

— Не вопрос. Я уже подработал эту тему.

— Ну давай. Внедряй «ушки»... Эх, прогнать бы этих «переводчиков» через детектор брехни. Как этого грузина, х... ему в сраку.

— Да, это было бы не худо. Но детектор все еще в Тараще.

— Вот и надо было там, в Тараще-то, их прихватывать, — сказал Хозяин. Посмотрел на часы. — Ладно, у меня через полчаса доклад в Раде. Работай, Константин Григорич.

* * *

Вечером тридцатого ноября вся питерская бригада была в разлете. Обнорский встречался с полковником Перемежко. Повзло общался с коллегами, Родион договорился о встрече с одним старым вором. Координаты вора дал ему Зверев. Когда-то дорожки опера Зверева и вора Буханкина пересеклись. Сашка дал Родиону киевский телефон Буханкина, сказал:

— В случае чего обратись к Краюхе. Скажешь — Зверев привет передает. Ежели вдруг он меня «позабыл», то напомни про встречу в мотеле «Ольгино»... Это-то он помнит.

— А что было в мотеле «Ольгино»? — спросил любознательный Родя.

И получил ответ:

— Про это вам, гражданин Родя, знать не обязательно... Уж ее-то, встречу ольгинскую, он точно не забыл.

— А будет мне толк с Краюхи?

— А я почем знаю? — ответил Зверев. — Ты летишь в Киев — я даю тебе киевскую связь. А уж пригодится или нет — не знаю.

Краюхе Каширин позвонил не потому, что рассчитывал узнать что-либо по «делу Горделадзе». Каким боком вор шьется к политическим пасьянсам украинской элиты?.. А просто хотел познакомиться с серьезным человеком и на всякий случай задать пару вопросов про Отца. Родя позвонил, передал привет от Зверева. Вор, кажется, нисколько не удивился.

— Как там поживает Александр Андреич-то? — спросил Краюха после паузы. — Давно его не видал... давно.

— Спасибо, Рудольф Николаевич, — ответил Родион. — Нормально.

— Ну-ну... Слыхал про него маленько... от общих знакомых. А вас, простите, как звать-величать, молодой человек?

В начале разговора Родя представился и, кстати, нисколько не сомневался, что вор запомнил его имя — Зверев сказал, что Краюха любит иногда изобразить из себя человека недалекого, даже глуповатого. А на самом деле вор умен, памятлив, начитан... Родион представился повторно: Родион Каширин, журналист из Санкт-Петербурга, коллега Александра Андреевича Зверева.

— А по отчеству? — спросил Краюха.

— Да незачем это, — скромно сказал Родя, но вор настоял на своем.

Потом спросил: а что, мол, привело питерского журналиста в Киев? И что нужно от него, старого человека, Родиону Андреичу?

— Есть потребность пообщаться, — сказал Каширин.

Он нисколько бы не удивился, если бы вор уклонился от встречи. Но Краюха ответил:

— Почему не пообщаться? Можно и пообщаться.

Пока Родя «общался», люди Зайца начали ставить «ушки» в штаб-квартире. Предварительную разведку подъезда, двери и замков уже провели «сантехник» и «врач „скорой“». Убедились, что сигнализации нет, а замок особой сложности не представляет. Замок, в принципе, был не самый простой — пацану-пэтэушнику его не открыть, но человеку с опытом в этом деле — запросто. У «сантехника» такой опыт был. Когда в квартире не осталось никого, «сантехник» и Заец поднялись на пятый этаж, на всякий случай позвонили. Внизу их страховали еще двое... Замок щелкнул.

— Прошу, маэстро, — сказал «сантехник», распахивая дверь.

Они вошли в квартиру. Нервишки у обоих, надо сказать, были напряжены — ремесло шпиона требует огромных нервных затрат. Заец тщательно осмотрел квартиру, выбирая места под закладку. «Сантехнику» делать было нечего. Он присел в кухне, выкурил сигарету. Пепел аккуратно стряхивал в раковину, потом смыл струей воды, окурок убрал в карман... Вышел из кухни и спросил:

— У тебя долго еще, Костя?

— Пять минут, — ответил Заец.

Он уже пристроил фирменный «жучок» в гостиной, а теперь возился с телефоном. Он «воткнул» «жука» в разрыв линии. Миниатюрный передатчик мог, таким образом, питаться от электроэнергии самой линии и действовать неограниченно долго. Напряжение в сети при этом несколько падало... Но кто будет его измерять?

— Пять минут, — ответил Заец. — Не ссы...

— Как раз наоборот, пойду-ка я пописаю. Прижало, как после литра пива.

— Это у тебя от нервов, — буркнул себе под нос Заец.

В туалете «сантехник» сделал свое дело, но, когда собрался выйти обратно, обнаружил, что замок открываться не хочет... Любого другого человека это бы смутило. Но не спеца по проникновению в закрытые помещения. Конечно, он нервничал... конечно. Сначала он даже подумал, что Заец подпер дверь снаружи. Он понимал, что это ерунда, что этого не должно и не может быть. Но нервы звенели. Сантехник несколько раз дернул ручку и даже толкнул дверь ладонью. Ему неоднократно приходилось проникать в чужие жилища. Но раньше у него в кармане лежала очень серьезная ксива, позволяющая с ходу закрыть все (или почти все) вопросы. Отпирая чужие двери, он выполнял волю своего руководства, а по большому счету — государства. Нынче он совершал уголовное преступление, ксивы у него не было. Наконец «сантехник» сообразил, что произошло. Он матюгнулся, достал из кармана отмычку и через двадцать секунд легко выбрался из плена.

— Лохи, — пробормотал он, вытирая мерзкую испарину со лба. — Всего-то у замка один сухарик поджать — и порядок.

— Порядок, — сказал, выходя из гостиной, Заец. — А ты чего такой бледный?

— Да так, ничего.

Спустя две минуты они покинули киевскую штабквартиру «Золотой пули».

* * *

Родион пообщался с Краюхой впустую. Они встретились в кафе возле вокзала, попили пива, потолковали за жизнь и друг другу вроде бы понравились. Однако когда Родя начал закидывать удочку про Отца, старый вор сказал:

— Э-э, Родион Андреич... Оно мне надо? Я черной масти, в такие игры не играю. Это тебе любой блатарь скажет. Это тебе и Александр Андреич подтвердит. Тебе Отец нужен? Ты к Отцу и иди. А я в братанские дела не лезу, у меня свой хабар.

— Да я про Отца так, к слову,— спокойно ответил Родя. Он с блатными легко находил общий язык.— К слову... Мы вообще-то здесь заняты «делом Горделадзе».

— А-а, козни Бунчука, значит, вскрываете? Ну-ну... Святое дело.

Краюха рассказал еще пару историй, которые никакого отношения к делу Г. Г. не имели, Родя тоже загнул ему пару баек про Север... На том и расстались.

* * *

Обнорский вернулся с конспиративной встречи с полковником Перемежко ближе к полуночи. Подъезжая к дому, он позвонил мужикам: «Еду, через минуту буду».

Звонок был страховкой. Примитивной, конечно, но лучше уж такая, чем совсем никакой.

Андрей позвонил, предупредил. Это означало, что Коля с Родей выйдут перекурить на лестничную площадку и будут, по крайней мере, слышать, что происходит внизу, в подъезде. Если кто-то затеет устроить там засаду (а сквозной подъезд идеально для этого подходит), то он ее устроит. И не поможет никакой перекур на лестнице. Но почему-то было немножко легче на душе оттого, что тебя ждут, что тебя встречают.

...Никому из питерских журналистов и в голову не могло прийти, что в квартире уже сидят хитрые «ушки», что любой телефонный звонок фиксируется и фактически раскрывает планы «переводчиков»... В таких условиях звонок, сообщающий: «Через минуту буду», — объективно работает на противника. И если бы в тот вечер было принято решение о силовой акции, то оно было бы элементарно осуществлено: звонок «еду», команда от прослушки: «приготовились, едет»... Человек с кастетом на руке входит в подъезд, аккуратно выкручивает лампочку и встает рядом с лифтом...

В тот день команды на силовую акцию не было. «Торпеды» после неудачных действий на лестнице и Почтовой площади отсиживались в глубинке. Андрей вернулся на базу без приключений.

* * *

Повзло с Родионом вернулись без приключений и даже с уловом. Едва Обнорский поднялся на пятый этаж и вышел из лифта, Повзло сразу сказал победно:

— Есть!

— Что есть? — механически спросил Андрей.

— Следочек есть, — ответил Коля.

Вошли в квартиру, сели в кухне. Ошибся господин Заец — не учел русскую манеру общаться в кухне, возле горячего чайника (вариант: бутылки с водкой) и поставил своего главного «жука» не там, где нужно... Сели в кухне, дружно задымили. Андрей бросил на стол пухленькую папку с распечатками телефонных контактов ближайшего окружения Георгия Горделадзе.

— Ну-с, господа инвестигейторы, попрошу поделиться результатами сегодняшнего дня... Кто первый?

— Наверно, я, — сказал Родион. — У меня, собственно, результатов никаких нет. Работа по уже имеющимся распечаткам ничего не дала. Самые обычные контакты... Выявил четыре неизвестных номера. Надо их устанавливать. Вот, пожалуй, и все.

— По телефонам работы тебе еще полно, — ответил Андрей и кивнул на папку. — Вася Перемежко распечатки устроил... А что у тебя, Коля?

Николай откинулся на спинку стула, посмотрел на коллег серьезно, значительно:

— Есть, мужики. Кажется, есть зацепка.

— Ну-ка, ну-ка...

— Я сегодня пил пиво с одним деятелем...

— Это мы поняли, — сказал Обнорский.

— Что вы поняли?

— Что ты пиво пил...

— А-а... Так я для пользы дела. Короче, пил я нынче пиво с одним парнем из местной тусовки. Парень нормальный, но с пунктиком — во всем видит москальскую экспансию. Я с ним не первый раз разговариваю...

— Да уж, конечно, — ядовито вставил Родя, — пиво-то приятней сосать с земляком, чем над портянками распечаток корпеть... Плавали, Николай Степаныч, знаем.

— Выключите второй микрофон, — потребовал Коля. — Понаехавши тут с Диксона... Тока и умеют орать: «Я срать пошел!»

— Орать, Николай Степаныч, больше не надо... Замок работает исправно.

— Да ну? Починил, что ли?

— Починил, — с достоинством ответил Родя.

На самом-то деле он, обдумывая свой разговор с Краюхой, машинально запер дверь туалета на защелку... И сам испугался: один в квартире, кто вызволять будет? Но попробовал открыть, повернул защелку назад, и произошло чудо — замок исправно работал. Родион пощелкал еще несколько раз — открыл-закрыл, открыл-закрыл... Работает... Эва как!

— Починил, — ответил Родя. — Полярники — ребята с головой и с руками. А некоторые — только пиво по барам жрать.

Про то, что он и сам пил пиво с Краюхой, Родя тактично умолчал. Обнорский скептически хмыкнул и сказал:

— Так что там, Коля, у тебя интересного?

— Горделадзе анонимно размещал заказные материалы в Интернете. Один раз — точно. Но, видимо, не один.

— Ага, — сказал Обнорский, — как мы и предполагали. Ну-ка, давай подробней.

— Где-то в середине апреля Георгий, Алена и мой источник...

— Кто он, кстати?

Повзло положил на стол визитку, Обнорский взял в руки, прочитал: «„Вечерний экспресс“. Поздняк Антон Петрович. Начальник репортерского отдела. Киев. Тел. 295-17-..., факс 295-14-...». От руки был дописан домашний телефон и мобильный.

— Так вот, в середине апреля Георгий, Алена и Антон зашли как-то в Интернет-кафе. На глазах у Антона Г. Г. набрал статью и скинул ее на «левый» сайт. Алена была не очень довольна, но Гия сказал: ерунда, мол, Антон — наш человек... Он в то время как раз Антоху сватал к себе в «Вести».

— Так, так, так... А что был за материал? — спросил Обнорский.

— Вопрос хороший... Но ответа на него нет.

— Как это?

276

— Видишь ли, в чем дело, Шеф... Антон крепенько поддатый был. Помнит, что материал был сильный, очень конкретный — с приведенными цитатами из документов, с номерами каких-то счетов — словом, совсем не в обычном стиле господина Горделадзе.

— Это понятно... Но кого конкретно разоблачал наш Дон-Кихот?

— Я же тебе говорю: не помнит он. Запомнил только, что Горделадзе руки потирал и шутил: это, мол, третий выстрел. А я в вас, блядей, всю обойму засажу.

— Лучше бы он содержание статьи запомнил, — сказал Родион.

— Адрес этого кафе есть? — спросил Обнорский. — Или он тоже не запомнил?

— Есть адрес, — успокоил Коля. — Завтра иду туда. Будем проверять.

— Очень хорошо, — сказал Андрей. — Это реальный след. Все, как и положено, без неожиданностей... Нечто подобное мы и предполагали. Эту тему, Коля, нужно работать по полной программе.

— А у тебя что-нибудь есть, Шеф? — спросил Родион.

— Есть, — сказал Обнорский. — Во-первых, Перемежко дал новые распечатки. Это, Родион, ложится на тебя... Понимаю, что у тебя уже трещит голова от этих распечаток, но придется попахать. (Родя кивнул.) Во-вторых, человек, звонивший мне насчет кассет, действительно пользовался таксофонной картой... Пользовался ею всего единожды, так что здесь нам ничего, друзья мои, не светит. В-третьих, «пальцы» на пачке из-под сигарет есть. По региональной картотеке они не проходят, но полковник дал запрос и в центральную. Ответ будет завтра... А вот сейчас самое главное. Сейчас самое интересное: «шестерка», которая болталась у меня на «хвосте», зарегистрирована на жителя Таращи Иванова Леонида Павловича.

— Нормально, — сказал Родя. — А если совпадение?

— Может быть, и совпадение... Но все равно я думаю, что нужно ехать в Таращу.

***

— Я тоже соскучился, — сказал Обнорский в трубку.

«Жучок» в корпусе телефона исправно передавал слова Андрея на ретранслятор, установленный во дворе дома, в багажнике дряхлого «Москвича», а с него — дальше.

— Я тоже соскучился. Но, честное слово, совершенно нет времени и... сплошной аврал у нас. Хватай мешки — вокзал отходит.

— Приходи, — ответила Галина, — отдохнешь.

— С тобой навряд ли, — сказал Обнорский.

— Хам!.. Обыкновенный питерский хам.

— Девушка, ведите себя прилично. Во-первых, я сделал тебе скрытый комплимент. Во-вторых, мне надо элементарно выспаться. Завтра я сгоняю в Таращу и сразу по возвращению — к тебе.

— Господи! Опять в Таращу? Ну что тебе в этой Тараще — медом намазано, что ли?

— Да есть пара вопросов к эксперту.

— А ты отправь туда Мыколу или этого... полярного волка. Ты же начальник, в конце-то концов.

— У них тоже полно работы, Галка.

— А толку с вашей работы, Андрей?

— Э-э, не скажи, у нас, кажется, есть существенные сдвиги.

— Все сдвиги у Стужи... Теперь уже и ребенку ясно, почему исчез Георгий и кто стоит за его исчезновением.

Андрей выпустил струйку дыма, посмотрел, как он стелется в свете настольной лампы, меняет свои контуры... Точно так же расплывалась, меняла свой смысл история журналиста Горделадзе. Казалось, что разгадка совсем близко. Вот-вот из массы разрозненных фактов, мнений, случайных и неслучайных событий сложится некий рисунок. Логичный и композиционно законченный. Но он все никак не складывался...

— Ребенку, — ответил Андрей, — наверное, ясно. А вот мне пока нет. Я бы даже сказал, что совсем не ясно. А Стужа — он, скорее всего, добросовестно заблуждается. Верит в то, во что очень хочет поверить.

— Ах, Обнорский, Обнорский... во сколько ты вернешься из своей Таращи?

— Не знаю. Как только вернусь — позвоню.

— Давай лучше так — ты не звони, а сразу приезжай. Я буду ждать.

* * *

Из прессы:

«В Киеве разворачивается и с каждым часом набирает силу мощная антипрезидентская кампания. Заявление лидера СПУ Александра Стужи о прямой причастности президента и других высоких должностных лиц к исчезновению журналиста Горделадзе вызвало серьезный кризис во властных структурах. Многие наблюдатели заговорили о грядущей смене власти. Причина перемен, по словам политиков, кроется не в нарушении принципов демократии, законности и свободы слова... Заявление Стужи свидетельствует о намерении очень мощных финансово-политических сил отстранить от должности нынешнего президента».

«Отвечая на вопросы журналистов депутат Рады Александр Стужа сказал: „Я готов в суде доказать, что записи, обнародованные мной, подлинны, и господин Бунчук инициировал действия своих подчиненных в отношении честного журналиста Горделадзе". „С другой стороны, — отметил далее Александр Стужа, — и администрация президента, и сам президент, будучи заинтересованными в том, чтобы опровергнуть мои якобы инсинуации, должны обратиться к международным организациям или конкретным государствам по поводу технической экспертизы записи и, кстати, по поводу экспертизы тела, найденного в Тараще".

Лидер Соцпартии отметил также, что никто из высших должностных лиц не сделал официального заявления, что предъявленные записи — фальшивка».

«Западные эксперты не подтверждают подлинность записей Стужи!

По утверждению Александра Стужи, западные специалисты дали заключение о подлинности записанных разговоров. Однако версия голландской журналистки Катрин де Грис из амстердамской Интернет-газеты „De Volkrant" расходится со словами Стужи. По словам журналистки, получив от Стужи несколько недель назад копию кассеты с записью, она отнесла ее в лабораторию. Вывод специалистов, проводивших анализ: качество пленки слишком низкое для того, чтобы делать какие-либо заключения. Голландские эксперты считают, что в помещении, где производилась запись, слишком много посторонних шумов, а микрофон находится далеко от говорящих. В то же время, со слов журналистки, эксперты заявили, что единственная возможность доказать аутентичность кассет — это „субъективный анализ". Это означает, что „если вы дадите послушать кассету многим людям, которым лично знакома речь президента, и они придут к выводу, что слышат речь президента, то следует считать запись подлинной". Катрин де Грис сообщила, что „отдала кассету знакомым украинцам и они согласились, что человек на кассете — президент Бунчук. Особенно принимая во внимание его лексику"».

* * *

Каширин просидел над распечатками до трех часов ночи. Не осилил даже четверти материала. Работа с листами, сплошь покрытыми столбцами цифири, утомительна, однообразна и требует концентрации внимания. Родион сидел, обложившись бумагами, разносил звонки по абонентам, датам, входящим-исходящим. К трем часам он выкурил почти пачку сигарет и выпил литр кофе. Кухня, где работал Родион, была наполнена сизым дымом, в голове шумело. «Пора заканчивать», — решил Родя.

* * *

Обнорскому снова — в который раз уже! — приснился Кука со своей бандурой. Андрей проснулся как от толчка. На потолке дрожал слабый отсвет с улицы, за окном кружился снег. Обнорский сел на диване, посмотрел на часы — без двух минут три. «Вот так, — подумал он, — захочешь выспаться в кои-то веки — так хрен выспишься...» Привет от Куки.

Андрей поискал сигареты, не нашел и вспомнил, что забыл их в кухне. Он встал и босиком пошел в кухню. Из коридора увидел, что в кухне горит свет.

— А ты чего не спишь? — спросил он Каширина.

Родя посмотрел на Обнорского шальными глазами и сказал:

— Затуле звонили из Таращи.

Андрей опустился на стул, взял со стола пачку «Кэмел».

— Ну и что в этом необычного? Ей действительно звонил эксперт. И даже не один раз.

— Не только эксперт, — возразил Родя.

— Да, не только. Еще ей звонили из прокуратуры, — ответил, вынимая сигарету, Андрей. — Возможно, из тамошней милиции тоже звонили.

Каширин откинулся на спинку стула, посмотрел воспаленными глазами:

— Ты помнишь, когда обнаружили тело?

— Конечно, второго ноября... А третьего выкопали.

— Затуле звонили семнадцатого сентября и первого ноября. На следующий день после исчезновения Георгия и за день до обнаружения тела.

Обнорский замер с неприкуренной сигаретой. Мерцал огонек зажигалки.

* * *

В девять утра Заец получил записи разговоров питерской бригады, сделанные с помощью «ушек». Человек, отвечающий за «прослушку», в письменном отчете сообщил, что с «жучка», установленного в гостиной, толковой информации не получили: звук телевизора и вялый обмен репликами Родного и Шустрого... В общем, ничего существенного, да и качество далеко от идеала — телевизор слышно лучше, чем клиентов.

Телефонных разговоров было пять. Один раз Шустрый звонил в Питер. Звонок был личного характера, полезной информации не содержал. Дважды по киевским номерам звонил Родной. Пять минут трепался с дамочкой по имени Галина, набивался в гости, но она явно не хотела этого... Ссылалась на обстоятельства, отказала. Второй звонок он совершил некоему Антону. Видимо, журналисту... Договорился о встрече в Интернет-кафе... Тоже ничего существенного.

А вот звонки Араба весьма Зайца заинтересовали. Первый звонок был в Симферополь, некоему Сергею Васильевичу. Судя по всему, этот Сергей Васильевич был как-то причастен к расследованию, и Заец решил, что обязательно нужно пробить этого симферопольского незнакомца... Не он ли заказчик? В разговоре с Сергеем Васильевичем Араб сказал, что в деле есть существенные подвижки.

Второй звонок Араб сделал Галине. И сказал, что едет в Таращу, к эксперту Боротынцеву.

— В Таращу, — повторил вслед за Арабом Заец, — в Таращу. Что ж, это хорошо... Сам в руки идет. Вот в Тараще-то мы и потолкуем по душам, господин Араб.

Константин Заец выкурил сигарету, обдумывая ситуацию, потом сделал несколько звонков...

— Посмотрим, какие у тебя появились «существенные подвижки» и что ты вообще за гусь, — подвел он итог.

* * *

Обнорский гнал машину по знакомой уже трассе в Таращу. Летели навстречу заснеженные поля, низко над горизонтом всходило хилое декабрьское солнце.

Негромко звучал джаз из магнитолы, посапывал во сне Каширин.

Обнорский думал о том, что означают звонки из Таращи любовнице Георгия Горделадзе. Первый звонок еще можно было объяснить — допустим, ночью с шестнадцатого на семнадцатое сентября Горделадзе увезли (или сам уехал) в Таращу. Оттуда он и позвонил, чтобы успокоить Алену или что-то ей передать... Возможно такое? Возможно... Но первого ноября, когда Георгий был уже месяц-полтора мертв... Кто и зачем звонил Затуле? Кто и зачем? Звонить могли его похитители или убийцы... Но зачем?

Белые украинские поля летели навстречу, и странно звучала труба Армстронга посреди этого снежного пространства, под карликовым солнцем.

— Мама, — сказал во сне Родион и улыбнулся.

«Вот будет смешно, — подумал Андрей, — если у Затулы в Тараще живет какая-нибудь двоюродная тетка или школьная подружка. И загадочные звонки из Таращи — всего лишь невероятное совпадение. Э-э, нет, брат... В жизни, конечно, разные совпадения бывают. Но ведь звоночки-то были один — сразу после исчезновения Г. Г., второй — за день до обнаружения трупа... Вот тебе и тетка двоюродная вместе со школьной подружкой!.. Кто и зачем звонил Алене? Кто и зачем?»

Задумавшись, Андрей едва не проскочил поворот. Он резко затормозил, Родя клюнул носом и проснулся.

— Что? — спросил Родя спросонья, щурясь на низкое солнце. — Где мы?

— Спи, Родион, — ответил Обнорский. — Еще минут двадцать можешь спать... В Тараще разбужу. Там уж спать — извини — не придется.

— Угу, — ответил Родя и снова задремал.

До Таращи осталось километра два, когда Обнорский увидел на обочине микроавтобус «ниссан» с включенной «аварийкой» и голосующую девушку в короткой дубленке. Он плавно снизил скорость и подъехал к девушке. Вылез из машины. Родя посапывал, и стонала труба Армстронга. А девушка улыбалась неуверенно, смущенно.

* * *

В Интернет-кафе Горделадзе хорошо знали. Не понадобилось даже предъявлять фото и объяснять, что к чему.

— Георгий? — спросил хозяин — молодой мужик с усами а-ля Сальвадор Дали и гроздью сережек в ухе. — Ха, конечно, знаем... Вернее, знали. Наш, можно сказать, постоянный клиент. Если бы не эта старая сволочь Бунчук!

— А часто у вас бывал Георгий? — спросил Коля.

— Последнее время перед своим исчезновением не особенно часто. Но весной и летом — практически еженедельно.

— Когда он начал у вас появляться?

Сальвадор Дали заложил большие пальцы в кармашки жилетки, подумал и ответил:

— Я думаю, где-нибудь в конце марта он появился.

«Господи, — подумал Николай, — в конце марта! Если он шлялся сюда еженедельно в течение четырехпяти месяцев, то мог вбросить в сеть штук двадцать информационных „бомб“. Даже в „Украинских вестях“ он не работал так эффективно! Еженедельно — статья. Интересно, где он брал материалы? Или, вернее, кто давал ему эти материалы? И что там была за фактура?»

— Гия — он очень порядочный человек был, — продолжал Сальвадор Дали. — Такая эпоха — пир мародеров.

— Да, конечно, пир мародеров, — согласился Коля. — А с какой целью, Дмитрий, посещал ваше кафе Георгий?

— О-о! Интернет — дело интимное... Мы не суем нос в дела наших клиентов. А если вдруг что-то видим вполглаза или слышим вполуха, то, как священнослужители, храним тайну исповеди.

284

— Да, я вас понимаю и уважаю вашу позицию. Но, видите ли, в чем дело... Мы расследуем дело об убийстве Георгия.

— Я понял вас, Николай. Это благородная задача.

— Если бы вы могли нам чем-то помочь...

— Увы! Я, к сожалению, ничем не могу вам помочь... Увы!

— Очень жаль.

— Мне тоже. Но...

Коля посмотрел Сальвадору Дали прямо в глаза и проникновенно сказал:

— Пока Георгий был жив, его личная жизнь была только его личной жизнью. Но после его смерти многое переменилось, и его жизнь стала фактом, влияющим на жизнь общества в целом. Не так ли, Дмитрий?

— Безусловно. Но... ничем помочь вам не могу.

Коля задал еще несколько вопросов, получил на них неконкретные ответы. После этого они с Антоном ушли. В ближайшем кафе попили пивка и расстались. Антон побежал на службу, Коля побрел домой.

На площади Независимости шел митинг. Кто-то, бородатый и косматый, надсадно орал в микрофон. Динамики шипели, фонили и слышно было худо. Однако слова «Бунчук — убийца!» доносились хорошо. При каждом заклинании бородатого «Бунчук — убийца!» толпа подхватывала... В отдалении стояла милицейская машина и несколько милиционеров переминались в нерешительности. Коля постоял, послушал, крикнул один разок «Бунчук — палач!», сплюнул и пошел прочь.

* * *

— Проблемы? — спросил Обнорский.

— Да, — ответила девушка. — Двигатель заглох. То ли сломался, то ли бензин кончился...

— Кхе, — сказал Андрей. — Это почти одно и то же... Не так ли?

Девушка улыбнулась, кокетливо пожала плечами. Андрей бросил:

— Ладно, сейчас разберемся... Ключи в замке?

— Да-да, в замке,— ответила она как-то неуверенно.

Обнорский распахнул дверцу, заглянул внутрь — в грузовом отсеке лежали какие-то мешки, накрытые брезентом,— и сел в водительское кресло. Ключи действительно были вставлены в замок зажигания, брелок в виде боксерских перчаток висел на цепочке. Андрей повернул ключ. Затарахтел стартер и... движок заработал. Андрей удивленно посмотрел на девушку: что же ты, подруга, мозги кру... Он ощутил какое-то движение за спиной и, кажется, понял или, вернее, начал понимать, но было уже поздно — ладонь с остропахнущей хлороформом тряпкой легла на лицо, прижала затылок к подголовнику.

Он дернул головой, протянул левую руку к клаксону — разбудить Родьку! — но не успел, не смог. Сознание провалилось в какую-то черную дыру...

* * *

Очнулся Андрей с тяжелой головной болью. Как будто с глубокого похмелья. Он не понимал, где он и что с ним. Он лежал на кушетке, какие украшают поликлиники всей страны, в почти пустом помещении без окон и тусклой лампой «дневного света» под потолком... Что за черт, где я нахожусь?

Андрей сел на кушетке, попытался поднести правую руку к голове и не смог — руки были скованы наручниками.

— О-о, е-ё! — сказал Обнорский.

Встала перед глазами заснеженная обочина, девушка с неуверенной улыбкой и мигающий «аварийкой» «ниссан»... Он вспомнил. Он все вспомнил! И детское посапывание Роди... и трубу Армстронга... и свой дурацкий вопрос: «Проблемы?»

Он поднял обе руки к голове, потер лоб. Во рту стоял мерзкий запах хлороформа, было очень холодно. Тоскливо обвел взглядом помещение: кирпичные стены, железная дверь, старые лысые покрышки от грузовика в углу, какие-то ящики, бочка, лопаты и метлы. Он снова вспомнил свой идиотский вопрос: «Проблемы?» Да, проблемы. Еще и какие проблемы! Лаптем не расхлебаешь.

Андрей прямо через куртку пощупал карман, в котором лежал телефон... Телефона, разумеется, не было. Что они — дураки, чтобы телефон тебе оставить?

Андрей не знал, кого подразумевает под словом «они». Они — это они. Те, кто организовал слежку, охоту на спуске к Днепру и стрельбу по фуникулеру. Они — это те, кто организовал похищение и убийство Горделадзе. Это факт, который необходимо признать... И отдать себе отчет в том, что положение серьезно. Донельзя серьезно, серьезней некуда.

А куда они дели Родьку?! Черт возьми! Родька где? От мысли, что он не только сам подставился, но и Родиона подставил, Обнорский заскрипел зубами. С удвоенной силой накатила боль. Он закрыл глаза и лег на холодную кушетку.

* * *

Каширина от Обнорского отделала стена — Родион находился в соседнем помещении. Его положение мало чем отличалось от положения Андрея. В помещении было так же холодно, почти так же пусто и мрачно. Вот только лежал Родя на голой — без матраца — панцирной кровати. К спинке этой кровати была прикована его правая рука.

До некоторой степени положение Роди было еще хуже, чем положение Андрея. В отличие от Обнорского он даже не знал, что и как произошло, — в момент захвата он спал, и боевики Зайца даже посмеялись: вон оно как — усыпили спящего... Умора! Сам Родя так не считал. Он изумленно оглядел помещение, подергал наручники. Точно так же, как и Обнорский, убедился, что телефона нет. Ну а кто ж тебе телефон оставит?

Родион сел на скрипучей панцирной сетке, задумался.

* * *

Заец узнал об успешно проведенном захвате около полудня. В осторожных выражениях он поинтересовался, как все прошло, не было ли осложнений. «Нет, — ответили ему, — все о'кей».

— Отлично, — ответил Заец, — часам к пяти я сам подъеду. Без меня не начинать.

— Да они раньше и не очухаются.

* * *

Николай Повзло раз десять набрал номер Обнорского и столько же раз — Каширина. Оба телефона не отвечали. Коля не мог знать, что оба аппарата лежат рядышком на широком подоконнике в одном из помещений Таращанского моторного завода и своим пиликанием развлекают команду «торпед».

Андрей совсем замерз. Как мог он пытался согреться, но получалось не очень... Он даже не знал, сколько времени прошло с момента захвата на шоссе. Сколько, интересно, действует этот хлороформ? Два часа? Пять? Сутки?

Андрей ходил из угла в угол, приседал, размахивал руками. Хотелось пить и еще сильнее — курить. Несколько раз Андрей подходил к двери, прикладывал ухо... Из-за двери не доносилось ни звука. Где, черт побери, я нахожусь? Скорее всего, в Тараще. Вполне возможно, в том самом помещении, где держали Горделадзе. Или хранили его труп. От этой мысли стало мерзко на душе. Вспомнилась яма в лесу и горлышко бутылки, указывающее на яму.

— Ерунда, — сказал он вслух, — не убьют. Хотели бы убить — убили бы сразу... Нет, не убьют.

Сознание гадливенько подсказало: а ведь Горделадзе тоже убили не сразу. Сначала с ним «поработали». И только потом застрелили из табельного ствола... Потом отрубили голову и герметично упаковали тело.

Андрей сглотнул комок. Умирать не хотелось. Умирать очень не хотелось.

«А придется», — шепнул голос капитана Кукаринцева за спиной. Он прозвучал настолько явственно, что Андрей даже обернулся. Никого сзади, разумеется, не было.

— Да вот хрен тебе, Кука, — сказал Андрей вслух.

Он встал с кушетки, прошел в угол, где стояли лопаты и ведра, и сразу увидел то, что нужно, — кусок стального уголка длиной около метра. Андрей взял его в руки, несколько раз взмахнул, примериваясь. Самое то.

...Когда в коридоре раздались шаги, он взял свое оружие и встал возле двери справа. Отвел руки с железом, изготовился для удара. За дверью раздались голоса, заскрипел ключ в замке.

* * *

У Повзло зазвонил телефон. Коля ждал звонка уже три часа. Он сразу схватил трубку:

— Алло!

— Николай Степаныч?

— Да, я... кто это?

— Это друг. Николай Степаныч, ваши коллеги заскочили в гости и сейчас не могут вам позвонить.

— Кто это? Кто говорит? Представьтесь.

— Повторяю: друг. Обнорский и Каширин сейчас в гостях. На некоторое время они задержатся. Если вы не хотите варианта, как с Горделадзе, не звоните никуда... Вы все поняли?

Коля стиснул трубку так, что побелели пальцы.

— Вы все поняли? Не надо никуда звонить.

— Я понял. Какие вы можете дать гарантии?

Человек на том конце провода удивился:

— Какие, к черту, гарантии?

— А если вы их...

— Бросьте, Николай Степаныч. Мы просто поговорим. А вот если вы поднимете шум, то, извините, нам придется пойти на непопулярные меры. Вы понимаете?

— Да, понимаю.

— До свидания, Николай Степаныч.

В трубке раздались гудки. Коля выматерился. «Слухач» в номере отеля «Премьер-палац» довольно рассмеялся.

* * *

Ключ в замке сделал два оборота. Дверь распахнулась. Скрипнули немазаные петли. Андрей сделал глубокий вдох как перед прыжком в воду.

— Обнорский, — сказал голос из-за двери, — мы знаем, что вы человек решительный... Но глупостей все равно делать не надо. Никто с вами в рукопашной сходиться не будет. Застрелим — и все.

Андрей стоял, ощущая затылком холодную шершавую стену. Видел на грязном полу неясную серую тень.

— Обнорский, вы меня слышите? Выходите на середину комнаты.

Андрей молчал. В тишине отчетливо щелкнул взведенный затвор.

— Не дурите, Андрей Викторович. Бросьте на пол свое оружие... Что там у вас — лопата?.. Бросьте на пол и выходите на середину помещения... Ну не потчевать же вас «черемухой»?

Обнорский сплюнул, отшвырнул к порогу уголок и встал напротив двери. В дверном проеме стоял человек с пистолетом. За его спиной — еще двое, с дубинками. Лица всех троих были скрыты шапочками с дырками для глаз и рта.

— Вот видите, — сказал человек с пистолетом, — вполне можно по-хорошему... А вы сразу за железо хватаетесь. Зачем это?

— Где мой сотрудник? — спросил Андрей.

Человек с пистолетом вошел внутрь, щелкнул предохранителем и убрал ствол под куртку. Следом за ним вошли двое с дубинками. Остановились в полутора метрах.

— Курить хотите?

— Где мой сотрудник? — повторил Андрей. — Что вы с ним сделали?

— Да ничего не случилось с вашим сотрудником... Что вы переживаете попусту?

Андрей опустился на кушетку. Человек, который говорил, присел рядом, достал из кармана сигареты.

— Курите, — сказал он, протягивая пачку.

Обнорский вытащил сигарету. Человек щелкнул зажигалкой. Андрей затянулся, дым сладко потек в легкие, сразу закружилась голова. Двое с дубинками внимательно следили за движениями Андрея. Обнорский подумал: «Не те ли самые, что преследовали меня на лестнице?»

— Ну вот, — сказал тот, что с пистолетом, — успокоились?

— Может, наручники снимете?

— Снимем... чуть позже. И чаем напоим.

— А коньяком?

— А коньяком — нет. Трезвость — норма жизни, как говорил Лигачев.

— Я узнал ваш голос, — сказал Андрей. — Вы мне звонили, назвались Николаем.

— Тем лучше — мне не нужно представляться, — весело сказал Николай.

Обнорский бросил сигарету на пол, раздавил ботинком.

— Короче, — сказал он. — Чего вы хотите?

— Задать вам несколько вопросов. Всего лишь. Потом мы вас отпустим. Но с обязательным условием — вы улетаете из Украины и нос в украинские дела больше не суете. Понятно?

— Понятно.

— Никогда ничего не пишете про это и никому ничего не рассказываете, — продолжил Николай.

— Понятно. Я хочу видеть своего сотрудника.

— Легко, — кивнул Николай. — Пойдемте.

Он встал, встал и Обнорский. Николай вышел первым, за ним один из бойцов, потом Андрей и, замыкающим, второй боец. Они оказались в недлинном, захламленном коридоре. Слева была дверь, и Андрей интуитивно понял, что она ведет на улицу. На свободу. Справа — лестница на второй этаж. Над головой мигала лампа «дневного света».

— Здесь ваш сотрудник, — сказал Николай, — здесь...

Один из бойцов достал связку ключей, выбрал нужный и вопросительно посмотрел на Николая. Тот кивнул. Боец вставил ключ в дверь, соседнюю с тем помещением, где держали Обнорского. На серой краске было написано: «Инструментальный склад». Ниже — «Ответственный за пожбезопасность Глущенко Г. И.».

Замок щелкнул, боец распахнул дверь... Обнорский увидел Родиона, сидящего на голой кровати. Правая рука Роди была наручником прикреплена к спинке. Глаза Обнорского и Андрея встретились.

— Родя! — сказал Обнорский. — Родя, ты как?

Каширин перевел взгляд на людей в масках, потом снова на Андрея... улыбнулся.

— Нормально, — сказал он. — В кои-то веки выспался как человек.

— Вот и поговорили, — сказал Николай и захлопнул дверь.

Обнорский посмотрел на него с ненавистью. Боец в маске закрыл на два оборота замок.

— На хер вы держите его в этом карцере? — зло спросил Андрей. — Неужели нельзя перевести куда-то в отапливаемое помещение?

— Переведем, Андрей Викторович, переведем... Сейчас мы побеседуем с вами, потом с Родионом Андреичем. Чем быстрее вы расскажете все, что потребно, тем быстрее отсюда уйдете. Вам понятно?

— Да... Но я хотел бы позвонить своему...

— Ради Бога, Андрей Викторович, — сразу сказал Николай. — Давайте пройдем наверх, оттуда и позвоните. Есть, правда, один нюанс.

— Какой?

Жестом фокусника Николай достал из кармана шапочку. Такую же, какая была на нем. Вот только надел он ее на голову Андрея «глазами» назад.

— Наверху снимем, — пообещал он. — Прошу вас... Я поддержу под локоть... Осторожно, ступеньки... Площадка... Снова ступеньки. А здесь налево.

Андрей почти ничего не видел — сквозь плотную шерсть чуть пробивался люминесцентный свет, да маячило впереди черное пятно — спина одного из бойцов.

— Сюда, Андрей Викторович... входите... садитесь.

Андрей опустился на стул. Шапочка все еще была на нем, и он по-прежнему ничего не видел, но ощущал, что в помещении тепло и светло. И что рядом находятся люди.

— Сейчас с вас снимут наручники, — сказал Николай. — Потом и шапочку. Вы, наверно, понимаете, что глупостей делать не нужно.

Андрей промолчал.

— Вы меня поняли, Обнорский?

— Да.

— Очень хорошо. Снимите наручники.

Кто-то снял с Обнорского «браслеты». Андрей с удовольствием потер запястья. Тот, кто никогда не был в «браслетах», не может оценить, какое это удовольствие... И дай Бог вам этого не знать.

— Снимите куртку, Обнорский, — скомандовал Николай. Андрей снял куртку. — Теперь можете снять и шапочку, но головой вертеть не надо... Смотрите перед собой.

Андрей снял шапочку. Оказалось, что он сидит лицом в угол комнаты. Он видел перед собой две сходящихся стены, покрашенные краской салатного цвета.

Из-за спины высунулась рука с телефоном:

— Звоните. Текст простой: Коля, у нас все в порядке. Через несколько часов будем дома, в полицию не звони.

Андрей усмехнулся, взял в руки свой собственный телефон, набрал номер. Он чувствовал, что человек за спиной внимательно за ним наблюдает.

— Алло, — нервно сказал Повзло.

Как, черт возьми, приятно было слышать Колин голос!

— Коля, это я.

— Андрюха! Где ты? Что происходит?

— Все в порядке, Коля. Мы с Родиком у ДРУЗЕЙ. Беседуем на животрепещущие темы.

— Где вы? Кто они? Что они хотят?

— Все в порядке, Коля... Надеюсь, что скоро мы будем дома. Наши друзья просят, чтобы ты никому не звонил.

Из-за спины снова вылезла рука, отобрала телефон.

— Текст, который я вам рекомендовал, вы, конечно, исказили. Надеюсь, никаких условных фраз там не было?

— Ну, голубчик, куда вас занесло! Всю секретную информацию я, как Буба из «Неуловимых мстителей», передаю в танце... Хотите, станцую танго?

Ответил Андрею другой, незнакомый ему голос:

— Вы нам сейчас споете, Обнорский... Арию варяжского гостя.

* * *

Когда дверь за Обнорским закрылась, Родион снова остался один. Поговорить не дали... От досады он сплюнул на пол и сказал: «Сволочи».

Родион плюхнулся на кровать, и она противно завизжала всеми своими стальными сочленениями. Родя поморщился и подумал, что в его положении реализовалось расхожее выражение «прикованный к постели». Это, правда, говорится о людях больных, а Родион был здоров. «Что, конечно, относительно, — добавил про себя Родя, — и в самое ближайшее время может перемениться... Весь вопрос в том, какие методы общения предпочитают ребятки. Вон с Горделадзе так поговорили, что он совсем голову потерял... От счастья, наверно. От роскоши человеческого общения».

Родион покачался на пружинах, вслушиваясь в их мерзкий скрип, и выругал себя за то, что не спросил у своих тюремщиков закурить. По классическим канонам гордый и несгибаемый пленник ничего у своих тюремщиков просить не должен. Родион смотрел на вещи здраво: ничего тут зазорного нет. Эти уроды сами отобрали у меня курево — можно и спросить. Тем более, что на «роскоши человеческого общения» это никак не отразится — церемониться эти ребятки не будут и ежели начнут беседовать с помощью горячего утюга или тисков, то вопрос о несгибаемости отпадет сам собой. На этот счет Родя особых иллюзий не испытывал.

— Товарищ! — сказал Родя сам себе. — Не надо драматизировать, товарищ. Ситуация под контролем. ЦК готовит пленум. Вольфыч — наш рулевой! Давайте займемся делом — поищем окурки.

Родион внимательно осмотрел пол и вскоре увидел то, что искал, — «жирный» хабарик. Кровать, к которой приковали Каширина, была тяжелой, но на колесиках. Родя уперся в спинку и, толкая кровать перед собой, двинулся вдоль стены. Это требовало немалых усилий, но все же «экипаж» двигался, оставляя за собой борозды в толстом слое пыли и производя страшный скрежет.

— Используя притупившуюся бдительность своих палачей, — торжественно произнес Родя, — граф... э-э... (Родя поднял окурок, прочитал: «Мальборо».) граф Мальборо, подло закованный в кандалы, достиг своей высокой цели — хабарика... То есть кисета с добрым табаком из Вест-Индии.

Родя присел на корточки, сдул с окурка пыль, полез в карман за зажигалкой...

— Граф понял, что он последний мудак, — грустно сказал Родя. — Весь его титанический труд пошел насмарку, так как враги отобрали у него не только доброе имя, но и кресало, и он лишен возможности высечь огонь... Эх, Прометея бы сюда... Хотя бы и совсем паршивенького.

Родион посмотрел на окурок и назидательно произнес:

— Минздрав предупреждает: курение опасно для вашего здоровья.

С этими словами он вдавил окурок в трещину между кирпичами... и вдруг замер. На грязной побелке кирпича он разглядел выцарапанные острым предметом буквы.

* * *

— Сейчас вы нам споете арию варяжского гостя, — произнес незнакомый голос за спиной. Андрею очень хотелось обернуться, но он не стал оборачиваться. А голос добавил: — Выйдите все, я хочу поговорить с господином журналистом тет-а-тет.

— Мы освободили ему руки...

— Ничего. Деться ему отсюда все равно некуда... Выйдите. Он отлично все понимает.

Андрей услышал, как открылась дверь и несколько человек... трое? четверо?.. вышли. Дверь затворилась. В комнате было очень тихо. Андрей пытался уловить движение или дыхание человека, но не смог этого сделать. Он удивился — обычно ему это удавалось. В этот раз ощущения присутствия человека за спиной не было, и Обнорский подумал, что из комнаты вышли все, включая того, кто отдал приказ: выйдите все. Он уже собрался было обернуться, но человек вдруг кашлянул и сказал:

— Так на кого же вы работаете, Обнорский?

— На Агентство журналистских расследований.

— Мы наводили справки о вашем Агентстве в Питере.

— И что?

— Агентство — хорошее прикрытие для разведывательно-аналитической структуры... На Черкесова работаете или прямо на Путина?

— Вы нам льстите... Вас, простите, как величать?

— Николай Николаич, — ответил Заец.

— У вас, похоже, сплошь одни Николаи собрались.

— Обнорский, вы отдаете себе отчет, в какую неприятную ситуацию вы попали?

— Кажется, да. Отдаю.

— А мне кажется — нет, не отдаете. Вы влезли туда, где вам делать нечего. Ваше присутствие здесь нежелательно. Вам намекали тактично, но вы не поняли. Вам намекнули всерьез, и вы опять ничего не поняли... Я мог бы посчитать, что это от недомыслия... Я мог бы так посчитать. Но я вижу, что вы профессионал. — Заец умолк, потом спросил, как будто выстрелил: — ГРУ? ФСБ?

— Глупости, Николай Николаич, — ответил Обнорский. — Я действительно когда-то служил в ГРУ. Но это было очень давно.

— Но старые связи остались, и однажды вас попросили поработать на благо Родины... Так?

— Нет, не так. Я не имею никаких контактов с ГРУ. И не являюсь сотрудником. Я журналист.

— Странно было бы, если бы вы заявили обратное... Но наш с вами разговор не закончится до тех пор, пока я не узнаю, на кого же вы работаете.

— Я уже сказал: на себя. На Агентство журналистских расследований.

— Вы же служили в ГРУ... Вы ведь знаете, как допрашивают пленного в реальных условиях. А, Обнорский?

— Знаю, — сказал Андрей глухо.

— Тогда вы должны понимать, что вас ждет, — спокойно произнес Заец. Андрею стало не по себе. За его спиной слегка заскрипел паркет — видимо, подумал Андрей, Николай Николаич подошел ближе. Но Андрей по-прежнему не ощущал его присутствия. Щелкнула зажигалка, и Заец произнес почти в ухо: — Либо вы сейчас расскажете мне всю правду, либо я зову своих костоломов. Дальнейшее понятно... Ну, звать людей-то?

* * *

Родион тряхнул головой и снова посмотрел на стену в шелушащейся серой побелке. Нет, не приснилось. Корявые буквы не исчезли, все так же оставались на стене. Бурый кирпич проступал из-под них как запекшаяся кровь:

«Тому, кто это найдет. Мое имя — Георгий Горделадзе. Меня похитили люди Отца. Пытают. Навер. убьют. Сообщите Алене. 235-...-...».

— Вот это сюжетец! — пробормотал Родя. — Даже Дюма-папахен не мог такого придумать... Куды Дюме?

Родион забыл про наручники, про то, что холодно и хочется курить. Он сидел на корточках, прислонившись к спинке кровати, и смотрел на зловещие буквы цвета запекшейся крови... Значит, здесь держали Горделадзе. Вероятно, здесь же его и пытали... Здесь и убили. Возможно, он спал на этой кровати. Возможно даже, что окурок, который нашел «граф Мальборо» — остаток сигареты, которую курил Георгий... Ай да дела!

«А может быть, — подумал вдруг Родион, — есть и другие надписи?» Он стал внимательно разглядывать стену. Иногда ему казалось, что он видит текст, но всякий раз это оборачивалось обманом — трещинки на кирпиче и лохмотья побелки создавали иллюзию нацарапанных букв.

Родион сел на кровать, задумался. Он представил себе измученного, обреченного человека, выцарапывающего буквы на стене. От его дыхания шел пар. Стоп! Не было никакого пара — Георгия держали здесь в сентябре, когда еще тепло... Измученный человек царапал чем-то острым по стене в надежде, что когда-нибудь кто-нибудь это найдет. И тогда его убийцы будут наказаны.

Но будут ли? Сумеет ли почерковедческая экспертиза доказать, что каракули на кирпиче принадлежат Горделадзе? А если сумеет, то явится ли это достаточным основанием для предъявления Отцу обвинения?

В любом случае, это улика. Железная, забойная улика... В оперативном, по крайней мере, плане... А чем, кстати, нацарапал Г. Г. этот текст? Копейкой не нацарапаешь — буквы врезались довольно глубоко. Родион снова начал шарить глазами по пыльному полу. Спустя несколько минут он нашел то, что искал...

* * *

— ...Ну, звать людей-то?

— Это каких таких людей? Гоблинов, что ли? — зло спросил Обнорский.

Заец рассмеялся. Отсмеявшись, сказал:

— А ведь дрогнул голосок-то... дрогнул. А, Андрей Викторыч? Страшно стало? А зря... мы же не звери. Не буду я вас пытать. Не буду. Зачем это? Дико, грубо, пошло. Незалежная ненька Украина семимильными шагами движется на сближение с цивилизованным миром, а тут — пытки какие-то... Ну к чему это? Вы согласны?

Андрей молчал. Что можно было ответить на это словоблудие?

— Мы будем разговаривать по-другому, Андрей Викторович. Цивилизованно, вполне по-европейски... Доктор! Эй, доктор!

Заец подошел к двери, распахнул ее:

— Эй, доктор! Вы где?

— Я здесь, Констан... Николай Николаич.

— Начинайте, доктор.

* * *

Родион поднял с пола то, что искал — обломок трехгранного напильника... «Как штык, — подумал Родион, — как штык». Вот этим «штыком» Горделадзе, видимо, и нацарапал свой последний «материал». Как всегда — разоблачающий. Вот только у этой его «статьи» не было читателей. За исключением Родиона Каширина.

— Вот как обернулось, Гия, — сказал Родя. — Я — единственный читатель твоего последнего опуса, Дон-Кихот ты наш.

* * *

— Мы будем работать вполне цивилизованно... Начинайте, доктор.

Сзади к Обнорскому подошел еще один человек.

— Снимите пиджак, — сказал он.

Андрей снял пиджак, и чья-то рука тут же его подхватила. Рука была ухоженной, почти женской. Обнорский стал закатывать рукав рубашки.

— Это ни к чему, — сказал доктор.

— Сквозь рубаху колоть будете?

— Совсем колоть не будем, молодой человек... Вы что себе вообразили — «сыворотка правды» и прочее? Глупости. У нас есть средство получше — наш старый друг Полиграф Полиграфыч. Не знакомы?

Детектор лжи, понял Обнорский, ответил:

— Нет, не знаком.

— Ну что же? Сейчас и познакомитесь, — почти добродушно сказал доктор или кто он там был на самом деле. — Встаньте, пожалуйста... Мне неудобно крепить датчики.

Андрей встал.

— Поднимите руки... Вот так... хорошо.

Грудь Обнорского охватила эластичная широкая лента с отходящими от нее проводами.

— Не туго? — поинтересовался доктор заботливо.

— Нет.

— Замечательно. Знаете, что это такое? Руки, кстати, можете опустить.

Андрей опустил руки, пожал плечами.

— Это датчики дыхания — верхнего и нижнего. Они «слушают», как изменяется ваше дыхание, когда

300

вы волнуетесь. А волнуется человек, когда лжет. Он сам не замечает этого, а датчик замечает... Так, теперь под ножки стула подложим «треморы». Это, голубчик, датчики двигательной активности... Они расскажут нам, в какой именно момент ваши мышцы начинают непроизвольно сокращаться... Кстати, вы можете сесть.

Андрей сел на стул. Доктор продолжал что-то болтать. У Обнорского появилось желание взять его за горло и... Нельзя! Кроме доктора, есть еще Николай с пистолетом и двое гоблинов с дубинками. Плюс Николай Николаич, которого даже не ощущаешь за спиной... А в холодной сидит Родя, прикованный к кровати. Нельзя!

* * *

Обломок трехгранного напильника похож на штык. Им можно выцарапывать надписи по кирпичу... Но можно сделать и кое-что еще. Родион не сразу сообразил, что именно можно сделать обломком напильника — он был слишком ошеломлен предсмертным письмом Георгия Горделадзе. Он сидел и вертел в руках этот обломок — грубый ржавый трехгранный кусок металла длиной около пятнадцати сантиметров... Вот чем написал журналист Горделадзе свое последнее послание.

— Последнее, — повторил Родион, — последнее... А я — его единственный читатель... И если я не выйду из этой «камеры», то, возможно, окажусь последним читателем.

Эта мысль обожгла вдруг Родиона. И тогда он по-другому посмотрел на напильник... Не как на последнее «стило» Горделадзе, а как на обычный слесарный инструмент, пригодный для того, чтобы перепилить никелированную трубу в спинке кровати.

* * *

— Полиграф Полиграфыч, голубчик, регистрирует «симптомокомплексы», — говорил доктор, опутывая

301

Обнорского проводами. — Его действие основано на регистрации непроизвольных... я подчеркиваю — непроизвольных! — неконтролируемых реакций человеческого организма. Когда вы напряжены (а когда вы лжете, вы всегда в той или иной степени напряжены), ваш организм обязательно на это отзывается. У вас меняется частота и глубина дыхания... У вас напрягаются мышцы, усиливается потоотделение... и так далее. Искусный, хороший лжец запросто может обмануть своего собеседника. Но обмануть машину нельзя. Она «умнее» человека.

— Очень интересно, — буркнул Обнорский.

— Правда интересно? — живо отозвался врач. Андрей промолчал. А эскулап продолжил: — Первый полиграф изобрели в Штатах еще в тысяча девятьсот двадцать первом году два офицера калифорнийской полиции — Джон Ларсон и Леонард Килер. Тот прибор был еще очень несовершенен.

— Но прогресс не стоит на месте, — сказал Андрей.

— О да! Нынешнее поколение полиграфов практически невозможно обмануть... Проверено многочисленными экспериментами.

— Это радует.

— Я вижу, вы человек с чувством юмора... Это хорошо... Так, дайте мне, пожалуйста, вашу правую руку... Спасибо... На пальчик мы наденем датчик, регистрирующий кожно-гальванический рефлекс... Отлично. А теперь левую ручку... на палец левой мы наденем датчик плезиограммы. Он регистрирует изменения в работе сердечно-сосудистой системы... Ну вот и все. Мы готовы, Николай Николаич.

* * *

Родион даже не предполагал, как легко напильник перережет тонкостенную трубу. На вид труба казалась солидной и массивной. На деле толщина стенок не превышала миллиметра, и, даже работая левой рукой, он сделал работу за двадцать минут. Роде было жарко. Он пилил как механическая пила, опиливал трубу по окружности... Он все время косился на дверь, ожидая, что вот — войдут... Увидят. И тогда ничего не выйдет. Он пилил как заведенный. Сыпались горячие опилки, визжал нагревшийся напильник, вибрировала труба. Когда она стала «дышать» по месту надреза, Родион нажал на нее руками — труба лопнула и наручник соскользнул...

Родя вытер пот со лба.

* * *

— Мы готовы, Николай Николаич. Можно начинать?

Заец посмотрел на доктора, застывшего у прибора, на затылок Обнорского.

— Начинайте, — бросил он. — Я сейчас вернусь.

Заец вышел в соседнее помещение — там сидели быки и Николай. Курили, смотрели телевизор. Когда Заец вошел, дружно обернулись к нему.

— Как там этот? Второй гусь? — спросил Заец.

— Сидит, — ответил Николай и пожал плечами.

— Дайте ключи.

Один из бойцов достал связку ключей. Выбрал один, показал который, протянул шефу.

— Мне сходить с тобой, Григорич? — спросил Николай.

— Отдыхай, — бросил Заец.

Он ушел — одна рука в кармане, в другой ключи. Он спустился на первый этаж, вставил ключ в замок.

* * *

Родя услышал шаги за дверью, потом звук вставляемого в замок ключа. Он отлично понимал, что шансов у него немного. Если за ним придут как за Обнорским — втроем, с дубинками, — то шансов вообще нет. Если вдвоем, или — предел мечтаний! — один человек, то некий шанс все же имеется. Из «камеры» он сумеет вырваться. А вот что дальше — непонятно... Возможно, он сразу напорется на охрану. Возможно, заблудится в коридорах... Да он вообще не представлял, где находится. Может быть, даже вырвавшись из здания, окажется на охраняемой территории с трехметровым забором, колючкой по верху и собачками... Его быстренько поймают и отмудохают дубинками (Родя поежился) по полной программе. Возможно, и Обнорскому подкинут.

Но самый главный шаг был уже сделан, отступать поздно.

Замок щелкнул, дверь распахнулась. На пороге стоял невысокий мужчина в костюме, с галстуком, в маске... без дубинки... один.

* * *

Заец окинул взглядом помещение. Что-то ему не понравилось, но он не понял, что именно. Каширин сидел на кровати, положив правую руку на спинку. От его дыхания шел парок, глаза смотрели исподлобья. Люди, которые в Киеве присматривали за Кашириным, доложили, что объект шустр, хитер и, возможно, из бывших ментов. Да Заец и сам нашел время взглянуть на объект и пришел к тем же выводам: прикидывается простаком, но это далеко не так. Ничего, найдем к нему подходы.

Заец вошел в «камеру», прикрыл дверь и сказал вполне дружелюбно:

— Холодно тут у вас.

— Дубак, — согласился Каширин.

* * *

Мужчина в маске вошел и сказал:

— Холодно у вас.

Не у нас, а у вас, хотел ответить Родион, но не ответил, а пожал плечами и произнес: «Дубак». «Подойди поближе, — думал Родя, — в упор ко мне подойди... Я нежно тебя обниму».

Но мужчина не приближался, стоял около двери. От Родиона его отделяло метра три — слишком много, чтобы атаковать. А рисковать никакого права нет.

304

Если не удастся вырубить этого гада сразу — с одного, максимум с двух ударов, — он поднимет шум. Тогда пиши пропало... Ну подойди! Подойди поближе, дядя.

— Закурить не будет у вас? — спросил Родион.

— Разумеется, Родион Андреич, — ответил Заец и улыбнулся.

Улыбку «съела» маска. Он опустил руку в карман, вытащил сигареты и сделал несколько шагов к кровати. Он протягивал руку с раскрытой пачкой, приближался... шаг... еще шаг... Он подошел почти вплотную, что и требовалось. Родион ощущал запах хорошего одеколона, который исходил от мужика. Мужик был явно не из рядовых быков. «Видно, — подумал Родя, — именно он тут все и разруливает, сволочь». Накручивая себя, Родион думал о мужике только плохо: «Это он, сука, приказал нас тут запереть. Это он приказал грохнуть Горделадзе и отрубить ему голову... Он. Он!»

— Курите, Родион Андреич.

Родя протянул левую руку... и из рукава выпал, звякнул о бетонный пол «штык» — обломок трехгранного напильника. Заец быстро посмотрел вниз, под ноги. И, кажется, понял.

Родион схватил его свободной левой рукой за руку, дернул правой — распиленная перекладина спинки сложилась, «браслет» соскользнул. Родя, не прерывая движения правой руки, ударил противника в пах. Заец охнул, присел. Обеими руками Каширин взял его за голову — рванул вниз, выбрасывая одновременно навстречу колено. Заец завалился в сторону.

Родион вскочил, ударил несколько раз ногой в неподвижное тело, метнулся к двери... Вернулся обратно, еще раз ударил ногой. Потом он поднял с пола связку ключей и запер дверь изнутри. Сел сверху на тело, дрожащими руками вытащил из пачки сигарету, прикурил... Зажигалка была испачкана в крови. Кровь бежала из носа мужика, собиралась маленькой лужицей на бетонной пыли. Родя затянулся сильно раз, другой, третий. Голова закружилась. Он докурил сигарету, растер ногой окурок и быстро обыскал тело. Оружия, к разочарованию своему, не нашел... Нашел телефон, бумажник с деньгами и документами. Не глядя сунул все это в карман.

Закурил новую сигарету, брезгливо вытер испачканные липкой зажигалкой руки о костюм Зайца и задумался.

— Граф Мальборо, — сказал он, — был толковый малый... Но и мудак немалый... Че дальше-то делать, товарищ?

* * *

Доктор отработал на полиграфе стандартный установочный тест и стал ждать Зайца — без него работа не имела смысла, так как доктор был простой исполнитель. Он даже не знал, какие именно вопросы следует поставить испытуемому. Доктор подождал минут пять, потом вышел в приемную. Спросил:
— Где шеф?
— Шеф, — сказали ему, — где надо... Ты, доктор, не суйся, занимайся своим делом.

Доктор боевиков боялся. Он имел очень смутное представление о том, чем они занимаются, но догадывался, что чем-то криминальным. А он, доктор, всего лишь технический специалист, привлекаемый к делу периодически. За хорошие, впрочем, деньги. Доктор сказал:
— Понял, — и ушел обратно в кабинет.
— А чего-то действительно долго Григорича-то нет, — сказал Туз, — схожу погляжу, чего там.
— Сиди, — строго ответил Николай. — Раз шеф пошел один — значит, так надо. Сиди, не дергайся.

Туз пожал плечами: ты начальник, тебе видней.

* * *

Родион сидел, курил Зайцевы сигареты и думал: а что дальше? Там (где именно «там» он не знал. «Там» — это все то, что находится за дверью) как минимум три крепких мужика с дубинками. Скорее всего, не только с дубинками, но и со стволами... У них Обнорский. В наручниках, между прочим, значит — не боец... А может, там не три мужика, а десять. Затеять здесь рукопашный бой в стиле голливудских боевиков? Глупо. Не катит... Завалят обоих и отвезут в Таращанский лес.

— Спокойно, — сказал Родя, — спокойно. Граф Мальборо не сдается никогда. Он, конечно, немалый мудак, но славный малый...

Пока что Родион находился в некоторой безопасности — за крепкими стенами и железной дверью. Но эта безопасность была весьма относительной — как только гоблины врубятся, что слишком долго нет их начальника, они мигом припрутся сюда. Дверь, запертая изнутри? Так это не очень серьезное препятствие... А время идет, и надо что-то решать. Иначе все решат за тебя.

Родя посмотрел на своего пленника. Тот дышал тяжело, веки подрагивали — значит, скоро очнется. Родя пнул пленника ногой. Заец застонал и открыл глаза. Родион резко сдернул с него шапочку, пропитавшуюся кровью, рывком посадил. Лицо пленника исказила гримаса... Родион достал его бумажник, вытащил права, прочитал: Заец Константин Григорьевич.

— Ну что, гражданин Заец, очухался?

Заец смотрел бессмысленными глазами, мотал головой.

— Тьфу! — сказал Каширин и набрал на Зайцевом телефоне номер Повзло.

Коля отозвался сразу.

— Слушай меня, Коля.

— Родька! Родька, ты где?

— Сам не знаю. В каком-то складе, что ли... Видимо, в районе Таращи. А может, за двести верст от нее. Слушай внимательно. Нас с Обнорским взяли какие-то отморозки. За старшего у них некто Заец Константин Григорьевич, родившийся, — Родион снова заглянул в права, — четырнадцатого сентября пятьдесят седьмого года в Киеве. Номер водительского удостоверения... Записываешь?

— Да, да...

— Нас держат в помещении типа производственного или складского. До нас здесь держали Горделадзе... Похитил его Отец.

— Ни х... себе!

Заец снова застонал, но взгляд у него стал гораздо более осмысленный. Он изумленно посмотрел на свои руки, стянутые его же брючным ремнем.

— А где Андрюха? — спросил Повзло.

— Не знаю... Увели куда-то. Похоже, на допрос. Ты меня не перебивай, времени нет. Я попробую вырваться отсюда в компании с этим Зайчишкой. Если через час не позвоню — включай ментов.

— Я свяжусь с ментами сейчас, — быстро сказал Коля.

— Толку-то? Только шухер поднимем, и тогда нас точно — даже если отсюда выкарабкаемся — с Украины выпрут. Да и не успеют менты. Я даже приблизительно не знаю, где мы находимся, а счетчик щелкает... Сейчас я попробую вырваться отсюда, но что из этого выйдет — не знаю. Подожди часок, Коля. И — поболей за нас. А если не отзвонимся — тогда уж поднимай хай вселенский. — Каширин хотел как-то попрощаться на всякий случай, но постеснялся — подумал, что уж больно по-киношному получится.

Он выключил аппарат, опустил его в карман и поднял с пола «штык».

* * *

— Можешь вывести меня отсюда? — спросил Родион, поигрывая обломком напильника. С запястья свисали наручники.

— Могу, — сказал Заец. — Я бы и так вас отпустил.

— Как Горделадзе?

Заец молчал. Родион подождал несколько секунд и сказал:

— Если выведешь нас отсюда — разошлись краями. Я тебя не знаю, ты нас не знаешь. Понял?

— Это нереально. Все зашло уже слишком далеко.

— Есть другой вариант: сейчас я забаррикадирую дверь и начну пилить тебя этим напильничком, пока ты не скажешь, где мы сейчас находимся. Через пару часов здесь будет вся украинская ментура и СБУ... Тебя это больше устроит?

Родион говорил с напором, но сам себе не очень верил.

— Дай сигарету, — попросил Заец.

Родион сунул ему в рот сигарету, щелкнул зажигалкой. Заец затянулся. Было очевидно, что он сосредоточенно что-то обдумывает. Что-то очень важное.

— Ну? — сказал Родя.

— Предлагаю размен.

— Это какой же размен? Что разменивать будем?

— У нас есть крепкий компромат на вас...

— Какой? — быстро спросил Родя.

— Не важно... Важно, что вы оба по уши в дерьме. По три статьи УК на каждого, — устало сказал Заец.

— Какой компромат? — повторил Родион. — Колись быстро, пан Заец.

— Предположим, вы изнасиловали ту деваху...

— Какую? — удивился Родион.

— Ах да... ты же спал. Ту, что вас тормознула. Расстегни рубашку и посмотри на свою кожу.

— Зачем? — спросил Родион, холодея.

— Посмотри, посмотри... сам все поймешь.

Каширин расстегнул рубашку и сразу увидел красные полосы — следы от ногтей... Вот, значит, как! Ловко. Ловко, сволочи, обули.

— А еще у меня есть свидетели, которые подтвердят, что вы силой тащили Танюшу в «ниссан». Есть масса отпечатков ваших пальцев и обуви в салоне. Ваши волосы, следы на теле потерпевшей и, разумеется, ее собственное заявление.

— Слабовато, — сказал Родя бодро. На самом деле он не был в этом уверен. Захотят закрыть — закроют. Да еще по изнасилованию!

— Хватит, — сказал Заец. — Вам — хватит.

— Значит, вот так ты собирался нас отпустить? А, пан Заец?

— Ладно, не пыли... Мы вас сюда не звали. Вы сами пришли.

— Здорово! Так в чем твой размен?

Заец отшвырнул в сторону окурок. Фильтр был окрашен кровью.

— Я, — сказал он, — забуду про «изнасилование», а вы забудете, что были здесь. Что ты меня сделал.

— Идет. Но мне нужны гарантии, что мы выйдем отсюда живыми.

— Я прикажу своим. Никто вас пальцем не тронет.

— Э-э, нет. Сейчас мы выйдем отсюда вдвоем. Снаружи есть охрана?

— Дед-сторож у ворот. Вечно бухой. Какая из него охрана?

— А где наша машина?

— Во дворе.

— Сейчас мы с тобой выйдем отсюда как Шерочка с Машерочкой, сядем в машинку и уедем. Потом вызвоним Андрюху. Если будут какие-то фокусы — я тебя заколю вот этой хреновиной. И это, пан Заец, будет самообороной.

— Ладно, не пыли...

* * *

Родион подошел к двери... приложил к ней ухо. Нервы были напряжены до предела. Он долго слушал тишину за дверью, потом кивнул Зайцу: пошли. Заец кивнул: пошли.

Родион повернул ключ в двери. Звук показался ему чудовищно громким. Еще десять минут назад дверь представлялась ему весьма ненадежной защитой. Теперь ему предстояло выйти из-за двери, а делать это страшно не хотелось. Дверь теперь казалась надежной, укрывающей его от стаи вооруженных убийц. Выходить не хотелось. Мелькнула мысль: к черту! К черту это все.

310

Можно же, в конце-то концов, вынудить этого Зайца — угрозами, пытками... не важно как — назвать адрес и вызвать сюда «Беркут». И сидеть здесь, за надежной дверью, пока не приедут бойцы группы захвата...

Родион вытер пот со лба, обернулся к пленнику:

— Ты все понял? — Заец кивнул.— Ты понял, что теперь наша жизнь для тебя — высшая ценность? В Киеве уже знают, что нас захватил Заец Константин Григорьевич. И если что-то с нами случится — тебе жопа.

Заец снова кивнул. Родион повернул ключ второй раз, подождал секунду и рванул дверь — в коридоре было пусто. Удерживая Зайца за свободный конец ремня, как за собачий поводок, Родион вышел в коридор.

— Куда? — шепнул он, и Заец тоже шепотом ответил:

— Налево.

На улице было темно, косо летел мокрый снег. Бок о бок стояли «девятка», на которой приехали Обнорский с Кашириным, микроавтобус «ниссан» и темновишневый «лэндкрузер». Родя сунулся в «девятку», но она оказалась заперта.

— Где ключи? — спросил он.

— Не знаю, — ответил Заец.

— ... твою мать! — сказал Родя зло.

Рванул дверцу «ниссана» — она оказалась открыта, в замке торчали ключи с брелоком в виде боксерской перчатки.

— Залезай, — скомандовал Каширин, помог пленнику забраться в машину, потом нагнулся и подпер обломком напильника колесо «лэндкрузера».

Родион включил стартер, и дизелек сразу затарахтел.

— Ворота! Где ворота? — спросил Каширин, обводя взглядом бетонный забор. Каждой клеточкой он ощущал чудовищное нервное напряжение.

— За углом, — ответил сквозь зубы Заец.

Родя тронул «ниссан» и поехал вдоль корпуса. Протекторы печатали на снегу две четких дорожки. За углом действительно были ворота и маленькая будка возле них. Нетрезвый сторож вышел, покачиваясь, открыл ворота и по-военному отдал честь, приложив руку к «пустой голове».

Взревев движком, «ниссан» выскочил наружу. На повороте его занесло, заднее правое колесо едва не влетело в канаву. Но Родя топил газ, движок ревел, и микроавтобус летел по засыпанной снегом дороге. От нервов Родион забыл включить фары, забывал переключать передачи. На правой руке болтался наручник.

* * *

Николай посмотрел на часы, буркнул:

— Что-то действительно долго нет шефа. Пойду посмотрю.

Он встал, двинулся к двери. В этот момент зазвенел его мобильный. Николай поднес трубку к уху:

— Але.

— Слушай меня внимательно, Коля, — произнес голос Зайца. — План изменился.

— Да, шеф.

— План изменился. Немедленно освободи Араба. Верни все вещи, деньги, документы... ключи от машины... дай ключи от наручников.

— Я не понял, шеф.

— Не перебивай, — почти закричал Заец. — Немедленно освободи. — Он замолчал, потом произнес уже спокойней: — Обстоятельства переменились, Коля... Ты понял меня?

— Да, — ответил Николай обескуражено.

— Пусть садится в свою «девятку» и по выезде из ворот едет направо... Понял?

— Да, пусть едет направо, — повторил Николай.

— А теперь дай-ка ему трубку... Я сам с ним поговорю.

* * *

Обнорский нашел «ниссан» метрах в трехстах. Микроавтобус стоял на обочине с выключенными фарами, возле него стоял Родион Каширин. Снег падал на его непокрытую голову.

* * *

К воротам завода Заец вернулся пешком, в мокром от снега пиджаке, со стянутыми ремнем руками. В распахнутых воротах стоял поддомкраченный «лэндкрузер», Леша Туз менял колесо.

Его встретили напряженные взгляды подчиненных. Заец чувствовал себя мерзко во всех отношениях: и в физическом — болела голова, и в психологическом... Он шел медленно, сознавая всю паскудность и унизительность ситуации. Сквозь косой штрих-пунктир летящего снега на него смотрели мрачные глаза подчиненных.

Он подошел, протянул Николаю руки: развяжи. Николай никак не отреагировал на слова Зайца — смотрел, курил, молчал.

— Развяжи, — сказал Заец.

— А надо ли, Костя? — ответил Николай.

...Когда Заец позвонил и приказал немедленно освободить Араба, Николай ничего не понял, но приказ выполнил... А чуть позже он понял все. Обнорский уехал, а Николай с бойцами спустились вниз. Обнаружили пустую «камеру», перепиленную спинку кровати, кровь на полу и окровавленную шапочку Зайца... Не надо быть семи пядей во лбу, чтобы понять, что здесь произошло. Разумеется, они не знали деталей, но в целом картинка была ясна: Каширин каким-то образом сумел перепилить трубу спинки, освободился и неожиданно напал на Зайца. А потом заставил его отдать приказ на освобождение Араба. Ситуация была скверной. Очень скверной. Особенно для Николая. Именно он отвечал за провал. Его бойцы проворонили напильник, и эта маленькая оплошность позволила Каширину освободиться, что повлекло за собой цепочку последующих событий. Ситуация была вдвойне скверной потому, что Николай уже про-

313

валил предыдущую операцию, упустил Обнорского на Почтовой площади.

Николай Палыч Оськин — бывший майор милиции — отлично понимал, что две ошибки подряд, да еще в таком щекотливом деле, Хозяин ему не простит. Он решил перевести все стрелки на Зайца.

Впрочем, сначала он хотел организовать погоню. Втроем (доктора оставили с Полиграф Полиграфычем) прыгнули в «лэндкрузер». В первую же секунду движения напильник, подпертый Родионом под колесо, пропорол шину, и к воротам джип подъехал на спущенном колесе. Пока «переобувались», стало ясно, что время упущено, что погоня бессмысленна.

Когда из косой штриховки снегопада вышел Заец, Николай Оськин мгновенно принял решение.

— Развяжи, — сказал Заец, протягивая руки.

— А надо ли, Костя? — ответил зам.

— Ты что это? — спросил Заец с угрожающими нотками в голосе.

Он отлично понимал, что ситуация непроста. Что операция провалена, и не просто провалена, а с непредсказуемыми последствиями. Кто-то должен за это ответить. Виноваты были все — Туз и Фомченко не осмотрели как следует помещение, Николай не проконтролировал, а Заец потерял бдительность и попал в капкан. Он, кстати, был виноват меньше всех, но после слов Николая Оськина стало ясно, что именно его, Зайца, готовят на роль козла отпущения.

— Ты что это? — строго, угрожающе произнес Заец.

— Залезай в машину, Костя, — буднично процедил Николай.

Заец посмотрел на Туза... на Фомченко... В их глазах было отторжение. Они были согласны с Николаем. Они, спасая себя, готовы были переложить всю вину на Зайца. Он понял, что если не переломит ситуацию сейчас, резко и решительно, то так все и будет.

Он сделал шаг вперед, приблизился к Николаю вплотную и негромко сказал:

314

— Ты на кого тянешь?.. Ты на кого тянешь, щегол?

Николай ударил его коленом в пах, схватил за мокрые лацканы пиджака и с силой швырнул лицом на машину.

— Осторожнее, — сказал Туз, — у меня тачка на домкрате.

Из сторожки таращил глаза испуганный сторож.

* * *

Вырвались. Вырвались — и это главное. Что там будет дальше — не знает никто. Сейчас главное, что вырвались. «Девятка» мчалась по ночному шоссе, обгоняя редкие фуры, разрезая «дальним» светом интригу снегопада.

Ехали молча — еще вибрировали нервы и время для слов еще не пришло.

* * * *

Повзло наполнил рюмки коньяком. Обнорский посмотрел на густую янтарную жидкость и даже взял рюмку в руку, но потом поставил ее обратно.

— Х...ня все это, — сказал он. — Налей-ка, Коля, стакан.

Коля налил Андрею и Родиону по чайной кружке коньяку. Обнорский повертел кружку в руке, понюхал и выпил до дна, только ходил кадык на горле. Выдохнул.

— Мощно, — сказал Повзло, подвинул Обнорскому блюдце с нарезанным лимоном.

Андрей махнул рукой, закурил. Родион тоже выпил кружку до дна. После всех произошедших за последние часы событий это было, пожалуй, именно то, что нужно. Выпили, закурили и замолчали. Коля хотел поскорей услышать подробности, но мужиков не торопил. Знал — нужно дать им немножко отойти. Плыл по кухне сизый дым, за окном брезжил серенький рассвет.

— А пожрать у нас чего-нибудь есть? — спросил Родион.

— Есть маленько, — сказал Коля, — я щас сварганю... Я мигом. А вы расскажите, как вам удалось вырваться.

Обнорский вдавил сигарету в пепельницу и сказал:

— Как удалось вырваться? Повезло. Родька — молодец. В Питер вернемся — премия с торжественным вручением на общем построении. А вот как нам удалось влететь? Вот в чем вопрос.

— Что ты имеешь в виду? — спросил Коля. Он возился у холодильника, доставал сосиски.

— Он имеет в виду, что нас ждали... Что нас готовились встретить. То есть знали, что мы поедем в Таращу. А знали об этом только мы трое.

Коля так и замер у открытой дверцы, в руке болталась гирлянда сосисок. Он повернул голову к Каширину, изумленно спросил:

— Ты что, Родя? Ты что, хочешь сказать, что я...

— Коля, — произнес Обнорский, — Коля! Не сходи с ума. Никто тебя ни в чем не подозревает.

— Но где-то у нас потекло, — сказал Родя. — Ты морозилку-то закрой — холоду напустишь... И вообще, ты говорил: я мигом спроворю.

— Чего спроворю?

— Насчет пожрать...

— А... это я щас...

...Кипела вода в кастрюльке с сосисками, питерская бригада сидела вокруг стола.

— Где-то у нас утечка, — сказал Родион. — Фактически вариантов немного: либо у них очень качественная наружка, которая засекла наш выезд и спрогнозировала конечную точку. Либо, что еще более вероятно, мы сами облажались. Давайте соображать. Каждый должен вспомнить: не говорил ли он кому о нашем намерении съездить в Таращу?.. Кто-то ведь узнал.

Повзло сосредоточенно наморщил лоб. Обнорский взял сигарету, щелкнул зажигалкой, прикурил.

— Расслабьтесь, мужики, — сказал он, выпуская дым. — Это я...

— Что — ты?

— Это я нас сдал.

— Как?

— Кому?

— Галке... Галине Сомовой.

Андрей ткнул в пепельницу только что прикуренную сигарету, поднялся и вышел из кухни.

* * *

Из прессы:

«Президент Бунчук отвергает все обвинения в свой адрес о причастности к исчезновению Георгия Горделадзе и даже заявляет, что к скандалу имеют отношение „иностранные спецслужбы". Вопрос о судьбе Горделадзе естественным образом встал во время встречи в Минске с президентом Грузии Эдуардом Думбадзе. „Это, — сказал Бунчук, — провокация. Возможно, с участием иностранных спецслужб. Каких спецслужб, еще предстоит разобраться". Президент Думбадзе добавил: „Или догадаться..." Между тем Верховная Рада уже внесла в повестку дня на следующую пленарную неделю специальное заседание по расследованию „дела Горделадзе". Депутаты планируют пригласить на это заседание президента, министра внутренних дел, Генерального прокурора и начальника Службы безопасности Украины».

«Против лидера Соцпартии Александра Стужи возбуждено уголовное дело по факту клеветы в адрес президента Леонида Бунчука... На основании заявления из администрации президента Печерский районный суд Киева принял решение о возбуждении дела. Александр Стужа заявляет, что в суде он сумеет доказать свою правоту».

«Кассетный скандал на Украине развивается лавинообразно и грозит принять характер политической катастрофы. На Банковой улице царит паника... Никто из обвиненных Стужей в причастности к исчезновению Г. Горделадзе так и не сказал: это ложь, никаких разговоров о силовой акции против журналиста не было.

Только спустя неделю (!) после скандального заявления Александра Стужи администрация президента все-таки собралась с силами... Для оглашения запоздалой реакции традиционно избрали Первый национальный канал. Выступая на ТВ, Бунчук заявил: „Развитие событий в последние дни свидетельствует, что Украину толкают к грани, за которой хаос, анархия, дезорганизация общественной жизни". Президент заявил также, что речь идет о „сознательно спровоцированной и четко спланированной политической провокации", целью которой является „выставить Украину в глазах мира как нецивилизованное государство, дикое и темное общество". „Я выступал и выступаю за свободу слова, против какого бы то ни было давления на средства массовой информации, за возможность свободного публичного выражения своего мнения". „Мне не в чем оправдываться... Я всегда действовал и буду действовать в правовом поле. На Украине и далее будут последовательно утверждаться демократические принципы. Бросить украинское общество в водоворот нездоровых страстей, принести в жертву его мир и спокойствие не удастся никому".

Многие политологи отметили, что выступление президента не принесло того результата, на который рассчитывали в администрации. Украинское общество в смятении, протестные настроения сильны необычайно, впереди президентскую администрацию ожидают серьезнейшие потрясения».

По Крещатику шла демонстрация, ветер трепал флаги, рвал на слоги лозунги «Украина без Бунчука!», «Бунчук — палач!» и прочие. Ветер рвал мощный мотив «Реве и стогне». Над высоким куполом Бессарабского рынка металась стая ворон.

Обнорский, Повзло и Каширин смотрели на демонстрацию сквозь зеркальное стекло кафе.

— Это только начало, — сказал Повзло. — Главное — впереди. «Молодой Рух» собирается поставить палаточный городок на площади Независимости. Я даже думаю, что...

— Позавтракали? — спросил Обнорский. — Пошли работать... Барышня, дайте, пожалуйста, счет.

Они вышли из кафе, постояли под порывами холодного ветра, провожая взглядом колонну. Потом вернулись домой, сели в кухне.

— Итак, — сказал Обнорский, — давайте смотреть, что получается.

— Херово получается, — буркнул Родион.

— Не согласен. У нас есть определенное движение. Итак, покойный Дон-Кихот зарабатывал на содержание своей газеты, размещая анонимный компромат на каких-то политиков... И в этом смысле он действительно был довольно бескорыстен — тратил бо́льшую часть денег не на себя, а на то, чтобы поддержать свою газету... При этом он даже не предполагал, что его используют втемную. А его втравливали в некую многоходовую комбинацию, финалом которой должно было стать то, что мы только что наблюдали на Крещатике: «Украина без Бунчука!». И, надо признать, пока у них все получается. Хотя мне почему-то кажется, что они не скинуть президента хотят, а ослабить, сделать ручным и покладистым. Хотя — хрен его знает, это все одни предположения. Коля, — обратился Андрей к Повзло, — удалось что-нибудь выяснить в Интернет-кафе?

— Нет. Только то, что Георгий бывал у них довольно часто... По грубым прикидкам, он мог дать штук пятнадцать—двадцать материалов. Но тексты, к сожалению, недоступны.

— Жаль. Конкретная фактурка не помешала бы. Возможно, по текстам мы смогли бы определить заказчика.

— Увы.

— Ладно. Поехали дальше. Мы с вами предполагали, что в деле задействована структура. После событий на спуске к Днепру это стало очевидно. А таращанские дела подтвердили это однозначно. Теперь мы точно знаем, где держали Горделадзе, и сможем это доказать.

— А найти это место вы сможете? — спросил Повзло.

— Это какой-то заводишко, фабричка или что-то подобное, — ответил Родион. — Адрес я, конечно, не посмотрел... Извините, но было не до того. Однако не так велика Таращa, чтобы эту точку не найти. Ворота и забор я запомнил, найдем легко. Никуда он не денется.

— Еще у нас есть на крючке некто Заец Константин Григорьевич. Надо изучить этого Зайчишку. Кто он? На кого работает? Надо проверить, что это за объект, где нас держали. Кому он принадлежит? Кто там заправляет? Не с этого ли объекта звонили Затуле? Узел завязался хороший... Теперь только распутывай. К финалу идем, ребята. Вот только — дойдем ли?.. Сейчас по-настоящему стремные дела начнутся. Так что если кто решит в Питер вернуться — я пойму. И по человечески, и — по-служебному.

— А ты? — спросил Повзло. — Ты что же, один останешься воевать?

— Я просто отдам всю информацию в милицию.

— И они максимум что сделают — возьмут исполнителей. А про заказчиков никто никогда не узнает, — сказал Коля. — Я из дела выходить не собираюсь.

— А я тем более, — сказал Родя. — После этих таращанских приключений хрен я куда уеду, пока не разберусь, что к чему. Они хотят, чтобы мы свалили — именно поэтому сваливать мы не будем.

— Ну что ж... Все высказались, — подвел итог Обнорский. — Предлагаю обсудить один очень важный вопрос... Он называется «Галина Сомова». Факт утечки информации бесспорен. Нам сейчас очень важно понять: было ли это случайностью или моя гарная Галя — агент Рипус?

— Это нетрудно проверить, — сказал Повзло.

— Проверим, — кивнул Обнорский. — Такого рода проверка необходима с любой точки зрения. Если это случайность, то мы сможем выяснить, кому Галя проболталась про нашу поездку в Таращу. Это след. Если же это не случайность и мадам Сомова действительно агент, подведенный к нам, то получается еще интересней. У нас появляется возможность дезинформировать через нее наших противников... Предлагаю высказаться на эту тему, коллеги.

— Одну минуту, — сказал Родион. — Я хочу уточнить: ты, Андрей, сообщил Галине о нашей поездке в Таращу по телефону?

— Разумеется... А что?

— Я ведь как-никак связист. И я задаю себе вопрос: а нет ли утечки информации через каналы связи? Мне представляется, что это весьма вероятно.

— И давно тебя посетила эта мысль? — спросил Обнорский с иронией.

На самом деле он обрадовался предположению Родиона — Андрея угнетала мысль о том, что Сомова ведет двойную игру. Это казалось ему невероятным... или почти невероятным. Но засада под Таращой заставила задать себе жесткий вопрос: кто дал наводку? Логика подсказывала: Галина. Когда Андрей спокойно (внешне — спокойно) рассуждал о том, что Галина Сомова, возможно, чей-то агент и это открывает перспективы дезинформационных фокусов, на душе у него начали скрести кошки. И он готов был ухватиться за мысль Каширина о прослушивании телефона. Но не очень верил в это.

— И давно тебя посетила эта мысль? — спросил Обнорский.

— Нет, сегодня утром, — ответил Родион.

— А позволь узнать, Родион Андреич, что подтолкнуло тебя к этому?

— Замок в сортире, — сказал Родя.

— Что-что?

И Родя рассказал, что утром он пошел в туалет. Сидя на унитазе (прошу пардону за такую подробность) подумал, как, в сущности, немного нужно для счастья... Или, если угодно, для чего-то подобного. После «таращанского плена», наручников, холода, неопределенности — покой и защищенность. И вот — даже защелка замка работает. И нет нужды орать: занято.

Родя пощелкал фиксатором замка — работает. И вдруг его обожгла одна мысль: а с чего бы замок сам отремонтировался? То, что техника выходит из строя сама — это да, это запросто. Но чтобы она сама по себе ремонтировалась? Нет, не слыхал такого... Может быть, в квартире побывал хозяин? Пришел, обнаружил непорядок и отремонтировал замок? Могло такое быть? В принципе, могло. Но Родион своими глазами видел хозяина — такой не то что замок отремонтировать, гвоздя заколотить не сможет без того, чтобы не перебить себе пальцы... Но замочек-то работает! Щелк-щелк... Вполне исправно, между прочим. С чего бы это?

— Стоп! — сказал Обнорский. — Стоп, Родя. Ты хочешь сказать, что кто-то мог в наше отсутствие посетить квартиру и...

— ...И этот «кто-то» мог, кстати, воспользоваться туалетом. И оказаться в ловушке. Но если человек сумел открыть замок входной двери, то, наверно, справиться с простеньким фиксатором он тоже смог, — Родион внимательно посмотрел на коллег. — Но ведь не ради посещения туалета он приходил.

— Глупости все это, — сказал Обнорский. Приложил палец к губам и взял лист бумаги, быстро стал писать. Одновременно продолжал говорить: — Это у тебя, Родя, от нервов... По себе знаю. А вообще, скажу я вам, техника — это нечто непредсказуемое. Особенно это знают автомобилисты: то вдруг что-то забарахлит — беда, в ремонт надо. А пока соберешься в ремонт ехать — глядь, а все само прошло. Так что плюнь, Родя, и разотри.

Андрей перевернул лист бумаги так, чтобы текст был виден Коле и Родиону: «Возможно, Родька прав. Нужно поискать „жучков". В первую очередь — в телефоне. Сможешь, Родя?»

Каширин кивнул: да, конечно. Он достал свой швейцарский ножичек и отправился в комнату, где стоял телефон. Обнорский с Колей остались за столом. Мысль о том, что в квартире могут быть «жучки», угнетала. До сих пор квартира казалась относительно безопасной. На время командировки она стала их домом, что по определению означает — их крепостью. Теперь появилось подозрение, что в крепость проник враг. Маленький (не зря называют его «клопом»), не способный навредить в буквальном смысле слова, но подлый как всякий шпион и способный нанести вред.

Родион появился в дверях кухни минут через пять. Он поманил Обнорского и Повзло пальцем. Телефон со снятым корпусом стоял посреди стола, напоминал калеку, выглядел жалко. Андрей и Коля осторожно подошли. Ни слова не говоря, Родя ткнул концом отвертки в маленький электронный блочок.

* * *

Через несколько минут они покинули квартиру. Ушли по одному, с интервалом две-три минуты. Разошлись в разные стороны. С тем, чтобы встретиться через час в непрезентабельной пивнухе. Настроение было довольно паршивым... А какое может быть настроение у человека, который неожиданно узнает, что его подслушивают?

В пивнухе было довольно многолюдно, шумно. Бо́льшую часть посетителей составляла молодежь — очевидно, студенты. Они горячо обсуждали тему подлинности «пленок Стужи» и на трех мужиков за столиком в углу внимания не обращали.

Повзло и Каширин заказали себе пива, Обнорский — чай.

— Молодец, Родя, — сказал Обнорский. — Я, даже если бы и заглянул в телефонные потроха, ничего бы не понял — проводочки, пимпочки какие-то... Черт его знает — «жук» это или деталь телефона. Молодец, молодец. Объявляю официальную благодарность — уже вторую, заметь.

— Весь вопрос, — сказал Повзло, — что нам дальше делать с этим счастьем?

— А это мы сейчас обсудим, — ответил Обнорский. — Вообще-то, господа расследователи, нужно было давно предположить, что мы под контролем у папаши Мюллера. Или еще у нескольких папаш. Вариантов, как я понимаю, несколько. Можно ничего не делать — оставить так, как есть. Все серьезные разговоры вести по мобильным. Их, правда, тоже сечь можно — но это сложнее и намного дороже. А СБУ — пусть слушают. Они нам не враги. Можно просто отключить эту штуковину. Но что это нам дает?.. Можно, в конце концов, использовать телефон, чтобы гнать дезу. Правда, пока не совсем ясно, какую. Ну это уже жизнь подскажет. Скажи, Родя, этот «жучок» слушает только наши телефонные разговоры или все разговоры в помещении вообще?

— Я не готов ответить. Но «жучок» фирменный... Следует полагать, что он может слушать нас через звонковую цепь, то есть при положенной на рычаг трубке. Слава Богу, что он поставлен не так давно.

— Откуда ты знаешь, когда он поставлен? — спросил Повзло.

— Защелка стала работать позавчера.

— Ага... А сломалась она когда?

Родион изумленно посмотрел на Николая:

— Ты что — хочешь сказать, что...

— Вот именно. Сломалась она больше недели назад. Может быть, именно в этот день нам и воткнули «жука»?

За столом повисла напряженная тишина. От мысли, что «жучок» мог быть внедрен больше недели назад, стало совсем не по себе. За это время аппаратом пользовались десятки раз, общались с самыми разными людьми, с Питером и между собой... Тот, кто их слушал, наверняка получил огромный объем информации. А разговоры велись не только по телефону, но и рядом с ним.

Все трое начали лихорадочно вспоминать, что именно говорилось в присутствии и при помощи безмолвного шпиона.

— Спокойно, — сказал Обнорский. — Спокойно... Не может быть, что он слушает нас уже неделю.

— Почему? — спросил Родя.

— Потому, что в Тараще самый главный вопрос был: на кого вы работаете? Кто ваш заказчик? Если бы «жучка» поставили неделю назад, они бы уже знали, что наш заказчик — Соболев. Но они этого не знают.

С выводом Обнорского согласились.

— Однако, — сказал Андрей, — нам все равно придется вспомнить и проанализировать все звонки, которые мы сделали за последние двое суток. Да, хороши мы, нечего сказать. Расследователи. Играли, играли — смеялись и досмеялись. Стыдно.

И с этим тоже согласились.

— Но самое паршивое в том, — продолжил Андрей, — что мы не знаем, единственный это «жучок» в квартире или она вся ими нашпигована? Ты сам сможешь проверить хату?

— Нет, — ответил Каширин. — Далеко не все эти штучки можно обнаружить так легко. Необходим инструментальный контроль.

* * *

Обнорский позвонил Забияке. Сказал:

— Нужно встретиться.

— Срочно? — спросил «таксист».

— Весьма, — ответил Обнорский.

Спустя сорок минут он «ловил такси» на углу Крещатика и Богдана Хмельницкого. Возле Андрея остановился знакомый «жигуленок» с плафоном на крыше. Андрей нырнул в салон. «Шестерка» резво взяла с места.

— Здравствуйте, Сергей. Рад вас видеть.

Забияка сухо спросил:

— Что у вас за проблемы?

— Можно проверить помещение на наличие «жучков»?

— А что за помещение?

— Квартира, которую мы снимаем.

— Есть основания?

— Есть... В телефонном аппарате мы обнаружили «сюрприз».

— Мне звонили с этого аппарата?

— Обижаете. С уличного таксофона.

— Понятно.

— Так можно проверить квартирку-то?

— Я перезвоню вам через час, — ответил Сергей. — На трубу.

Андрей понял, что сам «таксист» таких вопросов не решает и должен доложить своему приятелю из СБУ.

— Хорошо, — сказал Обнорский. — Олегу Марковичу привет... Высадите меня возле Бессарабского рынка.

«Таксист» позвонил ровно через час. Сказал, не представляясь:

— В девятнадцать часов к вам придут из санэпидемстанции. Морить ваших тараканов. Желательно, чтобы в квартире никого, кроме вас, не было.

В девятнадцать ноль-ноль в дверь позвонили. Обнорский посмотрел в «глазок»: на лестничной площадке стоял Костенко. За его спиной — незнакомый мужчина с «дипломатом». Андрей открыл дверь. Входя внутрь, эсбэушник приложил палец к губам.

— Добрый вечер, Андрей Викторович, — почти шепотом сказал он. — Пообщаемся шепотком, интимно. Мой коллега (жест в сторону человека с «дипломатом») сейчас проверит вашу квартирку.

Человек с «дипломатом» молча кивнул, раскрыл свой чемоданчик и достал из него какой-то прибор.

— Не будем ему мешать, — сказал Костенко.

Спустя несколько минут спец разрешил им разговаривать в кухне.

— Чисто, — сказал он. — Можете даже песни петь.

Спустя еще минут сорок спец заглянул в кухню и поманил Обнорского и Костенко пальцем. В гостиной он подошел к журнальному столику и лег на пол. Обнорский и Костенко последовали его примеру. Под столешницей, у ножки, прилепился маленький серый предмет. Спец показал на него рукой, потом подергал себя за ухо.

Потом, в кухне, он сказал Обнорскому:

— Микрофон японский, дорогой... Вас слушают очень серьезные люди. Позволить себе такую технику могут только весьма богатые конторы.

— Как долго, — спросил Обнорский, — он может работать без подзарядки?

— Хороший вопрос... Около ста часов.

— То есть около четырех суток?

— Нет. Сто часов — в активном режиме.

— Что это значит?

— Это значит, что сейчас он спит и энергии почти не расходует. А включается только от звука человеческого голоса. Хотите побыстрей его разрядить — включите телевизор. Пусть он гонит в эфир телепередачи. — Спец улыбнулся.

— А где, — спросил Обнорский, — могут находиться люди, которые нас слушают?

— Рядом. Дальность у него невелика — метров двадцать. Человек или магнитофон находятся либо в машине, припаркованной рядом, либо в самом здании. Существует, правда, еще один вариант: где-то рядом установлен ретранслятор. Он принимает сигнал от вашего «жука» и передает его дальше. Но в любом случае — недалеко.

— Понятно, — сказал Обнорский. — Скажите: за ним придут?

— Откуда я знаю? — пожал плечами спец. — Я бы пришел обязательно. Бросать такую технику — непозволительная роскошь... Да и улика.

— Понятно... Машину проверить сможем?

— Почему нет? Проверим вашу машинку...

Машина оказалась «чистой». Микрофонов в ней спец не нашел. Но в заднем бампере нашел «бипер» — радиомаячок, позволяющий отслеживать перемещения объекта.

— Серьезные ребятишки, — сказал спец. — Я такие штуки видел только в каталогах... Модель совсем свежая, а у них уже есть.

— Понятно, — произнес Обнорский мрачно. — Я очень вам признателен...

— Не за что.

— Чем я обязан? — Обнорский вытащил бумажник.

— Это лишнее, — ответил спец. — Но если эти штучки станут вам поперек горла — отдайте мне. Приму с удовольствием.

— Они уже поперек горла. Но пока пусть постоят.

Спец пожал плечами и удалился. Костенко закурил, оперся на борт машины и сказал:

— Интересно живете, господин Серегин.

— Да уж... Интересней некуда. Как букашка под микроскопом.

— Не хотите поделиться результатами расследования?

— Рад бы, Олег Маркович. Да нечем... Нет результатов.

Костенко усмехнулся:

— Странно... К вам проявляют живейший интерес. В вас даже стреляют в фуникулере. А вы говорите: нет результатов.

— И тем не менее... Впрочем, кое-что есть. Мы выяснили, что Горделадзе анонимно размещал материалы компроматного характера через Интернет. Для этого пользовался услугами Интернет-кафе «Пространство».

— Спасибо, — сказал Костенко. — Займемся... Что-нибудь еще?

— Больше ничего.

— Ладно, будем считать, что так оно и есть. А телевизор, по совету нашего специалиста, включите. Пусть «жучок» подразрядится.

— Хотите задержать человека, который придет менять батарею?

— Хотим... Не будете возражать, если в квартире посидит наш человек?

— Как вам сказать?.. Мы ведь, в принципе, и сами могли бы...

— А вот этого не надо, — сказал Костенко. — Мы знаем, что вы — люди серьезные. Но самодеятельности не надо. Каждый должен своей работой заниматься.

«Спасибо, что объяснил», — подумал Андрей. А вслух сказал:

— Что ж, присылайте своего человека... Пусть посидит.

* * *

Вечером Андрей «катался в метро» с полковником Перемежко. Полковник рассказал, что отпечатки пальцев с пачки «Мальборо» принадлежат некоему Гвоздарскому Станиславу Яновичу, семьдесят пятого года рождения. В девяносто седьмом проходил по делу об убийстве. Сначала как свидетель. Позже его роль в деле переквалифицировали на соучастие. Гвоздарский скрылся, находится в розыске. Есть оперативная информация, что он погиб в Чечне... Воевал наемником на стороне чеченцев.

— Где вы взяли эту пачку? — спросил Перемежко.

— В Киеве, разумеется.

— А точнее?

— Недалеко от киевского фуникулера, Василий Василич.

— И, разумеется, в тот же день, когда фуникулер обстреляли?

— Разумеется.

— Ох, Обнорский, Обнорский... Нужны вам эти головные боли?

— Выходит, нужны... Меня еще один человек интересует.

— Кто?

— Фамилия у него интересная — Заец.

— Не Константин ли Григорьевич? — спросил Перемежко с интересом.

— Точно, — удивленно сказал Обнорский. — Из ваших?

— Нет. Константин Григорьевич Заец — подполковник КГБ в отставке. Нынче возглавляет какую-то охранную контору.

— А что за контору — можно выяснить?

— Можно... Заец, кстати, непорядочный человек, мягко говоря. («Да уж», — подумал Обнорский.) Мне в старые времена доводилось с ним пересекаться. Да и в отставку он ушел не совсем по своей воле...

— Я вас очень попрошу навести о нем справочки.

— Сделаю... Что еще?

— Пока все.

— Слава Богу. За Гвоздарского спасибо, — сказал полковник, пожал Андрею руку, встал и пошел к дверям.

* * *

Каширин позвонил Зайцу. Мобильник Зайца был выключен. Тогда Родион позвонил на домашний телефон. Подошла женщина. Услышав вопрос:

— Нельзя ли поговорить с Константином Григорьевичем? — долго молчала, потом произнесла:

— Нельзя... Нельзя с ним поговорить.

— Простите, а когда я смогу его застать?

В ответ женщина всхлипнула. Раз, другой, третий... Худо дело, решил Родион, сейчас заплачет. Но женщина не заплакала. Она справилась с собой, сказала:

— Кости нет больше... Его убили.

— Как? — спросил Родион. — Когда?

Она не ответила, положила трубку. Каширин выключил свою трубу, почесал переносицу и пробормотал: «Нормальный ход... Это кто же грохнул Зайчишку-то?»

Зайца «грохнули» его же подчиненные. Задушили брючным ремнем, вывернули карманы, сняли дорогие часы и бросили тело в джипе, в нескольких километрах от Таращи, на трассе. Разбой!

Обнорский, узнав про смерть Зайца, выругался. Сказал:

— Свои завалили. Завалили с одной-единственной целью: обрубить цепочку. Ну это мы еще посмотрим.

* * *

Обнорский провел совещание в гостиной. Питерская бригада собралась вокруг стола с микрофоном и «совещание», предварительно отрепетированное в кухне, началось.

— В общем, так, мужики, — сказал Обнорский, — надо эту тему закрывать... слишком стало горячо.

— Ты чего, Андрюха? — удивился Повзло.

— А ничего! Надоело мне голову подставлять. Раз повезло, два повезло. А третий раз неизвестно, чем обернется... Могут и грохнуть.

— Это точно, — сказал Родя. — Ты-то, Коля, здесь сидел. Тебя хлороформом не травили, в наручниках не держали... Я с Шефом согласен: надо сваливать от греха.

— Ну допустим, — недовольно сказал Коля, — допустим... А бабки?

— А бабки с заказчика все равно сорвем, — заявил Обнорский. — Завтра с утра садимся писать итоговый отчет. Втроем за три дня накатаем такую пиццу — пальчики оближешь. И бабки наши.

— Э-э, — протянул Родя. — Еще три дня тут сидеть?! Аккурат пришлют какого-нибудь отморозка с автоматом.

— Не ссы, Родя... Не пришлют.

— Это бабка надвое сказала.

— Не бабка и не надвое. Это я, Родя, тебе говорю. Мы ребяткам знак подадим: все в порядке, сваливаем, не надо жестких мер.

— Какой же ты им знак подашь? — удивился Родион.

— Завтра с утра ты сходишь и купишь билеты в Питер.

— Ну и что?

— Да ничего. Раз за нами следят — а события в Тараще точно доказали — следят... Раз за нами следят, то они про это замечательное событие тут же узнают. И сделают правильные выводы.

— Пожалуй что, — согласился Родион.

— А что будем лепить в отчете? — спросил Повзло.

— А что есть, то и будем лепить: Горделадзе, сучонок, лил черный пиар через Интернет... Видимо, на людей Бунчука. Тот не большого ума, конечно. Ну и приказал с мудаком «разобраться». А у его подчиненных мозгов тоже не хватает. Разобрались так, что полный караул... Классический эксцесс исполнителя. Голову отрубили, чтобы спрятать пулю. Все стройно, логично. Пожалуйте бриться!

— Не особенно-то нашего заказчика устроит такой вывод, — сказал Коля.

— А меня это не колышет, — ответил Обнорский.— Я предупреждал, что мы — не шаманы и не волшебники.

Потом — для пущей убедительности — они полчаса обсуждали некоторые детали отчета. Потом отправились в кухню ужинать, оставив включенным телевизор.

* * *

Используя свои связи, Повзло добыл «кассеты Стужи». Разумеется, не бесплатно... С каждым часом количество копий обнародованных лидером соцпартии кассет увеличивалось. Они расползались по Киеву как тараканы по коммунальной квартире. Цены падали. Рассудительный Родя сказал:

— Если подождать пару-тройку дней — цена снизится вдвое, а то и втрое.

— А если подождать месяц, — сказал Обнорский, — то они вообще пойдут по цене песенок Киркорова... Времени ждать у нас нет. Садимся работать.

Втроем сели в кухне слушать. Это был нелегкий труд — часть записей оказалась весьма невысокого качества, — приходилось возвращаться обратно, прослушивать по два, по три, по пять раз. На пленке звучало много незнакомых питерским журналистам голосов. Назывались незнакомые имена, фамилии и даже клички... На удивление много употреблялась ненормативная лексика. По части матерщины представители украинской элиты не уступали грузчикам. Часть разговоров шла на украинском, и тогда Коле приходилось переводить. Процесс был утомительный и, откровенно говоря, малорезультативный... При этом следовало учитывать, что восприятие записи разговора сильно отличается от самого разговора. Магнитофонная пленка не может передать жестов и мимики, взглядов, которыми обмениваются собеседники. О многом слушатель может только догадываться. При всем при том, что Повзло добыл далеко не «полную версию, без купюр» (которую «продавал» Обнорскому Николай) прослушивание затянулось до утра. Про Горделадзе упоминали не так уж и много, но в достаточной степени эмоционально, зло.

Особенный интерес вызвал один фрагмент. На нем звучали голоса президента и министра внутренних дел Марченко:

«*Бунчук: Этот грузин.*

Марченко: А я. Мы работаем.

Б.: Я и говорю: вывести его, бросить. Отдать чеченцам. (Неразборчиво) а потом выкуп на хуй.

М.: Мы продумаем. Мы сделаем так, чтобы...

Б.: Значит, отвезти его, раздеть, бля, без штанов оставить, пусть сидит.

М.: Я бы сделал просто, бля. Мне сегодня докладывали. Мы обстановочку изучаем: где он ходит, как хо-

дит. Там у нас на связи сидит... Еще немножко, немножко изучить, мы сделаем. У меня сейчас команда
боевая. Такие орлы — все, что хочешь сделают. Значит,
вот такая, бля, ситуация, на хуй.

Б.: Шо ты пиздишь?

М.: Ну я вам докладываю. Мы там немного проко-
лолись.

Б.: Но он же сука, грузин, сука... Он же грязь кидает
в Россию через Интернет... В Интернет через Россию.

М.: Ясно... Я Горделадзе не выпускаю из виду. Просто
у нас возник вопрос... мы же это... Хотя уже есть контакты... Ну было, бля... из наружного наблюдения. Я хочу изучить его контакты.

Б.: Ты, бля, разберись — нет ли там команды, которые строчат эту грязь. Они уже заебали на хуй.

М.: У меня все есть. Но я хочу с него, с грузина... с
первого. Как это... как Генеральная отреагирует? Но-
меров, насколько я знаю, у них нет...

Б.: А при чем Генеральная? Какая, бля, связь?

М.: Есть же заявление Горделадзе... Это же, на хуй,
официальное заявление.

Б.: Ну и что?

М.: Заявление-то официальное.

Б.: И чего это каждая срань должна писать на Генерального прокурора... Вот подонок!»

— Да, — сказал Обнорский, — грустно...

— Куда уж дальше? — ответил Коля.

— Что думаешь — подлинная запись?

— Я не эксперт.

— Я знаю, что ты не эксперт. Я твое личное мнение спрашиваю, Николай... Ты же голоса всех этих
ребят лучше знаешь.

Коля аккуратно сложил кассеты в стопку, сказал:

— Да уж, наслушался... Очень похоже на то, что
записи действительно подлинные. Особенно похожи
голос Бунчука, Латвина, Марченко. Бунчук опознает-
ся почти стопроцентно. По голосу, по интонациям,
вообще — по манере говорить. Марченко — тоже...

Про Латвина сказать трудно... Как-то он себя мало проявляет, неконкретно.

— Да, — согласился Андрей, — Латвин очень неконкретно бормочет.

— Зато Марченко совершенно конкретно, — сказал Родион. — Однозначно подтверждает, что за Георгием ходила наружка... и что орлы у него боевые — «все, что хочешь сделают».

— Боюсь, Бунчуку не отмыться, — произнес Коля.

— Ладно, — сказал Обнорский. — Время позднее... Надо хотя бы часа три поспать. Потом мы прослушаем все это повторно. А пока давайте подобьем предварительные итоги.

Предварительные итоги были таковы: запись, с высокой степенью вероятности, подлинная. Это подтверждается сходством голосов на пленках, большим количеством приведенных фактов, дат, фамилий...

Записи подтверждают, что президент Бунчук был очень недоволен деятельностью Георгия Горделадзе, знал о его «анонимной» работе в сети и требовал от своих подчиненных расправы с журналистом... Министр МВД, со своей стороны, заявлял, что работа ведется, что за Георгием установлено наружное наблюдение и его «орлы все что хочешь сделают».

Горделадзе или его «Украинские вести» упоминались прямо или косвенно в десяти эпизодах. Кроме того, несколько раз упоминались другие журналисты или издания, которыми был недоволен президент... Слава Богу, никто из них не пропал.

Однако «кассеты Стужи» производили очень мрачное впечатление.

* * *

Теперь, после гибели Зайца, его место занял Оськин. Надо сказать, что Николай Палвлович давно об этом мечтал, но отдавал себе отчет, что навряд ли... Навряд ли когда-нибудь он займет место Зайца. Бывший комитетский подполковник по всем профессиональным показателям явно превосходил милицейского майора. Плюс ко всему с Хозяином Заец работал уже очень давно и пользовался его доверием. Не безграничным, но высоким...

Николай Павлович Оськин не особо рассчитывал, что когда-либо займет место своего шефа... Но все вдруг изменилось — мгновенно, за несколько минут. В какой-то мере все это стало результатом целой цепочки случайностей, а уж если по-честному — ошибок, совершенных людьми Оськина. И в какой-то момент, когда стало очевидно, что груз этих ошибок слишком тяжел, Оськин понял: счет предъявят ему. И тогда он принял решение: перевести стрелки на Зайца. Он никогда бы не посмел этого сделать, если бы не чувствовал молчаливой поддержки своих бойцов... Он посмел — и все получилось!

Когда Оськин шел на первый свой доклад к Хозяину, он понимал, что Хозяин скорее всего ему не поверит. Но отступать было поздно, некуда было отступать. Николай Павлович пришел на доклад к Хозяину и доложил, что Константин Григорьевич в процессе проведения оперативно-профилактических мероприятий в районе города Тараща наделал немало странных шагов. В том числе лично освободил от наручников фигуранта разработки Шустрого. Затем потребовал освобождения фигуранта Араба, после чего скрылся вместе с ними на своем автомобиле... Конечно, Хозяин был в шоке. Конечно, он не поверил. Но и выбора у него тоже не было: коней на переправе не меняют. Но даже если бы Хозяин захотел «поменять коней», то не смог бы — не было никаких запасных «коней»... Под руками Хозяина была только та команда, которую за четыре года создал Заец. Нынче она оказалась обезглавленной. Хуже всего было то обстоятельство, что многие вопросы замыкались на Зайца... С его смертью обрывались некоторые контакты, некоторые очень важные связи в эсбэушной среде и в среде криминальной. Восстановлению они почти не подлежали.

После доклада Оськина Хозяин откровенно запаниковал. Он накричал на Оськина, назвал его провокатором, сказал, что знать ничего не знает ни про Таращу, ни про «оперативно-профилактические мероприятия», ни про Шустрого, ни про какого-то там Араба... Оськин понял, что Хозяину страшно. Может быть, даже страшней, чем самому Оськину. Он пожал плечами и покинул кабинет.

Вечером Хозяин пригласил его для беседы. В течение полутора часов он очень осторожно беседовал с Николаем Павловичем. Зондировал, что тот знает. И остался в целом доволен: с одной стороны, Оськин знал кое-что и был в достаточной степени замаран... С другой, он многого не знал. Он ничего не знал об операции «Почтальон», например. Да и вообще, информирован был однобоко. Конечно, от него следовало избавиться, так как события показали: ненадежен Оськин, ненадежен. Но заменить даже это «слабое звено» было нечем. Поразмыслив, Хозяин пришел к выводу, что, в общем-то, произошедшее даже к лучшему. Дело вышло на финишную прямую. Теперь уже никто — ни питерская бригада, ни СБУ вместе с ФБР и Интерполом, ни сам Господь Бог, изменить ничего не смогут. Дело фактически сделано, и Заец уже не нужен. Более того — он опасен.

Так или иначе, а с Зайчишкой все равно пришлось бы распрощаться. Причем именно тем способом, которым это сделал Оськин. «...Что ж? Значит, судьба», — подвел итог Хозяин и вернулся к Оськину:

— Ну-с, Николай Палыч, ситуация очень непростая. На время отсутствия Константина Григорьевича (Оськин удивленно вскинул глаза, встретился взглядом с Хозяином... ПОНЯЛ)... Куда Зайчик пропал? Не загулял ли?.. На время отсутствия господина Зайца я прошу вас взять на себя его обязанности: обеспечение безопасности, работа с персоналом... Ну вы же знаете?

— Понял, Матвей Иваныч, — сказал Оськин.

Он действительно кое-что понял: Хозяин шифруется, маскируется, осторожничает... Он всегда был такой. Сам Оськин, например, ни разу не получал от Хозяина приказы на совершение каких-либо незаконных действий — все подобного рода директивы спускались через Зайца. Но теперь-то Зайца нет. Как, интересно, ты, Матвей Иваныч, будешь теперь крутиться? Не все же словоблудием заниматься? Когда-то придется КОНКРЕТНЫЕ вещи говорить... Как ты будешь крутиться, Хозяин?

— Ну коли уж вы нашли время меня посетить, то, Николай Палыч, я вас не отпущу, пока в баню не сходим, — сказал Хозяин в тот вечер.

А уже в сауне (Оськин знать не знал, что прямо за кабинетом есть сауна) Хозяин сказал открытым текстом:

— В общем, так, Палыч. С питерскими вы напортачили...

— Матвей Иваныч, тут, видите ли...

— Не вижу. Не знаю. И знать не хочу. Больше на пушечный выстрел к ним не подходить... Ну их на хер! Наружку снять, оставить только электронный контроль. Мне докладывать ежедневно. Понял?

— Понял.

— Предашь — зарою, — сказал Хозяин и посмотрел на Оськина так, что стало майору холодно в горячей сауне.

Тогда он впервые подумал: — А хорошо ли, что он, Николай Оськин, занял теперь Зайцево кресло?

* * *

...Оськин вошел в кабинет Хозяина со скорбным лицом.

— Здравствуй, Николай Палыч, здравствуй... Ну что там? Был?

— Был, Матвей Иваныч... Опознал. Без сомнения — Заец. Константин Григорьич. Сотрудники милиции считают: разбойное нападение.

338

— Да, наступает криминал, понимаешь ли. Пора положить этому предел. Поставить заслон... Это общенациональная задача.

Хозяин остановился посреди кабинета, зорко посмотрел на Оськина и сказал:

— Беда, беда... Ты уж, Николай Палыч, возьми-ка, брат, на себя организацию похорон. — Хозяин чуть-чуть помолчал и произнес совершенно двусмысленную фразу: — Ты это дело начал, ты уж и доведи до конца.

Оськин промолчал, а Хозяин сверкнул глазами и буднично спросил:

— Ну, что у нас по текущим делам?

— Все в порядке... Даже, я бы сказал, замечательно.

— Что же замечательного?

— Вот кассетка, Матвей Иваныч, — сказал, доставая из кармана пиджака кассету, Оськин. — Если бы вы нашли время послушать...

— Стоп! — сказал, поднимая руку останавливающим жестом, Хозяин. — Что на кассете?

— Питерская бригада... Самая свежая информация.

— Быстро, в двух словах — что они там несут?

— Решили, что здесь им делать больше нечего. Собрались домой.

— Ага! Вот так, значит? — оживился Хозяин. — Ну-ка, дай ее сюда.

Оськин подал кассету, Хозяин достал из стола портативный диктофон, вставил кассету и поднес машинку к уху... слушал внимательно. Спустя десять минут сказал:

— Да-а... Дозрели наконец. Ну что ж? Счастливого пути, как говорится. Но ты, Коля, проверь факт покупки билетов, а их отъезд проконтролируй лично.

— Будет сделано, Матвей Иваныч.

Когда Оськин ушел, Хозяин закурил (курил он очень редко, а на людях вообще никогда) и сказал:

— Сваливают! Сваливают москали... Но теперь-то уж — какая, на х..., разница? Теперь уже дело-то сделано.

* * *

В 11:45 человек Оськина зафиксировал факт приобретения Шустрым авиабилетов в кассах на улице Городецкого. Через свои старые связи в МВД Оськин быстро организовал запрос и выяснил, что господа Каширин, Обнорский и Повзло приобрели билеты эконом-класса на рейс № 1139 компании «Air Ukraine», вылетающий в Санкт-Петербург 6 декабря в 11:25. Ну и скатертью дорога. Попортили вы тут нервы людям.

* * *

Вечером в квартире, где обитала питерская бригада, появился четвертый обитатель. Он пришел поздно, когда дом уже затих и вероятность встречи с кем-либо на лестнице или в лифте была минимальна.

Обнорский представил его («Кстати, как вас зовут?» — «Саша». — «Это, друзья мои, Саша».) личному составу. Объяснил, что Саша здесь находится нелегально, ни в каких разговорах не должно сквозить, что в квартире есть еще один жилец... Саша только скромно улыбался.

* * *

Обнорский огляделся по сторонам, запустил руку под бампер «своей» «девятки» и с изрядным усилием отодрал блочок «бипера» от металла. Пакостная штучка (новая модель, таких даже спец из СБУ еще в руках не держал), не издавала ни звука, но на самом деле распространяла радиосигнал, который соответствующая аппаратура принимала метров за триста.

Андрей повертел штуковину в руке, потом сунул ее под бампер дряхлого «Москвича». Судя по виду, «Москвич» стоит здесь уже год, а может — три, а может — пять... И уже навряд ли куда-нибудь когда-нибудь поедет... «Бипер» примагнитился к стали. Слухач в отеле «Премьер-палац», на которого возложили обязанности контролировать еще и сигналы «бипера», естественно, не смог засечь перемещение пищалки на полтора метра. Для него «бипер» как стоял под бампером «девятки», так там и стоит. И сама «девятка» тоже стоит на месте.

Обнорский тем временем вывел машину из двора и направил ее привычным уже маршрутом — в Таращу. Он вернулся поздно вечером, но слухач в «Премьере» поклялся бы, что Араб весь день не покидал квартиры. Он, слухач, постоянно фиксировал присутствие в квартире трех человек. Слышал реплики Родного и Шустрого, обращенные к Арабу, и слышал даже его ответы — невнятные, в виде междометий, но все-таки слышал.

По договоренности с Оськиным слухач должен был каждые четыре часа отзваниваться, сообщать новости. В полдень он доложил: информации — ноль. Все трое орлов сидят — работают. Изредка обмениваются какими-то репликами. Да еще телевизор, козлы такие, не выключают вовсе... Телевизор, конечно, мешает.

В шестнадцать доклад был такой же: пишут свой сраный отчет. Из квартиры выходили один раз: в 13:40 Шустрый предложил сходить пообедать. Родной поддержал, а Араб отказался... Ему пообещали принести пиццу сюда. И, действительно, принесли пиццу и пиво.

— Вот и все. Может, прекратим наблюдение, Николай?

— Слушай. Тебе за это деньги платят. Сиди и слушай.

* * *

Родиону неожиданно позвонил Краюха. Родя уже как бы забыл про старого вора. То есть, конечно, не забыл — криминальному журналисту не положено забывать своих персонажей. Но вор оказался персонажем эпизодическим, проходным... Таких в каждом расследовании бывает немало. И Родион просто перевел его из оперативного отдела памяти в архивный.

Краюха позвонил на «трубу», когда Родя аккурат закончил работу с толстой пачкой распечаток. Работа была сделана огромная, и Родион остался доволен результатами... Он откинулся в кресле, потянулся и шумно зевнул.

— Закончил? — спросил Повзло.

— Ага...— ответил Родя. Потом покосился на журнальный столик и добавил: — Закончил главу про телефонные контакты Г. Г. Налил воды, развел пожиже — авось сожрут.

— Может, сходим пообедаем? — спросил Коля.

— Ага, пойдем... А ты, Шеф, как? — обратился Родя к «Обнорскому».

В коридоре эсбэушник Саша пробурчал что-то нечленораздельное, но в целом отрицательное, должное означать: некогда мне. Не могу. Не хочу... Идите в баню! А впрочем, принесите пищу.

— Ладно,— сказал Коля,— мы с Родькой тебе пиццу принесем и пивка.

Повзло и Каширин вышли в прихожую, в комнате остался работающий телевизор... Тогда-то и позвонил Краюха. Слава Богу, на «трубу». Родион звонку Краюхи удивился... Еще больше он удивился, когда вор сказал, что надо бы, мол, встретиться.

— Конечно, — сказал Родя убежденно, — конечно, надо встретиться... Да вот и не знаю — когда? Мы вроде бы работу свою закончили, через два дня улетаем... А что у вас такое случилось, Рудольф Николаич?

Буханкин крякнул и сказал:

— Улетаете? Работу закончили?

— Да вот... вроде как бы... А вы, наверно, привет Звереву хотите передать?

— Привет? — переспросил вор. — Ну конечно... Конечно, я хочу передать привет Александру Андреичу... А как же?

Родя почувствовал, что вор говорит что-то странное, что-то он, видимо, хотел сказать, но вдруг передумал... Передумал, кстати, потому, что уловил некую фальшь в словах Роди.

— Постойте, — сказал Родя. — Постойте, Рудольф Николаич. Я, кажется, начинаю нести какую-то хренотень... Крыша уже едет от этой бумажной работы. Вы сказали: нужно встретиться... Я готов, Рудольф Николаич. Я очень рад встрече с вами. Определите, пожалуйста, удобное для вас время и место... Простите мне мою бестактность.

Еще до того, как вор Буханкин ответил, Родион понял, что настроение Краюхи изменилось.

— Ваши извинения, Родион Андреич, принимаю... коли вас устроит, жду через час в том же кафе, где и в прошлый раз.

* * *

Таращa была тихой, мирной, белой... В девять утра народу на улицах почти не было. Те, что были, никуда не спешили. Куда спешить в этом припорошенном снегом тихом городке, где, кажется, остановились все часы? А если какие-то еще идут, то это по недосмотру. И надо бы за недосмотр спросить... да некому.

Вились кое-где над домами дымки, изредка проезжала машина или телега. Обнорский остановился возле кафе «Наталі», зашел и выпил чашечку кофе. Поговорил со знакомой уже симпатичной буфетчицей: как, мол, жизнь и что слышно? Жизнь в Тараще была, оказывается, «совсем непродвинутая»... А что, мол, слышно? — Так ничего не слышно... Хотя — ой, блин! — мужика недавно убили. Приезжий, из Киева, на шикарном джипе. Говорят, засекреченный разведчик. А убили его потому, что знает «тайну Горделадзе».

— Этот, пожалуй, знает, — согласился Андрей.

Он расплатился за кофе, позвонил Повзло и сообщил, что до Таращи доехал благополучно. Сейчас направляется на завод. Связь — каждые четверть часа.

Когда накануне вечером обсуждали перспективу поездки в Таращу, вопрос стоял так: ехать или не ехать? Обнорский настаивал, что ехать нужно обязательно. Найти объект, где держали их с Родионом, а еще раньше — Горделадзе. Провести разведку и по возможности сфотографировать кирпич с «запиской» Георгия... Повзло и Каширин возражали. Говорили, что ехать в Таращу опасно. Смертельно опасно... После долгого спора сошлись на компромиссном варианте: Андрей съездит, найдет объект, но внутрь заходить не будет.

— Ты поосторожней там, — сказал Коля, и Андрей поехал искать завод (фабрику, склад), на котором их держали.

Долго искать не пришлось: довольно скоро он увидел бетонный забор и выкрашенные синей краской ворота с буквами ТМЗ, что, видимо, должно означать Таращанский моторный завод. А может — механический.

Андрей остановил машину метрах в двадцати от ворот. Ну вот, Андрей Викторович, ты и нашел «логово зверя». Как все просто... Просто, как в жизни. Теперь осталось решить вопрос: входить или не входить внутрь?

Входить представлялось небезопасным... А не входить — глупо. Зачем ты сюда приехал? Посмотреть снаружи?.. О, это вершина расследовательской работы.

Андрей выщелкнул окурок в окно и снова позвонил в Киев:

— Я нашел «объект». На воротах аббревиатура — ТМЗ. Видимо — Таращанский моторный завод. Адрес — улица Куреневская, восемь. Сейчас двину на разведку. Звони мне, Коля, каждые три минуты... Понял?

— Ты что — хочешь войти внутрь? — спросил Коля.

— Да, Коля, надо.

— Андрюха, мы же вчера договорились!

— Надо идти, Коля... Жаль, фотоаппарат не взял.

— Послушай, Андрюха...

— Звони мне, Коля, каждые три минуты. Ах, дурак я, что фотоаппарата не взял!

— Понял, Андрюха, — сказал Повзло. — Слушай... может, не надо?

— Каждые три минуты, Коля... каждые три минуты.

Андрей сунул в карман телефон, надел на лицо выражение «я, конкретно, бизнесмен» и пошел к воротам с буквами «ТМЗ».

* * *

Он шел, ноги утопали в снегу, холодный сырой ветер шевелил волосы... Где-то на территории ТМЗ пронзительно завыла собака.

* * *

Из прессы:

«Кто заказал „Бунчукгейт"?

...В эксклюзивном интервью нашему специальному корреспонденту вице-спикер Верховной Рады Украины Семен Гаврош высказал мнение, что за кассетным скандалом на самом деле стоят те политические силы Украины, которые на словах говорят о своей преданности президенту, что же касается Александра Стужи и анонимного офицера СБУ, то их Гаврош называет „маленькими колесиками и винтиками большой провокации". По мнению вице-спикера, техническая сторона „пленок Стужи" — результат длительной работы целой команды высококлассных специалистов, преимущественно — зарубежных. Утверждения анонимного офицера СБУ о диктофоне под диваном Гаврош категорически опровергает, подчеркивая, что неоднократно сидел на этом самом диване и там просто нет места, куда можно спрятать диктофон.

На вопрос нашего корреспондента: какие же именно силы г-н Гаврош считает ответственными за „Бунчукгейт"? — вице-спикер ответил, что такой вопрос следует адресовать политологам. „Я много что хотел бы сказать на эту тему, но в силу своей должности являюсь фактором стабильности в государстве, а потому не имею права на те открытия, которые может обнародовать политолог... Хочу обратить внимание на одно: этот скандал как бы затушевал все остальные скандалы, существующие на Украине. На сцене обвинений сейчас только президент. Только он один... Я мог бы назвать десятки персоналий или структур, кому это выгодно".

Так как г-н вице-спикер не назвал конкретных фамилий, а лишь намекнул на подозреваемых, мы осмелимся сами очертить их „узкий круг". Это могут быть, во-первых, олигархи. Во-вторых, кабинет Ященко (о том, что в кабинете есть собственный олигарх — Юлия Имошенко — на Украине говорить не принято). И, наконец, в-третьих, о своей преданности президенту говорят руководители силовых ведомств... Впрочем, подозревать их в причастности к кассетному скандалу не стоит — они сами попали под удар вместе с президентом.

...Так кого же все-таки подозревает вице-спикер?»

* * *

Андрей подошел к воротам. Холодный сырой ветер трепал волосы и запускал пальцы под одежду... Мерзко завыла собака за бетонным забором. А может, прав Коля: не надо? Не надо совать голову туда, где обосновались специалисты по отделению головы от тела...

Андрей стоял около ворот, собака выла, и было еще не поздно передумать, вернуться в машину, в теплый и уютный салон. Включить на всю катушку магнитолу, заглушая собачий вой и собственный страх, вызванный этим воем. Развернуться. Дать по газам и уехать отсюда к чертовой матери... Андрей ощутил вдруг чей-то взгляд, поднял глаза и увидел сквозь приоткрытые ворота человека на территории ТМЗ. Человек был одет в пыжиковую шапку, дубленку, джинсы — некий усредненный стиль «начальник по-советски». Обнорский восстановил на лице хамоватое выражение «я — бизнесмен» и пошел к человеку в пыжиковой шапке.

Их разделяло всего метров пятнадцать. Андрей шел и думал: еще не поздно развернуться... еще не поздно. Если те ребятки, что взяли нас с Родькой на шоссе, все еще базируются здесь, то не исключено, что они захотят исправить свой промах... Брось, ответил он сам себе, брось! Они давно слиняли. После того, как засветили «объект», они слиняли. Они испугались так, что слили Зайца. Понятно, что и на точке никого нет... А даже если кто и есть, он тебя «не узнает». Не захочет узнать — не в его интересах...

— Я и есть директор, — сказал человек в пыжике, отвечая на вопрос Обнорского. — Чем могу?

— Серегин Андрей, — сказал Обнорский. — Из Киева... ищу складские помещения. Нет ли у вас чего?

Помещения на ТМЗ были. И под склад, и под офис. От десяти до трехсот квадратных метров. Отапливаемые и неотапливаемые. С освещением и без. Под сигнализацией и без таковой. Весь Таращанский моторный можно было снять в аренду — целиком или по частям. За «нал» или «безнал». На год или на сутки. За гривны, доллары и даже за рубли. Можно — по договору, можно — без. Директор готов был сдать все, что угодно. Лишь бы киевский бизнесмен снял и заплатил... Директор повел Обнорского по заводу. Вернее, по тому, что от завода осталось... У Обнорского постоянно звонил телефон. Пустующих помещений было немало, но Андрей под тем или иным предлогом отклонил их все. Директор уже начал нервничать, уже начал предполагать в Обнорском сотрудника налоговой инспекции или ОБЭП. Но тут «киевский бизнесмен» увидел отдельностоящий маленький двухэтажный корпус, мгновенно его узнал и сказал:

— Во! Во, блин, то, что мне нужно. Сколько квадратов?

— Этот корпус снят целиком...

— Кем? Вашими — таращанскими?

— Нет, вашими — киевскими.

— А сколько там квадратов?

— Сто пятьдесят в первом этаже — помещения складского типа, столько же во втором — офисные...

— Бля! — сказал Обнорский. — Мне бы в самый раз... Вот прямо то, что доктор прописал. А что за контора-то снимает этот апартамент?.. Конкуренты, хрен им в дышло!

Директор махнул рукой с шапкой, сказал вяло:

— Да какие-то чудаки... ООО «Гарантия». Сняли корпус в конце августа. Деньжищ вгрохали уйму. У нас там внутри кое-чего лежало — велели за неделю освободить. А как там за неделю освободишь? Там стеллажи стальные. Их не вынесешь — они в двери не проходят. Их газом резать надо... Потом, правда, они согласились, чтобы мы за две недели освободили — к пятнадцатому августа. Стальных дверей везде понаставили: у нас тут, дескать, ценный товар будет храниться.

— А что за товар? — поинтересовался Обнорский.

В очередной раз зазвонил телефон. Андрей сообщил Повзло, что нашел подходящий объект... Да, прямо здесь, на территории завода. Но вот проблема — его еще в конце августа арендовало какое-то ООО «Гарантия»... конкуренты! Но они арендовали, а сами-то вроде бы не пользуются. Может, удастся провернуть субаренду... Ты звони, Коля, звони.

— Так что за товар-то у них, говоришь? — спросил Обнорский директора. Про себя он точно знал, что за товар и в каких количествах собиралась хранить «Гарантия» за стальными дверьми в отдельном корпусе.

— Какой там, к черту, товар?! Они так ничего и не завезли. Мелочь какую-то: мебелюшку офисную, пару компьютеров... Посадили там охрану — двух мордоворотов. А чего им охранять-то? Пыль?

Э-э, пан директор, тут ты не прав — было им что охранять. Еще и как было! Товар, именуемый «Г. Г.» или «Георгий Горделадзе», позже «модернизированный» в модель «Таращанское тело» вроде бы не стоил ничего... То есть не имел никакой товарной стоимости. Да и качество его в процессе хранения только ухудшилось. Однако цена при этом неимоверно возросла!

— А посмотреть помещение можно? — спросил Андрей. — Может, раз они фактически не пользуются, я сам с ними договорюсь?

— Попробуйте, — пожал плечами директор. — Только ведь там, скорее всего, и нет никого. Это раньше они хоть какую-то активность проявляли, а теперь там и вообще никого не бывает.

Директор и Обнорский подошли к дверям корпуса. Дверь была закрыта, но, когда Андрей потянул за ручку, отворилась.

— Ну вот, — сказал директор. — Сначала меры безопасности установили, как в гестапо, а теперь и дверь не закрывают. Эй, есть кто живой?

Пустой коридор отозвался эхом. Обнорский увидел приоткрытые двери «камер» — пардон, складских помещений, — в которых содержали его и Родьку. С заинтересованным видом он подошел и заглянул внутрь своей камеры... Увидел кушетку, стальной уголок на полу...

— Помещение, — говорил директор за спиной, — складского типа. Пятьдесят квадратных метров. Отопление отключено, но зараз можно подключить.

— Отлично, — сказал Обнорский. — Мне подходит.

Вдвоем с директором они вышли из «камеры Обнорского» и вошли в «камеру Каширина», она же — инструментальный склад. Андрей мельком обратил внимание на большое количество отпечатков обуви, покрывающих пол... На отсутствие кровати с перепиленной трубой в спинке.

— Отлично, — повторил Обнорский. — Отлично... Мне подходит.

Он быстро пересек помещение, остановился у левого дальнего угла и стал считать кирпичи — шестнадцатый от угла и шестнадцатый же от полу... Кирпич — предсмертное письмо Георгия Горделадзе... Ага, вот оно: «Тому, кто это найдет...»

Обнорский знал этот простой текст дословно. Даже зрительно он его представлял очень четко — неровные буквы цвета запекшейся крови, нацарапанные трехгранным штыком-напильником. И все-таки он еще раз перечитал это послание обреченного человека.

— Что вы там интересного увидели? — спросил директор задумавшегося Андрея.

«...Меня пытают. Навер.— убьют. Сообщите Алене...»

— А? — Очнулся Обнорский.

— Вы меня не слушаете... Что вы там такого интересного нашли?

— Нет-нет, ничего... Смотрю, в каком все это состоянии.

Директор снова забубнил свое, но Андрей, не дослушав, вышел прочь из инструментального склада. Мигала лампа «дневного света» на потолке... В спину выла смертная тоска приговоренного человека. «Сообщите Алене», — просил он перед смертью.

— Офисные помещения на втором этаже? — спросил Андрей.

— Да, но там, видимо, все закрыто.

— Ничего, посмотрим, что есть,— Обнорский быстро шагнул к лестнице. Он помнил, что оба пролета имеют по восемь ступенек. Наверху — налево и сразу дверь... Директор поднялся вслед за Андреем, подергал ручку и сказал:

— Закрыто...

В коридор выходили шесть дверей и только одна — в туалет — была незаперта. Но в туалете ничего интересного не было.

— Я же говорил, — сказал директор кисло, — что ничего вы тут не увидите. Здесь и раньше-то никого из «Гарантии» было не найти... кроме охраны. Потом и охрана куда-то испарилась.

— Когда исчезла охрана? — спросил Обнорский, заранее зная ответ.

— Давно уже... В конце октября или, может, в начале ноября.

— Ясно... Телефон здесь есть?

— Конечно. И местный, и городской.

— Какой номер городского?

— Э-э... — Директор наморщил лоб, вспоминая.

Вспомнил, назвал пять цифр. Номер был тот самый, с которого звонили Затуле. «Сообщите Алене»,— просил в предсмертном обращении Георгий... И ей сообщили.

— Сколько стоит аренда этого корпуса? — спросил Обнорский у директора. — Я хочу его снять.

— Но у меня же договор с «Гарантией», — сказал тот. Обнорский предполагал, что никакого (по крайней мере — на бумаге) договора нет. — У них, знаете ли, до конца года проплачено.

— Это все херня, Иван Иваныч. С вашей «Гарантией» я договорюсь сам. Сколько стоит аренда этого корпуса?

Директор приободрился. Он увидел в Обнорском заинтересованное лицо. Если бы он знал, в чем настоящий интерес «бизнесмена Серегина», он бы перекрестился... Но он не знал. Он просто почувствовал интерес Андрея, а значит, и возможность заработать. Директор начал спрашивать о предполагаемых сроках аренды, потребности в отоплении, освещении... Рассказывать о проблемах с СЭС и пожарниками. Он говорил осторожно, боясь вспугнуть потенциального клиента, и очень нудно. Андрей сначала слушал терпеливо, потом достал из бумажника сто долларов.

— Вот задаток, — сказал он оторопевшему директору. Здесь, в Тараще, сто баксов были большими деньгами.

— А как же «Гарантия»? — спросил директор разоренного ТМЗ.

— Решим вопрос, Иван Иваныч. Вы — главное — корпус никому не сдавайте, закройте на ключ и никого не пускайте. А дня через два-три приедет мой зам, и вы с ним решите все вопросы... Понятно?

Директору многое было совершенно непонятно, но он уже держал в руке стодолларовую купюру, и это решило исход «сделки».

— Да, — кивнул он, — понятно.

— Отлично, — сказал Обнорский. — Да, вот еще что: вы до приезда моего зама никому ничего не говорите, пожалуйста... Я бы не хотел сейчас нашу сделку афишировать. Вы меня понимаете?

— Да, да, конечно, — закивал директор. — Никому ни слова.

И Обнорский ушел, а директор остался в компании бесстрастного президента Франклина... Сто баксов в Тараще — большие деньги.

* * *

Каширин с Повзло пообедали в пищерии и вернулись домой, прихватив пиццу и пиво для «Обнорского». Родион честно сыграл свое возвращение в квартиру, «отметился» перед микрофоном, сделал звоночек в Питер на тему: скоро буду дома, и тихонько ушел на встречу с Краюхой... Интересно, что же такое случилось с вором, что он захотел встретиться?

Родион вышел через черный ход, дворами добрался до улицы Богдана Хмельницкого, там поймал частника и за десять гривен доехал до вокзала. «Хвоста» за Родей, кажется, не было... Впрочем, в этом никогда нельзя быть уверенным до конца.

Краюху он нашел в неприметной кафушке на Вокзальной площади. Вор сидел в углу, скромно, незаметно. Пил чай с лимоном, смотрел на окружающих как бы отсутствующим взглядом. Родион знал, что «отсутствующий взгляд» — маска. Вор — это такая профессия, которая требует собранности, внимания, умения принимать решения мгновенно. Краюха увидел Каширина в тот самый момент, когда Родион перешагнул порог кафе, но никак этого не показал. Продолжал сидеть, помешивая ложечкой чай. Каширин подошел к столику, остановился напротив:

— Здравствуйте, Рудольф Николаич.

— А-а, Родион Андреич, — «вышел из задумчивости» Буханкин. — Каким ветром вас сюда?

Вор поднялся, протянул Каширину правую руку.

— Да вот... шел мимо...

— Да что же вы стоите-то? Присаживайтесь, Родион Андреич. Уделите старику пять минут.

Родя присел, тут же возле столика появилась официантка. На Краюху она смотрела, как продавщица сельмага на певца Киркорова Ф.

— Что, Родион Андреич, будете заказывать? — спросил Краюха. — Вы ведь еще и не обедали?

— Спасибо, Рудольф Николаич. Я пообедал... Но кружку пива с удовольствием выпью. «Черниговское» есть у вас?

— Нет, — ответила официантка. — «Черниговского» нет... Но для друзей Рудольфа Николаича мы обязательно найдем бутылку-другую.

— Спасибо, Варенька, — сказал Краюха.

Так началась встреча Каширина и вора... Родя даже предположить не мог, к чему она приведет.

* * *

В Тараще Обнорский провел целый день. Помимо моторного завода нанес еще несколько визитов. О каждом своем перемещении по Тараще Андрей извещал киевскую «штаб-квартиру». В восьмом часу вечера Обнорский выехал из тихого мирного городка. Он проехал мимо того места, где голосовала девушка на «сломавшемся» «ниссане»... ухмыльнулся. Хотя смешного-то мало — по-всякому могло дело обернуться. Р-р-раз — и угодил в насильники! Если даже и не посадят, то шлейф слухов потянется будь здоров какой... Сегодня он попытался встретиться с «жертвой изнасилования», благо адрес они с Родей из покойного Зайца вытащили, но дома «жертву» не застал. А жаль! Было, о чем поговорить. Дело-то дрянь. Гнусное дело. Совсем плохо могло выйти.

Андрей отмахнулся от мрачных мыслей, вытащил телефон и позвонил Повзло. Сказал, что все о'кей, выезжает из Таращи и есть хорошие новости.

— У нас тоже новости неслабые, — ответил Коля. — Ждем тебя.

* * *

Самая обычная для любого — полицейского, журналистского — расследования ситуация: работа кипит... А результата нет. Подобно старателю (сравнение — извините! — избитое. Но ведь и правильное) сыщик просеивает «кубометры» информации в надежде, что на дне лотка тускло блеснет добыча... На этом сходство и заканчивается — старатель работает в чистом, прозрачном потоке... А сыщик? Сыщик работает в потоке мутном. Поток состоит из нечистот, крови, спермы... Из лжи, зависти, похоти, провокаций, сплетен, клеветы... Поток благоухает как всякая выгребная яма и несет мимо сыскаря-старателя подмоченные репутации и грязные деньги, исподнее. Случается, несет трупы, похожие на сваленные бурей стволы. Сыщик, в отличие от старателя, зачастую не знает, что именно ищет. А бывает так, что даже найдя нечто, сыщик не может понять: а то ли он нашел?

Но очень часто бывает так, что перелопачиваются горы информации, а результата нет. Нет, нет и нет. И, вероятно, уже не будет... Уже прошли по второму кругу... по третьему. И стало ясно: пора прекращать. Пришло время честно сказать себе, что это только в кино следствие непременно заканчивается разоблачением злодея. В жизни довольно часто бывает иначе: злодей оказывается умнее и изощреннее полицейского.

Пришло время признаться, что расследование зашло в тупик. Сложить собранные бумаги в папки, завязать тесемочки и поставить папки в шкаф, в архив...

Так бывает довольно часто. Бывает, однако, и по-другому: в тот самый момент, когда вам показалось, что настало время завязывать тесемочки и нести бумаги в архив... В этот самый момент на дне лотка блеснуло!

И это правильно, это нормально, это справедливо. Если сыщик (или целый коллектив сыщиков) пахал... долгое время пахал... не за зарплату, не за награду или очередную звезду на погонах... Если он честно делал свое дело — должно же ему подфартить?!

Нет, вовсе не обязательно, что ему подфартит. Розыскная реальность сурова. И часто несправедлива.

Но все-таки, все-таки, все-таки... Все-таки «фартит» тому, кто пашет. И в расследовании наступает момент, когда сыскарь говорит:

— Вот теперь, наконец-то, я все понял.

* * *

Обнорский внимательно посмотрел на Каширина и сказал:

— Вот теперь, мужики, я ни хрена не понимаю.

— Я, признаюсь, тоже, — сказал Повзло.

— А я? — спросил Родя. — А я понимаю?

* * *

Андрей вернулся в Киев около девяти часов вечера. Машину поставил во дворе дома возле «Москвича», по-хозяйски проверил «бипер» — стоит милый? «Милый» стоял в «москвичовском» бампере — никуда не делся. Потом Андрей позвонил в квартиру:

— Я внизу, выходите подымить на лестницу.

— О'кей, — ответил Коля, — выйдем на лестницу.

Поужинали дома — кулинарные способности любого члена питерской бригады были весьма скромны, но идти куда-то в ресторан не хватало сил... Поужинали в кухне и приступили к подведению итогов дня. Обнорский рассказал о своей нелегальной поездке в Таращу:

— С Таращанским моторным заводом все предельно ясно. Корпус, где мы с тобой, Родя, квартировали, снимали конкретно «под Горделадзе». Им нужен был именно отдельный корпус для того, чтобы никто не крутился под ногами. Везде поставили стальные двери, заменили замки... Очистить помещения под свой «товар» требовали крайний срок к пятнадцатому сентября.

— Нормально, — сказал Повзло.

— Отлично, — сказал Обнорский. — Уже семнадцатого, как мы знаем, «груз» доставили и разместили в инструментальном складе. Кто — хрен знает. Сегодня я не мог подробно потолковать с директором и персоналом завода. Начать расспрашивать их означало бы раскрыться, а я пока не хочу этого делать, предпочитаю пока пожить в шкуре бизнесмена, которому нужен склад в тамошней местности... Далее: Георгия пытали... Но вот что от него хотели, он не написал...

— Кажется, я знаю ответ, — сказал Родион. — Но с твоего разрешения, Шеф, я возьму слово чуть позже...

— Возможно, и я кое-что добавлю, — сказал Коля.

— Тоже чуть позже? — спросил Обнорский.

— Желательно.

— Ну, друзья мои, — развел руки Андрей. — Хорошо, я закончу свой отчет о Тараще. Итак, Георгия держали и пытали в бывшей «инструменталке» ТМЗ. Сколько времени это продолжалось — мы не знаем. Даже даты, когда он написал свое письмо, нет. Это, в общем, понятно — он просто не знал дату. Часы у него наверняка отобрали.

— Ты забыл, Андрей, — сказал Коля.

— Что я забыл?

— Ты забыл, что у него не было часов — он их сломал шестнадцатого и отдал в ремонт.

— Верно, — согласился Обнорский. — Верно, я просто-напросто забыл... бывает. Благодарю за подсказку. Итак, часов у него не было, окон в помещении тоже нет, и Георгий даже приблизительно не мог определить время, проведенное в плену. Так или иначе, но через какое-то время (возможно — два-три дня, возможно — пару недель) Горделадзе убили. Допускаю, что убили случайно.

— Почему? — спросил Коля.

— Только дурак будет стрелять из табельного ствола, если можно просто проломить череп... Впрочем, здесь возможны любые предположения, любые, самые невероятные варианты. Сейчас мы знаем только то, что Георгия Горделадзе убили, отсекли голову, герметично запаковали и хранили там же до первого или второго ноября.

— Почему ты, Шеф, считаешь, что хранили там же? — спросил Родион.

— Потому что до самого конца октября — начала ноября в корпусе торчала охрана. Что, кроме трупа Горделадзе, они могли охранять? Пыль?

— Может, у них там есть еще что-то такое, что следует охранять? — спросил Коля. — Остальные помещения, ты говорил, закрыты.

— Сейчас там точно ничего уже нет, — ответил Андрей. — После того, как нам удалось вырваться, они наверняка вывезли все, что могло представлять какую-либо опасность для них. Они испугались и отрубили все хвосты...

— Кроме «письма» Гии, — сказал Родион.

— Да, кроме «письма» Гии, — согласился Обнорский. — Впрочем, возможно, что мы сумеем найти еще какие-то зацепки: например, номера автомобилей, которыми пользовались охранники, их имена, фамилии, номера телефонов, на которые они звонили... В общем, Таращанский моторный еще следует изучать. И, конечно, ООО «Гарантия» тоже.

— «Гарантию» изучать бесполезно, — сказал Повзло.

— Почему?

— Я их уже пробил. Они зарегистрированы в середине августа. В адресе, указанном при регистрации, прописаны одиннадцать человек — либо коммуналка, либо общага... Учредитель «Гарантии» — Смыслов Юрий Федорович — прописан там же, ему шестьдесят четыре годочка. Скорее всего, Смыслов — пьянь непросыхающая. Сдал паспорт в аренду за литр водки и даже знать не знает — кому.

— И все равно с господином Смысловым необходимо познакомиться, — сказал Обнорский. — Я с твоими выводами, Коля, согласен. Но проверить нужно. Чем черт не шутит: вдруг наш Смыслов знает человека, который регистрировал «Гарантию» на его паспорт? Так что проверить надо.

— Проверим, — согласился Коля.

— Далее, — сказал Андрей. — В Тараще я хотел потолковать с Татьяной...

— Это с той самой?.. — вопросительно произнес Родион.

— Да, с той самой, Родя, которую мы с тобой «изнасиловали». Но встреча не состоялась — госпожа Татьяна Степанян убыла в неизвестном направлении на следующий день после нашего таращанского приключения. Ей позвонили, она быстренько собрала вещички, сказала мачехе, что съездит на недельку в Крым, и исчезла.

— Херовенько, — сказал Родион. — А ну как найдут нашу красавицу где-нибудь в лесу, задушенную собственными колготками?

— Навряд ли, — ответил Андрей. — За час до моего визита к ней домой она позвонила из Севастополя...

— Слава Богу!

— Да уж, действительно... Ну ладно, я отчитался. А что за новости у вас, орлы-инвестигейторы?

— Хорошие новости, — отозвался Повзло. — Мне позвонил сегодня Сальвадор Дали...

— Кто? Кто тебе позвонил?

— Хозяин Интернет-кафе, откуда Горделадзе вел «партизанские действия». Он внешне под Сальвадора Дали косит... Так вот, этот Дали позвонил и сказал, что на него наезжают эсбэушники (Обнорский усмехнулся), грозят всеми карами вплоть до закрытия заведения, если он не даст информацию о нелегальных «вылазках» Георгия... А он, Дали-то, ненавидит КГБ всеми тонкими фибрами души «демократа», но деваться ему некуда. А посему, раз уж он дал информацию им, то считает своим святым долгом дать и нам.

— А у него есть эта информация? — спросил Родион.

— Вот, — сказал Коля и положил на стол два листочка ксерокопированной бумаги.

— Что это? — Андрей взял в руки листки с текстом.

— Это тот текст, который Г. Г. дал однажды в сеть. Дал анонимно, конспиративно... Но сам текст забыл на столе. Был то ли пьян, то ли под кайфом. А Сальвадор Дали нашел, прочитал, восхитился. И оставил на память. Я, говорит, подумал: «Вот станет Георгий знаменит, я эту статью в рамочке повешу».

— Так уж стал Георгий знаменит — дальше некуда, — усмехнулся Обнорский. — Что же твой Дали не вешает в рамочке?

— Ссыт сильно, — сказал Коля.

Обнорский надел очки и быстро прочитал текст. Читал и качал головой.

— Мощно, — сказал Обнорский, прочитав. — Теперь понятно, почему он лил эту информацию анонимно... И почему ссыт твой Дали.

Родион, читавший статью через плечо Андрея, подтвердил:

— Да, мощно. Интересно, где он брал информацию? Это ведь не просто словоблудие: «Ах, ах! Все — ворюги...» Это уже факты. Номера счетов, банковские реквизиты... Это уже очень серьезно. Где Горделадзе мог добыть такую конкретную компру?

— И это еще не все, — сказал Коля. — Сальвадор Дали с Георгием познакомился: ваш поклонник, демократ, патриот и все такое... Наговорил комплиментов. Гия растаял, да и был опять же под кайфом. Расхлестался, что он еще не то в сеть забабахает! Еще такое забабахает — мало не покажется! У него есть материалы о торговле детьми, которой якобы занимается вице-спикер парламента... О фальсификации итогов референдума... О неких финансовых шалостях силовых министров. При этом Гия похлопывал рукой по портфелю.

— Он что — носил документы с собой? — спросил Андрей напряженно.

— Похоже, что так, — подтвердил Повзло.

— Вот тебе и второй пакет с мусором, — сказал Обнорский.

— В смысле?

— В том смысле, что от Затулы вечером шестнадцатого Горделадзе вышел с двумя пакетами мусора. Один нашли, второй нет... Почему, спрашивается, исчез второй пакет с «мусором»? Что — преступники увезли его с собой? Нет, конечно... Просто не было второго пакета с мусором, а была сумка с компроматом.

— Думаешь, Затула лжет? Зачем она лжет?

— Это нужно спросить у нее...

Какое-то время все молчали, «переваривая» информацию. Ее вдруг оказалось много. Избыточно много. Она ставила новые вопросы, которые — если удастся найти на них ответы, — неизбежно повлекут за собой другие...

Обнорский бросил на стол листочки ксерокопий. В нескольких местах текст, отпечатанный на принтере, был правлен от руки. Очевидно, рукой Горделадзе... Андрей снял и положил поверх бумаги очки. Прикрыл и помассировал веки. Потом обратился к Каширину:

— Ну а у тебя что за бомба, Родя? Атомная?

— Ядерная, — серьезно ответил Родион. — Боюсь, что она вообще способна сломать все наши представления о подоплеке «дела Горделадзе»...

— Ого! Ну-ка, ну-ка... расскажи.

— Сегодня днем я встречался с одним старым вором. Погоняло — Краюха, в миру Буханкин Рудольф Николаевич.

— Зверев дал связь? — спросил Обнорский.

— Зверев, — кивнул Родион. — Дал на всякий случай, потому что к политической и журналистской тусовке гражданин Краюха никаким боком не шьется. Я встретился с Краюхой один раз, хотел задать пару вопросов про Отца, но Рудольф Николаич сказал: «Это ваши дела. Я в эти игры не играю». И тогда я поставил на Краюхе крест... Но сегодня он позвонил сам и предложил поговорить.

* * *

...Когда официантка Варенька (ей было явно около сорока, и пора уже, наверно, называться Варварой...) принесла пиво, Краюха сказал:

— Спасибо, Варенька. Проследи, чтобы нас не беспокоили... Нам с человеком потолковать надо тет-а-тет.

Варенька кивнула, забрала и унесла от столика третий, свободный, стул, на столик поставила табличку: «Служебный». Родион, не торопясь, отхлебнул в меру охлажденного пива, помолчал, предоставляя Краюхе инициативу в разговоре. Вор закурил, пустил несколько колечек дыма и сказал:

— Вас Отец интересует?

— В общем — да, — ответил Родион.

— Не столько «в общем», сколько в связи с Горделадзе, — заметил, усмехаясь, Краюха. — Верно?

— Верно, Рудольф Николаевич. Интересуют возможные пересечения Отца с Горделадзе. Неформальные пересечения... Если, конечно, они имели место быть.

— Они, Родион Андреич, имели место быть, — твердо произнес Краюха. А потом, не торопясь, рассказал, что в конце июля был на вокзале небольшой шухер: — Такой, знаете ли, локальный шухерочек. На моем, между прочим, вокзале. Я уж не знаю, рассказывал ли вам Зверев о деталях моей биографии или нет, а потому поясню: вся моя сознательная жизнь прошла на этом самом вокзале или рядом с ним. За исключением нескольких длительных командировок и редких гастролей... А так считай, что сорок лет я на этом вокзале. Я знаю здесь всех. И все здесь знают меня. Было бы нескромным заявить, что я обладаю здесь неким весом... Но сказать, что я не обладаю весом, было бы просто глупо. Надеюсь, вы правильно меня понимаете, Родион Андреич?

Родя кивнул. Он отлично понял вора. Вокзалы притягивали криминальный элемент всегда, во все времена. Вокзал — это круглосуточный «круговорот лохов в природе». Поезда прибывают, выбрасывают на перроны сотни и тысячи лохов: сельских портяночников, туристов, командированных. Почти все они везут с собой некий гардероб в чемоданах и деньги. Деньги везут в тех же чемоданах, бумажниках, в подкладке пальто, в трусах и в лифчиках... По-всякому везут деньги. Главное — везут... А на вокзале лоха встречает жулик, готовый эти денежки изъять. Жулик, как и лох, был и будет всегда. При проклятом царизме, при большевиках и после большевиков. Способов изъятия денег существует великое множество. Карманная кража занимает среди них не последнее место. А вор в криминальном мире — не последний человек. Хотя нынче, конечно, времена переменились, и уже не воры держат мазу, а братаны...

Родион отлично понял Краюху. «Я на вокзале вес имею, — сказал вор. — Но — пойми правильно — не самый большой».

— ...А когда случается шухер, Родион Андреич, то ко мне приходят непременно. Если сегодня менты банкуют, то ко мне приходят менты: Рудольф Николаич, выручай. Мне масть не позволяет с красными темы тереть. Но и темы, и красные тоже разные бывают... Ты понимаешь? (Родион кивнул.) А когда братки шухер наводят, то опять идут ко мне: Рудольф, помоги. В тот раз банковали братки. Искали они одного кавказца, который увел у них кейс...

— Кейс? — переспросил Родион. — Что за кейс?

— Самый обычный «дипломат», неброский, из черной искусственной кожи... Какой-то хрен взял его из ячейки камеры хранения.

— Понятно. А кто его взял? — спросил Родя. Пока он явно не понимал, что это за кейс и какое отношение к нему имеет Горделадзе.

— Братанов тоже интересовало: кто мог взять кейс из ячейки? Они пришли ко мне: слышь, Рудольф, хороших людей обидели, кейс умыкнули... надо вернуть. Я им спокойно растолковал, что у вора ремесло такое — воровать, и возвращать никто никому ничего не будет. А мне в ответ: мы, Рудольф, понимаем... претензий нет. Но серьезные люди очень ПРОСЯТ вернуть и, кстати, за вознаграждение. Ты здесь всех знаешь, поговори со своими... Я подумал-подумал, решил: а почему нет, если ПРОСЯТ? Я спросил у братков: когда и что конкретно пропало? Тогда мне представили человечка от Отца. Человечек объяснил, что в пятницу, двадцать восьмого июля, в ячейке автоматической камеры хранения был оставлен кейс. Ориентировочно это произошло около четырех часов дня. В семь вечера его должны были забрать. Но нашли только пустую ячейку. Ценного в кейсе ничего нету. Но для хозяина ценность его огромна... Нужно выяснить, кто взял, и вернуть за хорошее вознаграждение.

Рудольф Николаевич умолк, закурил новую папиросу и спросил:

— Я понятно излагаю, Родион Андреич?

— Вполне, Рудольф Николаевич... Что же было дальше?

— Дальше? Дальше я поговорил с людьми. Выяснил, что никто этого кейса не брал. Но у той самой ячейки видели какого-то типа с кавказской внешностью. Без малого два метра ростом... Я так и сказал братку от Отца: наши не брали. Ищите кавказца большого роста... Через три дня этот же браток снова пришел, попросил о встрече с тем человеком, который видел кавказца. Дело это, сами понимаете, Родион Андреич, довольно-таки деликатное... Я сперва согласовал с нашим человеком, а уж только потом свел его с братком. Так вот, браток предъявил нашему штук пятнадцать фото разных лаврушников...

— И? — подтолкнул Родя вновь умолкшего вора.

Краюха усмехнулся и сказал:

— Наш опознал одного.

— Горделадзе?

— Тогда я не знал, что это Горделадзе, — ответил Краюха. — Узнал позже — случайно увидел его по телевизору, в «Эпицентре»... Но браток был определенно доволен: он как будто еще до начала «опознания» был уверен, что фото станет козырным.

* * *

Родя посмотрел на Обнорского, сказал:

— Резюмирую: двадцать восьмого июля из автоматической камеры хранения киевского вокзала в период с шестнадцати до девятнадцати часов была совершена кража «дипломата» черного цвета. «Дипломат» принадлежал Отцу или его команде. Содержимое нам неизвестно... Кражу дипломата предположительно совершил Георгий Горделадзе. И люди Отца сумели его вычислить.

Обнорский внимательно посмотрел на Каширина и сказал:

— Вот теперь мужики, я ни хрена не понимаю.

* * *

Информация, которую принес Каширин, действительно совершенно не вписывалась в уже оформившуюся версию: Горделадзе — пешка, обдуманно принесенная в жертву в большой игре. Конечная цель игры — сериал «Украина без Бунчука». В этой версии «вытанцовывалось» все, оставалось провести не так уж много оперативных мероприятий, чтобы завершить расследование и написать в титрах: действующие лица и исполнители. И перечислить всех поименно. Питерская бригада уже примерно наметила план будущих действий, но вдруг вылез некий вокзальный вор и смешал все карты.

— А я? — спросил Родя. — А я понимаю?

— Не может твой Краюха быть подставой? — спросил Коля.

— Во-первых, не похоже. Во-вторых, какой в этом смысл?

— Увести нас в сторону, — сказал Коля.

— Стопроцентной гарантии не дам, — ответил Родион. — Но мне представляется, что Краюха был искренен... Не потому даже, что очень уж сильно хотел помочь нам, а потому что беспредел ненавидит.

— Да-а, — протянул Андрей. — Твой Краюха смешал весь пасьянс.

— Ну извини...

— Что извиняться? Во-первых, надо позвонить Звереву и навести дополнительные справки о Краюхе. Я понимаю, что если бы Краюха был урод, Сашка бы на него тебя не вывел... Но поговорить с Сашкой надо.

— Я позвоню, — кивнул Родя. — Перетрем тему.

— А во-вторых, — сказал Обнорский, — со всем этим (он сделал неопределенный жест рукой, очертил в воздухе нечто) нужно переспать. Давать все оценки будем утром.

Обнорский посмотрел на часы:

— Ну-с, господа, до отбоя и отхода ко сну у вас есть еще личное время. А я, с вашего разрешения, еще покатаюсь на метро.

* * *

Полковник Перемежко выглядел усталым.

— Плохо выглядите, Василь Василич, — сказал Андрей после взаимных приветствий.

— А вы себя когда в последний раз видели в зеркале? — ответил полковник.

— Понял, — ответил Обнорский.

Из тоннеля вынырнул поезд, похожий на длинную грохочущую змею. Перемежко и Обнорский вошли в вагон. В соседнюю дверь вошел человек, сопровождающий полковника. Зашипел воздух, двери сомкнулись, и змея, стремительно разгоняясь, нырнула в черную нору. Андрей посмотрел на свое отражение в стекле, повторил: «Понял».

— В моем возрасте, Обнорский, нужно по вечерам дома сидеть, чай пить, — сказал полковник. — А я тут с вами ношусь, как с писаной торбой... в конспирацию играю...

— Я все понимаю, Василь Василич... Помогите еще немножко. Скоро уж все закончится.

— Ну-ну... закончится, — скептически произнес полковник. Потом, меняя тон, перешел к делу: — Вас интересовал Заец Константин Григорьевич?

— Не только интересовал, но и сейчас интересует, — ответил Андрей. Он решил сделать вид, что ничего не знает о смерти Зайца.

— Убили Зайца, — сказал Перемежко мрачно и покосился на Андрея.

— Надо же, — пробормотал Андрей. — Какая неожиданность.

— Убили его, кстати, в Таращанском районе.

— Еще интересней... Подробности известны?

— Задушен в собственном джипе. Инсценировка разбоя.

— Почему инсценировка?

— Есть некоторые детали... Вам это ни к чему, — ответил полковник. — Почему вы вообще заинтересовались Зайцем? Вы им интересуетесь, его убивают... Вы хоть понимаете, что, по идее, вас надо следствию отрабатывать? И я, как честный мент, должен был бы следствие поставить в известность, а не разводить тут с вами тары-бары...

— Он позвонил, предложил встретиться, — солгал Обнорский.

— Когда? Кому? Что конкретно говорил?

Обнорский рассказал о звонке Николая... Выглядело правдоподобно, но полной гарантии, что матерый агентурист принял его слова за чистую монету, не было.

— Чем занимался Заец после увольнения из КГБ? — спросил Обнорский. Ответ на этот вопрос представлял немалый интерес.

— Весь его героический путь я вам сегодня осветить не смогу — из конторы Заец ушел аж при Советском Союзе, в девяносто первом. Знаю, что подвизался в каких-то охранных структурах. Их тогда расплодилось как собак нерезаных... Но подробностей про тот период жизни господина Зайца я не знаю. А в самом конце девяносто пятого года он создал собственную фирму. Называется — «Гарант». Здесь (Перемежко положил на сиденье газету) копия лицензии, посмотришь сам. В «Гаранте» работают почти сплошь бывшие менты.

— А почему не чекисты? — поинтересовался Обнорский.

— Я вам уже говорил: в ГБ у Зайца не очень хорошая репутация. В таких делах они бывают весьма щепетильны.

— Понятно, Василь Василич... дальше.

— Дальше так: через год, в конце девяносто шестого, Заец «законтачил» с Эстером. И с тех пор фактически постоянно работает с ним. Формально «Гарант» — самостоятельная структура, никак не связанная с Эстером и его командой. На деле, как говорят люди знающие, «Гарант» давно стал одним из отделов команды... Матвей Иванович Эстер — руководитель аппарата кабинета министров. Фигура далеко не самого крупного калибра, но его влияние определяется не должностью... В общем, это очень серьезный человек.

— Вот так? — спросил Обнорский механически.

Собственно, нечто подобное он и предполагал. Даже при беглом знакомстве с Зайцем было очевидно, что на самостоятельную фигуру он не тянет. Он, разумеется, не пешка, но и не ферзь. При блиц-допросе в салоне «девятки» Заец не назвал ни одной фамилии... Однако намекнул, что знает эти фамилии...

— Вот так, — кивнул полковник. Помолчал, потом добавил: — Раз уж ты знаешь, кто тебе звонил с той таксофонной карты, то скажу... Не хотел говорить. Более того, не имею права. Но раз уж сам знаешь, скажу: эта карта еще раз «выходила в эфир». В день смерти Зайца с нее звонили одному высокопоставленному чиновнику.

— А фамилия?

— Вы меня удивляете...

— Понятно. Есть еще один щекотливый вопрос, Василий Василич.

— Щекотливый? Ваша щекотка может довести до инфаркта, — сказал полковник. — Что за вопрос?

— Василий Василич, вы слушали «кассеты Стужи»? — осторожно спросил Обнорский.

— Допустим...

— Ваш министр прямым текстом говорит о том, что за Горделадзе ходила наружка... Это так?

— До инсульта, Обнорский.

— Не понял.

— Ваша щекотка может довести не только до инфаркта, но и до инсульта, Андрей Викторович... Почему бы вам прямо у министра не спросить?

— Мне очень важно понять, кто реально следил за Горделадзе.

— Ты хоть понимаешь, о чем ты просишь?

— Да, я понимаю...

Перемежко долго молчал. Так долго, что Обнорский уже решил, что ответа на его вопрос не будет... Перемежко вдруг сказал:

— В общем, так. Учти, что я от своих слов всегда откажусь... Я не только ничего тебе не говорил, но даже ни разу с тобой не встречался... Понял? — Обнорский кивнул. — В июне или июле — сейчас уже не помню — вызвал меня замминистра... Вздрюченный весь, красный... Я его никогда таким не видел. В общем, вызвал, а сам мнется, как целка... Потом говорит: «Выручай, Василь Василич... Есть один урод — журналист... Надо на него что-то найти. Хоть что-то!..» А мне это надо? У меня серьезной работы полно и людей некомплект. Но заместителю министра не откажешь. Взял под козырек, сказал: «Есть» — и поставил наружку. А поскольку мне этот журналист на хер не нужен, я поставил стажеров... Понял?

— Понял, — быстро сказал Андрей. Он действительно все понял: стажеры! За Горделадзе ходили стажеры. Это многое объясняло. — Что-то интересное они зафиксировали?

— А может, вам отчеты наружного наблюдения показать? — с интересом глядя на Обнорского, спросил Перемежко.

— Заманчивое предложение, — сказал Андрей. — Но я, пожалуй, откажусь.

Полковник хмыкнул. Видимо, это должно было означать: ну ты наглец... таких еще поискать.

— Горделадзе, — сказал он, — наблюдение засек... стажеры!.. Засек и написал заявление в Генпрокуратуру. Конечно, мы немедленно сняли наружку... Всего наилучшего, Андрей Викторович. Моя остановка... И запомните: я вам ничего не говорил.

Дверь раскрылась, полковник вышел из вагона, Андрей поехал дальше. После признания полковника Перемежко ему стало ясно: МВД к исчезновению Георгия Горделадзе не причастно... Если бы они всерьез разрабатывали журналиста, то поставили бы за ним спецов, а не стажеров.

* * *

Разговаривать по сотовому, когда под рукой есть обычный телефон — глупо. Вдвойне глупо, если звонить приходится из Киева в Санкт-Петербург. Все разговоры с Питером, в которых речь шла о скором возвращении домой, Каширин вел с квартирного телефона — пусть слушают. А Звереву позвонил с «трубы».

В Агентстве Сашки не оказалось — Оксана сказала, что Зверев приболел и отлеживается дома. Родион позвонил домой — мать Зверева сообщила, что Александр уехал в командировку. Куда? Кажется, в Выборг. Вы, Родион, позвоните ему на мобильный телефон.

«Ну шустрила, — сказал сам себе Родя. — Не иначе к какой-то телке завалился... Отлеживается он, видите ли. Чудовищное падение нравов и дисциплины в Агентстве в наше с Обнорским отсутствие».

Порассуждав о падении нравов, Родион позвонил Звереву на «трубу». Сашка отозвался сразу же:

— Ау!

— Приветствую тебя, учитель, — сказал Родя.

— А-а, да никак это мой первый зам Родион Каширин?

— Он и есть, о великий! Уделишь ли ты минуту своего драгоценного времени, чтобы поговорить со мной, недостойным?

— Говори.

— Ты где, наставник? Давай я тебе перезвоню.

— Я в дороге, Родя. Говори прямо на «трубу»: что у тебя?

— Краюха.

— А что Краюха?

— Можно ему верить?

— У-у, какой вопрос интересный, Родион Андреич. Это смотря в чем.

— Долго объяснять... Ты когда будешь в Выборге? Зверев сказал:

— Еще не скоро. Говори сейчас.

— По телефону не в жилу. Ты, наставник, просто скажи мне: Краюхе можно доверять?

— Родя, ты же не пацан и все просекаешь: Краюха — вор. Жизнью битый... Он тебе таких головоломок накрутит — век не разберешь. Сам решай — можно верить вору или нет. Но!.. Но если ты хочешь услышать мое мнение...

— Именно! Именно твое хочу услышать.

— Краюха — человек. Вор, но не мразь.

— Редкая порода, Александр Андреич.

— Редкая, Родион Андреич. Очень редкая.

— Понял, наставник... А чего тебя в Выборг-то понесло?

— Потом объясню, — сказал Зверев. Он стоял возле терминала номер два аэропорта Борисполь.

* * *

Директор Таращанского моторного завода Иван Иванович Довгалюк был очень доволен визитом Обнорского — вырисовывалась реальная возможность заработать. Моторный завод находился при смерти. Жизнь еле-еле теплилась на одном механическом и одном сборочном участках. Восемьдесят пять процентов персонала находились в неоплачиваемом отпуске, главбух пил, главный инженер зарабатывал на жизнь кузовными работами. В корпусах завода разместились арендаторы. Их было мало, платили они скупо и нерегулярно.

Самым крутым арендатором была «Гарантия». От «Гарантии» веяло криминальным душком, но зато они заплатили сразу до конца года. Нынче конец года был уже не за горами, у директора не было никаких сомнений, что «Гарантия» дальше арендовать помещения не будет, — они и так уж с начала ноября почти не появлялись. Были, правда, пару раз ихние быки — волохались тут со шлюхами. Но это не разговор. И вдруг появился этот Серегин. Вовремя, кстати. Деньги нужны позарез. Они, впрочем, всегда нужны.

Два дня Иван Довгалюк пребывал в радостной эйфории — душу грела еще не размененная американская «стошка»... А потом пришла тревога: не договорился бы этот Серегин с «Гарантией» напрямую, за спиной директора... А чего? Запросто договорятся промеж собой киевские и запросто кинут его, директора Довгалюка.

Иван Иванович обеспокоился, весь вечер ходил хмурый, а утром позвонил заместителю директора «Гарантии» Николаю Палычу Оськину.

Оськин сначала не мог понять, чего от него хочет Довгалюк. Но когда услышал, что приезжал некто Серегин, сильно обеспокоился. Еще сильнее он обеспокоился, когда в результате долгого опроса выяснил, что Серегин внимательно осматривал помещение инструментального склада. Сразу после разговора с директором завода Оськин выехал в Таращу.

* * *

Решение было рядом... где-то совсем рядом. Оставалось немного: добыть некую деталь... или сопоставить факты... или просто вспомнить что-то — и все срастется.

Но пока ничего не срасталось...

Андрей откинул одеяло, встал, посмотрел на спящую Галину. В окно светила луна, в лунном свете лицо женщины выглядело неживым. Андрей надел свитер на голое тело, прошел в кухню. Сел у стола, закурил. Лунный свет сочился, сигаретный дым в его слабом потоке был почти невидим. Обнорский подумал: как в нашем расследовании... Все есть. Но это «все» эфемерно. Оно присутствует, но присутствует в виде сигаретного дыма в голубом лунном свете.

Андрей тряхнул головой, отгоняя прочь лирику. Некогда, некогда! Работать надо... Он посмотрел на часы, но часов на руке не было. Они остались на полу возле дивана... Надо работать, сопоставлять факты, вспоминать уже отработанный материал. Его накопилось так много, что мы «плывем» в нем, путаемся, забываем. ...Как вчера получилось с часами Горделадзе? Андрей пытался прокомментировать ситуацию с датой на «записке» Г. Г., привел пример с часами и попал впросак — забыл, что часы Гия в тот злополучный день сломал и отдал в ремонт.

И вообще, в этой истории еще что-то такое было, связанное с часами... Что-то странное... Какое-то несоответствие. Но сообразить сейчас никак не получается. Это «нечто» присутствует, но все время ускользает... как сигаретный дым в лунном свете.

А потом он вдруг сообразил, какая нестыковка его смущает! Вдруг, как это нередко бывает, он понял. И даже представил это себе, увидел и услышал. Сначала в ночной тишине кухни прозвучали слова Алены, записанные на диктофон: *Он вышел из квартиры приблизительно в двадцать два пятнадцать — двадцать два тридцать. У меня нет часов, и я не могу назвать время точнее...*» Вот так!

А потом он увидел стол в квартире Алены. В центре стола стояла фотография Георгия в вышитой украинской сорочке. Слева от фото — монитор компьютера, справа — часы в виде корабельного штурвала на подставке. Штурвальчик был сработан из темного, покрытого лаком дерева, блестел латунными детальками, солнечные лучи бликовали на стекле циферблата. Впрочем, тогда он не обратил особого внимания на часы — в большей степени взгляд притягивала фотография.

...А теперь он вспомнил. Вспомнил так отчетливо, что, кажется, напрягись — и ты увидишь даже время на циферблате.

«Ну и что? — остудил себя вопросом Обнорский. — Были часы? Не было часов? Что с того? Ты видел часы на столе Затулы в ноябре. Прошло почти два месяца, как исчез Георгий... За это время она могла купить или получить в подарок штук десять часов... Или же она может заявить, что часы у нее были, но именно шестнадцатого сентября как на грех сломались. Были часы — не было часов? Что это меняет?»

Андрей закурил новую сигарету, выпустил струйку дыма и ответил: «Это меняет степень доверия к Алене... Она лжет, лжет, лжет... Она постоянно лжет. Но в какой-то момент ложь становится уже запредельной. И некая капля — будь то часы, фонарь во дворе или маленькое разночтение относительно того, на какой руке Гия носил перстень... последняя капля переполняет чашу. Если бы можно было уличить Алену во лжи! Но как это сделать?»

Прохладная рука легла на затылок Андрею, и Галина шепнула в ухо:

— Почему ты не спишь, инвестигейтор?

— О Господи! Так ведь и до инфаркта... Ты чего подкрадываешься? И так нервы ни к черту, а тут еще ты по ночам подкрадываешься!

Галина прильнула к Обнорскому сзади, шепнула:

— Никогда не думала, что ты такой пугливый.

— Я не пугливый — просто нервы ни к черту. Думаю, что это ты меня довела, неврастеником сделала.

Раньше я таким не был. Я вообще, раньше был высоким и стройным блондином.

Галина, не обращая внимания на треп Обнорского, потянулась — обнаженная в лунном свете, — с матовой кожей, высокой грудью и дразнящим ароматом...

— Ты обещал рассказать о том, что случилось в Тараще.

— Разве?

— Да, ты сказал: «Потом расскажу».

— Но я же не уточнял — когда именно потом.

— Андрей! — шепнула она и опустилась на колени Обнорскому.

— Галя, ну не сейчас же... Ночь на дворе. Все порядочные люди — спят... И только журналисты... Короче — в двух словах так: нас хотели по-крупному подставить. Нас с Родей ждала засада...

— Засада?

— Да, такая вот канитель. Но мы отбились. Кстати, я даже заподозрил тебя.

Галина резко отстранилась, блеснули зеленым огнем глаза:

— Как? Как меня, Андрей?.. Я не понимаю. Это опять твои шуточки?.

Обнорский усмехнулся.

— Не обижайся, товарищ. Ситуация складывалась так, что хочешь — не хочешь, а предположишь, что кто-то нас сдал... Понимаешь?

— И ты! И ты... и ты решил, что это я?! — изумленно спросила Галина.

Андрей отвел взгляд.

— Извини. Извини, но мы так подумали. Потом, после трезвого размышления, мы пришли к выводу, что нас, скорее всего, прослушивают.

— Как?

— Мы считаем, что наш телефон на прослушке.

— Ты серьезно?

— Трудно сказать... Но мне кажется, что так оно и есть. Мы свели к минимуму серьезные разговоры по телефону и... — Андрей замолчал, с силой затушил окурок в пепельнице. — И решили прекратить расследование.

— Да ты что? — сказала Галина.

— Тебя это удивляет? Ты ведь с самого начала считала, что мы на неверном пути, что и так все ясно и окончательный вывод однозначен: «Бунчук — палач!».

— Я никогда, собственно... — начала было Галина, но вдруг осеклась, отодвинулась от Андрея, спросила: — Тебе не кажется, что все это глупо? Я — не только про ваше расследование...

— Кажется, и довольно часто.

— Ты скоро улетишь?

— Завтра.

— Как завтра?

— Так... Расследование закончено, ребята пишут отчет.

— Вот оно что... Ай, Обнорский! Ай ты, гусар питерский... Налетел в кавалеристской атаке, в снежном вихре, в звоне шпор. Всех победил, всех обаял... и ускакал, — сказала Галина. — Шампанского хочешь, гусар? Ты только не подумай, что я тебя в чем-то упрекаю.

— Никого я не победил, — ответил Андрей. — Шампанского? Хочу.

Галина встала, подошла к холодильнику и открыла его. Вернулась с ополовиненной бутылкой шампанского, протянула Андрею: открой. Обнорский с трудом вырвал пробку, Галина подставила фужеры. Шальная луна наполняла фужеры фантастическим свечением...

— Значит — завтра? — спросила она.

— Завтра, — откликнулся он.

— И ты заподозрил меня?

— Галя!

— Давай за это выпьем, Обнорский.

— Галя, я... Ты... понимаешь...

Галина выпила фужер до дна, встала и принялась вальсировать — обнаженная в лунном свете. Было очень тихо, но Обнорский слышал доносящуюся откуда-то музыку. Возможно, с Луны.

* * *

Когда он уходил, Галина спросила:

— Хочешь, помогу проверить ваш телефон?

— Каким образом?

— Есть специалисты, — уклончиво ответила она.

— Значит, ты все-таки американская шпиёнка, — сказал Обнорский.

— Дурак!

— Дурак, — согласился он. — А что — есть возможность проверить на профессиональном уровне?

— Если бы не было, я бы не предлагала.

— Официальные структуры?

— Нет. Если ты имеешь в виду СБУ или МВД — то, конечно, нет. Но организация легальная и вполне профессиональная.

— Неплохо бы... А сколько это будет стоить? — спросил Обнорский.

— Да мелочь какую-нибудь... долларов двадцать-тридцать. Может, пятьдесят. Дорого для тебя?

— В общем-то — нет. А когда сможешь сделать?

— Ну раз вы завтра улетаете, то сегодня.

— Ладушки, — сказал Андрей. — Кстати, ты не могла бы помочь мне еще в одном деле?

— В каком же?

— Сущий пустяк, Галка. Нужно просто-напросто поинтересоваться у Затулы относительно часов. Она, помнится, говорила, что у нее нет дома часов. А когда мы у нее были, я видел часы на столе.

— Что же сам тогда не спросил?

— Да как-то прошлепал... сделаешь?

— Конечно, — ответила она. — Хотя и не понимаю, зачем это надо.

— Сегодня?

— Конечно, сегодня.

* * *

Галина позвонила около полудня и сообщила, что со специалистом по поиску «жуков» она договорилась. Когда приезжать?

— Да хоть сейчас, — ответил Андрей.

— Тогда мы подскочим через полчаса, — ответила она.

Сотрудника СБУ Сашу из квартиры временно «изъяли» — чтобы не «светить». Он этому обстоятельству был только рад — в засаде он сидел уже больше двух суток и никакой замены, кажется, не предвиделось, а чертовы батареи «клопа» в гостиной все никак не садились... Саша доложил своему руководству о просьбе Обнорского, получил «добро» и ушел в увольнение до вечера. Минут через десять после его ухода появилась Галина в сопровождении спеца. У спеца, которого привела Галина, был точно такой же «дипломат», как у того, которого привез Костенко... Да что чемоданчик! У него и манеры были точно такие же. Он был так же неразговорчив и сосредоточен. «Клопа» в телефоне он обнаружил быстро. Подвел Обнорского — ткнул в «клопа» отверткой. Обнорский изобразил шок.

— Можем снять, можем оставить так, как есть... А можем оставить так как есть, но создадим помехи, — сказал спец.

— А как лучше? — спросил Обнорский.

— А это вам решать, — безразлично ответил спец. — Мое дело — обнаружить. А дальше — как решит клиент.

— Хорошо, мы подумаем... Скажите, а квартиру в целом вы можете проверить на наличие «жучков»?

— Почему нет? — ответил спец. — Об этом, правда, не договаривались.

— Я заплачу, — сразу сказал Андрей.

Спец взялся за дело. Он работал около часа, но «жука» в гостиной не нашел... У Обнорского бухнуло сердце.

— Чисто у вас в квартире, — уверенно сказал спец. — Кроме, конечно, телефона...

— Вы уверены? — переспросил Обнорский.

— Я за свои слова отвечаю.

Когда спец ушел, Обнорский первым делом заглянул под журнальный столик — «жук» стоял на своем месте. Стало очень-очень противно.

* * *

Красный «опель» выглядел ярким мазком на сером полотне дороги. Широкие колеса расплескивали грязную снежную жижу по сторонам. Галина Сомова везла питерскую бригаду в Борисполь. Она выглядела усталой, под глазами лежали тени. Родион пытался развлечь ее рассказами о том, как он на Севере «белых медведей профилактировал», но Галина реагировала вяло, и Родя умолк.

— Кстати,— сказал Обнорский,— ты сделала, о чем договаривались?

— А о чем договаривались? — с недоумением спросила Галина.

— Я просил тебя поинтересоваться у Затулы...

— Ах, это! Сделала, конечно.

— И что?

— Она была, мягко говоря, удивлена. И сказала, что этим часам — сто лет в обед, что она привезла их из Симферополя. Но в день исчезновения Гии их не было — они сломались и находились в ремонте.

— А ты не спросила, куда она отдавала часы в ремонт?

— Нет... Ты же не говорил, чтобы я спросила,— ответила Галина.

— Да и черт с ним! Теперь-то чего? Проехали!

С заднего сиденья отозвался Повзло:

— А вот ни фига не «проехали»! На ней, стерве, соучастие в убийстве... А ты: «проехали».

— Коля! — сказал Обнорский.— Не преувеличивай.

— А что — Коля? Коля, понимаешь... Я имею право написать в отчете свое особое мнение?

— Имеешь, но ты подумай о том...

— Вот я-то как раз думаю, — горячо сказал Повзло. — Я думаю. И свое особое мнение напишу не только в отчете. Кассеты Стужи цветочками покажутся, когда я опубликую свое особое мнение. Я молчать не буду!

Галина, поглядывая на Повзло в зеркало заднего обзора, спросила:

— А что у тебя, Николай, за «особое мнение»?

— Я считаю, что Алена...

— Хватит! — рявкнул Обнорский. — Хватит... Ты хоть отдаешь себе отчет в том, что фактически выносишь ей приговор своим «особым мнением»?

Повзло не ответил. Нахохлился, как воробей, и стал смотреть в окно, в скучный черно-белый пейзаж... В Борисполь приехали к началу регистрации. Галина проводила их до той черты, которая четко отделяет провожающих от пассажиров. Поцеловала Колю и Родиона, долго смотрела на Обнорского.

— Что ты, Галка? — спросил он.

— Ничего... Когда теперь встретимся?

— Не знаю. Может быть, летом... в Крыму?

— Тебе это не нужно, — сказала она. — Ты стал другим, Андрей. Ты изменился.

Обнорский неуверенно спросил:

— Почему? Почему я изменился?

— Не знаю. Скажи, у тебя там, в Питере, женщина?.. Господи! Что я говорю? Конечно, у тебя там женщина. И, вероятно, не одна.

— Галя, послушай...

Она не хотела слушать. Она отодвинулась и сказала:

— Командировка закончилась, ты летишь домой. Лети, гусар. Желаю тебе удачи. Пока.

Андрей смотрел, как она уходит, и в этом была некая необратимость, некая фатальность, в которую не очень хочется верить... Но и не верить в нее было нельзя. Обнорский покачал головой, повернулся и пошел к стойкам регистрации.

* * *

Галина вышла из здания терминала на улицу. Холодный ветер хлестанул по лицу сырой моросью, прижал к коленям юбку. Не оглядываясь, она быстро двинулась на стоянку, к своему «опелю». Села в машину, пустила движок и включила печку. Достала из сумочки сигареты и телефон... Закурила... С минуту смотрела сквозь покрытое моросью стекло. Потом вытерла глаза и взяла в руки телефон.

Через две машины от «опеля» стояла скромная «пятерка». Мужчина в салоне «пятерки» засек, что Галина взяла телефон. Посмотрел на часы и засек время. Потом выбрался со стоянки и поехал в Киев. Он постоянно поглядывал в зеркало, ожидая появления на трассе красного «мазка». Дождался, добавил газу, до самого города так и ехал впереди «опеля». Человека звали Александр Зверев.

* * *

Станислав Гвоздарский вышел из квартиры своей любовницы на Броварском проспекте. Уже больше двух лет он был в розыске, жил с чужими документами... Первое время это здорово давило на психику, и Гвоздь свалил в Чечню. Там тоже оказалось не сладко, и как только москали в девяносто девятом начали активные боевые действия, он вернулся обратно на Украину. Уже с новыми документами на имя Поддубного Матвея Сергеевича. В Днепропетровске один «умелец» закатал в скулы Гвоздя вазелин, и теперь Гвоздь приобрел несколько азиатские черты лица. Страха влететь за старые — двухлетней давности — подвиги уже не было. Но за два года накопилось столько новых, что Гвоздарскому иногда приходило в голову: от чего бегаю-то? От соучастия, где всего сроку года на три по максимуму... А пока бегаю, уже набрал лет на пятнадцать! А может, и больше.

Гвоздарский вышел из квартиры, внимательно прислушался, ничего интересного не услышал и вызвал лифт. В ожидании лифта и во время спуска он фальшиво насвистывал.

Бампер в бампер к его «шестерке» стояла неказистая «тойота-хайэйс». В салоне, за тонированными стеклами, сидели четверо мужчин. Когда Гвоздь вышел из подъезда, один сказал:

— Ну вот он... Смотри, Павло, он или нет?

Второй мужчина присмотрелся и уверенно ответил:

— Да не, не он. Гвоздарь наш, лицо славянское. А это монгол какой-то... Да вы сами фото его видели.

— Точно не он? — разочарованно спросил первый.

— Точно. Когда мы его разрабатывали, я на него нагляделся, — ответил второй. Гвоздарский тем временем приблизился к «тойоте» метров на десять. — А впрочем, — сказал второй, — здорово на Гвоздарика похож. Если б не эти скулы...

— Так он или не он? Думай, Павло.

— Да нет, не он, — ответил второй, но уже не так уверенно.

Третий заметил:

— А вышел-то он из квартиры Саленко, любовницы Гвоздаря... может, внешность изменил?

— Короче! Нечего сношать муму. Нужно взять и проверить.

Когда Гвоздарский поравнялся с «тойотой», боковая дверь отъехала в сторону и оттуда неуклюже, пятясь по-рачьи, задом, вылез мужчина лет тридцати. Одновременно с двух разных сторон — от подъезда, из которого вышел Гвоздь, и от остановки — к «тойоте» направились еще двое мужчин.

Гвоздарский дошел до «шестерки», сунул руку в карман — за ключами. Голос сзади произнес:

— Гражданин Гвоздарский?

Он обернулся спокойно, встретился глазами с тем, который давеча вылезал из «тойоты» раком. Но теперь этот крепыш не выглядел увальнем, в нем сквозила сила и уверенность.

— Гражданин Гвоздарский?

— Вы — мне? — изображая удивление, спросил Гвоздь.

Крепыш стоял напротив него один, но было бы глупо считать, что так оно и есть... Гвоздь заметил еще двух мужчин, направляющихся к нему. Вот теперь все ясно, все сходится.

— Вам, вам, Станислав Янович.

— Вы ошиблись, я не... Станислав Янович.

— Уголовный розыск. Предъявите документы.

— Ради Бога, — ответил Гвоздь и сунул руку в карман.

— Только без глупостей, — сказал крепыш.

А двое других были уже совсем близко... Рука в кармане нащупала тело «эфки».

— Только без глупостей, — повторил крепыш. Руки он держал в карманах.

— Да вы что?.. — ответил Гвоздь и вытащил гранату.

С ходу рванул кольцо на загодя сведенных усиках чеки... Все замерло вокруг, остановилось, и даже морось как будто повисла неподвижно.

— Мудак, — тихо-тихо сказал опер.

Грохнул выстрел — стрелял тот из ментов, что шел от остановки. Пуля попала в стекло автомобиля слева от Гвоздарского. Калёнка враз осыпалась водопадом осколков. Гвоздарь от неожиданности шарахнулся вправо, ударился рукой о наружное зеркало — пальцы разжались, и «эфка» с металлическим щелчком упала под ноги... И снова все замерло. Ребристое тело гранаты лежало на асфальте между опером и Гвоздем, сам Гвоздь ошеломленно на нее смотрел. В воздухе еще висел звук выстрела.

Опер в отчаянии крутил головой — вокруг были люди, люди, люди. На тротуаре — люди, на остановке — люди, на переходе — тоже люди. До взрыва оставалось меньше двух секунд.

— Мудак. — Опер ударил Гвоздя в живот, схватил за лацканы и, словно мешок картошки, бросил на гранату. Сам навалился сверху.

* * *

Спустя сутки Обнорский вернулся. Его встретил Зверев.

— Здорово, нелегал, — сказал Андрей.

— От нелегала слышу, — ответил Сашка.

Они пробились сквозь толпу встречающих, вышли на стоянку, под порывы ветра.

— Где же ты себе такой экипаж оторвал? — спросил Обнорский, скептически разглядывая видавшую виды «пятерку».

— Краюха устроил, — ответил Зверев, садясь в машину.

Они выехали со стоянки, двинулись в Киев.

— Ну рассказывай, — предложил Обнорский.

— Без неожиданностей. Она схватилась за телефон, как только села в машину... Сегодня Перемежко даст распечатку — поглядим, кому она звонила. Но я полагаю, что она звонила в «Гарант».

— Почему?

— Потому, что встречалась она с человеком из «Гаранта». Я проследил. Они встретились на улице Льва Толстого, разговаривали четыре минуты, после чего разошлись. Сомова села в свой «опель» и уехала. Мужчина пошел пешком. Я прогулялся за ним. И он привел меня к конторе, на дверях которой написано «Гарант».

— Действительно: без неожиданностей... Что еще?

— Краюха устроил встречу с вором, который засек Горделадзе в камере хранения.

— Ну-ка, ну-ка...

— Не нукай, не запряг... В общем, все подтвердилось. Двадцать восьмого июля вор Витя Хрюндель своими глазами видел в автоматической камере хранения Георгия Горделадзе. Вел себя журналист, с точки зрения Хрюнделя, подозрительно. А именно: крутился возле ячеек часа два... все чего-то вынюхивал и страшно Хрюнделя раздражал, мешал работать. Хрюнделю даже показалось, что Гия проводит скрытую видеосъемку... А интерес Горделадзе проявлял к конкретным ячейкам. Позже выяснилось, что из одной пропал кейс. Кто взял этот кейс, Хрюндель не знает, но не исключает, что это мог сделать Горделадзе... вот такие пироги!

— А ты что думаешь, Саша? — спросил Андрей. — Георгий украл кейс?

— Я сомневаюсь, чтобы Горделадзе украл этот кейс... Я думаю, что он наблюдал за ячейкой. Видимо, его интересовало, кто придет за кейсом. Потому и терся там так долго, потому и фиксировал на видео.

— Эх, знать бы, что было в этом кейсе!

— Горделадзе, скорее всего, знал, — сказал Зверев. — Вполне возможно, что и Затула знала.

— Вот у нее-то мы и спросим.

* * *

Редактор Интернет-газеты Алена Затула вернулась домой около девяти часов вечера. Едва она вошла в прихожую, как зазвенел телефон. Снимать трубку не хотелось. Хотелось лечь, уткнуться лицом в подушку и завыть. За время, прошедшее с 16 сентября, Алена очень сильно устала... иногда ей казалось, что она не выдержит, что она сойдет с ума или наложит на себя руки.

Она стояла в прихожей и смотрела на телефон. «Заткнись, — внушала она телефону, — заткнись, сволочь...» Но пластмассовая коробка продолжала верещать. Алена вздохнула, поставила сумку на стол и взяла в руки трубку:

— Алло.

— Здравствуйте, Алена Юльевна, — сказал мужской голос в трубке. Кажется, голос был знакомый, но вспомнить, чей, она не смогла...

— Здравствуйте, — механически произнесла Алена.

— Меня зовут Андрей Серегин, я журналист из Питера... вспомнили?

— Ах да... да, конечно. Говорят, вы закончили свое расследование и улетели уже.

— Да, мы тоже так думали, — сказал Обнорский. — Но открылись такие обстоятельства, что пришлось вернуться и продолжить...

— Вы сказали: «пришлось вернуться»... Вы в Киеве?

— Я у вашего подъезда, Алена, внизу, у консьержки.

— Внизу? У консьержки?

— Да, Алена... я внизу. Со мной мой коллега Александр Зверев. Нужно поговорить.

Несколько секунд она молчала, потом спросила:

— Что-то случилось?

— Случилось, — ответил Обнорский и замолчал.

Он осознанно держал паузу, понимая, что этот короткий ответ: «Случилось», — встревожил женщину. И сейчас она лихорадочно пытается сообразить: а что случилось? Что случилось такое, ради чего Обнорский, улетевший вчера в Санкт-Петербург, срочно вернулся и сразу пришел к ней?

— Это срочно? — сказала она. — Я, собственно, очень устала...

— Это в ваших интересах, Алена, — перебил Обнорский. — Мы поднимаемся.

* * *

Когда Обнорский со Зверевым поднялись, Алена все еще была в шубке. Из кухни выглядывал кот, негромко урчал холодильник — «филиал» таращанского морга. Алена выглядела очень бледной и как бы постаревшей.

— Проходите, — сказала она. — У меня, правда, не прибрано...

— Это не важно, — ответил Зверев.

Они разделись, прошли в комнату. Сразу встретились глазами с улыбающимся Горделадзе в рамочке на столе.

— Кофе? — спросила хозяйка.

— Нет, спасибо.

Алена сняла наконец шубку, надела домашние тапки в виде бегемотиков и вошла в комнату. Села в кресло, разгладила на коленях клетчатую юбку, вопросительно посмотрела на Обнорского, потом на Зверева. Взгляд означал: ну и зачем вы явились? Что вам от меня нужно? Вы улетели — и слава Богу... Зачем вы снова здесь?

— Мы пришли к вам за правдой, Алена Юльевна, — сказал Андрей.

— За правдой? Я не понимаю... Вы пришли за правдой?

— Да. Лжи мы уже наслушались достаточно, — сказал Сашка.

— Что это означает? Как мне понимать ваши слова?

— Буквально, Алена. Мы хотим услышать правду об исчезновении вашего любовника Георгия Горделадзе... Мы многое уже знаем сами. Но хотим услышать это от вас. Так будет правильно.

— Уходите, — сказала она, поднимаясь.

Обнорский и Зверев переглянулись.

— Мы уйдем, — сказал Андрей. — Но завтра же я соберу пресс-конференцию и расскажу о вашей как минимум странной роли в истории исчезновения Георгия.

— Убирайтесь вон, — повторила она.

Зашипел кот. Зверев достал из кармана сложенный вчетверо лист бумаги и положил его на стол:

— Не хотите взглянуть на это, Алена Юльевна?

— Что это? Что это за бумажонка?

— Это копия квитанции на ремонт ваших часов, — ответил Зверев.

— Каких часов?

— Вот этих самых — в роскошном штурвале. Которые якобы были в ремонте шестнадцатого сентября.

— Почему «якобы»? — спросила она озадаченно.

Зверев покачал головой:

— Ах, Алена Юльевна, Алена Юльевна... Как все это наивно. Вы ведь, наверно, фильмы про шпионов смотрите? Или в детстве смотрели? В детстве-то уж наверняка смотрели...

— При чем здесь фильмы про шпионов?

Обнорский взял у Зверева листок, развернул и сказал:

— В фильмах про шпионов любят проталкивать такую мысль: шпионы попадаются на мелочах... Банально, но, в сущности, верно. Я, Алена, обратил внимание на ваши часы. Странно, что никто, кроме меня, не обратил на них внимания. Впрочем, они так нагло стоят на самом виду, что никто на них и не смотрит... Верно?

— Зачем вы все это мне говорите, Обнорский?

— Я объясню. Вы многократно говорили неправду, но уличить вас было затруднительно: горел фонарь — не горел фонарь? Покупал Георгий «Кити-кэт» — не покупал? Я и попросил Александра Андреича проверить: а когда часы были в ремонте? Киев — город большой, часовых мастерских — сотни. Но Зверев здраво предположил, что удобней и проще всего воспользоваться мастерской, которая ближе к дому... Верно?

Алена пожала плечами. Зверев усмехнулся и сказал:

— И буквально в пятистах метрах от вашего дома я нашел «Ремонт годинників світових фірм». А мастер там оказался такой педант, что хранит все квиточки за год... И ваш квиточек, Алена Юльевна, он тоже хранит... Вот копия квиточка. Из нее следует, что ваш «штурвал» действительно был в ремонте. С четвертого по одиннадцатое сентября.

— Я получила его позже, — сказала Алена.

— Да, верно... Вы получили его тринадцатого, — ответил Зверев. — Вот взгляните, — он показал ксерокс Алене, — отметочка часовщика.

— Ну и что? — выкрикнула Алена. — Ну и что?

— Да ничего, Алена Юльевна. Ничего... кроме того, что вы солгали. Ложь выглядит будто бы маленькой, будто невинной даже. Но как завещал нам папаша Мюллер — маленькая ложь порождает большое недоверие. И завтра мы собираемся обнародовать наше открытие... Мне кажется, что ваш кристальный облик жертвы несколько потускнеет и ваши коллеги зададутся естественным вопросом: если Алена Затула лжет, то, видимо, ей есть что скрывать?

Алена снова села в кресло, спросила:

— Чего вы хотите от меня?

— Правды, Алена, — сказал Обнорский. — Только правды.

Она молчала, комкала в руках носовой платок. Обнорский выдержал паузу, потом сказал:

— Что было во втором пакете? «Дипломат», который Георгий похитил двадцать восьмого июля в камере хранения на вокзале?

Алена вздрогнула, сжалась в комок и посмотрела на Обнорского испуганно... Так, как будто он ударил ее. В некотором смысле это так и было. На такой эффект Обнорский со Зверевым и рассчитывали. Рассуждения о часах были только подготовкой к главному удару — нельзя же всерьез рассчитывать на то, что Затула начнет «колоться» из-за ксерокопии квитка. Квиток — это, в сущности, мелочь. Разговор о сроках получения часов из ремонта имел характер отвлекающего маневра... за которым последовал главный удар.

— Что было во втором пакете? «Дипломат»? «Дипломат» из камеры хранения?

— Нет, — ответила Алена тихо. — «Дипломат» Георгий выбросил.

— Но содержимое «дипломата» оставил? — быстро сказал Зверев.

— Откуда вы знаете? Откуда вы это узнали? Про тот «дипломат» знали всего три человека.

— Что было в «дипломате», Алена? — спросил Обнорский. — Документы?

— Нет, — сказала она. — Там были кассеты. Кассеты Стужи.

* * *

Позже Обнорский признается Звереву:

— Когда она сказала про эти кассеты, я подумал, что она издевается над нами. От этого «дипломата» я ожидал чего угодно, но только не кассет Стужи.

— Я тоже ожидал какой-то уголовщины, — скажет Зверев. — По мне так лучше десяток грабителей задержать, чем копаться в этих тайнах Мадридского двора...

* * *

— ...Там были кассеты. Кассеты Стужи, — сказала Алена и, кажется, сама испугалась того, что сказала.

Обнорский метнул быстрый взгляд на Зверева.

— При чем здесь Стужа? — спросил Сашка.

— Чего вы хотите? — закричала Алена. — Что вы вынюхиваете, ищейки? Зачем вы снова явились? Денег вам не доплатили?

От крика кот стремительной тенью метнулся прочь из комнаты.

Обнорский, не спрашивая разрешения, закурил. «Крейзи, — подумал он. — Но не только она. Я тоже скоро стану крейзанутым».

— Не надо истерики, Алена, — сказал Зверев, но было уже поздно — Алена зарыдала. Плакала она некрасиво, по-бабьи, и текла косметика, смешиваясь со слезами...

Двое мужиков угрюмо молчали, пытаясь оценить сказанное Аленой, любовницей человека, которого очень ловко и крепко подловили... Но и сам он сделал очень много для того, чтобы стать жертвой.

Алена плакала, выглядывал из прихожей испуганный кот.

Понемногу Затула успокоилась. Выглядела она нехорошо, жалко. Обнорский спросил:

— Может быть, вам дать чего-нибудь... валерьянки? Коньяку?

— Спасибо... Вайс уже пытался подсадить меня на какую-то гадость... Он и Георгия подсадил, сволочь такая!

— Вы знали об этом? — спросил Зверев.

— Все об этом знали.

— Почему же молчали?

— Зачем вы пришли? Вы считаете, что я хотела смерти Георгия? — спросила она. — Ну говорите прямо: вы так считаете?

— Нет, мы так не считаем. Не хотите теперь рассказать всю правду, Алена Юльевна?

— Она никому не нужна, правда эта... Все равно никто ничего не докажет. Но я уже не могу жить со всем этим... Мне нужно кому-то рассказать. Пусть уж вам... Тем более, что вы все равно уже многое знаете. Дайте мне сигарету.

Обнорский дал сигарету, щелкнул зажигалкой. Алена затянулась, закашлялась... Потом подняла лицо, похожее на маску клоуна, и сказала:

— Я его никогда не любила. (Обнорский подумал: а кого-нибудь в своей жизни ты любила?) Я его никогда не любила, но сначала мне казалось, что люблю... Но он так и не смог сделать выбор. А ведь все могло быть по-другому. Если бы он решился... Но он так и не решился. Он был весь в комплексах... Потому и лаял на всех. Его не нужно было ни на кого натравливать. Он самоутверждался и готов был критиковать, развенчивать и ниспровергать. Временами он становился просто смешон, меня тошнило от его самодовольства... Поэтому, когда мне предложили исполнить партию в спектакле «Жертва режима» с Георгием Горделадзе в главной роли, я согласилась. Я согласилась сразу... или не сразу. Впрочем, какая теперь разница?

— А кто вам предложил? — спросил Зверев.

— Это не важно.

— Напротив, это очень важно, Алена.

— Фамилию я вам не назову... один человек... политик.

390

— Я знаю его фамилию, Алена, — сказал Обнорский.

— Вы не можете ее знать, — отмахнулась она.

— Этого человека зовут Матвей Иванович Эстер, —
сказал Андрей. Она удивленно распахнула глаза. — Да,
да, Алена Юльевна. Это ваш любовник Матвей Эстер
предложил вам сыграть в спектакле «Жертва режима».

— Но — как? Но... откуда вы?.. Об этом никто...
ни одна живая душа.

— Мне рассказал ваш бывший муж, Алена.

— Сергей? Но ведь он тоже ничего не знал.

— Он знал, Алена... Однажды он вернулся из командировки на день раньше, чем предполагал. Хотел
сделать вам сюрприз. Но на самом деле это он получил сюрприз.

Обнорский говорил, Алена смотрела на него широко раскрытыми глазами в темных кругах расплыв-
шейся косметики.

— Он пришел домой с цветами, с шампанским, —
продолжил Обнорский, — и увидел то, что увидел. Он
ушел, а вы даже не знали, что он приходил.

— Господи! — сказала она, поднеся руки к ще-
кам. — Господи... Я догадывалась, что он что-то подозревает... Господи! Какой ужас.

— Это не самый большой ужас, Алена... Что конкретно предложил вам господин Эстер?

— А? — Она посмотрела на Обнорского непони-
мающим взглядом.

— Вы сказали, что господин Эстер предложил вам
сыграть в спектакле «Жертва режима», что это значит?

— Он, конечно, сначала ничего не говорил про
жертву. Напротив, он сказал мне, что хочет помочь Георгию, что Георгий — талантливый журналист и очень
ему нравится, что о наших с ним отношениях он хранит самую светлую память и к Георгию меня не рев-
нует... Он сказал, что может подкинуть материалы о
закулисной жизни нашей верхушки. И это позволит
Георгию заявить о себе.

— Он, — спросил Зверев, — разговаривал только с вами или с Георгием тоже?

— Только со мной, естественно... Он говорил, что Георгий — гордый человек и может отказаться принять что-либо из посторонних рук. А из моих — возьмет... Дайте мне сигарету, Обнорский.

— Вы же не курите, Алена... Зачем вам?

— Все равно дайте. Теперь уже все равно.

Андрей дал ей вторую сигарету. Она раскрошила ее пальцами, табак просыпался на пол. Алена посмотрела на табачные крошки с недоумением, бросила изувеченную сигарету в пепельницу, но новой не попросила, пробормотала:

— Теперь уже все равно. Кому это надо теперь?

— Когда у вас состоялся этот разговор с господином Эстером?

— В октябре прошлого года.

— Где?

— Мы встретились... мы чисто случайно встретились в Вашингтоне.

— Понятно... Чисто случайно встретились. И он стал давать вам материалы?

— Не сразу... До того, как пошли материалы, мы встречались еще дважды.

— В Вашингтоне? Случайно?

— В Киеве и не случайно... Он настойчиво предлагал мне компромат, но я отказывалась.

— Почему, Алена, вы отказывались?

— Потому что я слишком хорошо знаю этого человека. Как-никак я полтора года проработала у него пресс-секретарем. Он расчетлив, циничен и никогда ничего не делает просто так... Если он так настойчиво чего-то добивается, значит, видит выгоду для себя лично. Значит, что-то ему нужно. А если ему что-то нужно — он умеет этого добиваться. А Георгий — не умел. Слишком был мягкий.

Алена умолкла, потерла виски.

— А что было дальше, Алена? — спросил Зверев.

— Дальше? Дальше много чего было... Странные какие-то события за спиной Георгия. Слежка, что ли? Метания какие-то... Газета наша. А потом появился Вайс. Я сразу поняла, что Вайс появился не случайно. И говорила Георгию: не встречайся с ним. Но нет — Гия был как девушка: ему наговорят комплиментов — он млеет. А Вайс и подошел к нему с комплиментами: ах, вы такой талантливый! Ах, вы — звезда украинской журналистики... еще не первая по величине, но, несомненно, первая по яркости. И Гия «повелся» на эти разговоры... И начисто проигнорировал мое мнение о Вайсе. Впрочем, надо заметить, что Эдик Вайс далеко не глуп и до примитивной, прямолинейной лести не скатывается. У меня даже сложилось впечатление, что его обучали манипулировать людьми. В общем, так или иначе, но именно Вайс появился, как черт из табакерки, вошел в доверие к Георгию и подсадил его на наркотики. И это не случайно.

— А на какие именно наркотики? — спросил Зверев.

— Не знаю... какие-то таблетки. Они оказывали стимулирующее воздействие... в том числе, на сексуальное влечение. Георгий радовался, как ребенок: ой, ой, «таблетки успеха»! На Западе, дескать, все их принимают, это в порядке вещей. Он был даже благодарен Вайсу. Ему казалось сначала, что он видит свет в конце тоннеля. Он становился абсолютно некритичен к себе и к своим поступкам.

— Вайс сам снабжал его таблетками? — спросил Андрей.

— Конечно. И делал это очень ловко, как дрессировщик.

— То есть? — удивился Андрей.

— Очень просто, господин питерский расследователь: сначала он приучил Георгия к мысли, что Вайс — это здорово. Вайс — это приятное общение, в процессе которого тебя хвалят, тобой восхищаются. Разумеется, это приятно, это нравится... А Эдик Вайс появлялся всегда только в удобное время — как будто знал, когда уместно.

— Вполне вероятно, что действительно знал, — сказал Андрей

— Как это? — спросила Алена.

— Очень просто: кто-нибудь из вашего замечательного редакционного коллектива снабжал его или его шефов информацией.

— Кто? — подалась вперед Алена.

— Не знаю, — сказал Обнорский. — Но это установить нетрудно. Так что там дальше относительно «дрессировщика»?

— Вайс вел себя как дрессировщик: сначала он приучил Георгия к себе, потом внушил ему мысль о необходимости глотать эти чумовые колеса. Но и колеса-то он давал Георгию тогда, когда Гия слушался. А если не слушался — Вайс «исчезал», на связь не выходил, и Гия сидел без таблеток. А без таблеток он уже не мог — его давил депрессняк, он кидался на людей по малейшему поводу. На меня ему было уже наплевать.

— Как быстро, Алена, все эти изменения происходили?

— На глазах... Другое дело, что многие не хотели ничего замечать. И понимать не хотели. Спроси в редакции про Вайса, ответят: «О, Эдик? Эдик отличный мужик...» Еще бы! Эдик всегда приходил со свежим анекдотом, угощал вином, пивом. А того, что он за полтора-два месяца сделал Георгия наркоманом, замечать не хотели. Но для меня тогда было главным другое — Георгий отдалился от меня. Из наших отношений как-то незаметно исчезло человеческое тепло... Секс? О да, секса стало больше, но человеческое постепенно сходило на нет.

— А что же вы... вы-то куда смотрели, Алена? — спросил Обнорский.

— А что я могла сделать? — пожала она плечами.

Обнорскому хотелось вскочить, тряхнуть Алену за плечи и заорать на нее: «Ты что? Ты что несешь, дура?! Мужика на твоих глазах разводят, сажают на наркоту, а ты целку из себя корчишь: что я могла?.. Ты и есть самый настоящий соучастник».

Но он не закричал, он посмотрел на Зверева, и Сашка ответил ему понимающим взглядом. Ему тоже было очевидно, что Алена не так наивна, как хочет сейчас казаться.

— Потом вы все-таки стали передавать Георгию материалы от вашего лю... от Эстера. Почему вы изменили свою позицию?

— Потому, что их стал носить Эдуард Вайс.

— А где брал их Вайс?

— Да где? Наверное, там же. Как вы сказали: «у моего лю...»

— Почему вы так думаете?

— Да потому что материалы были те же самые, о которых мне намекал Эстер. Поэтому я твердо убеждена, что Вайс — человек Хозяина. И я подумала: пусть уж эти материалы идут через меня. Я, по крайней мере, сумею отсеять то, что может стать миной замедленного действия в судьбе Георгия.

— Понятно. Скажите, Алена, какие суммы Хозяин платил за организацию левых публикаций? — спросил Зверев.

— Платил? — удивилась она.— Он ничего не платил.

— Как же так? За черный пиар обычно платят. Обычно немало.

— Он не платил... давал по пятьдесят-сто долларов на Интернет-кафе. На расходы.

— Любопытно. У Георгия — финансовые проблемы. Он выполняет... э-э... довольно деликатную миссию, за которую можно спросить деньги. Но не спрашивает. Как же это понимать?

Алена замялась, потом сказала:

— Он и не мог спросить. Он ни разу не общался с Хозяином лично, только через меня.

— Понятно. Но через вас, Алена, он мог передать: деньги давай.

— Видите ли, Андрей...

— Вижу! — сказал Обнорский. — Вижу. Георгию уготовили роль «жертвы режима», и вы активно помогали «режиссеру» работать с «актером». А жертве не положено быть богатой... Так?

— Нет, — сказала она горячо. — Не так... разумеется, не так.

— Так, Алена! — уверенно, обличительно произнес Зверев. — Вы сами пятнадцать минут назад сказали, что не любили Георгия... что не любили его никогда и с удовольствием приняли предложение разыграть спектакль «Жертва режима». Разумеется, вы не знали тогда, чем это может кончиться... Возможно, Хозяин даже говорил вам, что все его действия пойдут на пользу Горделадзе, для его же блага.

— Да, да, именно так, — подхватила она.

— Погодите, не перебивайте меня, Алена Юльевна. Я не думаю, что все так просто. Я думаю, что у вас были иные мотивы... Самый простой — финансовый.

— Как — финансовый? — изумилась она.

— Да очень просто: вы получали от вашего бывшего любовника не только материалы, но и деньги за публикацию этих самых материалов.

— Да как вы смеете?

— Смеем! — сказал Обнорский. Он встал, подошел к креслу, в котором сидела Алена, остановился, нависая над ней. — Смеем, Алена. Ты видела, как у тебя на глазах губят человека... И — молчала.

— Я не молчала, — ответила она. Чтобы отвечать, ей приходилось задирать голову.

— Ты не просто молчала. Ты, как мне представляется, участвовала в этом. Пассивно, разумеется, но участвовала. И даже получала удовольствие, видя, как Георгий все глубже увязает в трясине.

— Нет! — выкрикнула она.

— Да, — сказал Обнорский. Он интуитивно чувствовал, что попал «в десятку». — Да, Алена, да... Ты втайне ненавидела его. За то, что у него есть дочки.

За то, что он никогда их не бросит. За то, что он талантливее тебя как журналист и интереснее как личность. Ты давно и тайно ненавидела его, и когда твой бывший трахаль предложил тебе «расплатиться» с Георгием, ты сразу согласилась.

— Нет, нет и нет, — сказала она.

— Конечно, я не могу доказать свою точку зрения... Но чем другим, Алена, можно объяснить твое поведение? Деньгами? Наверно, можно, но я в это не очень верю. Как иезуитски ты себя вела! В этом есть нечто... Нечто глубоко личное, не имеющее отношения к деньгам.

— Я боялась, — произнесла Затула.

— Возможно... возможно, ты боялась. Но это не мешало тебе подталкивать Георгия к обрыву. И одновременно трахаться с ним. От этого некрофилией тянет, деточка...

— Да как ты смеешь, подонок? — закричала она, вскакивая.

Обнорский легонько толкнул ее ладонью в плечо, и Затула снова села в кресло. Андрей сознательно обострял диалог. Он видел, что Затула начала оправляться от первого шока, что она уже примеривает новую маску, уже привычно лжива... Он решил надавить.

— Смею! Ты, как настоящий маньяк, сначала убила Георгия, а потом хранила его отрубленную руку. Ты почти что в глаза ему заглядывала в смертный час. Ты толкала его к могиле, Алена.

— Не так, — вскрикнула она. — Все было не так.

— А как было? — спросил Обнорский. Он видел: сейчас она заговорит.

И она заговорила:

— Все было не так, не так, не так! Никто не хотел его убивать. Хозяин предлагал создать образ Горделадзе-жертвы... Но не убивать. Георгий должен был исчезнуть, отсидеться в Грузии, а потом «сбежать из чеченского плена», куда его «продал злой Бунчук». Хозяин говорил: все будет сделано так — комар носа не подточит. У нас в запасе, говорил он, будет железный козырь. Такой, что ничем не перебить... Тогда я не знала, что он имел в виду «кассеты Стужи». Впрочем, может быть, он имел в виду что-то другое. Неизвестно, был ли он сам в курсе существования кассет или решил использовать их, когда Георгий «открыл» кассеты...

— Что значит: он «открыл» кассеты?

Алена вдруг хлопнула себя по лбу и сказала:

— Господи, какая же я дура! Как же я сразу не поняла, что вы ничегошеньки не знаете? Слышали где-то случайно, краем уха, про «дипломат»...

— Вы почти правы, Алена, — сказал Зверев. — Но только «почти». Мы действительно слышали случайно, «краем уха», про «дипломат». Потом мы случайно услышали про вашу связь с Хозяином... случайно услыхали про забавы Георгия в Интернет-кафе... случайно уличили вас во лжи со «штурвалом». Есть еще десяток таких «случайностей». Мы пока их не называем — мы даем шанс вам.

— Да ладно тебе, Зверев, Господа Бога из себя корчить — шанс он мне, видите ли, дает! Да кто ты такой, Зверев? А ты, Обнорский, кто? Расследователи? Да вы никто здесь, на Украине! Тут покруче и поумнее вас мужики сидят. В погонах с большими звездами... Но и они сидят, хвост поджавши. Вы думаете, только вы такие умные? Кроме вас никто по следу не смог пройти? А? Так ведь есть, есть люди, которые очень много знают. Но сидят на жопе ровненько, смирненько. Пока команды «фас!» не будет — голоса не подадут. А вы? Ой, мама, не могу — «мы даем вам шанс!» Да я завтра же заявлю, что вы приходили ко мне и шантажировали меня... Консьержка подтвердит, что вы были у меня. Настаивали, чтобы я дала показания на Хозяина. А хотите, я заявлю, что вы вербовали меня работать на ваше москальское ФСБ? Вот скандальчик-то будет! Международного уровня.

Алена произносила свой монолог быстро, уверенно, даже как будто весело. Но очень скоро выдохлась, увяла и съежилась под тяжелыми взглядами Зверева и Обнорского. Как-то разом, вдруг, она осознала, что уже сказала в запале много лишнего... И что оба питерских не очень просты, зато очень опасны. Они опасны не той опасностью, какой опасен Хозяин или Отец. Они опасны своим умением добывать и анализировать информацию. И этот Зверев не зря намекнул: у нас есть в загашнике еще десяток таких «случайностей»... И ведь почти наверняка они у них есть. В какой момент и каким образом они обнародуют эти «случайности», то бишь факты? В чьи руки отдадут?

Она не ощущала себя преступницей, она не совершила ничего худого... Но отчего же ей так страшно и тяжело? Отчего она мечется между желанием рассказать все и желанием выгнать двух этих коллег... Что делать? Что делать?

— Ну, — сказал Обнорский, — успокоилась? Что значит: «Георгий открыл кассеты»?

— Именно то и значит...

— А все-таки?

— Вы уже в курсе, что Георгию остро не хватало денег?

— Конечно. Мы также в курсе, что вы, Алена, сорвали получение американского гранта. А также подставили «Вести», опубликовав критическую статью про спонсора... Как тут не быть острой нехватки денег?

— Тут все не так просто, — вяло сказала она.

— Бросьте, — ответил Зверев. — Все просто. Вы отсекали Горделадзе от реального финансирования.

— Нет, вы не понимаете...

— Объясните, мы поймем.

— Вы не поймете, — сказала Алена. — Я... я сама не понимаю.

— Ладно, дальше. Финансовые проблемы были, но все же деньги откуда-то поступали. Если Хозяин за пиар не платил, то откуда?

— Его финансировал Отец.

— Да бросьте, Алена. Тысяча баксов в долг — это что, по-вашему, «финансирование»? Тем более, что деньги Георгий вернул

— Как — вернул? — удивилась Алена. — Почему — тысячу долларов? Кто вам это сказал?

— Отец и сказал, — ответил Зверев.

— Ну, Отец мог вам сказать все, что угодно. Даже то, что он сам у Георгия брал в долг... Вы поверили Отцу?

— Георгий был должен Отцу?

— Да, еще бы. Я думаю, что подсадка Георгия на финансовый шприц к господину Матецкому была спланирована Хозяином.

— Много Георгий был должен? — спросил Зверев.

— Много... тысяч пятнадцать.

— Гривен?

— Если бы! Долларов.

Обнорский и Зверев переглянулись — пока их построения в основном подтверждались. Да, у Горделадзе был левый источник финансирования. Да, он возник неслучайно — он являлся частью плана «Украина без Бунчука!». Разве пятнадцать тысяч баксов — деньги? Понятно, что суммарная стоимость плана на порядок или даже на два выше... Но даже и полтора миллиона баксов — не цена за Украину. За возможность установить здесь контроль над президентом и качать бабки. Торговать нефтью, газом, портами, людьми и самой «незалежностью». Украина огромна и богата... Разве миллион-другой долларов и несколько человеческих жизней — цена за нее? Нет, ребята, не цена... Лезут со всех сторон Хозяева с Отцами, Газовые Принцессы и Футбольные Магнаты. Каждый хочет урвать «свое»... Но не прочь прихватить и чужого. Для этого все средства хороши — подкуп, шантаж, убийство. Важен результат.

— Значит, — сказал Обнорский, — Отец подпитывал Георгия финансово. Видимо, с дальним прицелом и по заданию Хозяина. Я вас правильно понял?

— Пожалуй, да...

— А почему, Алена, вы считаете, что Отец действовал по заданию Хозяина?

— А с чего бы Отец стал таким широким спонсором? — пожала плечами Алена. — Он же бандит, жмот страшный. Я его по Симферополю знаю — он просто так копейки не даст никому...

— Понятно. Ну а какое отношение Отец имел к тому «дипломату»? Как Георгий узнал про «дипломат»?

— Он был у Отца. Пошел просить еще денег. Сами знаете — их много не бывает. Он пошел просить, но в тот день Отец впервые ему отказал. Даже напротив, сказал, что пора бы, мол, и рассчитаться. Для Георгия это была полная неожиданность... Он растерялся, он не знал, что ответить.

Обнорский подумал: «Когда Гия брал деньги у натурального бандита — неужели не предполагал, что настанет время платить по счетам?»

Как будто услышав его мысленный вопрос, Затула сказала:

— Георгий уже здорово подсел на таблетки. Я думаю, что он уже не совсем адекватно воспринимал происходящее. Он жил в режиме «кайф—депрессняк». Все либо хорошо, либо плохо. Это было не очень заметно посторонним, но я-то знала отлично... Короче, Отец спросил: как, мол, отдавать будешь, Георгий? И Гия растерялся. Он не знал, что ответить... Но в этот момент у Отца зазвонил телефон. Георгий говорил мне позже: меня спас этот звонок! Он, дурень такой, не мог предположить, что этот звонок его и погубит... В общем, зазвонил телефон. Невольно Георгий стал свидетелем разговора. Разговор велся «конспиративно» — намеками, недоговоренностями. И все же Гия понял, что речь идет о некой «посылке», которая, видимо, находится в камере хранения. О камере хранения он догадался потому, что Отец записал на календаре: «яч. 68 к. 303». Это, видимо, следует читать как «ячейка № 68, код 303». Логично?

— Вполне, — ответил Зверев. — Это было двадцать восьмого июля?

— Нет, двадцать первого.

— Как двадцать первого? — спросил Обнорский и посмотрел на Зверева.

Сашка пожал плечами.

— Да вот так — двадцать первого, — сказала Алена. — Я точно помню.

— Ладно, пусть двадцать первого. А «дипломат» Георгий взял двадцать восьмого?

— Да, двадцать восьмого. Как, кстати, вы узнали?

— Оперативным путем, Алена Юльевна. Нам, конечно, очень далеко до тех крутых ребят с большими звездами, но кое-что мы умеем... Что же было дальше-то?

— Дальше? Из разговора Отца с неизвестным Георгий понял, что «посылка» в ячейке номер шестьдесят восемь имеет какое-то важное значение и что долго лежать ей в камере хранения нельзя. Отец заверил, что долго лежать она не будет... Дальнейшее вам известно.

— Отчасти, — возразил Зверев.

— Хотите, чтобы я вас за ручку водила? — с издевкой спросила Алена.

— Нет, нам не нужно, чтобы нас водили за ручку. Мы сами можем реконструировать события. Хотите, Алена, чтобы я сам вам рассказал, как дело сделалось? Я расскажу. Итак, двадцать первого июля Георгий невольно стал свидетелем разговора Отца с неизвестным. Из той информации, которую удалось снять, Гия сделал вывод: на вокзале, в ячейке номер шестьдесят восемь, находится некая посылка для Отца. И эта посылочка имеет важное значение... В разговоре Отец «конспирировался», из чего хитрый Гия сделал следующий вывод: что-то здесь не так. И, конечно же, решил посмотреть: а что не так? И поехал на вокзал... и проник в ячейку... Думаю, что сначала он был разочарован — он ожидал обнаружить деньги. Целый «дипломат» денег. Или наркотики. Или нечто подобное. А там оказались «кассеты Стужи». Я думаю, что

402

в тот раз, двадцать первого, Георгий не стал их слушать. Он положил «дипломат» обратно... Почему я так думаю? Элементарно, Ватсон. Если бы Гия прослушал кассеты, он бы их забрал. Но он — хвала ему и честь! — рассудил иначе. Что-то в этом есть! — решил он. И задумал отследить канал. Существует, правда, одно «но»: необходимо знать, что это именно канал, а не разовая передача. Откуда Гия мог это узнать? — спросите вы. Я думаю, что есть две возможности. Либо в том же «дипломате» лежала записюлька: наш следующий секретный контакт состоится через неделю таких же способом... Либо нечто подобное прозвучало в подслушанном им разговоре. Не суть важно! Важно то, что через неделю, двадцать восьмого июля, разведчик Гия Горделадзе заступил на боевой пост. Он принял «таблетку успеха», нацепил темные очки и сел в засаде. Возможно, он вооружился фото- или видеотехникой.

Зверев говорил, Алена смотрела на него во все глаза. Когда Сашка произнес последнюю фразу — про фото-видео — она как будто напряглась. Зверев это заметил.

— Так вот, — продолжил он, — Георгий засек и, скорее всего, сумел зафиксировать на пленку...

Сашка повернул голову к Затуле и быстро спросил:

— Верно, Алена? — Алена кивнула механически.

— ...и зафиксировал на пленку человека, который принес «дипломат». Скорее всего, Георгий знал этого человека... Почему я так считаю? У Георгия была очень сложная задача: человека, который принесет «дипломат», он не знал. И точного времени, когда состоится закладка, он почти наверняка не знал... Да и номер ячейки тоже — нельзя же всерьез рассчитывать на то, что это снова будет «шестьдесят восьмая». Поэтому Георгию приходилось снимать всех подряд. Выделяя в первую очередь мужчин с «дипломатами». Но так можно снимать очень долго. Скорее всего, он увидел знакомого. Так, Алена?

— Да, — сказала Затула.

— Кого? — спросил Андрей. — Кого он увидел?

— Мельника, — ответила она.

— Того самого? — ничему уже не удивляясь, спросил Андрей.

— Да, Обнорский, того самого.

Из статьи в «Украинских вестях»:

«В прошедший понедельник на канале HI-TV, который принадлежит почти зятю Бунчука г-ну Пинчеру, предали огласке расшифровку видеозаписи свидетельств офицера СБУ, который „писал" президента... Мы представляем нашим читателям фрагмент этой расшифровки:

„Мы, члены временной следственной комиссии Верховной Рады, — предваряют видеозапись депутаты Рады, — в соответствии с постановлением Верховной Рады Украины от 1 сентября 2000 года в помещении(в целях безопасности помещение не называется) применили видеозапись в соответствии с требованиями Уголовно-процессуального кодекса Украины и получили объяснения от Мельника Николая Ивановича, родившегося 18 октября 1966 года в Васильковском районе Киевской области":

— Назовите, пожалуйста, вашу фамилию, имя и отчество?

— Я — майор запаса Службы безопасности Украины Мельчик Николай Иванович.

— Назовите, пожалуйста, свою последнюю должность?

— Моя должность — старший офицер безопасности, отправленный в отдел охраны президента Украины.

— Ваше бывшее место работы?

— Отдел охраны президента Украины.

— Вы имели доступ к помещениям, где пребывал президент Украины?

— Да, имел.

— Когда и при каких обстоятельствах проводилась запись, которую вы передали народному депутату Александру Стуже?

— Запись, точнее документацию президента Украины, я начал проводить после того, как стал свидетелем во время выполнения служебных обязанностей, как президент Украины Леонид Бунчук отдает преступный приказ и только после того, как я узнал, что этот приказ выполнен, я стал документировать дальнейшие события.

— На протяжении какого времени осуществлялась запись?

— Документирование разговоров президента Украины в его рабочем кабинете осуществлялось на протяжении длительного времени, и тех материалов, поверьте, достаточно, чтобы доказать, что президент Украины действовал не на благо народа Украины.

— Как технически осуществлялась запись? Какое именно устройство использовалось для снятия информации?

— Цифровой диктофон.

— Где именно и каким способом устанавливалось устройство?

— Цифровой диктофон находился непосредственно в кабинете президента Украины под диваном. Как заходим в кабинет президента, с левой стороны — мягкий уголок, и под диваном был расположен этот диктофон.

— Находится ли это устройство на том же месте до сих пор?

— Сегодня его там нет.

— Где находится это устройство?

— В надежном месте.

— Под вашим контролем?

— Да.

— Вы могли бы его предоставить при необходимости для проведения независимой экспертизы?

— Я готов передать это устройство для проведения независимой экспертизы, но на Украине независимой экспертизы не может быть.

— Проводилась ли перезапись звукозаписи?

— Те материалы, которые я передал депутату Стуже, содержат отрывки тех записей, которые у меня *есть. Я передал не весь разговор Бунчука с Марченко, а только те отрывки, которые касались „дела Горделадзе“, его исчезновение и заказа Бунчука на то... чтобы его...*

— *Что побуждало вас на осуществление этих записей?*

— *После того, как я узнал, кто нами правит, какие приказы отдаются, какие выполняются, как офицер, который дал присягу на служение Украине, я не мог не задокументировать и не передать, чтобы все население узнало о том, кто нами на сегодняшний день правит. Я это делал для того, чтобы положить край тем преступным действиям.*

— *Чем вы руководствовались в своих действиях?*

— *После того, как я узнал о преступном приказе, и после того, как этот преступный приказ был приведен в действие, эти обстоятельства побуждали меня к тому, чтобы начать документировать эти разговоры.*

— *Уточните, какая информация, касательно каких лиц, каких приказов есть в этих записях?*

— *Президент Украины отдавал приказы главе государственной налоговой администрации, министру внутренних дел, председателю Службы безопасности. Эти приказы были направлены на уничтожение неподконтрольных режиму оппозиционных к Кучме средств массовой информации. Таких, как газеты „Сильски висти“, „Товарищ“, „Грани“, „Вечерние вести“, „Зеркало недели“, „Свобода“. Также он отдал приказы на подавление радиостанции ВВС и „Свобода“. Это касалось также ряда предприятий, банков, фондов. Также он отдавал приказы на использование органов судебной и исполнительной власти для того, чтобы придушить противодействие депутатов, которые пытались что-то изменить и бороться. Это такие, как народный депутат Украины Белашов, Головастый, Кастенко, Имошенко, Ткаченков, Стужа, а также другие фамилии, которые я сейчас не помню, но касательно которых он отдавал приказы душить. На это есть документальное подтверждение.*

— *Есть ли документальное подтверждение его приказов, касающихся прослушивания народных депутатов?*

— Да, есть. *Президент Украины непосредственно отдавал приказы председателю Службы безопасности Сварогу на прослушивание всех и вся. С самого начала Бунчук отдавал приказ такого содержания — никого не простить, кто работает против нас. И была команда — душить, уничтожать. Почему именно Горделадзе? Я не знаю. Бунчук позвонил по телефону главе администрации Латвину и дал ему указание, чтобы тот думал, как и что делать с Горделадзе. Потом, через 2—3 минуты, Латвин пришел к президенту в кабинет, и там они обсуждали. Бунчук говорит: „Может, на него есть суд?" Латвин говорит: „Нет, пусть Марченко подействует на него другими методами".*

— *Уточните, пожалуйста, цель осуществления записи этих разговоров?*

— *Целью было прекратить преступную деятельность этого режима, для того, чтобы народ смог очиститься от грязи и той откровенной лжи, которая доносится ежедневно».*

— Да, Обнорский, того самого Мельника, — сказала Алена.

— Нормально, — сказал Андрей. — Просто нормально. Просто высший пилотаж конспиративной работы — майор СБУ из системы безопасности президента «пишет» президента, а потом таскает «дипломат» с кассетами на вокзал... Что думаешь, Саша?

Зверев пожал плечами, ответил:

— Реальная жизнь сильно отличается от шпионских романов.

— Да уж, отличается... Итак, Алена, он зафиксировал на пленку, как Мельник положил «дипломат» в ячейку, что было дальше?

Затула зябко повела плечами, ответила будто в пустоту:

— Георгий попробовал открыть ячейку. Он наугад набрал тот же код, что и в первый раз — получилось.

Он забрал этот «дипломат», переложил в другую ячейку и остался наблюдать дальше.

— Он хотел посмотреть, кто придет?

— Да, разумеется.

— Пришел человек от Отца?

— Нет. Пришел сам Отец.

— Нормально,— сказал Обнорский. — Один дурак лично делает закладку, другой дурак лично за ней приходит.

— Они,— сказал Зверев,— просто боялись передоверить это третьему лицу. Потому и челночили сами.

— Резон,— согласился Обнорский,— конечно, есть. Тем более, что у Мельника в кармане — ксива СБУ, а у Отца так и вообще депутатская неприкосновенность... попробуй прихвати.

— Отца Георгий тоже зафиксировал? — спросил Зверев.

— Да, — ответила Алена. — Очень смешно было смотреть, какое мурло было у депутата народного, когда он обнаружил пустую ячейку... А «дипломат»-то лежал в соседней!

— Вы видели пленку?

— Конечно. Ее видели еще два человека.

— Кто?

— Сам Отец и Хозяин.

— Где она теперь?

— Не знаю,— сказала она безразлично. — Скорее всего, уничтожена... Впрочем, у Хозяина, может быть, сохранилась копия. Но вам до нее не дотянуться — руки коротки.

— Когда Георгий изъял «дипломат»?

— Да сразу, как только Отец убежал... Он убежал как наскипидаренный, а Гия спокойно взял посылочку и ушел.

— Он пришел к вам?

— Да, ко мне... Мы вместе прослушали записи, и нам тоже стало худо.

— А потом? Что было потом, Алена?

— Потом мы долго решали, что с этими кассетами делать. Я предлагала их уничтожить и забыть. Но Георгий сказал: нет. Нет, сказал он, это мой шанс. Отца я теперь скручу в бараний рог.

— М-да... скрутил, — сказал Зверев.

— Я еле-еле уговорила его не ходить к Отцу сразу. Не пороть горячку, обдумать все. Он же упрямый был... Если бы вы знали, какой он был упрямый. Но я все-таки его уговорила. Я предложила ему отнести кассеты Хозяину.

— Зачем? — удивился Обнорский.

— Эстер был единственный человек, который мог бы реализовать эти кассеты.

— Вот и реализовал, — мрачно произнес Андрей.

— Паук, — сказала Алена.

— Эстер?

— Да, мой бывший любовничек. Паук! Когда я принесла ему кассеты — он даже не удивился. У меня сложилось впечатление, что он знал об этих кассетах.

— Он не просто знал о них, Алена, — сказал Обнорский. — Он сам все это и организовал.

— Потом и я догадалась. Не очень трудно было догадаться. Но дальше... дальше произошло самое страшное: Гия, оказывается, втайне от меня сделал копии с кассет и видеопленки и пошел к Отцу.

— Шантажировать, — сказал Зверев.

— Да, — кивнула Алена. — Он рассчитывал списать долг, да еще и заработать тысяч сорок—пятьдесят.

— Что сказал Отец?

— Отец сильно испугался... Он очень сильно испугался. Он был готов на все! Георгий воспрянул духом. Даже бросил принимать эти мерзкие таблетки.

— Перешел на прозак?

— Да, это такие успокоительные... витамины... В общем, он стал напрягать Отца. Тот был так напуган, что рассказал про Мельника.

— А что он рассказал про Мельника?

— У Мельника больная дочка. У нее сложное заболевание почек... На операцию требуется около двадцати тысяч баксов. В апреле-мае, когда Мельник отдыхал в Крыму, его вербанули. Поймали на крючок из двадцати тысяч долларов и патриотических разговоров. Дело было в санатории, который принадлежит Отцу... Это хороший санаторий.

— Понятно, — сказал Андрей. — Ну а что же все-таки с исчезновением Георгия?

Затула посмотрела на Обнорского устало. Спросила тихо:

— Зачем вам? Зачем вам это?

— Надо, Алена.

— А, — махнула она рукой. — Чего уж теперь?! Гия тянул с передачей пленок. Он то впадал в эйфорию и строил грандиозные планы на будущее, то, напротив, становился мрачным, говорил, что надо бежать за границу, что его убьют... Время шло. Хозяин не предпринимал никаких шагов. Гия психовал, Отец тоже психовал. Было очень тревожно... Я сильно боялась... Все сильно боялись. Четырнадцатого сентября Отец сказал: «Надо решать». Они договорились, что шестнадцатого, в субботу, Георгий передаст ему все кассеты и видеозапись. А Отец Георгию — деньги.

— Эстер об этом знал? — спросил Андрей.

— Не знаю... кажется — знал... Наверняка — знал! Этот паук всех держит в паутине своей. Он и Папу держит.

— А как он держит Папу?

— А-а, херня... Папа, случается, выпивает, а Хозяин ему помогает в этом деле. Он сам-то почти непьющий, но с Папой квасит за милую душу. За печень потом держится, плачет, но с Папой пьет. А тот, когда поддатый, поле не под тем углом видит, — любую бумажку подмахнет по доброте душевной.

— Понятно... Значит, Эстер знал о предстоящей шестнадцатого встрече Георгия с Отцом?

410

— Не знаю, не знаю... наверное, знал... Тот день был очень напряженным. С утра все шло наперекосяк. Кошка дорогу перебежала. В тот день Георгий снова принял таблетку своей дряни. У меня все внутри сжималось. Я чувствовала: что-то случится, что-то произойдет страшное. Я не знала, что делать, и каждая жилочка во мне звенела. Я очень боялась... За Георгия... за себя... за всех. А Гия парил на своей таблетке! Как слабоумный. Он говорил: все будет хорошо, уже вечером мы будем богаты! Странно, но никто из окружавших нас ничего не замечал. Все как будто ослепли. А я уже чувствовала, что пришла Беда.

Алена обнимала себя за плечи и временами становилась похожа на маленькую девочку. Было ясно, что сейчас она говорит не для Обнорского и Зверева, — она говорит для себя. Она снова переживает субботний день 16 сентября. В ней уже не осталось ни капли той оборонительной агрессии, которая присутствовала в начале и в продолжении всего длинного путаного разговора. Оба питерских журналиста были абсолютно посторонние ей люди. В известном смысле — враги. Но сейчас она просто не думала об этом. Она жила в ином времени. На календаре Алены было 16 сентября, суббота. Трепетала темная листва за окном, Георгий лежал в ванне.

— ...Гия лежал в ванне. Пел песни на грузинском и на украинском. Время остановилось... Потом он вышел, спросил: нет ли у меня выпить? У меня было немножко виски... с какого-то праздника осталось. Он выпил рюмку, выкурил сигарету и оделся. Пора было идти на встречу... На встречу с ЭТИМИ. Я сказала: «Хочешь, я пойду с тобой?» А он засмеялся, сказал: «Глупости». Он взял только одну кассету из тех трех, что у нас были... Сказал: «Скоро вернусь», — и ушел. Мне было очень страшно.

Она умолкла. В тишине было слышно, как стучат часы.

— Почему, Алена, — осторожно спросил Андрей, — он взял только одну кассету?

— Что? — спросила она.

— Почему он взял только одну кассету?

— Он страховался... Он хотел сначала посмотреть, что за люди придут от Отца? Привезут ли они деньги? Хотел записать номер машины.

— Крутая страховка, — буркнул Зверев.

Алена не обратила на его реплику внимания. Она смотрела вниз, на свои тапочки — два плюшевых розовых бегемотика с синими глазами безмятежно улыбались. Они не знали, что такое отчаяние, боль и беда.

— Он ушел... а я стояла у окна и молилась... Я молиться не умею, я просто просила Бога, чтобы он помог нам. Я видела, как Гия пересек двор и поднялся на улицу. Там, у остановки, стояла машина — светлый «жигуленок». Гия сел в нее. Мне казалось, что сейчас машина сорвется с места, Георгия увезут, и я больше никогда его не увижу. Я не любила его. Он был эгоист, он был несправедлив к людям... но я очень боялась, что больше не увижу его. Но все обошлось. В ТОТ РАЗ все обошлось. Он вернулся. Вернулся сияющий, принес пачку долларов... Смеялся, говорил: «Я могу их строить как бойскаутов...» И мне тоже стало легче. Господи, какая я была дура!.. Дура, дура! Девчонка. Я увидела сияющего Гию, доллары и поверила вдруг, что все будет хорошо, что Бог меня услышал. Мы выпили по глотку виски. Мы были возбуждены как дети, которым объявили, что уроки на сегодня отменяются. Георгий сложил в пакет видеокассету, две «кассеты Стужи» и копии с них. Сказал, что возвращаться уже не будет... что Мирослава, дети... Я не знала, что вижу его в последний раз.

Алена умолкла, на глаза навернулись слезы. Неслышно подошел и потерся о ее ногу кот... Андрей понял, что она сказала все, что могла сказать, выплеснула свои эмоции и вот-вот закроется, замкнется и понесет свою подлую беду дальше. В какой-то мере ему даже было жаль эту женщину — маленькую, беспомощную и беззащитную сейчас. Он не представлял, как же она будет жить дальше с этим чудовищным грузом... Одно-

412

временно он не испытывал к Алене никакого сочувствия. Вина ее в произошедшем была огромна.

— Алена, — сказал Обнорский, — ты говорила, что Георгий хотел записать номер машины... он записал?

— Да, конечно, — сказала она, вытирая глаза по-детски — кулачками. — Записал. Я потому и успокоилась тогда, потому что подумала: если есть номер машины... если известны люди... Значит, они не посмеют что-нибудь сделать с нами.

— Ты сохранила эту запись? — спросил Зверев.

— Да, — сказала она.

Обнорский и Зверев переглянулись. Они оба не верили в такую удачу.

— А где она? — спросил Обнорский.

— Там, — сказала Алена, никак не обозначив, где это «там».

— Где — там?

— Там, за портретом Георгия. — Она качнула головой на тот портрет в рамке, что стоял на столе.

Не спрашивая разрешения, Андрей встал, подошел к столу и взял в руки фотопортрет Георгия Горделадзе... Гия улыбался очень хорошей, открытой улыбкой. Андрей повернул портрет обратной стороной — пусто. Он отогнул четыре лепестка, вынул лист паспарту... на стол спланировал листок, вырванный из записной книжки.

Андрей прочитал: «8...9 КИЯ. Заец. Слепой».

— Отдай! — закричала Алена. — Отдай, сволочь!

* * *

Обнорский и Зверев сидели в салоне «пятерки» на бульваре Леси Украинки, возле то самой остановки, откуда Георгий Горделадзе уехал 16 сентября. Мимо проносились редкие автомобили. Отсюда были хорошо видны окна Алены. В окнах горел свет.

— Тварь, — сказал, глядя на окна, Зверев.

— Несчастная баба, — сказал Обнорский.

— А ты пожалей ее, — ответил Сашка неожиданно зло.

— Саша... — сказал Обнорский.

Зверев перебил:

— Не надо. Проповедей не надо... Она — тварь. Если бы она сразу сообщила номер тачки, на которой его увезли... он был бы сейчас жив.

— Саша, послушай меня. Она, конечно, тварь... Но она не верила в то, что Георгия убьют. Она ведь позвонила посреди ночи Эстеру. И тот, видимо, ее успокоил: все в порядке, играем спектакль «Жертва режима». Играем версию «похищение». Спи спокойно, днем Гия сам тебе позвонит. И ведь он позвонил — семнадцатого числа был звонок с Таращанского моторного на ее телефон. Какое-то время она сама верила в то, что ничего страшного не произойдет.

Зверев щелкнул зажигалкой, затянулся сильно и ответил:

— Брось! Брось, Андрюха... Она — прямая соучастница убийства Горделадзе. Если не в юридическом плане, то в моральном — бесспорно. И она сама это знает. А еще она знает поименно всех организаторов убийства... почему она до сих пор жива?

— Я думаю, что это ее бывший любовник Эстер отдал команду не трогать ее.

— А я думаю, что ее не убили только потому, что были уверены: она будет молчать. Они уже считали ее СВОЕЙ.

— Ты прав, — сказал Обнорский сухо.

* * *

Они вернулись в гостиницу на левобережье, поужинали и сели в номере Обнорского подводить итоги. Настроение после общения с Затулой было пакостное... ощущение осталось такое, как будто наступил на гадюку. Однако это не отменяло работы.

— Что будем делать, опер? — спросил Обнорский.

— Я бы попросту передал всю информацию в прокуратуру.

— Я бы тоже сделал это с удовольствием. Но... не вижу смысла. Неужели ты, Саня, считаешь, что они сами не смогли бы — будь на то желание — поднять эту тему? Если бы сразу закрыли Алену на десять суток, она бы «потекла».

— Это точно. Когда человек... особенно человек из «интеллигенции» оказывается в камере... среди уголовников... когда он впервые в жизни видит парашу, его взгляды на жизненные ценности сильно меняются. Если бы закрыли Алену, она бы «потекла» через сутки. Максимум — через двое.

— А они этого не сделали. Вместо этого они включили Затулу в состав следственной группы. Вывод? Никто и не хотел раскрывать исчезновение Горделадзе. А сейчас, после того, как Стужа вылез со своими записями, все и подавно шарахаются от этого дела, как от чумы

— Что предлагаешь? — спросил Зверев.

— В принципе, картина ясна. Мы можем написать отчет, сдать его нашему заказчику и вернуться в Питер. Но я бы хотел разобраться до конца. Понять, почему убили Георгия и кто его убил?

Зверев открыл бутылку пива, сделал глоток прямо из горлышка. Потом сказал:

— Убивать его действительно не было никакого смысла. Ну взяли за жабры, вывезли в Таращу... отмудохали, отобрали кассеты и деньги.. но убивать-то зачем? Проще и практичней заставить работать на себя. Однако ж убили. Не вяжется как-то, не вижу логики.

— Потому я и хочу разобраться, — ответил Андрей.— В машине были Заец и некто Слепой. С них и следовало бы начать, но Зайца уже не спросишь, а кто такой Слепой, мы пока не знаем. Скорее всего, это человек Отца.

— Нужно устанавливать. Если Георгий его знал — а он его знал, раз уж записал «Слепой» — то, скорее всего, этот Слепой из ближайшего окружения Отца. Тем более, что и сам Отец не послал бы на такую важную стрелку кого попало... Думаю, мы установим его легко. Давай поступим просто — я звоню моему лучшему другу Краюхе, а ты пану полковнику Перемежко.

Они взялись за телефоны. Обнорский разговаривал с Василием Васильевичем Перемежко около двух минут, Зверев с Краюхой — три. По окончании переговоров обменялись информацией.

— Перемежко сказал, что да — среди окружения Отца есть некто Слепой. Личность известная, имеет две судимости — за ношение оружия и за грабеж... подробней он сможет сказать завтра.

— Краюха, — усмехнулся Зверев, — ничего не сказал про судимости, но Слепого знает. Именно Слепой искал человека, который на вокзале увел «дипломат». Сказал, что Слепой — беспредельщик, приехал с Отцом из Симферополя...

— Вот оно и срослось. Слепой занимался розыском «дипломата», ему же поручили забрать пленки у Г. Г. Симферопольский, говоришь?

— Это не я говорю, это Краюха говорит.

Андрей тоже открыл себе бутылку пива, сделал глоток.

— Симферопольский, — сказал он, — это хорошо... Позвоню-ка я в Симферополь, есть у меня там один человек, который очень не любит Отца и его банду.

Андрей полистал записную книжку, нашел телефон «афганца» Сереги, набрал номер.

— Здравствуй, Сергей Иваныч, — сказал Обнорский, когда в трубке раздался голос Сереги. — Андрей Обнорский из Питера... не забыл такого?

— А, гражданин расследователь! Нашел голову Горделадзе?

— Ищу, Иваныч. Если ты поможешь, то глядишь, и найду.

— Всем, чем могу. Спрашивай.

— Значит, так, Иваныч... тебе знаком человечек с погонялом Слепой?

— А як же? Личность известная. Но он теперь больше в Киеве отирается... Хотя и у нас, в Симферополе, частенько бывает. А что тебя, Андрей Викторович, конкретно интересует?

— Все, — ответил Обнорский.

— Я тебе уже объяснял, что все знает только «Бизон» и «Скорпион». А я просто бывший мент.

— Да ладно, не прибедняйся. Охарактеризовать Слепого можешь?

— Почему нет? Могу... Итак: Макаров Геннадий Ефимыч. Год рождения по памяти не скажу, но что-то около тридцати. Образования — ноль, но зато здоров как бык. Боксер. Имеет две судимости. Одну в самом начале девяностых за ствол, вторую — в девяносто третьем за грабеж. Оба раза выходил досрочно. Беспредельщик, покуривает травку, ходит в подручных у Отца, что еще хочешь услышать?

— Спасибо, — сказал Обнорский.

Они поговорили еще с минуту и попрощались. Обнорский передал Звереву то, что сообщил Сергей.

— По большому счету эта информация ничего нам не дает, — сказал Сашка. — Встретиться со Слепым, конечно, стоит, но он человек опытный — пойдет в полный отказ, а предъявить ему нечего. Остаются Вайс, Отец и Эстер.

— Эстера можно исключить сразу. Тут Затула права — руки у нас коротки, чтобы до него дотянуться... Вайс? Тоже пустой номер. Скажет: знать ничего не знаю. И что ты ему сделаешь?

— Ничего.

— Остается Отец.

— Да, остается только Ленечка Матецкий.

* * *

— Ну что, Эстик? Думаешь, я тварь? — спросила Алена.

Кот молчал. Смотрел своими загадочными глазами и молчал. Алена налила себе виски. Из той самой бутылки, что так и не допили с Георгием. Выпила и зажмурила глаза. Из-под век выкатились две слезинки.

— И ты, Гия, думаешь, что я тварь? — спросила она у портрета на столе. Георгий тоже ничего не ответил. Он улыбался — спокойно и безмятежно. Алена смахнула слезинки и прочитала:

Я уйду. И ничего не будет.
Лишь тоннель и свет в конце пути.
Божий Правый Суд меня рассудит
И определит, куда пойти.*

Она посмотрела на портрет, на кота, на свое собственное отражение в зеркале... Потом упала лицом в подушку и зарыдала. На пол свалились розовые тапочки-бегемотики с голубыми глазами.

* * *

Визит к депутату Верховной Рады Леониду Матецкому был назначен на 16:30. Добиться согласия на встречу оказалось совсем просто: Обнорский представился секретарю, попросил передать господину депутату, что у него — журналиста Обнорского — есть новая информация о «деле Горделадзе». Она очень важна, затрагивает непосредственно господина Матецкого. Поэтому очень желательна личная встреча. Андрей оставил номер своего телефона и стал ждать.

Не было никаких сомнений, что Отец клюнет. Не может не клюнуть. Если он работает в связке с Хозяином, а он работает в связке с Хозяином, теперь это очевидный факт, — то должен знать, что Обнорский и компания свернули расследование и убрались восвояси... Причем спешно убрались, напуганные. И вдруг — Обнорский вернулся! Это неспроста. Это значит, что они что-то нарыли, что-то такое, что заставило Обнорского вернуться... Видимо, это действительно важно. И опасно.

Обнорский и Зверев считали, что после сообщения секретаря о звонке Андрея, Отец, если и не напугается, то насторожится. Формулировка «есть новая информация... очень важна... затрагивает непосредственно господина Матецкого» расплывчата, неконкретна, допускает разные толкования. Отец обязательно клюнет.

---

* Стихи Марины Макеевой.

418

И он клюнул. Спустя минут сорок после звонка Андрея Матецкий позвонил сам, представился и поинтересовался, чем он может быть полезен господину Обнорскому. Андрей довольно сухо ответил, что разговор возможен только при личной встрече. Встречу назначили на 16:30. В офисе Отца.

За полчаса до встречи Обнорскому из Симферополя позвонил «афганец» Серега.

— Андрей Викторович, — сказал он, — потолковал я тут с людьми насчет Слепого... Ты ведь его к «делу Горделадзе» примеряешь?

— Точно так.

— Похоже, правильно примеряешь. Был тут у нас некто Грек. Отморозок, псих. Так вот этот Грек по пьяни хлестался, что ездил по заданию Слепого в Киев. А там, под Киевом, они закопали какого-то жмурика... жмурик без головы. Как тебе такой расклад?

— Весьма. А когда это было?

— Когда он об этом трепался, или когда они жмурика закапывали?

— Когда закапывали, конечно.

— В октябре.

— А поточнее не скажешь?

— Извини...

— Понятно. А в контакт с этим Греком нельзя войти?

— Седьмого ноября Грек дал дуба от передозировки... как тебе такой расклад?

— Не очень, — кисло сказал Обнорский.

— Мне тоже, — ответил Сергей. — Но только вот что я тебе скажу: Грек-то героином не баловался. Анашу курил, пил, но никогда в жизни не ширялся. Не было такого... А за день до его смерти из Киева опять прилетел Слепой. И они тут на пару гуляли. Вот так, Андрей Викторович.

— Спасибо, Иваныч. Ты даже не представляешь, какой ты мне подарок сделал.

— С тебя пол-литра, — сказал Серега и засмеялся. — Если еще чего нарою — позвоню.

Андрей рассказал Звереву о странной смерти Грека. Сашка хмыкнул и ответил:

— Все в цвет: первого ноября они закопали Горделадзе. Потом Грек по пьяни трепанул языком, а уже седьмого «помер от передоза». Все сходится, Андрюха... Ладно, поехали к Отцу.

В приемной борца с оргпреступностью паслись братаны. «Почти наверняка, — подумал Андрей, — у каждого из них в кармане лежит удостоверение помощника депутата». В Питере в середине девяностых такими ксивами обзавелись все авторитетные пацаны. У одного депутата от очень либеральной и очень демократической партии было сразу четыре таких помощника.

Ровно в шестнадцать тридцать Обнорского и Зверева пригласили в кабинет народного избранника. Андрей уже слышал от Повзло о роскоши, с которой оборудован кабинет, но тем не менее был удивлен. Особенно впечатляли два огромных аквариума.

А хозяин кабинета уже внимательно изучал визитеров, сидя за огромным столом. Он был, кажется, слегка напряжен, но выглядел уверенно и внушительно. Обнорский представился сам, представил Зверева. Матецкий буркнул нечто вроде: очень приятно. Взаимностью ему не ответили.

— Прошу присаживаться, — сказал он.

Обнорский и Зверев опустились на стулья.

— Красивые у вас аквариумы, — сказал Зверев.

— Аквариумы? Да, красивые... Для релаксации, знаете, полезно. Приходишь, замотанный делами, включаешь свет...— Отец нажал невидимую кнопку, и аквариумы, подсвеченные изнутри, погасли, вода в них стала темной. Внутри ощущалось какое-то движение, какая-то тайная жизнь, но понять, что там, в темени, происходит, было нельзя. Колыхались массы водорослей и смутные мелькали тени... Отец снова нажал кнопку — вспыхнул свет.— Включишь свет и наслаждаешься... душой отдыхаешь.

— А что за рыбки-то у вас? — спросил Зверев.

— Рыбки-то? Рыбки называются пираньи.

В аквариуме серебрились пузырьки всплывающего воздуха, зеленели растения и ходили невзрачные на вид рыбешки... Отец снова щелкнул выключателем — аквариумы погрузились во мрак.

— Пираньи, — повторил он, — пираньи... Хышники.

Снова включил свет и спросил:

— Чай? Кофе? Минералочка?

— Спасибо, Леонид Семенович... мы пришли к вам по делу.

— Слушаю вас внимательно, — сказал Отец.

Его посетители нисколько не сомневались, что борец с преступностью будет слушать их очень внимательно... По расчетам Обнорского и Зверева, Отец после звонка Андрея первым делом связался с Хозяином: опять питерские! Что делать? Вероятно, Хозяин ответил: встретиться, выслушать, понять, что им стало известно... Возможно, этого не было и все решения Леонид Матецкий принимает сам. Но навряд ли.

— Леонид Семенович, — сказал Обнорский, — нас привело к вам серьезнейшее дело. Мы получили информацию по «делу Горделадзе». Некоторым образом она касается и вас... Поэтому возникла потребность задать несколько вопросов. Вы не будете возражать, если мы запишем нашу беседу на диктофон?

— Не буду, пишите.

Андрей достал диктофон, проверил.

— Итак, Леонид Семенович, в процессе расследования обстоятельств исчезновения Георгия Горделадзе сотрудники Агентства журналистских расследований получили информацию, что к этому может быть причастен некто Слепой... Вам знаком человек с таким прозвищем?

Услышав про Слепого, Отец опустил глаза, мгновенно напрягся. Он взял из деревянного стаканчика на столе карандаш, вложил его между указательным, средним и безымянным пальцами правой руки... Легко, движением пальцев, сломал его. Половинки карандаша бросил на столешницу. Потом поднял глаза, посмотрел на Обнорского, ответил:

— У меня много знакомых...

— В миру Слепого зовут Геннадий Ефимович Макаров.

— Да, мы знакомы... Геннадий Ефимович — мой помощник.

— Мы получили информацию, что Слепого видели шестнадцатого сентября вечером возле дома Алены Затулы.

— От кого вы получили такую информацию? — спросил Отец и взял из стаканчика второй карандаш.

— Извините, Леонид Семенович, но я не вправе раскрывать своего информатора.

Карандаш хрустнул, половинки его полетели на стол.

— Тогда, господин Обнорский, я вас не понимаю... Вы приходите ко мне, намекаете, что мой помощник может быть причастен к похищению Горделадзе, но раскрыть источник информации не желаете. Чего вы хотите?

— Хотим встретиться и поговорить со Слепым, — ответил Андрей.

Отец собрался что-то сказать, но у Андрея зазвонил телефон. Обнорский посмотрел на часы — 16:33. «Наверняка, — подумал он, — это звонит Повзло...» Так и оказалось. Обнорский произнес несколько фраз: «Да, господин полковник, да... мы со Зверевым сейчас у господина Матецкого. Как только выйдем из офиса — позвоним».

Отец посмотрел исподлобья — явно догадался, что ему дают понять: некоему полковнику известно, где находятся питерские журналисты... страхуются, суки.

— Извините, — сказал Обнорский, убирая телефон. — Мы бы хотели встретиться и поговорить с вашим помощником.

— Запретить я вам не могу. Но навряд ли это возможно сейчас.

— Почему?

— А он сейчас в Симферополе, — сказал Отец и взял в руки третий карандаш. Повертел и поставил обратно в стакан.

— Когда вернется?

— Не знаю... может, через неделю. Может, через две.

— А связаться с ним можно? — спросил Зверев.

— Нельзя, — ответил Отец.

— А почему так? — удивился Зверев.

— Роуминг дорог, Гена им не пользуется, — с откровенной издевкой сказал Отец.

— А другие каналы? Домашний телефон, например?

— А я его не знаю.

— Это нетрудно узнать через справочное.

— Узнайте... Будете звонить — Гене привет, — сказал Отец.

Обнорский улыбнулся, сказал:

— Обязательно передадим. Лично.

— Полетите в Симферополь? — спросил Отец.

— Почему нет? У нас в Симферополе есть свой интерес.

— Любопытно: какой?

— Там седьмого ноября убили некоего Грека. Незадолго перед смертью он рассказал, что был в Тараще и принимал участие в захоронении некоего безголового тела...

Отец мгновенно стал красным. Взял в руки карандаш.

— Вы, Леонид Семенович, были знакомы с Греком? — спросил Зверев.

Карандаш хрустнул.

— Возможно, — сказал Отец. — Возможно.

Обнорский выключил диктофон, помолчал немного. Потом произнес:

— Леонид Семенович, Слепой и Грек — это ведь ваши люди... Ничего не хотите сказать?

— Что именно?

— Они явно причастны к исчезновению, а возможно, и к убийству Горделадзе... оба с уголовным прошлым. Очень странные контакты для депутата Верховной Рады? Ничего не хотите сказать?

Отец посмотрел на часы и ответил:

— Я ничего не хочу сказать... А сейчас — извините, у меня есть дела.

Обнорский и Зверев вышли. Когда дверь за ними затворилась, Отец смахнул со стола обломки карандашей, выругался и взялся за трубку телефона.

* * *

Обнорский и Зверев вышли на майдан Незалежности. Светило солнце, поскрипывал снежок, шел на площади бесконечный митинг: «Украина без Бунчука!».

— Чего мы добились? — спросил Зверев.

— Не знаю, — честно сказал Обнорский. — Возможно, мы вынесли смертельный приговор Слепому... возможно — нет.

Реяли на ветру «жовто-блакитные» флаги, колыхались плакаты с требованиями отставки Бунчука. В стороне стояли милиционеры в касках, со щитами и дубинками... Сегодня все было мирно, но уже прошли стычки протестующих с милицией, уже были раненые. В воздухе висели бациллы насилия, недоверия, ненависти.

— Да и хрен с ним, — сказал Зверев. — Все равно он ничего бы нам не сказал.

— Грохнут — точно не скажет.

— Не грохнут, — успокоил Зверев.

— Если Хозяин прикажет — грохнут.

Пьяный мужичок высморкался, зажимая одну ноздрю пальцем и заорал:

— Бунчук — палач!

* * *

Обнорский позвонил в Симферополь Сергею и попросил навести справки: нет ли в Симферополе Слепого? Сергей пообещал узнать... Часа через два он отзвонился и сказал, что нет, в Симферополе про Слепого никто не слышал. Говорят, у вас, в Киеве.

* * *

— Ты знаешь, Саня, — сказал Обнорский, — мне очень не понравились аквариумы.

— Да? А чем они тебе не понравились?

— Нет, сами по себе аквариумы, конечно, хороши. Пираньи? Ну пираньи это дурной тон. Выпендреж... я, однако, о другом. Эти аквариумы могут служить наглядной иллюстрацией нашей работы: темень... за стеклом, в толще воды, происходит нечто... Мы стараемся разглядеть, понять — нет! Ни черта не видно. Скользят тени, тени, тени... Мы ищем кнопку, чтобы включить свет, чтобы заглянуть в темень. Но как только мы находим эту кнопку и высвечиваем один какой-то уголок аквариума, кто-то мигом ее блокирует. В аквариуме снова темно, снова скользят пираньи. И даже сейчас, когда мы просмотрели последовательно все закутки, заросли и гроты в нашем аквариуме и, кажется, составили себе общее представление о том, что происходит, кто-то все равно держит руку на кнопке... Как только мы включим мощный прожектор, чтобы осветить все пространство и показать всем, что творится внутри, этот «кто-то» тут же ее вырубит.

Обнорский произнес свой монолог, усмехнулся... Встал и прошелся по номеру, остановился у окна. За окном были сумерки, правый берег Днепра горел тысячами огней, работающий телевизор рассказывал о митингах и демонстрациях, сотрясающих Украину. Андрей повернулся к Звереву, сказал:

— Я не знаю, что делать... Найти Слепого, наверно, можно. Но ведь он ничего не скажет.

Зверев стряхнул пепел с сигареты, собрался было ответить, но у Обнорского запиликал телефон... Звонил полковник Перемежко.

— Андрей Викторович, — сказал он, — извини, что не смог раньше — работы полно. Справочку про твоего Слепого я подготовил...

— Спасибо, — сказал Обнорский.

— Но это еще не все... помнишь, ты интересовался одним человеком? Гвоздарский его фамилия.

— Это который в бегах?

— Был в бегах. Теперь, благодаря тебе, мы его взяли.

— Поздравляю.

— Особо не с чем. Плохо взяли... Этот гад изменил внешность, ребята замежевались и засомневались: он — не он? А этот сучонок схватился за гранату.

— Ну? — спросил Обнорский.

— Граната, к счастью, не взорвалась.

— Так слава Богу!

— Так-то оно так, но урод все равно в больнице... — сказал Перемежко.

— Почему? — изумился Обнорский.

Перемежко помолчал немного, потом сказал:

— Ребята сгоряча, на нервах, помяли его... в общем, сам понимаешь.

— Понятно, — протянул Обнорский.

Он действительно понимал, что при задержаниях бывает всякое, что нервов опера сжигают очень много, и преступника, который схватился за гранату, могли не только искалечить, а и убить.

— Состояние у него тяжелое. Врачи говорят: может и помереть.

— Сожалею, — сказал Обнорский.

— Жалеть его, урода, не стоит, — ответил Перемежко. — А ты знаешь, почему я тебе это говорю?

— Почему, Василий Василич?

— Он хочет встретиться с вами, Андрей Викторович. С нашими следаками говорить не хочет, а с Обнорским, говорит, мне есть о чем потолковать... перед смертью.

— Это он так сказал? — спросил Андрей.

— Да, это он так сказал. Вы согласны?

— Согласен ли я? — спросил Обнорский, удивляясь самой постановке вопроса. — А что — такая встреча возможна?

— Я, Андрей Викторович, звоню тебе не по своей инициативе... Инициатива исходит от руководства.

«Вот оно что, — подумал Обнорский. — Ребята напороли с задержанием, а раненый (возможно — умирающий) бандит представляет для них какую-то ценность... Что-то они хотят у него получить. Но он не идет на контакт. Заявляет, что будет говорить только с неким приезжим журналистом... Что движет им — раскаяние? Страх?»

— Андрей Викторович, — напомнил о себе Перемежко.

Задумавшийся Обнорский откликнулся:

— Да, да, Василий Василич... я слушаю вас.

— Так вы готовы?

— Конечно.

— Очень хорошо. Но вы, наверно, догадываетесь, что будут некоторые условия...

— Диктофонная запись разговора?

— Да, — ответил Перемежко. — Мы позволим вам сделать эксклюзивное интервью, но на двух условиях. Первое вы уже знаете: диктофонная запись, которая поступает в распоряжение следствия. Второе условие — конфиденциальность. Та информация, которую сообщит вам Гвоздарский, не может быть обнародована без согласия МВД.

Андрей задумался, потом сказал:

— Василий Васильич, мою предстоящую беседу с Гвоздарским вы сами назвали эксклюзивным интервью... Понятие интервью предполагает право журналиста на обнародование.

— Это исключено, — жестко ответил Перемежко. — Вы отлично понимаете, что беседа с Гвоздарским возможна только на наших условиях: диктофон и неразглашение... Если вы не согласны, то...

— Я согласен, — сказал журналист Обнорский.

* * *

— Я согласен, — сказал Обнорский. — Когда встреча?

— Сейчас. Откладывать нельзя.

— Что — он действительно так плох?

— Медики не дают никаких гарантий... Если вы готовы, я пришлю за вами машину. Диктуйте адрес.

— Спасибо, я доберусь сам.

— Вы что, — изумленно спросил Перемежко, — не доверяете нам?

— Ерунду говорите, Василий Васильевич, — ответил Андрей, раздражаясь. — Я в гостинице «Турист», но машину присылать не надо, доберусь сам... куда ехать?

...Обнорский, Перемежко и контролер шли по коридору тюремной больницы. Андрей вспомнил, как он впервые попал в подобное заведение. Это было восемь лет назад в Санкт-Петербурге. В областной тюремной больнице имени Гааза умирал старый законный вор Барон. Барон боялся унести в могилу тайну похищенной из Эрмитажа картины и сам искал контакта с журналистом Серегиным...

«История повторяется, — думал Андрей. — Снова — тюремная больница, снова — умирающий человек... Конечно, Гвоздарский — это не Барон. Но все равно — история повторяется. Неотвратимо, жестоко, подло».

Перемежко тронул Обнорского за рукав. Андрей повернулся к нему. Контролер-прапорщик ушел вперед, полковник и журналист остановились в коридоре. Василий Васильевич сказал:

— Я, Андрей Викторович, еще раз обязан напомнить тебе о неразглашении.

Андрей кивнул. Перемежко смотрел пристально, в упор. Сейчас он не был похож на усталого бухгалтера. Из-под безобидной бухгалтерской внешности выглядывал умный, жесткий, битый жизнью оперативник.

— Вопрос о твоем участии в этом деле решался на очень высоком уровне. Ты иностранный журналист... некоторые считают, что не только журналист... Я поддержал решение о допуске тебя к Гвоздарю. Если ты нарушишь наши договоренности, меня вышвырнут из МВД как щенка.

— Я все понял, Василий Василич, — сказал Андрей.

— Разговаривать с Гвоздарским будешь один на один. Под вашу беседу специально освободили палату. Гвоздарь плох, сколько времени вам отпустит медицина, я не знаю... Кассету по завершении разговора сразу отдашь мне. Диктофон у тебя в порядке?

— Всегда в порядке, — сухо сказал Обнорский.

Андрею дали белый, застиранный халат с заплаткой на рукаве. Халат был маловат, и Андрей просто набросил его на плечи. Врач брюзгливо сказал Перемежко:

— Вы, полковник, присягу давали?

Василий Васильевич удивленно посмотрел на врача, кивнул.

— А я, — продолжил врач, — давал клятву Гиппократа... Сейчас вы толкаете меня на нарушение клятвы. Я иду на это под давлением вашего генерала и только потому, что Гвоздарский, скорее всего, не жилец. — Врач повернулся к Обнорскому: — Двадцать минут, молодой человек.

— Да, доктор.

— Для того, чтобы он мог говорить с вами, я сделал ему инъекцию, которая фактически подталкивает его к могиле... вам понятно? Вам знакомо выражение «non nocere»*?

— Да, доктор.

Гвоздарский лежал один в плотно заставленной койками палате. Белая марлевая повязка на голове резко контрастировала с желтым скуластым лицом. Лихорадочно горели глаза. Темные, живые. Обнорский посмотрел в эти глаза и подумал, что врач не прав, что не должен раненый бандит умереть.

Андрей присел на табуретку возле больничной койки. Врач посмотрел на капельницу, на Гвоздарского, на часы.

— Двадцать минут, — сказал он Обнорскому и вышел.

Скрипнула дверь, и стало очень тихо.

---

* Не навреди *(лат.)*.

— Здорово, Араб, — сказал Гвоздарский. И даже попытался улыбнуться, но улыбка вышла кривой.

Андрей не мог знать, какой псевдоним ему присвоил покойный Заец, но как-то сразу догадался, почему Гвоздарский назвал его Арабом.

— Здравствуй, Станислав, — сказал Андрей.

— Граната не взорвалась, — произнес Гвоздарский.

— Я знаю, — ответил Андрей.

— Граната не взорвалась... иначе мы бы с тобой не поговорили.

— О чем ты хотел со мной поговорить, Станислав?

— Ты зови меня Гвоздем. Я от имени-то своего уже отвык. Если хочешь, можешь Монголом звать.

— Хорошо, — ответил Андрей.

— Подохну я видно... слышь, Араб, чего Айболит говорит: подохну я?

— Говорит, что шансы есть, — соврал Андрей.

— Врешь, братуха... Он и смотрит на меня, как на жмурика. Уже похоронил.

Андрей не знал, что ответить, и промолчал. Гвоздарский вздохнул. Вазелиновые скулы блестели.

— Дай закурить, Араб.

— Тебе же нельзя.

— Теперь мне все можно... Это у меня уже третья травма головы-то. Мне еще в Гудермесе, когда прикладом по голове отоварили, врач сказал: «Бросай войну, Гвоздь. Третий раз в жбан залепят — помрешь». Вот... залепили. Дай, Араб закурить. Теперь мне все можно.

Поколебавшись, Андрей вытащил сигарету. Прикурил и вставил в бледные губы на заросшем щетиной лице. Гвоздарский затянулся. Раз, другой, третий... закашлялся и уронил сигарету. Андрей быстро подхватил ее с одеяла.

— Ух, — сказал бандит, — хорошо. Я почему тебя позвал? Я ведь знаю, что все равно подохну... меня уже в аду на довольствие поставили. Хочу рассказать про грузина. Тебе хочу рассказать... понял?

— Да.

— Это я тебя гонял по Владимирскому спуску. Помнишь?

— Еще бы. Я уж думал, что мне кранты.

— Не... команда была только покалечить. Но ты шустрый оказался.

— А кто дал команду?

— Косой.

— Заец? — уточнил Андрей.

— Он, сучара. Комитетчик бывший... ну да хрен с ним. Я тебе про грузина хочу рассказать... только тебе. Я к тебе присмотрелся. Вижу: крепкий мужик. С характером. С хребтом... Я книжки твои читал. Думал: мало ли чего написать можно! Теперь понял: дело пишешь. Может, обо мне напишешь... Напишешь, Араб?

* * *

Точка была поставлена. Рассказ Гвоздарского оказался тем последним эпизодом, который позволил поставить точку.

Обнорский пересек улицу и сел в машину. Сашка приглушил звук магнитолы и вопросительно посмотрел на Андрея.

— Поехали домой, Саша, — сказал Обнорский.

Шел снег. Пушистые белые хлопья мелькали в свете фар. Машина кружила по чистым улицам огромного города. Снег ложился на крыши, на голые деревья, на холодную черную воду могучего Днепра. Город был полон ненависти и тревоги... Город был полон надежд, ожиданием Нового года и нового века, до которого оставалось совсем немного.

Старенькая «пятерка», предоставленная киевским вором бывшему ленинградскому менту, печатала следы протекторов, увозила двух питерских журналистов от того мрачного здания, где умирал бандит Гвоздарский. Шел снег. Обнорский и Зверев в салоне молчали. Музыка в магнитоле оборвалась, и женский голос сказал:

«Двадцать один час в Киеве. Как всегда в начале каждого часа новости на нашей волне. Только что нам стало известно, что в зале игровых автоматов на Большой Житомирской неизвестным преступником убит помощник депутата Верховной Рады Леонида Матецкого. Убитый помощник — некто Макаров Геннадий — известен правоохранительным органам по кличке Слепой. Неизвестный киллер произвел четыре выстрела из пистолета ТТ в голову жертвы, бросил оружие и беспрепятственно скрылся... А теперь хроника политической жизни столицы...»

Зверев нажал кнопку, переключился на другую станцию.

* * *

Из прессы:

«Сегодня в полдень на площади Независимости начался митинг протеста. Митинг организовали 12 политических партий Украины, среди которых СПУ, КПУ, УРП, УКРП, „Вперед, Украина!", УХДС, УНП „Собор". К этой акции также присоединились УНА-УНАСО, Молодой Рух, Молодой „Собор", Шевченковская районная организация УНР. К этому мероприятию присоединились также ветераны студенческой голодовки на площади Независимости осенью 1990 года.

Размах и массовость проводимых мероприятий свидетельствуют о глубочайшем политическом кризисе на Украине».

«Народные депутаты, представляющие оппозиционные к власти фракции, а также внефракционные депутаты-оппозиционеры призывают руководителей силовых ведомств и президента Леонида Бунчука добровольно и немедленно уйти в отставку».

«В ходе обсуждения информации о расследовании обстоятельств исчезновения журналиста Георгия Горделадзе в Верховной Раде лидер партии „Собор" Анатолий Матвеев, обращаясь к силовикам, заявил, что „своей холуйской политикой" они толкнули президента в пропасть».

«Представитель фракции „Яблуко" Александр Чародей считает, что у Верховной Рады „есть один достой-

ный выход — начать процедуру импичмента" и тем самым „спасти лицо Украины". Чародей призвал президента „покаяться перед народом и добровольно уйти в отставку"».

«Внефракционный депутат Григорий Осторожко, выступая с трибуны, заявил, что „содеянным президент Леонид Бунчук, министр внутренних дел Юрий Марченко и председатель СБУ Леонид Сварог подписали себе не только юридический, но и политический и нравственный приговор". Он заявил далее, что все руководители силовых ведомств должны быть уволены».

Когда в гостиничном номере Андрей почти дословно пересказал Звереву рассказ Монгола-Гвоздарского, Сашка длинно и нецензурно выругался. Потом закурил, успокоился и сказал:

— Ну и дерьмо. Лучше уж нормальных убийц ловить.

— А в чем разница? — спросил Обнорский.

— Там все честнее как-то...

— Ну это ты хватил.

— Может, и хватил. Может быть... Но от этих холеных морд совсем с души воротит, Андрюша. Подлость бескрайняя.

— Я бы даже сказал — отцовская, — ухмыльнулся Андрей.

— Да что Отец? Отец все-таки бандит. Мурло у него бандитское, восприятие жизни бандитское... Он ломает хребты людям, как карандаши, — вот его уровень. И если взяться за него всерьез, то почти наверняка можно будет на чем-то подловить... А Эстер? Провокатор, убийца. Но как ты его возьмешь?

— Скорее всего — никак... Завтра я улетаю в Крым. Там встречусь с Соболевым, доложу ситуацию. Пока — устно. Но позже напишем отчет. Если Сергей Васильевич сочтет его стоящим, то доложит Бунчуку. А уж во власти президента отстранить Хозяина от должности. Но я не уверен, что это произойдет. Эстер не есть сам

по себе некая демоническая личность — он выража-
ет интересы некой группы олигархов... Полетишь со
мной в Крым, Саша?

— Нет, — сказал Зверев. — Я возвращаюсь в Питер.

На следующий день Зверев вылетел в Москву, Обнорский — в Симферополь. В Борисполь их отвез человек, присланный Краюхой — молчаливый мужик
с наколками на руках.

* * *

Из аэропорта Обнорский сделал звонок полковнику Перемежко.

— Василий Василич, — сказал он, — пленочку-то
прослушали?

— Прослушали, Андрей Викторыч.

— Ну и как? Не изменили своего мнения?

— Относительно чего?

— Относительно возможности опубликовать рассказ Гвоздарика?

— Решения в данном случае принимаю не я.

— Этажом выше?

— Тремя этажами выше, Андрей.

— Понятно, Василий Василич... а как здоровье
Гвоздарского?

— Помер Гвоздарский, господин журналист. Сегодня утром.

— Вот так?

— Вот так.

— Как же это он без санкции тех, кто тремя этажами выше? — зло спросил Андрей... Гвоздарский был
бандит, убийца... наемник, воевавший против нас в
Чечне. Жалеть его не стоило. Но все еще стояло перед
глазами монголоидное лицо Гвоздя, еще звучал в ушах
голос: матери сообщи, Араб... матери сообщи моей. —
Как же он без санкции-то?

— Личная недисциплинированность, Андрей Викторович, — ответил Перемежко. — Вы еще что-то хотели у меня спросить?

— Нет, больше я ничего не хотел спросить у вас, господин полковник, — сказал Андрей. — Я, напротив, хотел кое-что вам сообщить.

— Слушаю вас, — официальным голосом произнес Перемежко.

— Коли вы уже прослушали кассету, то знаете, что Горделадзе держали в инструментальном складе Таращанского моторного завода.

— Со слов Гвоздаря. Других доказательств нет.

— Есть. Если вы направите своих людей в Таращу, то в помещении бывшего инструментального склада найдете доказательство.

— Какое? — быстро спросил Перемежко.

— Отсчитайте шестнадцать кирпичей от левого дальнего угла склада. И шестнадцать же от пола. На стене есть текст, исполненный Горделадзе собственноручно. Передавайте привет «тремя этажами выше», полковник.

* * *

В Симферополе термометр показывал плюс десять и ничто не напоминало о зиме. Ветер нес над летным полем легкую, почти невидимую пыль с запахом керосина и сухой травы. Низкое солнце било в глаза, заставляло щуриться.

Обнорского встретил уже знакомый водитель Игорь. Сказал, что Сергей Васильевич сейчас занят, освободится часам к десяти вечера, отвез Андрея в гостиницу «Москва». Времени было полно. Андрей принял душ, попил кофе в баре и пошел прогуляться по городу. Он бесцельно бродил по улицам и, можно сказать, отдыхал — в отличие от Киева, в Симферополе он не ожидал провокаций или нападения... Одновременно он работал, выстраивал свой предварительный, устный доклад Соболеву. Это было нетрудно: вот уже полтора месяца Андрей жил «делом Горделадзе». Он держал в голове десятки фамилий, адресов, телефонов и дат. Он как бы видел лица всех (или почти всех) участников этой драмы: начиная от дочек-близнецов Георгия Горделадзе, заканчивая холеным лицом руководителя аппарата кабинета министров. На некоторых, кого он не видел сам, Обнорский смотрел глазами Повзло или Каширина. Вместе с Родионом он изучал пачки распечаток телефонных разговоров, беседовал с вором Краюхой, матерью Георгия Лесей, пил пиво с темным человечком Вайсом... Он видел яму в лесу, под Таращей, и отсеченную руку Горделадзе в боксе из нержавеющей стали. Он очень многое видел.

В Симферополе был вечер — тихий, теплый, мирный. Андрей стоял на мосту через Салгир, смотрел в мутную воду, и картина произошедшего сложилась у него в голове ясно и полно. Он выщелкнул в воду окурок, проследил за траекторией, описанной красным огоньком... в этот момент зазвонил телефон. Звонил Соболев.

* * *

Валентина Павловна накрывала стол и корила мужа за то, что не предупредил про гостя.

— Бестолковый ты у меня, Сережка, — говорила она. — Трудно было сказать, что придешь сегодня не один?

— Ну извини, Валюшка, — оправдывался премьер. — Ну закрутился, забыл.

— Ну бестолковый ты... как такого премьером назначили? Дома и нет ничего, гостя угостить нечем.

Что касается «нет ничего», то это было явное преувеличение — стол ломился. Соболев за спиной у жены подмигивал Обнорскому. Премьер снял пиджак, распустил узел галстука и выглядел сейчас не администратором большого калибра, а обычным человеком, вернувшимся домой после тяжелого рабочего дня, — чуточку усталым, не сбросившим еще груз проблем... но уже неофициальным, домашним.

Валентина Павловна хлопотала, ей помогала дочь-школьница. За ужином выпили немного вина. Соболев подтрунивал над женой... Валентина отвечала тем же. Обнорский чувствовал, что в этой семье царит лад. И даже завидовал немножко. Соболев, будто угадывая его мысли, сказал:

— Жениться тебе надо, Андрей... Ты ведь тоже приходишь домой поздно? — Обнорский кивнул. — Ну вот. Приходишь усталый, злой иногда. А дома — пустой холодильник и телевизор... так? — Обнорский снова кивнул. — И никто тебя не ждет. А женатый человек приходит — его ждут. И сразу начинают пилить!

— Это я тебя пилю? — спросила Валентина Павловна. — Совести у тебя нет.

Соболев рассмеялся. После ужина мужчины перешли в кабинет премьера. Валентина Павловна принесла им горячий чай с лимоном.

— Валентина, — попросил Сергей Васильевич, — будут звонить — меня нет, нам тут с Андреем поболтать надо.

Когда жена вышла, Соболев сразу переменился в лице. И стало видно, что он устал сильнее, чем хотел показать за ужином. Он посмотрел на Обнорского и спросил:

— Ну что, Андрей Викторович? Что ты мне привез?

— Как положено, две новости. Одна плохая, вторая...

— Еще хуже, — усмехнулся премьер.

— Нет, Сергей Васильевич, вторая — хорошая.

— Начинай с хорошей.

— Расследование мы фактически закончили.

— Поздравляю. А плохая?

— Все значительно сложнее, чем можно было предположить, — сказал Обнорский.

— Это обычное дело, Андрей. Я был бы удивлен, если бы вдруг оказалось проще... Мы с тобой уже толковали на эту тему, и я — помнишь? — еще в ноябре предвидел, что ситуация вокруг исчезновения Горделадзе может существенно осложниться, что и произошло после сольного выступления Стужи с «кассетным хором» на подпевках. Ну рассказывай, что вы выяснили.

— Курить можно? — спросил Андрей.

— Да, кури, — ответил хозяин и поставил перед Обнорским пепельницу.

Андрей с удовольствием закурил, сделал глоток чаю и начал свой «доклад».

— Итак, шестнадцатого сентября в Киеве исчез Георгий Горделадзе...

* * *

— ...что само по себе не является чем-то исключительным. Как сказал, отвечая на вопрос депутатов Рады, заместитель Генерального прокурора, в девяносто девятом году на Украине исчезли 35 449 человек. Население целого города! Надо полагать, что двухтысячный не очень сильно отличается от девяносто девятого. Люди пропадали, пропадают и будут пропадать... такова реальность. И, однако же, исчезновение одного — одного-единственного! — человека вызвало вдруг необычный ажиотаж. Впрочем, тогда мы еще не знали, что это первая, самая маленькая волна... Я отдаю должное вашей проницательности, Сергей Васильевич, — вы предвидели, что история будет иметь продолжение. А я нет. Я и предположить тогда не мог, что поднимется «таращанская волна» и повлечет за собой невероятное цунами — «кассетный скандал».

Теперь совершенно очевидно, что все эти события связаны, что они были спланированы, и, кстати, очень толково. Я не имею никакого права утверждать, что мы раскрыли весь механизм, знаем все имена, можем однозначно трактовать события. В нашем расследовании еще полно белых пятен. Мы видим по большей части только марионеток, кукловоды остаются в тени. И тем не менее я готов раскрыть вам сценарий, по которому развивались события. Анализ добытых нами фактов показывает, что они не могут быть юридической базой для судебного преследования как организаторов, так и исполнителей... по разным причинам. Я расскажу, и вы сами это поймете.

Итак, исчез Горделадзе... Каким образом? Как и почему? Убит? Скрылся? Похищен? Если убит — где тело? Если скрылся — от кого? Если похищен — кем?

Чтобы ответить на эти вопросы, нужно вернуться на год назад. Мы не знаем точной даты... мы не знаем имен тех людей, которые однажды собрались тайно и решили в своем узком кругу, что если Бунчука немножечко поприжать и подвинуть — будет лучше для Украины. Под Украиной они понимали прежде всего себя самих. Я не хочу кого-либо обличать, бичевать, разоблачать. Но тот путь, который группа этих людей избрала, изначально подл и порочен. Они — не декабристы, готовые принести на алтарь свои жизни. Очевидно, что они просто хотели добиться режима наибольшего благоприятствования для себя. Требовалось найти способ, который позволит сделать Бунчука более зависимым и управляемым, более покладистым. Это весьма непросто, если не сказать невозможно.

Но все же они нашли такой способ — он называется «волна гнева». Только мощной волной протеста со стороны и парламента и народа можно напугать президента угрозой отставки. А для того, чтобы вызвать гнев, нужно показать стране, что Бунчук — негодяй. Законченный, циничный негодяй. Настоящий людоед! Соответственно, и преступления президента должны быть ужасны... Конечно, народу можно рассказать о реальном или мнимом воровстве. Во, глядите: Бунчук — вор! Он украл из казны миллион баксов... или два... или десять. Народ ответит: ну и что? Он — народ — уже давно привык, что больше начальники воруют. Народ — и украинский, и русский — давно свято убежден, что все большие начальники либо воры, либо дураки. Так уж у нас со времен Салтыкова-Щедрина повелось, и надо сказать, что начальство свой народ не разочаровывает... Требовалось найти действительно мерзкое, возможно даже — иррациональное, преступление. Но Бунчук, при всех его недостатках, не ест на завтрак младенцев и даже в баню с девками не ходит. Нет на нем ничего такого военно-морского, что могло бы растревожить ум и сердце украинца и вывести его на улицы. На митинги, а еще лучше — на баррикады... Нет ничего — и хоть разбейся!

Но если дьявола нет — нужно его выдумать.

И его выдумали... Наверно, мы никогда не узнаем, кто был главным сценаристом. Эстер? Навряд ли. Он хитер, но не настолько смел, чтобы в одиночку сконструировать и закрутить сложную оперативную многоходовку...

На роль жертвы выбрали Горделадзе. Думаю, что причин этому было две. Первая и основная — скандальные выступления Горделадзе в Штатах в ноябре 99-го... Именно тогда фамилия Горделадзе стала известна Бунчуку, а его — Георгия — выступления вызвали гнев президента. Второе обстоятельство — у Эстера был рядом с Горделадзе свой человек... Имя этого человека — Затула. Алена Затула... Да, да, Сергей Васильевич, не удивляйся. Когда Алена работала в аппарате Хозяина, они стали любовниками. Позже эта связь сыграла свою роль.

Итак, в конце 99-го года жертва была выбрана. Я, кстати, предполагаю, что были и другие жертвы — дублеры, так сказать, Горделадзе. На тот случай, если с Георгием по каким-то причинам не выгорит. Мы не знаем и никогда не узнаем имена жертв и схемы, по которым их должны были «реализовать». Но почти наверняка они были — серьезные люди вроде Хозяина никогда не работают без запасных вариантов, надеясь на волю случая.

Георгия взяли в разработку... Для придания ему большего веса было решено повысить его значимость — подтолкнуть к открытию собственного издания. Насколько нам известно, с этой целью к Горделадзе подвели некоего Эдуарда Вайса. Вайс — темная лошадка, человечек в шкуре мелкого бизнесмена. Но раскатывает по Киеву на «крайслере». Вайс инициативным путем вышел на Георгия в конце 99-го года, сумел стать если не другом, то, по крайней мере, приятелем. Он часто встречался с Горделадзе, угощал его за свой счет в барах, давал в долг мелкие суммы. Он же — Эдуард Вайс — подсадил Гию на некие «таблетки успеха». На самом деле это был какой-то наркотик. Какой — мы не знаем, но зависимость от этих таблеток у Георгия была... Косвенным доказательством того, что Вайс действовал по чьей-то указке, может служить один интересный факт. Мы изучили распечатки телефонных разговоров Вайса и обнаружили один интересный телефончик. За период с начала двухтысячного по середину августа с этого номера Вайсу звонили пятьдесят два раза. Он не позвонил в ответ ни разу... Такой «обмен» характерен для одностороннего управления агентом. За три дня до исчезновения Горделадзе номер был ликвидирован. Мы, разумеется, его проверили — трубка была зарегистрирована на некоего Смыслова Юрия Федоровича, пенсионера шестидесяти четырех лет... Вы эту фамилию запомните, Сергей Васильевич. Она еще всплывет.

Итак, процесс пошел — Георгий учредил «Украинские вести». Вайс кормил его наркотой и подогревал амбиции... Гия облаивал и кусал в верхних эшелонах власти всех, кого только возможно. Но делал это как-то мелко, несерьезно... На роль борца с режимом он не вытягивал. Но и этот вариант был в команде Хозяина предусмотрен! Георгию стали подбрасывать горячие материалы про верхушку украинской власти. Они исходили от Хозяина! Это однозначно, хотя и недоказуемо...

Георгий помещал материалы тайно, через анонимные сайты в Интернете. Но анонимность журналиста Горделадзе была условной. Бунчуку докладывали о скандальных статьях... И навряд ли это ему нравилось. Мы не знаем содержания всех материалов — в наши руки попал только один текст. Он скандален, амбициозен и, вероятно, в значительной степени недостоверен. В какой именно — мы тоже не знаем. Некоторые специалисты (в частности, бывшие комитетчики, обслуживающие «Мост» Гусинского) дают такой рецепт:

составлять пиар-коктейль следует в пропорции семь к трем. То есть материал должен на семьдесят процентов состоять из достоверных фактов. Например, фактических, легко поддающихся проверке сведений о герое публикации: когда родился, где крестился, где учился, на ком женился, с кем дружит, с кем воюет... А на тридцать процентов — компрометирующая ложь. В такой пропорции клевета действует весьма убедительно не только на «простой народ», но и на многих «акул пера»... Я не могу дать анализа анонимных статей Георгия Горделадзе — у меня их нет. Но я думаю, что они содержали нечто подобное «мостовскому» коктейлю.

Всего Георгий поместил пятнадцать—двадцать материалов. И о них докладывали Бунчуку. Разумеется, президенту это не очень нравилось. Возможно, он даже требовал у своего окружения: узнайте, кто льет эту грязь... Но до поры до времени ему имя Горделадзе не называлось. Хозяин выжидал, когда накопится «критическая масса» президентского гнева... Или когда появится реальная возможность документально зафиксировать этот гнев.

То, что я сейчас рассказал, Сергей Васильевич, только одна часть операции... один, так сказать, ее вектор. А теперь мы перейдем к другому, наиболее на мой взгляд важному и ответственному. Фактически — ключевому, потому что без него не имела бы смысла вся возня вокруг Горделадзе... Что — Горделадзе? Таких, как он, немало. Не было бы Горделадзе — нашелся бы другой диссидент, «борец с режимом». Их, жаждущих славы любой ценой, много. А вот людей, способных осуществить запись в кабинете главы государства, единицы... Их можно, грубо говоря, пересчитать по пальцам. И вот из этого ограниченного числа необходимо выбрать одного, который пойдет на вербовку. Я думаю даже, что Николай Мельник попал в поле зрения Эстера гораздо раньше, чем Горделадзе... Без Мельника не стоило и затевать эту операцию. Мы не можем сейчас сказать, как они вышли на «героя-патриота» Николая Мельника. Возможно, его разрабатывали долго и целенаправленно... А возможно, что Мельник случайно засветился на каком-то не очень благовидном деле. И тогда на него обратили внимание. А уж после этого стали разрабатывать всерьез. Такое в практике разведок и контрразведок случается. Так или иначе люди Хозяина поняли, что майор Мельник перспективная для вербовки фигура. Ситуация дополнительно отягощалась болезнью дочери Мельника. На операцию девочки требовались большие деньги. Настолько большие, что сотрудник СБУ не сможет их заработать за всю свою службу.

Короче, майора стали разрабатывать, выявлять его слабые стороны и в конечном итоге сделали вывод: вербовка Мельника возможна... Со слов Затулы, его вербанули в Крыму, в санатории, принадлежащем Отцу. Это было в апреле-мае, когда Мельник проводил там отпуск. Надо полагать, что вербовку людям Отца не доверили. Это дело тонкое, требует навыков, знания психологии, умения общаться с людьми. А у Отца — бычьё, их знание психологии сводится к умению разводить лохов... Итак, майора вербовали спецы. Я полагаю, что к этому мог быть причастен некто Заец, бывший подполковник КГБ. Он и его охранная контора «Гарант» лежали под Хозяином... Так или иначе, но вербовка в крымском санатории состоялась. Место, кстати, выбрано удачное... Почему? Да очень просто: даже после многочисленных разведбесед и вербовочных подходов никогда нельзя дать стопроцентной гарантии, что объект пойдет на вербовку... А санаторий Отца — то самое место, где объект можно круглосуточно держать под контролем. Можно наблюдать за ним визуально, можно напичкать его номер «жучками» и видеоаппаратурой. Важен еще и тот момент, что клиент находится на отдыхе — то есть расслаблен, снял некоторые табу. Можно, например, подвести к нему женщину... И, наконец, третий фактор, объясняющий, чем хорош санаторий. Если Мельник на вербовку не пойдет — его однозначно нужно сливать. В «личном, персональном» заведении Отца сделать это гораздо проще, чем, скажем, в Киеве. Ну например: нетрезвый отдыхающий сдуру полез в море и утонул...

В общем, майора Мельника завербовали. Под деньги на операцию дочери и гром патриотических разговоров. Возможно, все это подкреплялось компроматом. Вернувшись в Киев, Николай Иванович Мельник поставил прослушку в кабинете президента Украины.

Скорее всего, мы никогда не узнаем истинных мотивов поступка Мельника... Я не исключаю, что им двигали патриотические чувства. Я не исключаю этого. Но кто бы что ни говорил, Николай Мельник стал предателем! Страшно подумать, какие последствия для Украины может иметь его поступок, если записи попадут в разведслужбы других стран... А они, надо полагать, попадут. Впрочем, последствия и сейчас ужасны — общество расколото на две части, а престижу государства нанесен колоссальный ущерб. «Уотергейт» бледнеет рядом с «Бунчукгейтом». Ричард Никсон, кстати, ушел в отставку, а Леонид Бунчук... впрочем, я отвлекся.

Прослушка заработала, и вот тогда президенту сообщили, кто вбрасывает компру через Интернет. Видимо, «критическая масса» президентского гнева Эстером была уже организована. И Бунчук сказал свои «исторические» слова: «...Подонок, бля... Грузин, грузин, блин... Депортировать его, блядь, в Грузию и выкинуть там, на хуй. Отвезти его в Грузию и оставить там. Надо, чтобы его чеченцы украли...»

Все! Самое главное в «деле Горделадзе» было сделано. Президент вслух потребовал расправы над журналистом. Не важно, что он сказал эти слова в запале. Не важно, что он ни разу не призвал к убийству, не потребовал отрубить Георгию голову... Это все уже не важно. Важно то, что он потребовал физической расправы над журналистом.

На девяносто процентов «дело Горделадзе» сделано. Это произошло приблизительно в середине июля.

Точную дату назвать не могу, но думаю, что не позднее четырнадцатого числа.

Дело сделано, остались технические мелочи — исчезновение самого Горделадзе, позже — обнаружение его трупа и обнародование пленок.

Соболев, ни проронивший ни слова за весь монолог Обнорского, спросил:

— Почему, Андрей, ты считаешь, что это произошло в середине июля?

— Чуть позже вы все поймете, — сказал Обнорский. Закурил новую сигарету. Сделал глоток остывшего чаю и продолжил:

— Итак, остались технические детали. Но тут в дело вмешался господин Случай. Впрочем, он был не совсем случаен. Он был обусловлен ошибкой кукловодов... Они, видимо, не понимали, что совершают ошибку... А дело было вот в чем: они решили, что Горделадзе больше не нужен. Кабанчик, дескать, откормлен. Придет время — зарежем. Но откормленного на убой кабанчика нужно кормить до самого забоя. Иначе он отощает.

Хозяин и команда совершенно не учли этого момента — они перестали кормить Георгия. В буквальном почти смысле этого слова. Я уже говорил, что Георгия держали на наркотическом поводке. Но не только на нем. Был и еще один, не менее прочный поводок, — финансовый. Горделадзе постоянно испытывал острую финансовую недостаточность. Которая, кстати, организовывалась во многом искусственно, через Алену Затулу. Очень странным кажется, что Георгий терпел фактическое предательство Алены... Я могу это объяснить только наркотиками и той обработкой, которую постоянно проводили Вайс и сама Алена. Так или иначе, но Затула как минимум дважды отсекала Георгия от денег. Денег хронически не хватало. Тем более, что Горделадзе семейный человек и имеет двоих детей... оплачивает няню и съемную трехкомнатную квартиру.

Георгия посадили на финансовый шприц. Финансирование осуществлял господин Отец.

— Даже так? — вырвалось у Соболева.

— Да, Сергей Васильевч, именно так. Отец сделал вид, что Георгий сам попросил у него в долг. Не исключено... Но скорее всего, господин депутат под каким-то предлогом предложил свою помощь Георгию. А тот согласился. Взял деньги один раз, потом — другой. Он думал, что сумеет раскрутить свою газету, начнет зарабатывать. Но из этого ничего не получалось... а деньги были нужны. Видимо, под влиянием «таблеток успеха» он потерял чувство реальности. А Вайс с Затулой помогали. В конечном итоге сумма долга выросла как минимум до пятнадцати тысяч баксов. Это с одной стороны. С другой — Горделадзе стал как бы не нужен. И тогда Отец решил получить свои деньги обратно. Я уверен, что «спонсорская помощь» Отца была заложена в смету операции, и все его деньги вернулись бы к нему помимо Горделадзе... но — жадность! Леонид Семенович вызвал к себе нищего Георгия, чтобы срубить хотя бы часть денег.

— Это на него похоже, — кивнул Соболев. — Жаден безмерно.

— Вот это и было его ошибкой! Которая, впрочем, не была фатальной. Все могло обойтись. Но именно в тот момент, когда ошеломленный требованием долга Гия сидел в кабинете Отца, у господина депутата зазвонил телефон. А позвонил ему Мельник.

— Мельник? — удивленно спросил премьер.

— Мельник, — ответил Обнорский. — Именно Мельник. Передача записей шла по каналу Мельник—Отец—Заец—Эстер... Два промежуточных звена цепочки были нужны, чтобы максимально обезопасить Хозяина в случае провала... И провал произошел! Виновником стал Отец. Именно он допустил непростительную ошибку — записал в присутствии Горделадзе номер ячейки и ее код... А Горделадзе догадался, что речь идет о какой-то важной конспиративной передаче. Но даже этот чудовищный прокол Отца мог не иметь никаких последствий, если бы он поговорил с

Горделадзе по-человечески. Достаточно было погладить Гию по шерстке, сунуть двести-триста баксов, и Горделадзе полетел бы дальше «бороться с режимом». Вместо этого Отец в очень грубой форме «наехал» на Георгия. Оскорбил, угрожал. Когда Гия вышел от избранника народного, он был никакой. Униженный, уязвленный.

— И он решил нанести ответный удар?

— Да, Сергей Василич... Горделадзе поехал на вокзал и проник в ячейку. Это было двадцать первого июля. В тот раз Георгий оставил «дипломат» в ячейке... Но ровно через неделю, двадцать восьмого, Горделадзе снова был на вокзале. Он засек и зафиксировал на видеокамеру Мельника в момент закладки. Он был ошеломлен! Он понял, что происходит нечто из ряда вон выходящее... Георгий Горделадзе был авантюрен и безответствен. Но далеко не глуп. Он понял мгновенно, что раскрыл тайный канал связи «сотрудник службы безопасности—бандит». В воздухе запахло «Уотергейтом»... Горделадзе почувствовал себя наследником и продолжателем дела Вудворта и Бернстайна*. Он похитил «дипломат» и зафиксировал Отца, который пришел за посылкой.

С этого момента Горделадзе был обречен. Уже через два дня люди Отца вычислили его. Это было не очень трудно: воры на вокзале запомнили двухметрового грузина, который несколько часов крутился в камере хранения... Когда Георгий явился к Отцу с целью шантажа, тот был уже готов к такому повороту. Он изобразил испуг, готовность заплатить за молчание. На самом-то деле судьба Георгия была уже решена. Скорее всего, Отец просто сломал бы Горделадзе... Вывез на пленэр, потолковал по душам... они это умеют, опыт есть... и Гия сам отдал бы все копии и — больше того — стал бы рабом Отца на всю оставшуюся жизнь. А могли просто убить.

---

* Роберт Вудворт и Карл Бернстайн — журналисты «Вашингтон Пост». Провели сенсационное расследование «Уотергейтского дела».

От этого шага Отца удержал Хозяин. Горделадзе был еще нужен. Оставляя Георгия живым и на свободе, они до известной степени рисковали, но риск был не очень велик — рядом с ним всегда находилась Затула. Георгий психовал, периодически прибегал к наркотикам, но был под контролем Алены, с одной стороны, и влиянием Эстера, который обещал ему покровительство, — с другой. Отец тоже поддерживал у Горделадзе иллюзии... Исход дела был предопределен, и Георгия не трогали только потому, что еще не все было готово к третьему этапу операции — исчезновению. Еще не покинул страну Мельник, еще не было найдено помещение, где будут «работать» с Горделадзе... Вероятно, были еще какие-то соображения, но нам они неизвестны.

Подготовка тем не менее велась интенсивно — в Тараще, на территории моторного завода арендовали изолированное помещение «под Горделадзе». Специально для прикрытия создали некое ООО «Гарантия». Учредителем стал тот же пенсионер Смыслов... мы проверяли — старый алкоголик, паспорт продал кому-то. Кому — не помнит.

Как только все было готово, Отец сказал Горделадзе: надо решать вопрос... Георгий согласился. Шестнадцатого сентября, вечером, у дома Затулы произошла встреча Горделадзе с похитителями. Нам известен номер автомобиля, на котором они приехали, нам известны их имена и фамилии. У Затулы хранится листок, на котором рукой Георгия записаны все эти данные... Итак, шестнадцатого вечером Горделадзе вышел из дому и сел в машину, в которой сидели со стороны Отца — Слепой. А со стороны Эстера — Заец.

— Слепой — это Макаров? — уточнил Соболев. — Наш, симферопольский?

— Он самый и есть — покойничек.

— Как покойничек? — удивился премьер.

— Вчера в Киеве гражданина Макарова застрелил неизвестный киллер в зале игровых автоматов... произошло это через несколько часов после того, как я намекнул Отцу про причастность Слепого к «делу Горделадзе».

— Ай да Отец, — покачал головой премьер.

— Зайца тоже уже нет в живых, — сказал Обнорский. — Так вот, Георгию передали часть денег, он вернулся домой к Затуле, взял кассеты и снова пошел вниз, к Слепому и Зайцу. Оч шел за деньгами, но у Слепого и Зайца были другие планы. После того, как Георгий сел в машину и продемонстрировал кассеты, его каким-то образом усыпили... думаю, что хлороформом... Очнулся он уже в Тараще. Наверно, ему было очень худо. Не столько в физическом, сколько в моральном плане. Мы не можем знать, о чем думал Георгий Горделадзе тогда. Мы можем только догадываться... Он был деморализован и ждал расправы. Репутация Отца была известна ему очень хорошо, и он ждал расправы. Разумеется, у него оставалась и надежда на спасение — Алена знала имена похитителей и номер машины. Он не знал, что Алена — такой же его враг, как и Отец... Он надеялся на ее помощь. Его предали. Кстати, им — Алене и Георгию — даже дали возможность поговорить друг с другом... с одного из телефонов моторного завода в Тараще 17 сентября был сделан звонок на телефон Затулы. Разговор продолжался меньше минуты. Видимо, это был психологический ход, придуманный для того, чтобы успокоить Алену.

— О чем они говорили? — живо спросил Соболев.

— Этого, Сергей, мы не знаем и, видимо, не узнаем никогда. Это останется тайной Затулы и, возможно, ее пожизненным кошмаром.

— Черт знает что! — сказал Соболев. — Черт знает что, Андрюха... Это же прямо драма какая-то...

— Да, история далеко не рядовая. В ней столько всего переплелось, что просто не верится в ее реальность... Итак, Георгию дали возможность поговорить с Аленой. Это был его последний контакт с миром. Сразу после разговора его избили. Это было сделано по приказу Зайца, что означает — Хозяина. Били не сильно. Так, чтобы не изувечить, а запугать, сломать...

— Андрей, — перебил Соболев. — Андрей, извини, что перебиваю. Откуда ты это знаешь? Ты рассказываешь так, как будто сам там был.

Обнорский несколько секунд молчал. Потом сказал:

— Ты знаешь, мне тоже иногда кажется, что я сам там был... Наверно, это оттого, что мне довелось побывать на месте Горделадзе. Я могу «влезть в его шкуру». А подробности я знаю потому, что мне рассказал их человек, который действительно там был. Он знал, что умирает, и говорил как на духу. Хотел, видно, напоследок облегчить душу. Это плохой человек, страшный... наемник, убийца... Но, видно, тяжело было на душе-то. Видно, что страшно было ему. Боялся ответ держать перед Богом. Но я не поп, отпустить грехи ему не могу... Да, так вот. Георгию дали поговорить с Аленой, потом избили, и он действительно сломался. Упрекать его не стоит — девяносто девять из ста человек потеряют волю в таких обстоятельствах. В тот день его больше не трогали... На другой день приезжали Отец с Зайцем. Допрашивали. О чем шла речь, Гвоздарский... Гвоздарский — это тот человек, который рассказал мне о последних днях жизни Георгия Горделадзе... Гвоздарский не знает — Отец и Заец «беседовали» с Георгием с глазу на глаз. Но я думаю, цель допроса была одна: узнать, не заныкал ли где Горделадзе еще несколько копий? Георгия прогнали через детектор лжи, потом Отец его избил собственноручно. Избил, как говорит Гвоздь, жестоко... выбил передние зубы. Глумился, говорил, что теперь Георгий будет его рабом на всю жизнь... если ему сохранят жизнь. Вечером Заец и Отец уехали... Но на следующий день Отец вернулся... Он вернулся со Слепым, и они сразу прошли к Георгию. Были нетрезвы оба. Сильно нетрезвы. Гвоздь сказал так: как только я их увидел — понял: что-то будет, что-то произойдет скверное. Даже не хотел их пускать. Но оба были очень агрессивны, перли буром, и он их пустил... Отец сказал, чтобы им не мешали. Вдвоем они прошли к Георгию и заперли дверь изнутри. Но Гвоздарский остался у двери. Сквозь замочную скважину он все видел и слышал. Он был единственным свидетелем трагедии.

Когда вошли бандиты, Георгий лежал на кровати... Он сел, скрипнули пружины. Лицо у него было черное от побоев, пиджак и рубашка в запекшейся крови... «Что ты сидишь, сука? — заорал Слепой. — Что ты сидишь, пидор причмуренный?..» Георгий встал. Он сильно сутулился, длинные руки безвольно свисали. Он казался сломанной игрушкой. Отец по-хозяйски уселся на табурет, достал фляжку и спросил у Георгия: «Выпить хочешь?» А Слепой сказал: «Ты че, Отец? Зачем на эту падаль виски переводить?» А Отец сказал: «Заткнись, тебя не спрашивают... Выпить хочешь, Гия?» Горделадзе кивнул... Наверно, в этот момент выпивка была ему очень кстати. Отец протянул флягу, Георгий взял и выпил. Он запрокинул голову и выпил. Он лил виски в беззубый рот, хрипел и булькал... Слепой заорал: «Хватит!» — и вырвал флягу. Он толкнул Гию в грудь, и Горделадзе упал... Отец сказал: «На, Георгий, покури...» Он выплюнул на грязный пол окурок. Когда сломанная кукла потянулась к дымящемуся плевку, Отец наступил на окурок и раздавил его. Засмеялся... И Слепой засмеялся. Его смех был похож на икоту. Они просто глумились, и было видно, что им нравится глумиться... Пьяный Отец оборвал смех. Сказал: «Ты! Ты на кого наехать хотел, пидор? Ты на меня хотел наехать! Ты меня — МЕНЯ! — хотел на бабки поставить!..» Он кричал долго. Он кричал, а Георгий сидел на полу. В почти пустом помещении голос звучал гулко... Отец кричал, Георгий сидел, Слепой отхлебывал из фляжки... Гвоздарский — бандит, убийца и наемник. Сантиментами «не страдает». Но даже ему было противно. Он сидел на корточках, смотрел в замочную скважину, и ему было противно. Он уже собирался встать и уйти, но что-то его удержало... «Встань, сука»,— сказал Отец. Георгий тяжело поднялся... «Иди к стене!..» Георгий подошел к стене... «На колени! На колени, сука! Я кому сказал?!.» Георгий опустился на колени. Отец вытащил пистолет: «Я сейчас тебя грохну. Я грохну тебя, урода. Именем — ха! ха! ха! — Верховной Рады...» Отец размахивал пистолетом, Георгий стоял на коленях. На его глазах выступили слезы... «Я разнесу тебе башку! А твой долг будет отрабатывать — Мирослава и девки твои. Подрастут — отправлю в бордель. Недолго расти надо — уже на шестилеток спрос!..» И Георгий поднял голову. Он смотрел на Отца темными глазами. В глазах стояла ненависть... В них была такая отрешенная ненависть, что Гвоздарскому за стальной дверью стало не по себе. А Отец продолжал орать... «Они, — кричал Отец, — будут сосать у черножопых. Отрабатывать долг. Ты понял, сука? Они будут сосать у негров!..» И тогда Георгий встал. Видно было, что ему очень трудно, но его вела ненависть. Он встал, и Отец вдруг умолк. И Слепой перестал булькать. Георгий сделал шаг... другой... «Стой, сука, — заорал Отец. — Стой, застрелю...» Георгий сделал еще шаг. Он был страшен... Он был один. Избитый. Без оружия... А этих было двое... и с пистолетом. Георгий сделал еще шаг. Он протянул вперед руки, и Отец, вооруженный пистолетом, отшатнулся... «Стой, Гия, — пискнул он, — стой, у меня волына...» Георгий зарычал и бросился вперед. Ударил выстрел.

Обнорский замолчал, вытащил из пачки сигарету. Он заново пережил рассказ бандита Гвоздарского о страшной смерти Георгия Горделадзе. Он помнил слова Гвоздя почти дословно, почти наизусть. Помнил, как двигались монгольские скулы Гвоздя, как неровно, отрывисто ронял обреченный бандит слова. Соболев сидел с напряженным, застывшим лицом. Было очевидно, что и на него рассказ Гвоздарского произвел печатление. Андрей закурил, сказал:

— Дальше был большой шухер... Гвоздь сразу позвонил в Киев, Зайцу. И Заец примчался уже через полтора часа. Отец к тому времени протрезвел и врал, что другого выхода не было: Гия, мол, озверел и бросился на них с ломом в руках... И ведь действительно, они вложили покойнику в руки лом. Если бы Гвоздь не видел, как было дело, никто бы и не знал. Но Гвоздь вмешиваться не стал, промолчал. Языком трепать — себе дороже... Заец, конечно, был страшно недоволен. Сказал, что Горделадзе был нужен живой. Потом они долго совещались с Отцом наедине. О чем говорили, Гвоздь не знает. Потом — уже в присутствии Гвоздя — решали, что делать с телом. Отец сказал, что тело лучше всего сжечь. А Заец возразил, что тело еще нужно. Отец заныл, что в голове пуля осталась. А пистолет табельный, за ним числится... извлекут пулю — сразу на него, Отца, выйдут. Не отмоешься. Заец на это ответил: «Я тебя стрелять не заставлял. Ты стрелял — ты и решай вопрос с пулей. Хоть штопором ее доставай...» Отец предложил голову отрубить. «Руби», — сказал Заец... «Кто? Я?» — спросил Отец. А Заец разозлился: «Нет, я должен это делать? Наломал дров — так хоть не ной теперь. И вообще, стрелять нужно из ПМ, он голову навылет бьет, а твой ИЖ — говно, пародия на ПМ. У него патрон пониженной мощности. Потому и пуля в голове застряла...» Отец ответил, что и на ИЖ-то он еле-еле разрешение выбил... В общем, препирались они долго, но в тот день так ни к чему и не пришли. Все вместе уехали, Гвоздарский остался. На следующий день приехал Слепой и отрубил голову. Снял с тела одежду и украшения. Потом запаял тело в полиэтилен. Просил Гвоздя помочь, но тот отказался. Слепой все сделал один... Вот и вся загадка гибели Георгия Горделадзе. Изначально его не планировали убивать. Живой он был бы полезней. Я думаю, что изначально они планировали так: Георгия похищают, держат месяц-полтора-два в плену и все это время с ним работают. Обработать его не так уж и сложно... А потом, после «побега» из плена, Гия расскажет, что похитителей он не знает, лиц их никогда не видел, но по некоторым обрывкам разговоров (соответствующие «обрывки» придумать легко) понял, что это люди из СБУ. И что по отдельным фразам он понял: они выполняют чей-то заказ. Какого-то очень-очень высокопоставленного лица... И вот представь себе: Гия выползает на свет Божий — голодный, истощенный, избитый, и рассказывает свою историю. А через неделю-другую Стужа представляет общественности кассеты Мельника!

Соболев сказал:

— Да, если бы у них это получилось, то, пожалуй, дело окончилось бы импичментом.

Андрей пожал плечами, ответил:

— Если бы Леонид Данилович Бунчук был более осторожен в своих высказываниях...

— Его провоцировали, Андрей. Сознательно натравливали на Горделадзе.

— Я согласен: его провоцировали. Но если бы Леонид Данилович был более осторожен в своих высказываниях, то у его противников не было бы никаких серьезных козырей. У блатных это называется «фильтровать базар». А Бунчук базар совсем не фильтрует.

— Ладно, Андрей, оставим это... Скажи мне, пожалуйста, вот что: на основе собранной информации можно привлечь Матецкого к уголовной ответственности? За убийство Горделадзе?

— Нет, — твердо сказал Обнорский.

— Почему?

— В юридическом смысле очень слабенькие доказательства. Даже и не доказательства вовсе. У нас есть только показания Гвоздарского. Сделанные на диктофон. Без свидетелей. Кроме того, адвокаты могут поставить вопрос о вменяемости Гвоздя — он был после тяжелой травмы головы... Да и самой кассеты нет.

— Почему? — удивился Соболев.

Андрей объяснил.

— Худо, Андрей Викторыч.

— Собственно говоря, есть еще кое-что, — сказал Обнорский.

— Что же?

— Горделадзе оставил надпись на стене инструментального склада. Там он обвиняет в убийстве и пытках Отца...

— Так это же... — произнес премьер, но Обнорский поднял руку:

— Это то же ничего не значит, Сергей Васильевич. Сначала необходимо заключение почерковедческой экспертизы... Я не специалист, не знаю, возможно ли провести идентификацию почерка, если текст нацарапан на кирпиче обломком напильника, да еще печатными буквами. Боюсь, что экспертиза невозможна. Я, конечно, сообщил о «предсмертной записке» полковнику Перемежко. Теперь слово за милицией...

— М-да... а Затула?

— А что Затула? Во-первых, она сильно замазана и будет молчать. Во-вторых, что, собственно, она может показать? Как Отец стрелял в Георгия, она не видела... Нет, Затула нам не помощник.

— Жаль. Чертовски жаль, что эта мразь по-прежнему будет оставаться на свободе и даже останется депутатом Рады... А что было дальше, Андрей?

— Остальные события, в общем-то, известны. Тело Георгия — запаянное в полиэтилен, безголовое — так и лежало в помещении склада. Голову куда-то увез Слепой. Тем временем вокруг исчезновения Георгия раздувалась шумиха... это все известно, говорить особенно не о чем. Мельник вышел на Стужу, всучил ему кассеты и благополучно покинул Украину. После этого люди Отца провели захоронение тела. Захоронение провели так, чтобы оно было быстро обнаружено... А поскольку опознание безголового трупа весьма затруднительно, подбросили украшения Георгия... Первоначально планировалось, что тело будут прятать люди Зайца, но они отказались. Тогда Заец позвонил Отцу: «Нагадил? Убирай». Слепой слетал в Симферополь, взял Грека, и они вдвоем сделали эту работу. Позже, когда Грек стал трепать языком, его убили... Ну а потом громыхнул «кассетный скандал». Вот, собственно, и все...

* * *

Часы показывали половину второго. Глубокая ночь. Глубокая темная зимняя ночь над Украиной, над Крымом, над Симферополем. В домашнем кабинете премьер-министра республики Крым Сергея Соболева горел свет.

— Вот, собственно, и все, — сказал Обнорский. — В общих чертах.

— В общих чертах, — повторил Соболев. — Чаю хочешь?

— Пожалуй, нет.

— А коньяку?

— Глоток можно.

Премьер встал, пересек кабинет и открыл бар. Принес бутылку «мартеля» и два коньячных бокала.

— Это нас взбодрит, — сказал он.

Выпили молча, без тостов.

— Хороший коньяк, — оценил напиток Обнорский. — Возвращаясь к теме возможности уголовного преследования, Сергей Васильевич, я тебе так скажу: нереально. Часть ключевых фигур бесповоротно выведена из игры... Другая часть ни при каких условиях не станет давать признательных показаний, да и защищена весьма надежно своим служебным положением. Затула вообще получила полную индульгенцию от государства. У меня и моих коллег нет никаких сомнений, что если бы с первых часов после исчезновения Георгия за нее плотно взялись, события могли развиваться по-другому.

— Я думаю, — сказал Соболев, — что здесь приложил руку Эстер.

— Я тоже... теперь, впрочем, это не имеет значения. Время упущено, свидетели, а правильнее сказать — соучастники, мертвы, улики утрачены. Вы, наверно, обратили внимание, что мой рассказ изобиловал словами «вероятно», «возможно», «скорее всего»? — Соболев кивнул. — Это потому, что мы не обладаем информа-

456

цией в полном объеме. Мы реконструировали события, исходя из известных нам фактов и логики... В нашем расследовании полно белых пятен...

— Например? — спросил Соболев.

— Например, мы так и не разобрались, кто и в какой момент подбросил украшения Горделадзе к его «могиле»... Мы понятия не имеем, как «состарили» тело. Мы так и не знаем, где голова Георгия. И еще десяток что? где? когда?. Разумеется, можно продолжить работу и осветить некоторые моменты, но...

— Но в этом, Андрей, уже нет необходимости, — сказал Соболев.

— То есть?

— В принципе, ситуация стала прозрачна, — ответил премьер, и Обнорский добавил про себя: как вода в аквариуме с пираньями, — а детали вы изложите в отчете. После знакомства с вашим первым отчетом я понял, что вы делаете это в высшей степени профессионально.

— Спасибо.

— Не за что. Это не комплимент, Андрей Викторович, это констатация факта... Кстати, сколько времени вам понадобится на составление отчета?

— Это срочно? — спросил Андрей.

Соболев посмотрел на него очень внимательно, сделал глоток коньяку и сказал:

— Теперь уже нет.

— Что это значит, Сергей Васильевич?

— Это значит, что президент принял решение... Кризис приобрел настолько острую форму, что Бунчук готов пойти на компромисс ради спасения мира на Украине. Ему дали понять, что если он устранит силовых министров, оппозиция прекратит нагнетание обстановки... Мы в пяти шагах от гражданской войны, Андрей. Президент принял решение об отставке председателя СБУ и министра МВД.

— А Эстер? — спросил Обнорский. — Эстер остается?

— Эстер настолько хитер и изворотлив, что, кажется, даже укрепил свои позиции. Я подам твой отчет президенту, но, думаю, Хозяин сумеет вывернуться. Он всегда это делал виртуозно... Если бы мы начали расследование недели на две пораньше! Мы опоздали, Андрей. Компромисс найден, и теперь никто — ни Бунчук, ни оппозиция — не захочет осложнять отношения. Свиньи остаются у своих кормушек, и в этом смысле я согласен с Латвиным: «На Украине были времена и хуже, но не было подлее». Но я все равно покажу твой отчет президенту... даже если это будет стоить мне отставки.

Соболев замолчал, улыбнулся и спросил:

— Выпьем?

— Давай. За что?

— За Украину!

Они чокнулись и выпили.

— Когда ты улетаешь? — спросил премьер.

— Завтра... вернее, уже сегодня.

— В Москву?

— Нет, в Киев.

— А что так?

— Есть у меня, Сергей Васильевич, одно дело в Киеве. Личное.

* * *

В Борисполе было солнечно и ветрено. Андрей сидел в кресле, ожидая, когда подадут трап... Он сидел и вспоминал, как прилетел в Киев в самом начале расследования. Он даже не предполагал тогда, с чем столкнется. Он вспомнил, как навалилась на него мелодия «Реве и стогне» в чудовищной аранжировке Куки. Неожиданно до Андрея дошло, что он давно уже не слышал Куку ни во сне, ни наяву. И не видел его мерзкой улыбки.

Он попытался вспомнить, когда Кука оставил его в покое... напрягал память, прокручивал в уме все события последних дней, но вспомнить не мог. Подали трап.

* * *

— Андрей, — удивленно и чуть встревоженно спросила Галина. — Андрей, как я... рада тебя слышать... Ты знаешь — когда ты улетел, у меня было такое чувство... что ты уже не позвонишь... никогда.

— Почему?

— Не знаю... Не знаю, почему-то мне так казалось.

— Ты ошиблась. Я не только позвонил, я приехал.

— Приехал? Ты приехал? — удивленно спросила она. — Ты откуда звонишь?

— Если ты посмотришь в «глазок», то поймешь, — ответил он.

Через несколько секунд светлая линза «глазка» потемнела. А еще через две секунды дверь распахнулась. Обнорский положил телефон в карман. Галина — босиком, в легком халатике — смотрела на него широко раскрытыми глазами.

* * *

Она смотрела на него, он — на нее... Пауза казалась бесконечной, и уже было понятно, что ничего, напоминающего прошлые визиты Обнорского, на этот раз не будет — ни любовной истомы, ни эротических безумств в зеленой воде джакузи.

— Ой, да чего же мы на пороге-то стоим, — опомнившись, засуетилась Галина. — Проходи, Андрей, я так рада... Почему ты не предупредил заранее?

Она говорила что-то еще, но Обнорский не вслушивался, потому что слышал еле заметную, но все же уловимую фальшь в ее голосе. Она старалась изобразить радость встречи с любимым мужчиной, но при этом ей не удавалось скрыть страх быть разоблаченной.

Он позволил снять с себя куртку, позволил провести себя на кухню.

Он даже не стал останавливать Галю, когда она помчалась набирать воду в джакузи. Андрей закурил сигарету и, вздохнув, пошел за женщиной в ванную. Галина, наклонившись и «демонстрируя классный ракурс», насыпала в ванну каких-то экстрактов. Несколько раз она суетливо оглянулась и улыбнулась Обнорскому, но улыбки эти получались какими-то вымученными.

— С дороги надо обязательно искупаться, — сказала Сомова и Андрей согласно кивнул:

— Да, это хорошая народная традиция. Полезная и неустаревшая... Слушай, Галя, я вот о чем хотел тебя спросить... Ты ведь на Эстера давно уже работаешь... Зачем же тогда ты нас вообще в это дело втянула? С тебя же все началось... На хрен тебе это было надо? Или ты тогда, в самом начале, решила, что мы ничего расследовать не будем, а просто напишем, что Бунчук палач?

Галина грузно села на край ванны — так, словно у нее подкосились ноги. С усилием сглотнув, она затрясла головой:

— Я не понимаю... С чего ты взял... Я работаю на Эстера? Кто... Кто это тебе...

— Да брось ты, — устало махнул рукой Андрей. — Не надо вот этого всего... Все ты прекрасно знаешь и понимаешь.

— Я не...

— Перестань! Я не разборки вести с тобой сюда пришел... И не предъявы тебе строить. Я не собираюсь играть в доказательства — хотя у меня их столько, что даже тошно. У нас с тобой разговор один на один — и скрытой записи я не произвожу, — так что врать тебе резона нет... Не бойся. Я тебе ничего не сделаю.

Галина зачерпнула из ванны воды и плеснула себе в лицо. Потом растерла влагу по коже и посмотрела на Обнорского.

— А чего же ты хочешь? Зачем ты пришел, если не посчитаться?

Обнорский присел на корточки и ссутулился над своей недокуренной сигаретой:

— Зачем я пришел? Знаешь, я очень любознательный человек... Мне до сути вопросов дойти хочется гораздо чаще, чем это нужно для нормальной жизни... Я хочу понять... Ты меня и всю нашу команду на расследование подписывала — зачем? Логики в этом никакой нет... И еще один момент, чисто личный... Мне казалось, что тебе со мной было хорошо. Мне казалось, что между нами был не только секс, а нечто большее.

— Нечто большее? — Галина вдруг как-то очень не по-женски усмехнулась и взглянула Обнорскому прямо в глаза.

С ее лицом произошло странное изменение — оно внезапно обрело такое выражение, которого Андрей никогда прежде не видел, — выражение, в котором смешивались усталость, цинизм и полное отсутствие интереса к жизни, — а ведь женщина почти всегда, даже на подсознательном уровне, думает о том, как она выглядит... На Обнорского смотрело лицо незнакомой женщины...

— Нечто большее, говоришь? Дай сигарету.

Андрей подал ей пачку «Кэмела» и зажигалку. Галина закурила, глубоко затянувшись несколько раз подряд.

— Я тоже, Андрей, сначала думала, что, может быть, есть между нами и нечто большее, чем секс. Только я ошиблась. Ты что-нибудь для меня хорошее сделал? Ну кроме того, что драл меня качественно? Ты как-то обо мне позаботился? Нет, дорогой мой. Ты меня просто использовал — в своем долбанном расследовании — отвези туда, отвези сюда... Ты даже не подумал, что вы-то все уедете, а мне — здесь жить. Ты подумал о том, что многие знали про наши отношения? А? Тебя вообще хоть как-то моя жизнь интересовала? Как я живу, на что? Что у меня раньше в жизни было? Была ли я замужем, был ли у меня ребенок? Ты хоть раз всем этим поинтересовался — благородный расследователь? Ах да, тебе, конечно, не до того было — все дела и дела. Времени хватало, только чтобы пожрать да потрахаться... А Эстер... Да, я помогаю ему. Не всегда, но когда он просит — не отказываю. Ни в чем. Потому что он, в отличие от многих, он мне тоже помог. Эта квартира — это Эстер. И работа моя в «Виктории» — тоже он. Когда у меня девочка моя умерла — муж бросил, — вообще без средств к существованию осталась. И если бы не Эстер... Подохла бы я, наверное... Не тебе меня судить, правдоискатель. Я твоему вшивому Агентству, между прочим, работу дала, вы хоть и небольшие, но деньги на этом заработали — через меня. Но от тебя, Андрей, кроме джентльменского набора «конфеты-букеты» — извини, — но ничего реального не было. И ты не думай, что дело в деньгах. Дело в заботе.

Она замолчала, молчал и Обнорский. Андрей прикурил от окурка новую сигарету и потер левый висок. Зачем он пришел к этой женщине? Наверное, что-то его мучило. И, в общем, Обнорский даже понимал, что, просто сам себе до конца сформулировать не хотел, вроде как в прятки сам с собой играл. А все было просто — в его жизни уже не первый раз происходил полный, извините за выражение, «пердимонокль» с женщинами — и всякий раз после очень красивого начала. Сначала — с бывшей женой Машей. Потом — с бывшей женой Виолеттой. Потом с Леной Ратниковой. Потом с Катей Званцевой. Теперь вот — с Галиной. У Обнорского уже вырабатывался какой-то комплекс, ему уже начинало казаться, что это с ним что-то не так, что это в нем какая-то причина кроется, отчего все его любови заканчиваются настолько же по-уродски, насколько красиво начинались... Вот в этом Андрей пытался разобраться. Вот за этим он и пришел к Сомовой.

— Да, Галя, — сказал наконец Обнорский, докурив свою сигарету и встав во весь рост. — Сильно ты выступила, ничего не скажешь. Крыть нечем. Я о тебе действительно заботился не очень. Ты права — времени не хватало. Ну и, наверное, душевной чуткости — врать не буду. Но, правда, и не предавал я тебя. А вот ты меня... Хотя нет, и ты меня не предавала. Предавать ведь только свои могут, а я, судя по твоим словам, никаким «своим» для тебя не был... Ладно, с этим разобрались.

Ну а за каким хреном ты нас в расследование-то втянула? Это-то как объяснить? Тут-то где логика?

Галина усмехнулась и швырнула свой окурок прямо в зеленоватую воду джакузи:

— Твоя ошибка, Андрей, что ты везде логику ищешь... Я сначала действительно ничего понять не могла... Чувствовала, что случилось что-то жуткое... Гийку жалко было. Он ведь мне тоже не чужой был, хотя ему-то на меня наплевать было, так же, как и тебе. У него свой сложный мир был — между Аленой и Мирославой. Я туда уже не помещалась. Предполагала я и то, что без этой сучки Затулы во всей этой истории не обошлось... Хотелось, чтобы и она свое получила, тварь эта...

Андрей вдруг поймал себя на вопросе — а не стоит ли он с разинутым ртом, потрогал рукой, нет, вроде закрыт, вроде все нормально.

— Да, — произнес после долгой паузы Обнорский. — Интересный у нас тут винегрет образовался, дорогие товарищи. Все ингредиенты, какие положено. Даже с перебором. Крыть, в общем-то, нечем. Ладно, Галя, пойду я. Спасибо за честный разговор. И... знаешь... Вот я что хотел тебе сказать на прощание. Та ночь — в Крыму, когда мы в море... Ну ты помнишь... У меня это все равно останется одним из самых дорогих мне воспоминаний, правда... Ведь, несмотря ни на что, в этой ночи что-то волшебное было. И я этого никогда забыть не смогу — да и не хочу я этого забывать. Это я тебе говорю от души... Ну бывай, мать. Не сердись на меня, ежели что не так сказал. Встретишь Эстера — привет ему передавай, мы ж с ним как-никак «молочные братики», как я понимаю. Почти родственники. Ты, кстати, все-таки поосторожнее с ним, он хоть и заботится о тебе, как ты говоришь, но в размен-то пустит не задумываясь, если что... Да, жизнь — она штука очень даже бугристая...

Андрей хмыкнул и пошел к выходу. Он узнал все, что хотел, — и даже больше. Настолько больше, что идти ему было очень тяжело.

— Андрей! — голос Галины буквально толкнул его в спину. В нем слышались боль, тоска и отчаяние.

Обнорский запнулся на мгновение, но оборачиваться не стал.

— Прощай, Галя, — сказал он, открывая входную дверь. И потом, уже на лестничной площадке, повторил совсем тихо: — Прощай, Галя. Бог тебе судья...

* * *

Обнорский вышел из подъезда. Хлопнула дверь на пружине. Светило солнце, и кружился мелкий, искрящийся снег. Он сделал несколько шагов по тротуару, обернулся и посмотрел на окна... Галина стояла у окна и зажимала рукой ворот халата.

— О'кей? — шепнул он.

— Йес, — ответила она.

Андрей быстро пошел прочь. На Крещатике он тормознул такси.

— Куда? — спросил водитель.

— Домой.

* * *

Андрей сидел уже в зале аэропорта, когда позвонил полковник Перемежко.

— А вы большой шутник, Андрей Викторович, — сказал Перемежко.

— Не скрою, люблю пошутить, — ответил Обнорский.

Что означают слова Перемежко, он еще не знал, поэтому ответил нейтрально.

— Однако в результате вашей шутки я попал в идиотское положение.

— Да что такое, Василий Василич? — озабоченно спросил Андрей.

Перемежко бросил кому-то:

— Я занят, зайдите позже. — И — Андрею: — Я ведь по вашему совету сгонял двух оперов в Таращу... не ближний свет, Андрей Викторыч.

— И что? — спросил Андрей.

— И даже — дурак старый — доложил начальству: есть серьезная оперативная информация, что Горделадзе похитили люди Отца, держали в Тараще, в помещении моторного завода. Горделадзе оставил записку на стене... Начальство мое очень обрадовалось.

— И что? — снова спросил Андрей.

— Информация не подтвердилась, Андрей Викторович, — ядовито произнес полковник.

— Вы хорошо смотрели? — спросил Обнорский, понимая, что говорит совершенно не то, что следовало бы.— Вы не ошиблись? Вы в том помещении смотрели?

— В том, в том... Хорошо смотрели. Надписи нет.

— А, черт! Она была... вы мне не верите?

— Я вам верю,— устало сказал полковник. — В том самом месте, которое вы указали, несомненно что-то было... Но по поверхности этого кирпича кто-то прошелся зубилом. Аккуратненько так зубильцем: тюк-тюк. Теперь там только красный кирпич да горстка кирпичной крошки на полу.

Андрей выругался. Сидящая рядом с ним женщина покосилась на него.

— Извините, — буркнул Андрей. — Василий Василич, — сказал он Перемежко, — я и мой сотрудник Родион Каширин можем дать письменные показания, что видели текст на стене своими глазами...

— Спасибо. А толку-то? Фотографировать надо было, Андрюша. А еще правильней сразу за руку привести туда сотрудника прокуратуры. А теперь-то? Даже если я найду человека, который эту надпись уничтожил и даже заставлю его дать показания... ну и что? На экспертизу мне предъявить нечего... Эх, Андрей Викторыч!

Обнорский подумал: «Вот и все. Точка. Последняя точка в „деле Горделадзе“. Поставлена она зубилом...»

Он ошибся, точка была не последней — «дело Горделадзе» напомнило о себе год спустя...

Эпилог

Ворон наорал на помощника и выгнал его из кабинета... Он был раздражен сверх всякой меры. Уже месяц его доставали журналисты. Доставали по-черному, до самой печени. И все из-за этого сраного особняка. Ворон достал из бара бутылку «Чивас Ригал», налил половину фужера и выпил одним махом. Бросил в рот соленый орешек... Как работать? С кем работать? Не помощники, а мудозвоны! Сказано было всем русским языком: с прессой нужно работать, материалы давать только своим. Остальных гнать в шею... Русским языком сказано: Кагаеву, сучку, на пушечный выстрел не подпускать. Так нет! Опять за ней не уследили. Ворон подошел к окну, распахнул створку, и в прохладный кондиционированный воздух ворвалось жаркое дыхание крымского июля. Раздраженно он снова закрыл окно.

На столе за спиной зазвонил телефон. По этому аппарату могли звонить только свои. Леонид Ворон обернулся, подошел к столу и снял трубку:

— Алло.

— Привет, Лёнчик, — сказала трубка. — А ты чего такой злой?

— А-а... это ты? Привет... Да я не злой, просто достала блядь одна.

— Ну без блядей тоже, знаешь, не в кайф... Нужны бляди-то, — с усмешкой сказал звонивший.

466

— Да она не в том смысле блядь... Она такая блядь... Журналистка, короче. Обосрала меня на телевидении с ног до головы. Врубаешься, киевлянин?

Голос в трубке рассмеялся и ответил:

— Так это, наверно, Елена Кагаева? По поводу твоей скромной хижины, Ленчик?

— Она, сучка драная... Лучшая журналистка Крыма! Што б ей болт на лбу вырос!

Киевлянин снова засмеялся, потом сказал:

— Не любишь ты свободную прессу, Леня... нехорошо. А ты головенку-то иногда включай. Ты же у нас в Крыму главный коммунист.

Ворону очень хотелось послать киевского чиновника куда подальше, но позволить этого он себе не мог.

— Да я... — начал было Ворон, но киевлянин оборвал:

— Ты, Ленчик, назначен у нас главным большевиком в Крыму. Тебе по положению должна быть присуща большевистская скромность и где-то даже аскетизм... А ты, щусенок, отгрохал себе особняк стоимостью пять лимонов зеленью... Ай, хорошо!

— Два лимона, — процедил Ворон.

— Всего за два? — оживился киевлянин. — Так это же в корне меняет дело, Леня. Ты так и объясни своему электорату: я, борец за права пролетарьята Леонид Ворон, построил себе особнячок всего за два лимона зеленых... Они поймут, Леня. Обязательно поймут.

— Да ладно тебе... ты за этим звонишь?

— Нет, не за этим. Я тебе, мудаку, подарок хочу сделать...

— Какой? — озадаченно спросил Ворон. В словах киевлянина он заподозрил подвох.

— Я для тебя лицензию на отстрел пушного зверя достал.

— Да ты что? — выдохнул Ворон.

Киевлянин рассмеялся. Лидер крымских коммунистов Ворон давно уже хотел свалить премьера Соболева. Да все не получалось. Ворон был старый и опытный интриган, закаленный в тайных обкомовских игрищах. Он умел душить противников, откручивать им головы и сжирать вместе с костями... Но с Соболевым у него ничего не получалось. Премьер стоял крепко, компромата на него не было, и все попытки Ворона оказывались несостоятельны.

— Да ты что? — выдохнул Ворон. — Шутишь?

— Ни х... себе шутки!

— Точно?

— Точно, Леня, точно.

— Как тебе удалось?

— Каком кверху, Леня. Провел я с Папой соответствующую работу... под звон бокалов... Теперь можешь пустить Соболя на воротник.

— А если не выйдет? — осторожно спросил Ворон. — Я ведь уже не раз пытался его освежевать...

— Теперь выйдет, — ответил киевлянин, — я серьезную работу провел... Папа уже готов. Во всех смыслах.

Ворон понял и рассмеялся. Киевлянин тоже хохотнул и продолжил:

— Так что можешь ставить капканы на Соболька... А я тебе в помощь твоего тезку подошлю. Перетрете там с Отцом, кого и как подмазать...

— М-да, расходы немалые, — сказал Ворон. — Да и Отец свою долю потребует... Это ж, бля, такой насос!

— Так может мне отозвать лицензию-то? — ядовито спросил киевлянин. — Это ведь недолго. Похмелю завтра Папу, скажу: на х... нам Ворон? Давай, Данилыч, оставим Соболя. Он честный мужик, три года уже Крым тянет... а, Леня?

— Да ладно тебе... присылай Отца. Забьем Соболька — я твой должник. Не забуду.

— Да уж не забудь, пришли вагончик зелени, — сказал киевлянин и засмеялся.

От выпитого виски и открывшихся перспектив Ворону стало жарко.

* * *

Прошел почти год с того дня, как пропал Горделадзе. За этот год произошло очень много разных событий, и Андрей уже начал забывать свои киевские
приключения... В Питере стоял теплый и сухой сентябрь, темой номер один была атака на нью-йоркские
небоскребы.

Вечером двенадцатого сентября Обнорский играл
на бильярде в клубе «Шаровня» со своим постоянным
партнером, приятелем и издателем Игорем Д. Играли
и разговаривали о терроризме... Двенадцатого сентября все говорили о терроризме.

У Обнорского зазвонил телефон. Он чертыхнулся,
положил кий и взял трубку:

— Алло.

— Здравствуй, Андрей Викторович, — произнес голос Соболева.

— Сергей Васильевич! — обрадовался Обнорский. —
Ты что? Ты — откуда? Ты в Питере?

— Нет, Андрюха... я у себя, в Крыму.

— Вот елы-палы. А я думал: встретимся.

— Встретимся, если прилетишь. Помнишь, я тебя
еще в ноябре прошлого года приглашал?

— Ну как же? Конечно, помню.

— Тогда в чем дело? Сентябрь в Крыму, господин
расследователь, это — сказка. Прилетай, Андрей. Мы
с Валей тебя ждем... Хоть на недельку сможешь вырваться?

— Да я-то смогу, — ответил Андрей. — А вот как
ты, занятой государственный человек?

— А я теперь свободен, — сказал Соболев весело.

— Как свободен? Я не понял: что значит «свободен»?

— Прилетишь — расскажу. Когда тебя ждать?

Обнорский прикинул в уме список неотложных дел
и решил, что слетать на три-четыре дня можно... надо
же иногда и отдыхать.

— Через неделю прилечу, — сказал он.

— Отлично, — ответил Соболев. — Мы с Валентиной тебя ждем.

Андрей сложил трубу и взялся за кий.

— Твой удар, — сказал Игорь. — Фартит тебе сегодня, Андрей.

— Фартит, — согласился Обнорский, ударил и не забил явно забойный шар...

Он вспомнил слова Соболев: «Я теперь свободен...» И голос, которым он это сказал... веселый голос. Странно — веселый голос... да нет, вовсе невеселый голос. «Я свободен теперь...» От чего?

— Ну ты чего-то не того, Андрюхин, — сказал Игорь.

— Да, я чего-то не того, — согласился Андрей.

* * *

На этот раз Соболев встретил Андрея в аэропорту Симферополя лично. Он был в джинсах, легкой кожаной куртке, без галстука... Андрей удивился. Еще больше он удивился, когда выяснялось, что Соболев приехал в аэропорт на личном автомобиле и без водителя. Обнорский бросил сумку на заднее сиденье «Жигулей», сказал:

— Значит, говоришь — свободен?

Соболев ничего не ответил, только улыбнулся... Но эта улыбка подтвердила дурные предчувствия Обнорского, и он окончательно убедился в том, что правильно понял слова Соболева о своей свободе. Экс-премьер пустил движок и аккуратно выехал со стоянки.

— Когда это произошло, Сергей? — спросил Обнорский.

— В августе, Андрей Викторович, в августе...

— Это как-то связано с «делом Горделадзе»?

— Косвенно... Как долетел?

— К черту «как долетел»! Я спрашиваю: что случилось? А ты в ответ «как долетел»?

Соболев снова улыбнулся, ответил:

— Не гони коней, расследователь... Все расскажу.

Теплый ветерок влетал в приоткрытое окно, трогал упругими пальцами кожу, шевелил волосы.

— Я все тебе расскажу, расследователь... Только давай не сейчас. Не сегодня. Вот завтра поедем на Тарханкут...

— Куда поедем?

— Мыс Тарханкут — западная оконечность Крыма. Места красивейшие, маяк на самой западной точке. Рыбалка и шашлыки гарантированы. Там и потолкуем... А сейчас — обедать. Валентина ждет.

В тот день к теме «свободы» больше не возвращались. Соболев был весел, раскован, много шутил, но несколько раз Обнорский замечал в его глазах очень странное выражение... Он задавал себе вопрос: а как бы вел себя ты, если бы у тебя отобрали любимое дело? Хватило бы у тебя мужества держаться так же спокойно? Приглашать гостей? Рассказывать о рыбалке и о красотах Тарханкута?.. Ответа Андрей не знал, но от одной мысли о том, что теоретически такое может произойти, становилось тошно... Он вспомнил, как тосковал по работе в Нижнем Тагиле, в ментовской зоне, куда его определили Антибиотик и Наумов... Что ты знаешь о том, каков будет завтрашний день? Что ждет тебя за следующим поворотом?

— О чем задумался, Андрей? — перебил его мысли Соболев.

— Да вот... про ваш Тарханкут, — сказал неправду Обнорский.

— Завтра увидишь. Лучше, как говорится, один раз увидеть, чем сто раз услышать...

...Костер постреливал угольками, ветер уносил дым над берегом. Туда, где стояла белая башня старого маяка, где море вспыхивало на камнях узкой белой ленточкой прибоя. Солнце село. Горизонт еще мерцал загадочно, но землю уже накрыла тьма. Светлые скалы Тарханкута спрятались в ней. И только маяк прорезал изредка темноту яркой вспышкой света...

За столом, поставленным в пяти метрах от воды, сидели супруги Соболевы и Обнорский.

— Я ведь по рождению не крымчанин, — негромко рассказывал Соболев. — Я вырос на берегу Каспия... за тыщу верст отсюда, в поселке с названием Бекдаш, на туркменском берегу. С запада — Каспий, с востока — Кара-Богаз-Гол... Тогда Кара-Богаз-Гол был еще заливом, частью Каспийского моря. Это уж потом, в восьмидесятом, его дамбой от моря отрезали, заперли, залив начал умирать... Так что я, Андрей, вырос у моря. На море день и ночь пропадал. Ловил бычков, креветок, раков... Бабушка меня снабженцем называла. Мы хорошо тогда жили. Счастливо. Жара бывала страшная... ветер. Песок... воды пресной нет — только привозная. Но жили счастливо. А на острове недалеко от берега был маяк. Маячным хозяйством мой дядька заведовал. Я каждое лето туда на веслах добирался, жил там неделями, сам себя представлял Робинзоном Крузо... Так что здесь, в Крыму, мне все родное — море, пространство безлесое. И вот — маяк...

Маяк, словно отзываясь на слова Соболева, прорезал ночь сине-белым лучом. Соболев продолжил:

— Сюда, в Крым, мы только в семьдесят третьем переехали. Отец у меня был геолог, строитель... Я ведь тоже мог бы быть сейчас питерским — отцу работу в Ленинграде предлагали. Но родители рассудили, что южанам в питерских туманах неуютно. И выбрали Крым. И правильно сделали... Иначе бы я Валентину не встретил.

Соболев засмеялся, а Валентина отмахнулась:

— Да ладно — другую бы встретил. Он же, Андрей, парень был видный. Сам создал ансамбль, сам в нем тон задавал на гитаре. Девки млели, записки писали...

— Такую бы все равно не встретил, — сказал Соболев серьезно. — Так что у меня, Андрей, все здесь: здесь учился, здесь полюбил. Отсюда в Афган ушел, сюда вернулся. Здесь дочка у нас родилась, потом и сынишка... Мой дом в Крыму, Андрей... Куда я без

Крыма? — Соболев умолк на несколько секунд... Отсветы костра освещали лицо, отражались в прищуренных глазах. Он повторил: — Куда я без Крыма? Потому и пошел в девяносто восьмом на премьерство... На, как у нас говорят, «расстрельную» должность. До меня никто три года на ней не мог продержаться... За полгода предшественнички мои в дерьмо влезали по уши. И мне ведь говорила Валя: «Зачем тебе это, Серега? Не лезь туда, живи спокойно...» Но я не могу так. Понимаешь, Андрей? Не могу — и все! Конечно, можно было бы уйти в бизнес, жить спокойно, деньги зарабатывать и, кстати, пользу приносить. Но если ты знаешь, что можешь дать больше... Если есть силы, здоровье, опыт... стыдно не дать больше. Вы меня, ребята, извините за патетику какую-то. Но меня так учили. Меня так воспитывали. Характер у меня, в конце концов, такой... Мне противно смотреть, как к Крыму кровососы прилепились — Отцы да Вороны. Прилепились, сосут из Крыма кровь, строят особняки. Конечно, я пошел на премьерство... не мог не пойти. И три года я в Крыму строил, от паразитов его чистил. Трудно было — край... Вон, Валя не даст соврать... Но ничего — глаза боятся, а руки делают. Получилось что-то. Команду работоспособную собрал, ворюг из администрации подвычистил. Меня раз пять свалить хотели. Точно знаю — компромат искали. Даже к ветеранам-«афганцам» подкатывались: «А что — помогает вам Соболев? Поддерживает?» — «А как же! Помогает». — «Ага... А на какие деньги?..» Но ведь за три года ничего не нашли! Ничего. Мне рассказывали, что Ворон даже орал на своих сыщичков: «Плохо ищете! Не может быть, чтобы ничего не было. В премьерском кресле сидеть — да не украсть? Никогда не поверю!..» К президенту ездили с кляузами. Только что в сепаратизме не обвиняли. Сучили ножками, пузыри пускали. Я ведь — пойми правильно, Андрей, — не жалуюсь. Я знал, на что шел, и на эту возню подковерную плевал. Я просто тебе ситуацию объясняю.

— Я понимаю, — сказал Андрей.

— Давайте выпьем вина, ребята, — сказала Валентина.

Бутылка «бастардо» стояла на столе. Пламя костра наполняло вино глубоким и теплым светом. Обнорский разлил вино в пластмассовые стаканы.

— За что пьем?

— Конечно, за Крым.

Они выпили, помолчали, слушая тихий плеск воды о берег, потом Соболев сказал:

— Крым... Крым — это целая страна с огромным потенциалом. И моим «оппонентам» очень хочется этот потенциал перевести на свои банковские счета. А тут какой-то Соболев! Сам не ворует и другим не дает. Весь кайф ломает... В общем, через три года они все-таки выбрали подходящий момент. И стратегически, и тактически подходящий. Стратегически в том смысле, что Бунчук так и не оправился полностью после «дела Горделадзе» и «кассетного скандала». Он стал более покладистым. Ему дали понять, что ситуация может повториться, и он сделал выводы...

Соболев замолчал, и Обнорский задал вопрос:

— А в тактической?

Соболев поворошил угли костра — взметнулось пламя, полетели искры. Сергей Васильевич посмотрел на Андрея и сказал:

— Есть некоторые нюансы, Андрей... но, извини, даже тебе я о них рассказывать не должен. Да и не хочу... извини.

Соболев снова умолк. Было очевидно, что он не договаривает. Потрескивали угли, где-то вдалеке, в Оленевке, залаяла собака, небо прорезал луч маяка. Андрей усмехнулся в усы и ничего не сказал.

— Так что там насчет тактики? — спросил он.

— Это просто... Несколько шакалов, которым я сильно мешал воровать, сумели объединиться и навалились на меня сворой... Они объединили бабки, проплатили бешеную пиар-кампанию здесь, в Крыму. Потоки грязи лились невообразимые. Меня этим не проймешь, а вот Валя переживала сильно. Конечно, это очень тяжело. Изо дня в день, изо дня в день на меня лили потоки грязи. Клеветали, клеветали, клеветали... Но это было только одно направление атаки. Второе — главное направление — на президента. Я знаю, что Бунчук был против моей отставки. Но на него давили всеми возможными и невозможными способами. Его «кормили» крымскими сплетнями... Вода, Андрюша, камень точит. Даже если капает по капле. А тут были не капли — тут был поток... Короче, они сумели склонить президента. Без его согласия сделать они ничего бы не смогли, — Соболев умолк. Было видно, что вспоминать ему тяжело. Он снова поворошил угли. Пламя осветило его лицо с плотно сжатыми губами. — Вот так, Андрей Викторович... вот так... И ведь что противно? Противно, что практически невозможно бороться с клеветой. Судиться? Так ведь это вообще из судов не вылезешь... Да ведь и унизительно доказывать, что ты не верблюд. Вернее — не сволочь... А ты спрашиваешь: какова тактика? Простая, Андрюха, тактика, простая — ПОДЛАЯ. Вот ты спрашивал вчера: не связана ли моя отставка с «делом Горделадзе»? Отвечаю: связана.

— Каким образом, Сергей?

— Все очень просто, Андрюша... Мне поставили в вину, что я пригласил вас — варягов. Кое-кто в Киеве представил все дело так, что Соболь, мол, действовал втихаря, за спиной, ни с кем не согласовав вопрос. Так оно и есть на самом деле — я ни с кем ничего не согласовывал, потому что знал: запретят. А как же? Здесь своих полно — МВД, СБУ, прокуратура. Все изображают активность, но результата-то нет... А я нашел профессиональную команду и пригласил вас провести расследование на свой страх и риск. Я был убежден, что Бунчук не имеет отношения к исчезновению Горделадзе. Я был убежден, что вы сумеете это доказать... Но тот, кто докладывал Папе, представил дело по-другому: Соболь хотел сработать против тебя, Леонид Данилыч. Подставить хотел, грязью облить.

— Но ведь Бунчук видел наш отчет, — сказал Андрей.

— Видел. И даже оценил вашу работу. Но искусство интриги, Андрей Викторович, творит почти невозможное. Они сумели выбрать момент и сработали толково. Все решил выбор момента, Андрей... И, разумеется, обработка Папы в нужном направлении. Ему внушили мысль: Соболев слишком независим, а значит, опасен... И Папа дал добро на мою отставку... Потом вызвал меня к себе. Сказал, что погорячился... Да что уж? Дело-то сделано. Но Крым шакалам я все равно не отдам. Через полгода у нас выборы в нашу, крымскую, Раду... Будем воевать.

— Пойдешь на выборы? — спросил Обнорский.

Соболев улыбнулся. Валентина покачала головой:

— Ой, Сережка, Сережка... Били тебя, били... Все мало.

— Ладно, Валя, прорвемся. Вы, главное, помогите... Поможешь, Андрюха?

— Помогу, — ответил Обнорский.

Костер прогорел. Угли подернулись пеплом, почти не давали света. Зато в небе стали видны мириады звезд. Крупные, яркие, чистые, они висели в бархатном небе неподвижно, и еще очень далеко было до рассвета в Крыму.

Из прессы:

«Как сообщает наш парламентский корреспондент, вчера, 5 декабря, в Верховной Раде Украины состоялось очередное заседание парламентской комиссии, изучающей обстоятельства исчезновения Горделадзе. Напомним, что исчезновение журналиста Г. Горделадзе в Киеве более года назад, до сих пор не раскрыто.

Необычным во вчерашнем заседании стало то, что парламентариям докладывали не представители правоохранительных органов Украины, а журналисты Агентства журналистских расследований из Санкт-Петер-

бурга, которые провели собственное расследование. Директор Агентства, известный журналист и литератор Андрей Обнорский, сообщил, что в результате проведенной сотрудниками его Агентства работы они пришли к следующим выводам:

1. Президент Украины Леонид Бунчук, вероятнее всего, не причастен к исчезновению и убийству Георгия Горделадзе. (По словам А. Обнорского, Бунчук в этой истории не хищник, а, напротив, жертва... нечистоплотных политиков.)

2. Причины исчезновения Г. Горделадзе могут крыться в деятельности журналиста, не связанной с выполнением профессиональных обязанностей, по информации, полученной сотрудниками Агентства, Горделадзе выполнял политические заказы для ряда высокопоставленных политиков и чиновников, занимался черным пиаром.

3. Генеральная прокуратура проявила удивительную „близорукость", не заметив массы противоречий в показаниях людей из окружения Горделадзе. Возможно, считают сотрудники санкт-петербургского Агентства, более активная работа в этом направлении позволила бы получить результаты уже на начальном этапе следствия.

4. Андрей Обнорский выразил свое несогласие с выдвинутой не так давно версией о якобы имевшем место убийстве Георгия Горделадзе случайными уголовниками. Директор Агентства заявил, что эта версия выдвинута Генпрокуратурой с целью создать в глазах общественности видимость раскрытия дела.

В заключение своего доклада наш питерский коллега, специализирующийся (и довольно успешно) на расследованиях, заявил, что на „деле Горделадзе" рано „ставить крест"... В случае, если политическое руководство решится активизировать расследование скандального дела, а правоохранительные органы, со своей стороны, квалифицированно проведут должный комплекс оперативно-следственных мероприятий, вероятность успешного раскрытия составляет не менее 60 процентов.

Депутаты Рады, сообщает наш корреспондент, отметили огромный объем собранной ими информации и непредвзятое отношение к конфликту».

* * *

ВЕРХОВНА РАДА УКРАЇНИ
Тимчасова слідча комісія
19 грудня 2001 р.
Агентство журналистских расследований,
Санкт-Петербург, Россия,
Андрею Обнорскому,
Николаю Повзло.

Уважаемые господа!
От имени Временной следственной комиссии Верховного Совета Украины хочу поблагодарить Вас за оказанную помощь в расследовании по делу об убийстве журналиста Г. Горделадзе.
Пользуясь случаем, выражаю свое почтение и надеюсь на сотрудничество в расследовании.
Искренне желаю Вам всяческих успехов.
Председатель Комиссии Александр ЖИР.

* * *

Из прессы:
«Генеральная прокуратура изменила свою точку зрения на убийство Георгия Горделадзе.

Выступая вчера на брифинге, заместитель Генерального прокурора заявил, что „после тщательной проверки" следствие пришло к выводу о непричастности двух уголовников к убийству Георгия Горделадзе.

Некоторые злые языки утверждают, что „тщательную проверку" Генпрокуратура провела только после критики этой версии сотрудниками Агентства журналистских расследований из Санкт-Петербурга».

Оглавление

Андрей Константинов
Александр Новиков

РАССЛЕДОВАТЕЛЬ:
Предложение крымского премьера

Роман

Ответственные за выпуск
Е. Г. Измайлова, Я. Ю. Матвеева

Корректор
Т. В. Никонова

Верстка
А. Н. Соколова

Подписано в печать 20.02.2002.
Формат 84 × 108^1/$_{32}$. Печать офсетная. Бумага газетная.
Гарнитура «Таймс». Уч.-изд. л. 20,24. Усл. печ. л. 25,2.
Изд. № 02-4018. Тираж 200 000 экз. (1-й завод — 70 000 экз.)
Заказ № 3464.

«Издательский Дом „Нева"»
199155, Санкт-Петербург, ул. Одоевского, д. 29

Издательство «ОЛМА-ПРЕСС»
129075, Москва, Звездный бульвар, д. 23

Отпечатано с готовых диапозитивов
в полиграфической фирме «КРАСНЫЙ ПРОЛЕТАРИЙ»
103473, Москва, ул. Краснопролетарская, д. 16